東アジア文化講座 2

金文京［編］

漢字を使った文化はどう広がっていたのか

東アジアの漢字漢文文化圏

文学通信

目次

第2部　漢文の読み方と翻訳

第3部　漢文を書く

第4部 近隣地域における漢文学の諸相

第5部　漢字文化圏の交流――通訳・外国語教育・書籍往来

※原文の引用は各論中に断りがない場合、読みやすさに配慮して、かなに濁点・半濁点を付し、漢字は通行の字体に改めるとともに適宜ふりがなを施して、句読点を付けた。

序——東アジアの漢字・漢文文化圏

金 文京

1 はじめに——漢字・漢文文化圏の構想

本講座第二巻「漢字を使った文化はどう広がっていたのか」は、東アジア、特に中国、朝鮮半島、日本、ベトナムにおいて、漢字および漢字で書かれた文章、すなわち一般にいうところの漢文にどれほどの多様性があるのかを、これに関連する事象および相互の交流をも含めてトータルに検証することを目的として企画したものである。

これらの諸地域を「漢字文化圏」と呼んだのは、言語学者の河野六郎（亀井孝他編「日本語の歴史」2『文字とのめぐりあい』平凡社、一九六三年、第3章「ひろがりゆく漢字文化圏」）にはじまるとされ、その後、藤堂明保「漢字文化圏の形成」（「岩波講座世界歴史」6『東アジア世界の形成Ⅲ』一九七一年）などによって広まった。世界の他の文化圏、たとえばキリスト教文化圏、イスラム文化圏などが宗教名を冠しているのに対し、こちらが漢字という文字名を冠しているのは、当初の発案が言語学者によってなされたという事情もあるが、この地域を一つの宗教によって代表させることが困難であったためでもあろう。かつて仏教文化圏、儒教文化圏という呼称も提唱されたが、結局広まることはなかった。

しかし漢字文化圏という言い方には、多くの問題がある。まずベトナム、北朝鮮は漢字をすでに廃止しており、韓国もほとんど使わないので、漢字を日常的に使用しているのは中国本土、台湾、日本だけである。つまり現在、漢字文化圏はすでに文化圏としては機能していない。しかも漢字文化圏という言い方は、今のところ中国では日本におけるほどの市民権を得ていないが、中国にとっての漢字文化圏とは、当然ながら漢字は中国の文字であり、中国が中心となる。一方、日本で漢字文化圏という場合、漢字はたしかに中国起源ではあるが、長らく日本で使用され、すでに日本の文字でもあるという認識であろう。小学校の国語教科では、漢字を中国の文字として教えているわけではない。したがって漢字文化圏とは言っても、それで中国の文化的宗主権を認めているわけではないのである。漢字文化圏をめぐる日中の認識はいわば同床異夢である。

しかも表意（語）文字である漢字は、その字体こそ地域の中でほぼ共通しているものの、字音はまちまちであった。中国には標準音のほか各地の方言音があり、また日本漢字音、朝鮮漢字音、ベトナム漢字音は、中国漢字音に由来するとはいえ、互いに聞くだけでは理解できないほど変化を遂げている。さらには日本の訓読み（過去には朝鮮半島などにもあった）のように、中国漢字音とは無関係な読み方まである。つまり漢字文化圏における漢字の共通性とは、字体の共通性ではあっても字音の共通性ではない。

また漢字はたしかに過去において、この地域の共通文字であったが、しかし漢字だけが使われていたわけではない。仮名、ハングル、字喃《チュノム》、歴史的には契丹《きったん》、女真《じょしん》、西夏《せいか》文字やウイグル、モンゴル、満州文字など多数の文字が使用され、仮名、ハングル、字喃は漢字との混用もみられた。日本では現在でも片仮名、平仮名、漢字、あるいはローマ字を入れて四種の文字が併用されている。総じてこの地域の文字生活は複雑で、漢字だけで代表させることはできない。

さらに問題なのは、漢字を連ねた文章、いわゆる漢文である。いうまでもなく漢字は個々の文字よりも、それを連ねた文章によってはじめて伝達手段としての意味をもつ。漢文というと、高校の漢文科目にあるような古典文言文を思い浮かべるのが一般的であろうが、漢字による文章には、それ以外にもさまざまな文体がある。中国には古典文言文のほか、その変種である仏教漢文、吏文《りぶん》、書簡文など、また近世の口語を反映した白話文、方言文があり、また日本や朝鮮など中国近隣地域には、いわゆる変体漢文がある。日本の変体漢文については、従来、中国の正規漢文に対して、日本で独自に変容した文体という認識が一般的であった。しかし実際には古典文言文以外の中国のさまざまな文体からの影響があり、また朝鮮の変体漢文との共通点も見られ、中国対日本という問題設定によって理解できるものではおそらくないであろう。

そして均一な古典文言文であっても、それは目で読んだ場合の均一性であって、上述した各地の字音の相違、また訓読のような特殊な読法（訓読もかつての朝鮮半島にはあった）によって、声に出して読んだとたん、均一性はたちまち空中分解し、ばらばらで相互に理解不能な文体になってしまう。ましてさまざまな変体漢文の場合、すべて漢字で書いてあっても中国人には意味不明な文体さえ存在する。そのうえさらに漢字と各地の固有文字を混用した文体がある。それら多様な文体それぞれが、その社会や階層の必要に応じて使い分けられ、またそれぞれに応じた文学ジャンルを生んでいるのである。

したがって、過去の漢字文化圏において、漢字を使用した、あるいは漢字と固有文字を混用した文体が、いったいどれぐらいあり、その各々がどのような機能を担っていたのかをトータルに把握することなしに、漢字文化圏の実態を解明することはできないであろう。しかし現時点では、そのようなトータルな把握には程遠い状況であるばかりか、その必要性の認識すら広く共有されているとは言い難い。本巻ではこの点に鑑みて、漢字文化圏に特に漢文を加え、「漢字・漢文文化圏」として、関連する諸問題を考察することにした。したがってここで言う漢文とは、狭義の古典文言文ではなく、漢字を使用した、あるいは漢字と固有文字を混用したすべての文体を指す。あるいはこれを漢字文と呼んで区別する方法もあるだろうが、あまり馴染みのない言葉を使うのも憚れるので、広義の漢文に含めることにしたことを、特に断っておきたい。

次に、今のこの時点で、なぜこのような問題を検討する必要があるのかについて、簡単に私見を述べておきたい。本講座の総序「東アジアの文化と文学」において、東アジア研究の現状と問題点が検討され、特に単なる比較ではなく、「共有の位相の解明」が必要であることが強調されている。「漢字・漢文文化圏」という問題意識から、「共有の位相」

を考える時、従来の認識においては、共有の最たるものは古典文言文（狭義の漢文）であった。中国はもとより朝鮮半島、日本、ベトナムを問わず、狭義の漢文、漢詩を読み、かつ作る能力こそが知識人の必須の条件として共有されており、交流の場でも基本的に漢文、漢詩がその手段であったからである。

しかしこの古典文言文や漢詩の「共有」には、少なくとも二つの問題がある。一つは、古典文言文、漢詩を読み鑑賞し作る能力と必要があったのは、中国においてさえもごく一部の知識人に過ぎず、その他の地域ではさらに少数のエリートに限られた。文学性という尺度をはずして見れば、古典文言文や漢詩の流通範囲は局限的であり、その圏外にある前述のさまざまな文体の中に、どのような「共有」があるのかを検証する必要があるだろう。

第二に、もう一つのキーワードである交流という観点から見る時、古典文言文、漢詩による交流は、中国から周辺への単方向であったことを挙げねばならない。近年、朝鮮王朝時代、江戸時代における儒教経典解釈の独自性が注目を集めている。たとえば荻生《おぎゅう》徂徠《そらい》の『論語』解釈のユニークさなどがその例となろうが、国際学会でこの種の発表があると、一部の中国の研究者から、それはそうかもしれないが、当時の中国で荻生徂徠の『論語徴』を読んだ人はいないのだから、交流とは言えないという反論が出る。この反論に反駁することは難しい。前近代中国の知識人は、概して中国域外での漢文著作、漢詩などには、物珍しさ以上の興味はなく、実際の影響力は無きに等しい。彼らの関心はもっぱらこれらの地域に残存する中国で失われた典籍（いわゆる佚存書）に注がれた。朝鮮や日本の知識人は、自国の漢文や漢詩が中国人に認められるよう輸出もしたが、もっとも有効だったのは佚存書の輸出で、特にそれを多くもつ日本は、江戸期に熱心に行った。これはいわば日中双方の自国優越意識が表裏をなして、うまくかみ合ったケースであろう。しかしこれまた同床異夢であったことは否めない。

では中国以外の国々の交流はどうか。近年多くの注目を集めている朝鮮通信使と日本の文人との交流を例に取ってみよう。そこではたしかに個人間の相互理解も生まれたが、全体的に見れば、両者とも相手の国の言葉を知らず、交流はもっぱら狭義の漢文による筆談、漢詩の応酬によって行われた。しかも漢文、漢詩は日本では訓読、朝鮮側は懸吐（朝鮮漢字音で直読し、朝鮮語の助辞をつける方式）という独自の方法で読まれており、同じ文章、詩でも読み方はまったく異なっていた。さらに漢文や漢詩の規範は中国にある。両者の対面の場には中国という見えざる審判がおり、双方とも心の目はこの見えざる審判の方を向いていたのである。これも一種の同床異夢であろう。

したがって狭義の漢文や漢詩による交流や影響関係の考察には限界がある。より広い視野から漢字文化圏での漢字、漢文のさまざまな営為を検討しなければ、実態は明らかにならないであろう。一例を挙げれば、漢文訓読は従来、日本の発明で日本独自の方法と認識されていた。しかし近年の研究により、朝鮮半島にもかつて訓読は存在し、日本との間で何らかの影響関係があることが明らかになりつつある。同じような事例はほかにも多数あるだろう。いまだ気づかれていないそれらの事例を少しでも発掘し、それぞれの位相を比較しながら、何が共有されているのかを探る努力が求められている。

現下の東アジア情勢は、日中韓および北朝鮮の間に存在するさまざまな矛盾、軋轢によって混沌としており、多くの人々がこの状況を打開、解決する道を模索していることは周知のとおりである。ただしそこで俎上に上るのは、植民地や日中戦争など主に近代以降の問題である。しかし東アジア世界は長く複雑な交流の歴史をもっている。その歴史全体を考察し、実態を正しく認識することなくして、打開、解決の道を見出すことは困難であろう。

我々は過去の事実を変えることも、甦らすこともできない。できるのは未来への教訓を過去から汲み取ることだけである。漢字文化圏にせよ漢字・漢文文化圏にせよ、今日から見れば、それはすでに終焉した過去の遺物であろう。しかし我々は好むと好まざるにかかわらず、この過去の膨大な遺産を肩に背負い込んでいるのであり、いずれはそれと向き合わねばならないのである。本巻の目的は、過去を顕彰することでも、研究者のために新たな研究領域を開拓することでもない。東アジアの来るべき時代のあるべき姿を模索するために、その重要な部分である漢字・漢文文化圏の実態を思考の材料として提供するという未来を志向するものであることを、特に強調しておきたい。

2　漢字・漢文文化圏の諸相

次に本巻に収める諸論文について、編者の立場から簡単なコメントを述べてみたい。

第1部「漢字文化圏の文字」の「漢字の誕生と変遷」、「字音の変遷について」は、漢字の字体と字音の多様性についての基礎的知識を提供する。これと「異体字・俗字・国字」を併読すれば、漢字について必要な知識をほぼ得ることができるであろう。これらは具体的な細部はともかく、その大枠は中国学、日本学の研究者には了解されていたものだが、近年さまざまな理由によってそれが失われつつある。一方、一般社会では大学生でも漢字の音読みと訓読みの違いが正確に理解されていないという状況がある。漢字の字音の多様性は、時空にまたがるもので、同一時、同一地点では漢字一文字は原則として一つの発音である。唯一の例外は、呉音、漢音、訓読みが併存する日本であるが、そこにもかつては大まかな規範があったのが、近年急速に忘れられようとしている。その結果、漢字の読み方が恣意的になり、いわゆるキラキラネームのようなものまで出現することとなった。日本政府は漢字の使用字数を制限しているが、コンピュータの利用によって漢字の使用がむしろ広がった現在、制限すべきはむしろ漢字の読み方ではないだろうか。字体についても、斎藤と齋藤、渡辺と渡邉など正字、略字、異体字を厳密に区別するのは、これまた日本の特殊性である。正字、略字、異体字などは、本来、それに応じた場合によって使い分けられる字体の相違に過ぎず、字としては同じ字であり、別字として区別する必然性はないが、そのことはあまり知られていない。漢字の基礎知識についての文章をあえて冒頭に置いた所以である。

「新羅・百済木簡と日本木簡」では、これまで日本の国字であると考えられていた「鮑《あわび》」、「椋《くら》」や「畠《はたけ》」が実は朝鮮半島での造字であることが指摘され、従来、日本国内の視点からのみ行われていた木簡研究に比較の視野を開く。

「疑似漢字」は、漢字を模倣しつつ漢字に対抗する意識をもって、国家によって意図的に作られた契丹、女真、西夏文字を解説する。「仮名」は、それら東アジアで作られた疑似漢字の系列に仮名を組み込んで考察する。「ハングルとパスパ文字」は、従来もっとも独創的な文字とされてきたハングルがパスパ文字の影響を受けており、かつハングル創製の目的の一つが漢字音の表記であったことを主張する。「中国の女書」は、狭い地域ではあるが、中国にも女性専用の文字が存在することを紹介し、同じく女文字と呼ばれた平仮名やハングルとの時空を超えた共通性を示唆する。従来、漢字はそれぞれの地域の発音で読むというのが漢字文化圏の慣行であったが、それが崩壊した結果、現地音尊重という新たな主張が出てきた。「中国地名・人名のカタカナ表記をめぐって」はその問題点を指摘する。現在この現地音尊重主義をもっとも徹底させているのは韓国であるが、日中を含めて新たな慣行作りのための討議が行われることが望ましいであろう。

第2部「漢文の読み方と翻訳」の「日本の訓読の歴史」と「韓国の漢文訓読（釈読）」は、最新の研究成果を踏まえ、日韓の訓読について概説したものである。前者はヲコト点について朝鮮での同様の記号の存在を指摘し、後者は十五〜十六世紀に新たに登場した訓読方式と日本との関係を示唆する。記号を使用した訓読は、現在のところ日本と朝鮮半島にのみ確認されるが、広い意味での訓読現象は東アジア各地に存在した。「ウイグル語の漢字・漢文受容の様態」と「ベトナムの漢文訓読現象」は、漢字・漢文文化圏における訓読現象の普遍性を例証する。

古典文言文は中国においても、近世になると知識層の増大にともない理解が難しい人々が出てくる。そこで現れたのが文言文をわかりやすい口語に翻訳した「直解」である。しかもその初期に属する『孝経直解』は、モンゴル語の影響を受けた漢児言語という一種の変体漢文によって訳された。同じことは朝鮮におけるハングル訳である「諺解」、またベトナムの「字喃」によっても行われた。諺解は朝鮮独自の用語だが、江戸時代に輸入され、日本でも種々の諺解が作られた。ただし日本の諺解は仮名による注釈である。

日本の訓読などには、しばしば角筆で記入された文字が見られる。この「角筆資料」は従来、日本独自のものと見なされていたが、近年、韓国、ベトナムさらにヨーロッパでもその存在が報告されている。中国では報告例はあるものの、残念ながらいまだ確認には至っていない。近代の東アジアは一様に西洋文明の衝撃の波にさらされたが、西洋文明の概念の多くは漢文をもとにして翻訳され、今日に至っている。「日中近代の翻訳語」は、それについての考察である。

第3部「漢文を書く」では、まず東アジアにおける古典文言文の意味と役割が「東アジアの漢文」で考察され、ついで「仏典漢訳と仏教漢文」、「吏文」、「書簡文」、「白話文」によって、中国における文体の多様性とその東アジアへの影響が論じられる。そこからさらに生まれた変体漢文は、「日本の変体漢文」が述べるように、当初は日本で提唱され、中国対日本という構図の中で検討されたが、既述のとおり中国を含む漢字・漢文文化圏全体の問題として再検討されるべきであろう。「朝鮮の漢文」と「朝鮮の吏読文」は、どちらも朝鮮の変体漢文の代表である吏読（吐）文の紹介で、それが単なる実用文にとどまらず、戯作的文学作品にまで及んだことを明らかにする。「琉球の漢文」は、一般にはあまり知られていない琉球における漢文読解、製作の背景を紹介したもので、特に中国人の子孫が住む久米村では、中国語の直読と日本式訓読が併用された点が興味深い。この点は、二十世紀の台湾、朝鮮の植民地時代における漢文教育にも通じるであろう。

第4部「近隣地域における漢文学の諸相」では、中国以外の地域での漢字、漢文によるさまざまな文学形式を紹介する。「朝鮮の郷歌・郷札」は日本の万葉和歌にほぼ相当するもので、『三代目』という歌謡集も編纂されたが、残念ながら現存しない。「朝鮮の時調、漢訳時調」は、主に朝鮮王朝時代に士人の間で流行し、現在でも作者のいる朝鮮語の短詩型について述べるが、それは日本の和歌や俳句のように、漢詩と拮抗しうる地位を得るには至らなかった。「朝鮮の東詩」と「句題詩とは何か」は、どちらも正規の漢詩でありながら、日朝いずれも独自の規則によって作られた東詩と句題詩の紹介である。両者は一見関係がないようだが、私見によれば日本の句題詩は、唐宋代の科挙に用いられた省題詩と何らかの関係がありそうである。その意味では科挙での詩である朝鮮の東詩と共通するであろう。中国の科挙詩は、唐代の少数の作品を除いて、文学史などではほとんど取り上げられないが、実際には膨大な数が作られたはずである。「和漢聯句」は和歌と漢詩を交互に用いた聯句で、和と漢が対等に定立しえた日本ならではの文学形式である。「狂詩」は、中国の打油詩や朝鮮の東詩の一部を成す諧謔詩に相当しようが、これも独立したジャンルとして成立したのは日本だけである。「ベトナムの字喃詩」は、日本ではほとんど知られていない字喃によるベトナム語の詩を紹介する。その全貌が明らかになれば、さまざまな比較が可能ではないかと期待される。

第5部「漢字文化圏の交流」の前半は通訳の問題を扱う。古典文言文、漢詩によって交流する知識人の影に隠れて見えにくいが、東アジアでは古くから外交の舞台などで通訳が活躍し、また通訳養成のための教科書が編纂された。「華夷訳語」は明清代の中国で編纂された外国語教科書だが、それは中国と周辺諸外国との朝貢冊封体制を、中国側から体現したものであった。「朝鮮における通訳と語学教科書」は、その反対側にいた朝鮮での状況を解説する。朝鮮ではその地政学的位置から、通訳の養成、教科書の編纂が国家事業として熱心に行われた。「長崎・琉球の通事」は、日本語と中国語の通訳についてだが、日本（長崎）が朝貢圏外、琉球は朝貢国という相違がある。琉球の通事が中国人としてのアイデンティティを保持したのに対し、長崎の通事は幕府への忠誠を優先させた。しかし双方とも中国人の子孫を通訳として採用したことに変わりはない。それがもっとも現実的で簡便な方法であったろう。その点、中国人をはじめ現地人を決して採用せず、あくまで自前で通訳を養成した朝鮮の特殊性が際立つであろう。「西洋における中国語翻訳と語学研究」は、東アジア世界にとっての他者である西洋人の中国語観と、その中国語研究について、普遍と個別という問題意識から論じたものである。

第5部の後半は、文字と書籍による交流を扱う。漢字・漢文文化圏の交流においては、人的交流より、文字や書籍による交流の方が重要であった。「漢文による筆談」は、他の文化圏には類例のない筆談という交流方法について述べる。「佚存書の発生」は、自国ですでに亡佚した典籍を他国に求める中国知識人の意識（これには孔子の言葉とされる「礼失われてこれを野に求む」という便利な表現がある）と、自国にあって中国にはない典籍を中国に輸出した日本の知識人の意識の奇妙な同居について、その具体的歴史を概観する。ついで「中国とベトナムにおける書籍交流」、「中国と朝鮮の書籍交流」、「東アジアの書物交流」、「日本と朝鮮の書籍交流」において、それぞれの地域間における書籍交流の実態が述べられる。漢字・漢文文化圏における文化交流において、もっとも重要で大きな意味をもったのは、これら書籍の交流であった。その中でベトナムが自国で消費する書籍の出版を中国の広東の出版業者に委託した代刻本などは、やや特殊な例であろう。最後の「日本における中国漢籍の利用」は、輸入された中国漢籍が実際にどのように受容、利用されたかについての考察である。同じことは朝鮮半島、ベトナムでも起こったはずだが、その実態と相互比較は、将来の研究の進展を待たねばならないだろう。

3 おわりに

以上、本巻に収める論文の内容をごく簡単に紹介し、コメントしたが、個々の論文は力作ぞろいであるものの、率直に言って、全体の構成は、目次を一覧するだけでも雑然とした、もしくは混沌とした印象を否めない。それには当初予定していた幾つかのテーマの原稿が、都合により得られなかったことも一因だが、より大きな原因は、編者である私の企画、調整能力の欠如にある。内心忸怩たる思いを禁じ得ない。ただここで編者としての責任をしばらく棚上げして、あえて弁解するならば、そもそも漢字・漢文文化圏のすべての事象を客観的に考察しようとする試み自体、現時点では困難であったとも言えるのでる。このような試みを成功させるためには、まずは一国史観や自国中心の比較方法からの脱却が必要だが、これは言うは易く行うは難きことである。日本国内の研究者の間でも、共通の基盤があるとは必ずしも言えない。まして中国、韓国、ベトナムを含めた四か国の研究者の問題意識、立脚点には少なからぬ相違がある。たとえば「中国と朝鮮の書籍交流」の最後で使われている漢文化圏という概念は、つまりは中国文化圏であり、漢字・漢文文化圏とは相当の乖離があろう。そういう意味で、本巻は異なる立場のせめぎあいの場ともなっているのである。しかし好くも悪くもこれが現状である。本巻は当初の目的を達成したとは言い難いが、今はただその目的に向けてのささやかな一歩と成り得ていることを願うのみである。

第1部　漢字文化圏の文字

01 漢字の誕生と変遷
甲骨から近年発見の中国先秦・漢代簡牘まで

大西克也

1 はじめに

一八九九年に甲骨文《こうこつぶん》が発見されてから約百二十年、激増する出土文字資料により、漢字の歴史的研究は目覚ましい進歩を遂げた。とりわけ大きな威力を発揮したのが、戦国時代から後漢・三国時代にかけての簡牘《かんどく》（竹簡や木簡の総称）や帛書《はくしょ》（書写用の白い絹）等に筆で記された手書きの文字資料であった。殷代の甲骨文字から周代の金文《きんぶん》、秦漢時代の篆書《てんしょ》・隷書《れいしょ》を経て後漢末期の楷書へと変化する漢字の変遷のあらましは、部分的には濃淡もあるもののほぼ明らかになったと言って良い。本章では単なる字姿の変化を追うのではなく、言語や社会・文化、テキストとの関わりからの視点を交えつつ、誕生から楷書の成立に至る漢字の前半生を描き出すこととしたい。

2 漢字の誕生――甲骨文字と金文

確実に最古の漢字と見なすことができるのは甲骨文字【図1】[*1]で、殷代後期の前十三世紀頃から使われている。河南《かなん》省安陽《あんよう》市の殷墟《いんきょ》遺跡から出土したものが大半を占める。数え方にもよるが字種として四千あまり知られており、解読されているのは三分の一程度である。殷代中期以前の遺跡からも漢字とつながりのありそうな陶文《とうぶん》（土器に刻まれた符号）も発見されているが、殷代後期に一定の体系性を具えた文字らしい文字として一気に姿を現す。突然に完成された形で始まったという点ではエジプト文字にも似ている。クルマスが論じているように、文字の成立には、符号とそれが表す名前（言葉）との対応関係の発見が欠かせない。甲骨文字もまた、符号が人の言葉を表せることに気づいた人びとにより、松丸道雄が指摘する通りある段階で一気に整備されたのであろう。全巻現存する最古の字書『説文解字《せつもんかいじ》』の著者である後漢・許慎《きょしん》は、漢字は蒼頡《そうけつ》が鳥獣の足跡を見て発明したと述べているが、鳥獣の名前を足跡の形で表すことができるというのは、伝説とはいえ文字の原理を見事に言い当てている。

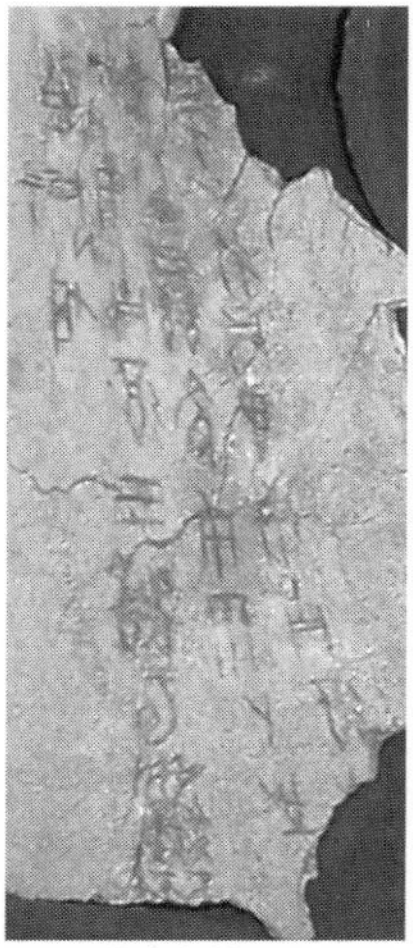

図1　北京大学サックラー考古芸術博物館所蔵甲骨

殷代において、文書を扱う「史」と呼ばれた官僚は、小南一郎によれば、同時に数の技術者でもあった。文字を記す「策」と計算具の「筭《さん》」（算木）はもともと同じものである。語と形とが一対一の関係を結びやすい数が、文字の成立に一役かったことは十分に考えられよう。漢字の成立に先立つ新石器時代の土器には、数を表したのではないかと思われる符号が多数発見されている。漢字はそのような無数の試みの中から生まれてきたのであろう。

甲骨文字が音声言語を可視化したものであることは、本字を発音の近い別の当て字として転用する仮借《かしゃ》用法や、文字の一部に発音を表す成分を含む形声《けいせい》文字があることから明らかである。たとえば「我」という字は、後世「錡《き》」という字で表記されたある種の武器の象形文字だと考えられるが、当時の中国語において発音が近似していたため、形として表しにくい一人称に転用されたのである。甲骨文字の「我」と錡の図版【図2】[*2]を挙げておく。

殷代の人びとは「帝《てい》」という神を信仰しており、神意の所在を確かめるため、亀甲や牛骨等を使って占いを行っていた。その記録に使用されたのが甲骨文字である。占いの対象となったのは気象、穀物の作柄、王や王族の健康、祭祀・狩猟・軍事行動の可否など国の重要事であるが、別の確度から見ると個人の日常は記録の対象にはならなかったことを意味する。甲骨文字は口頭言語を基礎としながら、日常の言語の再現を目的としていないのである。

したがって甲骨文字には「ない文字」が多い。まず疑問詞がない。祟《たた》りを解除するのに何をお供えするか尋ねるとしよう。人の言葉を発しない帝に「何？」と尋ねても答えられない。そこで「牛五」とか「羊二十」とか回答を選択肢として準備しておいて、占いによって神意がどちらにあるかを決めるのである。個人の感情や精神活動を表す語彙も占いには必要はなく、語彙としては存在したかもしれないが、文字化はされなかった。むろん甲骨文字が殷代の漢字のすべてではなく、後に述べる金文の他、現存しないが竹簡に筆で書かれた文字も存在したはずである。しかし漢字と人間の言語との関わりは限定的であり、このような状態に根本的な変化が生じるのは、春秋後期から戦国時代を待たねばならない。

図2

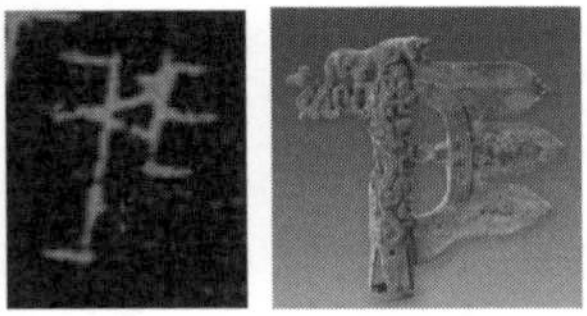

「我」　「錡」

図3

　金文すなわち青銅器銘文は、甲骨文字と同じく殷代後期に出現する。殷代の金文は文章を記した成文銘と、一族もしくは何らかのマークを表す図像銘《ずしょうめい》とがある。図像銘も絵文字のようなものと明らかに漢字を利用したものとに分かれる。殷代中期の青銅器に漢字らしき図像銘が付けられた例もあるが、漢字を利用したものか否か確証はない。金文は甲骨文字が姿を消した西周時代から春秋時代にかけて、漢字研究の主役の地位を占める。

　殷周時代のほぼすべての金文は、器と同時に鋳造された文字である。どのような方法を用いたのか定説があるわけではないが、筆で書かれた文字を何らかの方法で鋳型の上に写し取っていることは確かである。甲骨という固い素材に刃物で刻んだ甲骨文字が鋭角的であるのに対し、金文は曲線的で滑らかな筆致を保っている。西周初期に作られた青銅器『利簋《りき》』の器と銘文（冒頭部分）の拓本を挙げておく**【図3】**[*3]。「珷（武王）征商」（武王、商を征つ）の四字が記されている。

　黄金に輝く青銅器は、下賜する王室にとっても、それを所有する臣下にとっても、権威の象徴であったに違いない。器の外面には趣向を凝らした紋様が、内壁には目に見えない人の言葉を捉えた文字が、最先端の特殊技術を駆使して施された。記されたのは官職拝命や功績、褒美の下賜、戦勝などさまざまな慶事である。先祖の霊に報告するとともに、さらなる加護と子孫繁栄を祈る祭祀に用いられた。器内に記された銘文は、器にお供え物を入れると見えなくなる。金文は先祖に捧げる文字で、人が読むためのものではなかったようである。

甲骨文字がほぼ殷王朝とともに滅びたのに対し、金文は周王朝とともに発展した。周代の金文には、したがって甲骨文字には見られない字体上の特徴がある。まず甲骨文字が持つ象形《しょうけい》性は明らかに後退している。たとえば甲骨文字の「馬」にはほぼ絵文字とも言える「」のような字形があるが金文には見られず、目と鬣《たてがみ》とが一体化し胴体も省略された「」のような形が多く見られる。物の形を描写する象形文字は、個々の言葉に専用の形を与える傾向がある。たとえば甲骨文字では神に仕える「祝」には恭《うやうや》しくかしずく「」を、「兄」には「」を割り当てていたが、金文ではこのような区別は失われ、「示」の有無によって「祝」と「兄」を区別するようになり、限られた部品の組合せによって文字を区別する現在のシステムに向けて一歩を踏み出していた。また形声文字の増加も顕著な変化である。甲骨文字でも皆無ではないが、金文では「」(許)、「」(諫)、など、新たな文字が増えている。意味範疇を表わす部分と発音を表わす部分とから構成される形声文字は造字能力が高く、現在の漢字の八割以上を占めると言われる。形声文字の増加は、西周時代に入って記録対象が広がったことにより、新たに文字化すべき語が増えたことと無関係ではないだろう。擬音語が文字化されるのもこの時代である。金文に「雝雝《ようよう》」と描写される鐘のハーモニーは、上下神祇の調和、国家安泰のシンボルであった。人びとは文字が物音までも捉えることができることに気付き始めたのである。

3　漢字の増加と分裂――戦国時代の竹簡から

殷周時代以来の漢字の姿が大きく変貌したのは、春秋時代後期から戦国時代にかけての頃である。その背景にあるのが、漢字と人や社会との関わりの変化である。高木智見によれば、一切の情報は本来口頭で伝えられ、そのうち特別の意味を持つものだけが、史官により文字記録として保存された。このような口頭伝達と記憶を主とする伝承から文字記録への移行が発生したのが春秋戦国交代期であるという。このことは漢字が未曽有の規模で人間の世界に入り込んでくることを意味する。

諸子百家が残した著作には、人間社会や精神世界における思索が縦横無尽に繰り広げられる。『論語』冒頭の有名な一節、「子曰：學而時習之，不亦説乎？」（子曰く。学びて時に之を習う。亦説ばしからずや）を見るだけで、記録の質の変容を看取することができる。人の感情を表す「説《えつ》（悦）」のような動詞は、目下甲骨文字や金文においては発見されず、この時期になって新たに文字化されるようになったと考えられる。疑問助詞「乎」は甲骨文字に見られるという研究者もいるが疑わしい。[*4]「也」「矣」「已」など命題に対する話者の心的態度を表す助詞が文字化されるようになったのもこの頃であり、漢字を出来事の記録だけではなく、世界に対する人間の主観的認識の記録にも用いる意識が芽生えてくる。戦国中期以後急速に進められた法と文書による統治体制の整備は、漢字が王侯貴族だけでなく、庶民の日常生活を記述する道を開いた。武器や実用的な容器には作製に当たった役所や職人の名前、容量等が乱雑な文字で記された。以前なら文字とは何の縁ももたない人びとである。貨幣には貨幣価値や鋳造地が記され、官職名や個人名を刻んだ青銅製の印章も多く出土している。庶民の墓とおぼしき粗末な墓葬から筆記用具が出土した例もある。このようにして文字表記すべき言葉が増大する一方、統一王朝を欠く政治状況の下、地域ごとに異なる文字化が進められことにより、戦国時代には漢字が地域ごとに独自の発展を遂げた。

戦国時代の漢字の地域的多様性は、主に戦国時代の秦、楚から出土する竹簡《ちくかん》（秦簡、楚簡）からその一端を伺うことができる。代表的な資料として睡虎地秦簡《すいこちしんかん》（一九七六年湖北《こほく》省雲夢《うんぼう》県睡虎地十一号秦墓出土）や郭店楚簡《かくてんそかん》（一九九三年湖南《こなん》省荊門《けいもん》市郭店一号楚墓出土）等がある。一例として一人称代名詞「吾」を挙げておこう。秦で使われたのは「吾」のもとになった「」である。これに対し、楚では「」（虘）が使われた。この字は「吾」と発音の近い「虎」を当て字

として転用したもので（仮借《かしゃ》）、「虎」と区別するために横画二本を加えている。文字としての「吾」は西周金文にすでに存在しているが、人称代名詞には使われない。春秋以後になって一人称代名詞としての「吾」を文字化する必要が生じたとき、秦では「吾」字を採用し[*5]、楚では「虘」字を採用したのである。また「」（小）と「」（少）を使い分ける秦に対し、楚では「」（少）字で「少」も「小」も表記し、区別を加えなかった。字形としての「少」が秦でも楚でもほぼ同じであるように、字形そのものの違いに対し、文字遣い、すなわち言葉と字との配当関係の違いはきわめて大きい。これこそが、秦の時代に文字統一が必要となった背景である。

4　文字統一と隷変《れいへん》

前二二一年、天下を統一した始皇帝《しこうてい》（前二五九～前二一〇年）は、時の丞相李斯《りし》（?～前二〇八年）の建議により文字統一を行なったとされる。文字統一の本質は、文章語の表記法の統一である。字形のみならず、文字遣いや語彙、言葉遣いも含まれる。とくに重要なのが文字遣いである。上に紹介したように、戦国時代各国の文字遣いは大きく異なっていたからである。楚では一人称を「虘」字で表記していたが、「吾」の使用が強制された。「小」と「少」は秦の習慣に合わせて使い分けることが求められた。これが文字統一の核心である。むろん楚系文字の「」（虘）を秦風に書くことは可能である。しかし字形をいくら秦風に書いたところで、文字と語との配当関係が秦の習慣と異なっていれば無意味である。全国一律に法と文書による統治体制を行きわたらせるために、文字統一はきわめて重要な意味を持つ政策であった。

秦は自国の表記システムを全国に強制する一方で、天下統一前後の時期に表記システム自体をかなり整備したらしい。たとえば統一以前は可能の「可」も疑問詞の「何」もともに「可」字で表していたが、統一以後は疑問詞を「何」字で表記するように改めた。中でも特筆すべきは「泰《たい》」字の作成である。この字は「大」に「水（氺）」を付加し、さらに「廾」を加えて字形全体を「秦」に似せて作られた。五行説では秦は水徳によって火徳の周に取って代わったとされる。「泰」字は秦の天下統一の記念文字であった。「大守」を「泰守」に改めるなど、これによって官名や用字の改訂を行なった。二〇〇三年に湖南省で出土した里耶秦簡の中には、文字遣いや用語の基準をメモ書きしたと思われるタブレット【図4】があった。これには「泰」字も含まれていた。現場の史官たちはこのようなメモを手に日々文書作成に追われていたのであろう。

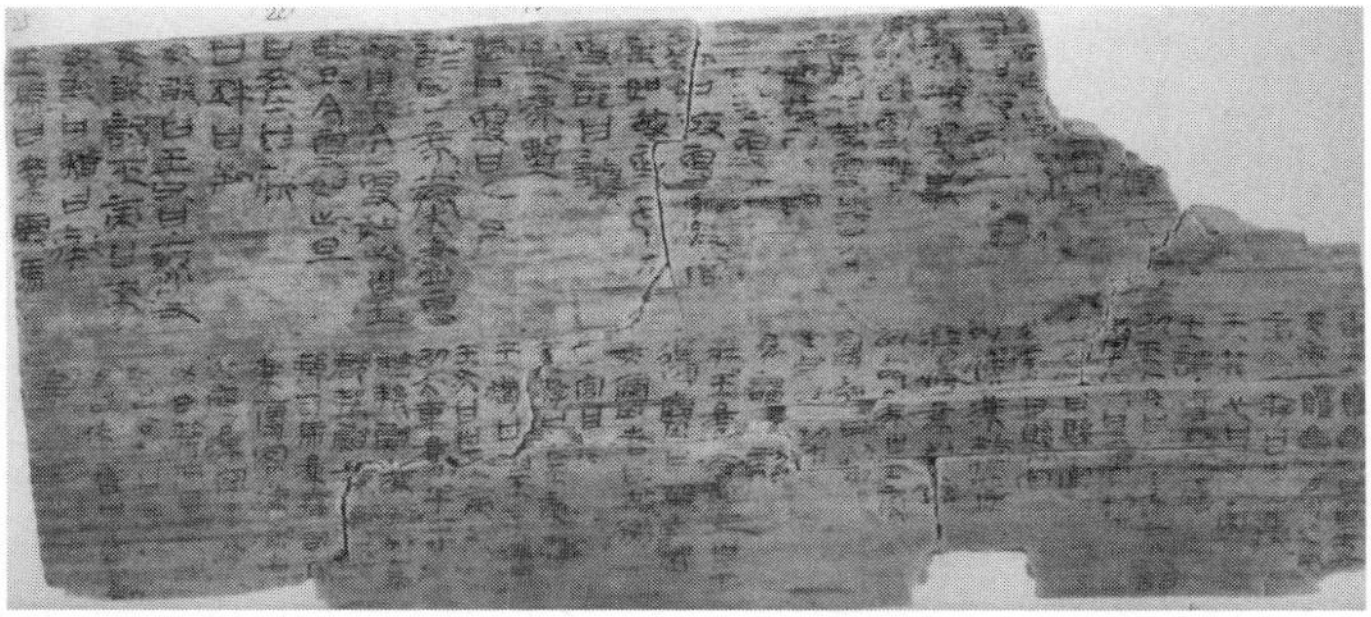

図4　用字と用語の改訂を記した官吏のメモ（里耶秦簡⑧461号木方、『文物』2014年第9期）

　文字統一により、秦の文字は後世のスタンダードとして位置づけられ、漢字の方向性が定まった。その中心にあったのは篆書（小篆《しょうてん》）と隷書である。小篆は秦の国において使用された儀礼的な文字が緩やかに簡略化される中から生み出された。西周金文の形を色濃く受け継いでいる。篆書は、端々に簡略化の影響を受けつつも儀礼的な文字として意識的に継承され、碑文や印鑑、パスポートの表紙にいたるまで、ある種の権威が必要とされる場において、現在に至るまで使い続けられた。書体によって書写メディアに権威を付与するのは秦の文化に由来する。『説文解字』には小篆約九千字が収録されている。

　隷書は篆書をさらに簡略化して成立した文字である。秦では前四世紀中頃に商《しょう》鞅《おう》による変法《へんぽう》が行われ、魏など他の先進国に学びつつ法による統治体制を整えた。これによって大量の文書を処理する必要が生じたことが、篆書の急激な簡略化を促した。戦国後期に秦系文字に生じた大きな変化は「隷変《れいへん》」と呼ばれ、秦の篆書が保っていた原始的な特徴は完膚なきまで破壊されてしまった。具体例として「明」を挙げておこう。西周金文『師𩛥鼎《しさい》』では「」（「朙」）のような形に書かれ、「囧《けい》」（窓の象形文字）と「月」から構成される会意文字で、月明かりが窓を照らす様を表している。この字形は秦代の代表的な篆書である「泰山刻石」に受け継がれた（「」）。しかし秦代の隷書では「囧」を「目」に省略して「明」と書く（「」）。既存の「目」を使うことで記憶の省力化も図っている。現在は「明」を使うが、「目」よりも「日」の方が字義に相応しいからであろう。文字統一により日常的標準体としての地位を確立した隷書は、後世の楷書の直接の祖先となったのである。

5　隷書から楷書へ——文字とテキストの変容

秦が文字統一を行なったとはいえ、公的文書を除けば、世の中の文字遣いが一気に統一されたわけではない。漢代初期、世の中には戦国風の文字遣いで書かれた奇妙な隷書が溢れていた。秦の書写システムを継承した漢は、文字統一政策を堅持・推進する必要があった。一九八三年湖北省で出土した張家山《ちょうかさん》漢簡『二年律令《にねんりつれい》』は、呂后《りょこう》二年（前一八六年）当時に施行されていた漢律であると考えられているが、中に史官の任用を定めた条文があった。それによれば、史官は原則として世襲制が取られ、十七歳から三年間の専門教育を受けた後、五千字に及ぶ籀文《ちゅうぶん》という篆書よりも古体の文字試験に合格する必要があった。文字統一の成果が定着し、戦国風の文字遣いが淘汰された前漢中期以降になると、漢字の試験も厳格には行われなくなり、官吏の採用にも儒教的な素養が重視されるようになってゆく。このようにして漢代には表記システムの標準化が徐々に進行したが、このことは漢代のテキストの変容と大きく関わっている。その様相を『老子《ろうし》』の一節「盗賊無有」によって示しておこう。

①は戦国楚系文字、②は前漢初期の隷書（古隷）、③は前漢中期の波磔《はたく》の筆法が見られる装飾的隷書（八分《はっぷん》）、④は楷書である。それぞれのテキストが抄写された時代の書体で筆写されているが、興味深いのは文字遣いの大きな違

①郭店楚簡『老子』一号簡＊6「⿰犭見⿱則心亡又」

②馬王堆帛書『老子甲本』一二七行＊7「盗賊无有」

③北京大学蔵漢簡『老子』一号簡＊8「盗賊無有」

④四部叢刊影印宋刊本『老子道徳経』

いである。戦国楚の①と文字統一の成果が定着した漢代中期の③の著しい違いは、先秦以来のテキストが、漢代を通じて完膚なきまで改変されてしまったことを表している。③と④との間に大きな違いはない。ちなみに楷書が現れるのは後漢末であり、行書とほぼ同時期である。これに対し草書は前漢中期頃に成立する。手紙などにおいて、草書の崩し方を工夫する動きの中から行書が生まれ、より規範的な例の筆画に近づけたのが楷書であった。

注

1 筆者撮影。
2 『文物』二〇〇七年第九期表紙。
3 器の図版は『中国美術全集　青銅器（上）』一二三頁、文物出版社、一九九〇年、拓本は『殷周金文集成』第八冊一三頁、中華書局、一九八七年。
4 裘錫圭「関于殷墟卜辞的命辞是否問句的考察」『中国語文』一九八八年第一期。
5 厳密に言うと、より春秋後期または戦国初期とされる秦の『石鼓文』では「」という字が使われていた。「吾」はこれを簡略化した字である。
6 荊門市博物館『郭店楚墓竹簡』文物出版社、一九九八年。
7 裘錫圭主編『長沙馬王堆漢墓簡帛集成』第一冊、中華書局、二〇一四年。
8 北京大学出土文献研究所『北京大学蔵西漢竹書（貳）』上海古籍出版社、二〇一二年。

参考文献

・大西克也・宮本徹『アジアと漢字文化』放送大学教育振興会、二〇〇九年。
・大西克也「秦の文字統一について」『第四回日中学者古代史論壇論文集　中国新出資料学の展開』汲古書院、二〇一三年。
・小南一郎「史の起源とその職能」『東方学』98、一九九九年。
・齋藤希史『漢字世界の地平―私たちにとって文字とは何か』新潮社、二〇一四年。
・フロリアン・クルマス（斎藤伸治訳）『文字の言語学　現代文字論入門』大修館書店、二〇一四年。
・高木智見「春秋左氏伝―歴史と法の源流」滋賀秀三編『中国法制史　基本資料の研究』東京大学出版会、一九九三年。
・松丸道雄『甲骨文の話』大修館書店、二〇一七年。

02

字音の変遷について

古屋昭弘

1　はじめに

まずは表1の新漢語の例を見ていただきたい。明治期の日本人が欧米の新概念を表すために漢字を使って翻訳したもののうちのほんの一部である。これらは中国、朝鮮、ベトナム（越南）に逆輸入され、現代の諸言語の語彙の大きな部分を担っている。ここにも漢字の特質がよく表れている[*1]。漢字には形音義の三側面があり、それを把握していれば言語の異なる人びとでも使いこなすことができるということである。字音は各言語の中で独自の変遷があったことが想定されるが、それについては後述する。なおIPAは国際音声記号[*2]【表1】。

同じく中国から伝わった字音なので日朝越で似ている面も多いことは当然である。たとえば「温度」はベトナム語で on^{33} do^{32}[*3]、朝鮮語ではondoというふうに。とはいえいろいろ違うところがあるのもまた事実である。わずかな例ではあるが、各漢字音の特徴を見てみよう。

①音節初めの子音（声母、初声ともいう）

・「仮」広東語、朝鮮語は［ka］（ガ）のような音なのに、北京は［tɕia］（ジア）、ベトナムは［za］（ザ）と、かなり違

表1

	中国　北京　IPA		広東　IPA	ベトナム	IPA	朝鮮　IPA	
温度	wēndù	wən^{55} tu^{51}	wɐn^{55} tou^{22}	ôn độ	on^{33} ɗo^{32}	온도	ondo
仮定	jiădìng	tɕia^{21} tɪŋ^{51}	ka^{35} tɪŋ^{22}	giả định	za^{213} ɗiɲ^{32}	가정	kadʒəŋ
工業	gōngyè	kʊŋ^{55} ie^{51}	kʊŋ^{55} ip^{22}	công nghiệp	koŋ^{33} ŋiep^{32}	공업	koŋəp
心理	xīnlǐ	ɕin^{55} li^{214}	sɐm^{55} lei^{23}	tâm lý	tǎm^{33} li^{35}	심리	simni
哲学	zhéxué	tʂɤ^{35} ɕyɛ^{35}	tsit^{33} hɔk^{22}	triết học	ʧiet^{35} hɔk^{32}	철학	ʧ^{h}əlhak
内容	nèiróng	nei^{51} ʐʊŋ^{35}	nɔi^{22} jʊŋ^{21}	nội dung	noi^{32} zuŋ^{33}	내용	nɛjoŋ
方針	fāngzhēn	faŋ^{55} tʂən^{55}	fɔŋ^{55} tsɐm^{55}	phương châm	fɯəŋ^{33} ʧǎm^{33}	방침	paŋʧ^{h}im
民族	mínzú	min^{35} tsu^{35}	mɐn^{21} tsʊk^{2}	dân tộc	zǎn^{33} tok^{32}	민족	mindʒok
論文	lùnwén	lu^{ə}n^{51}wən^{35}	lœn^{22} mɐn^{21}	luận văn	lwǎn^{32} văn^{33}	논문	nonmun

う音である。

・「文」広東語と朝鮮語は、日本呉音「モン」に似て［m-］、ベトナムは日本漢音「ブン」に似て［v-］。北京は［w-］（あるいはØすなわちゼロ）。

・「内」すべて日本呉音「ナイ」に似て［n-］、日本漢音では「ダイ」が現れる（境内ケイダイ）。

・「心」「族」ベトナム語では頭子音が［s-, ts-］ではなく、ともに［t-］である

・「業」ベトナムは［ŋ-］、日本呉音は「ゴウ（旧仮名：ゴフ）」、漢音は「ギョウ（ゲフ）」、他では子音がゼロである。広東語でも「我」などは［ŋɔ^{23}］。

・「民」ほとんどすべての字音でm-だが、ベトナムでは［zǎn^{33}］というようにz-が現れる。

・北京・広東・ベトナムで［l-］で始まる「論」が朝鮮語（ソウル）では［non］、「心理」の「理」が［ni］となっている（「理」単独ではi）。

②音節末の子音（韻尾、終声ともいう）

・「哲」「学」「業」広東語やベトナム語では-t, -k, -p、朝鮮語では[*4] -r, -k, -pで終わるが、北京語ではそのような子音がない。日本語はテツ、ガク、ギョウ（ゲフ）であり、-t, -k, -pとの対応が見られる。

・「心、民」北京では日本語に似て［ɕin シン、min ミン］だが、広東では［sɐm サム、mɐn マン］、朝鮮語では［sim シム、min ミン］、ベトナムでは

「tə̌m タム、zə̌n ザン」というように、音節末子音の違いがある。

③アクセント

中国語とベトナム語では各音節が決まった声調（メロディックなアクセント、tone）を持ち、日本語は単語ごとに高低アクセントがある。朝鮮語（ソウル）は音韻論的に有意味なアクセントを持たない[*5]。

2　言語音の体系の違い

もちろん以上ですべてではないが、おおまかな傾向は見てとれるであろう。似ていながらも異なる原因のひとつとして想定されるのが中国語と日朝越それぞれの言語音の体系の違いである。まず現代の子音状況を見ておきたい。

①現代北京語　右の行はピンイン（中国式ローマ字）

b p m f　d t n l　g k -ng h　z c s　zh ch sh r　j q x

[p p^h m f　t t^h n l　k k^h -ŋ x　ts ts^h s　tʂ tʂ^h ʂ　ɽ　tɕ tɕ^h ɕ]

参考：広東語（広州）[p p^h m f w　t t^h n l　k k^h ŋ　ts ts^h s h j]

上海語　[p p^h b m f v　t t^h d n l　k k^h g ŋ　ts ts^h s z　tɕ tɕ^h dʑ ɕ ɳ h ɦ]

②現代日本語

パバマワ　タダナラ　カガ　ツァザサ　チャジャシャニャ　ハヒャフヤ

[p b m w　t d n r　k g　ts　dz s　tɕ　dʑ　ɕ　ɲ　h ç　ɸ j]

③現代朝鮮語　右の行はハングル

ㅂㅍ　ㅃ　ㅁ　ㄷㅌㄸ　ㄴㄹ　ㄱㅋㄲ　ㅇ　ㅈㅊ　ㅉ　ㅅㅆㅎ

[p p^h　ʔp m　t t^h ʔt　n r(-l) k k^h ʔk -ŋ　ʧ ʧ^h　ʔʧ　s ʔs h]

④現代ベトナム語（ハノイ）　右の行は「国語」（ローマ字）

b p m ph v　d t th n l　c/k/qu　ng/ngh　kh　g/gh　ch/tr　nh　s/x　d/gi/r　h

[ɓ p m f　v　ɗ t t^h n l　k　ŋ　x　ɣ　ʧ　ɲ　s　z　h]

現代北京語・広東語・上海語ではp p^{h}やt t^{h}のようないわゆる「無気音」と「有気音」の対立があるが、現代日本語にはその対立がない（恐らく古代でも）[*6]。現代朝鮮語ではその対立があるが、[*7]古代からあったかどうかについては学説の分岐がある。現代上海語ではさらにb d g zのような濁音があり、その多くが日本呉音の濁音に対応する。例（音は北京語、上海語、呉音の順）：「族」[tsu^{35}] [zoʔ^2] ゾク、「定」[tiŋ^{51}] [din^{13}] ジョウ（ヂヤウ）、「白」[pai^{35}] [bɑʔ^2] ビャク。

ベトナム語において無気・有気の対立はt：t^{h}のみである。そのほか内破音[*8]と呼ばれる[ɓ ɗ]があるが、上海語や日本呉音の濁音とは対応せず、むしろ（漢字音としては）大部分が北京・広東・上海のpやtに対応する。

各言語の母音の数や音節構造の違いも忘れてはならない。現代日本語の母音が/a i u e o/のみなのに対し、朝鮮語やベトナム語では/a e ɛ ɔ o i u ɯ/[*9]のように多様な母音がある。また、母音のあとに閉鎖音子音が置かれる字音は日本語には普通存在しない。kakのような単独の字音は朝鮮語やベトナム語では普通であるが、日本語では[kakko]（括弧）のような時にしか現れない。[*10]

現代の状況を見ただけでも各漢字音の特徴には中国語と日朝越それぞれの言語音の体系の違いが関係していること

がうかがえる。同じ時代の同じ言語でも東西南北で方言の違いがある。中国のように広い国土を有する言語では特にそうである。上の表からもわかるとおり、北の北京語と南の広東語ではずいぶん違う。同じ「心理学」でも北京では[ɕin^{55} li^{21} ɕyɛ^{35}]（シンリーシュエ）、広東では[sɐm^{55} lei^{23} hɔk^{22}]（サムレイホック）となる。[11]

3　歴史的変遷

次に想定される問題が本章の主題とも言うべき時代による言語音の変遷である。同じ言語の同じ方言でも時代によって変化があり、借用した言語のほうも変化している。借用した言語にも方言の違いがありうることは言うまでもない。借用された字音も当然変化する。たとえば日本語の場合、大和言葉の「今日けふ」が「きょう」と発音されるようになった時、借用音の「協けふ」も「きょう」に変わっているのである。「けふ」という仮名表記が、ある時代に現実にはどう発音されたかという問題もある。

日朝越の各漢字音は、それぞれ中国のどの時期のどの地域から借用された（伝来した）のであろうか。[12] 周知のとおり日本漢字音には大きく言って呉音と漢音の二種類がある。呉音は複層的であると言われ、同時期に同地域から一度に移入されたものとは限らないが、大きく分けて、南北朝から隋にかけての時代に中国から直接伝わったと考える説と、朝鮮半島の百済などに伝わった字音がそこで定着したあと日本（倭）に齎《もたら》されたと考える説がある。いずれにせよ仏教伝来と深い関わりがあるはずである。一方、漢音は七世紀末から八世紀の初めにかけての時期に、唐の長安から学問的に移入されたものと考えられている。七二〇年成立の『日本書紀』の音仮名に漢音の特徴と共通するものがあることも忘れてはならない。「漢音」とは本来「正音」すなわち中国標準音の意味であった。呉音と漢音の違いが単に伝来時期の違いによるものなのか、それとも時期の違いだけでなく地域の違い（たとえば呉音は江南地方から、漢音は西北地方から、というように）も関係するのか、伝来の過程で日本（倭）、中国、百済、高句麗、新羅の人々が具体的にどのような役割を果たしたのか、等々、考えるべきことはなお多い。

朝鮮漢字音や越南漢字音については、漢音に似て、唐代に新羅やベトナムに伝来したもの（おそらく長安音）が中心になっているという説が一般的である。[*13]

まずは中国語の時代区分をみてみたい。中国語学では中国語の時代区分として先秦を中心とする「上古」、隋唐を中心とする「中古」、元明を中心とする「近世」というように分けるのが一般的である。これと中日朝越の歴史をごく大雑把に対応させれば以下のとおりである。

	上古	中古	近世
中国	漢　魏晋南北朝	隋唐　五代　宋	元　明　清…
日本	（倭五王）	飛鳥　奈良平安	鎌倉　室町　江戸…
朝鮮	三国	統一新羅　高麗	朝鮮王朝…
越南	（交州）（南：林邑・チャンパ）	（安南都護府）李朝	陳朝　胡・黎・莫朝　阮朝…

中国では魏晋南北朝時代に反切という表音法が広まり、隋の時代に『切韻』という発音辞典ができる。反切によって音が示された約三千六百の音節が、平上去入の四声および韻の順に並べられており、これによって、音節初の子音（声母）、母音的部分（韻母）の細かい枠組みがわかる。ちなみに現代北京語の音節数は一千二百ほどしかない。『切韻』の音節がいかに多いかがわかる。問題はこの音韻体系が何を表しているのかである。今のところ南北朝から隋にかけての洛陽や金陵（今の南京）の読書音を総合したものというのが一般的な学説である。

『切韻』を代表とする中古音は一九一五年の B.Karlgren[*14] 以来多くの研究者によって詳しく研究されており、現時点ではどの研究者の復元音も大同小異である。換言すればそれだけ信用できるということであり、中国の字音の変遷、そして日朝越の漢字音の変遷を考える場合も、『切韻』の復元音を定点として分析する方法が広く受け入れられている。

4　声母（音節初の子音）の対応

4.1 『切韻』の声母

隋『切韻』の声母は以下のように復元されている。ほぼ三根谷徹の学説[*15]による。漢字は各声母の代表字。＊は復元音を表す。

幇滂並明　(非敷奉微)　端透定泥來　知徹澄娘　見溪群疑　影暁匣云羊

*p p^h b m　t t^h d n l　ʈ $ʈ^h$ ɖ ɳ　k k^h g ŋ　ʔ x ɣ ɥ j

精清従心邪　荘初崇生　章昌船書常日

ts ts^h dz s z　tʂ $tʂ^h$ dʐ ʂ　tɕ $tɕ^h$ dʑ ɕ ʑ ɲ

以上のうち「知徹澄娘・荘初崇生」はそり舌音[*16]、云ɥは[j]を円唇化した半子音。「非敷奉微」とは『切韻』の段階では*p p^h b m(幇滂並明)だったものが唐代になり一定の条件のもとfやvのような唇歯音に変わったと考証されているもの。この変化を「軽唇音化」という。以上のほか俟ʐという声母を認める説もある。

4.2 各漢字音との対応

日朝越の各漢字音の来源となる中国原音が『切韻』の字音体系そのものであるとは限らないが、時代的にそう遠いものではなく、整然たる対応関係があることも事実である。以下、『切韻』の声母と各漢字音(現代)の音韻対応を見てみたい。例字には朝越の漢字音を示した。朝鮮語の括弧の中は十五世紀復元音(今と大きく異なる時のみ)。ベトナム語(声調省略)の括弧内はローマ字(đとchのみ)【表2】。

各漢字音の対応にはもちろん例外もある。[*19] ここに挙げたのは最も主要な対応である。このような声母の対応の面から各漢字音の重要な特徴と変遷の状況を見てみたい。

表 2

『切韻』	例字　朝鮮／越南	朝鮮	越南	呉音	漢音
1　幫 p pj	本 pon/ɓăn　北 puk(pɯk)/ɓăk	p　pʰ	ɓ　t	ハ行	ハ行
2　滂 pʰ pʰj	浦 pʰo/fo　普 po/fo	pʰ　p	f　tʰ　t	ハ	ハ
3　並 b bj	別 pjər/ɓiet　平 pʰjəŋ/ɓiɲ　避 pʰi/ti	p　pʰ	ɓ　t	バ	ハ
4　明 m mj	門 mun/mon　馬 ma/ma　民 min/zə̆n	m	m　z	マ	バ　マ
1′　非	方 paŋ/fɯəŋ　法 pəp/fap	p	f	ハ	ハ
2′　敷	芳 paŋ/fɯəŋ　豊 pʰuŋ/fɔŋ	p	f	ハ	ハ
3′　奉	房 paŋ/fɔŋ　範 pəm/fam	p	f	バ	ハ
4′　微	万 man/van　物 mur(mɯr)/văt　武 mu/vɔ	m	v	マ	バ
5　端 t	東 toŋ/ɗoŋ　店 ʧəm(tjəm)/ɗiem	t　ʧ(tj)	ɗ	タ	タ
6　透 tʰ	通 tʰoŋ/tʰoŋ　天 ʧʰən(tʰiən)/tʰien	tʰ　ʧʰ(tʰj)	tʰ	タ	タ
7　定 d	同 toŋ/ɗoŋ　道 to/ɗau　定 ʧəŋ(tjəŋ)/ɗiɲ	t　ʧ(tj)	ɗ	ダ	タ
8　泥 n	男 nam/nam　内 nɛ(nʌi)/noi	n	n	ナ	ダ　ナ
9　知 ʈ	張 ʧaŋ(tjaŋ)/ʧɯəŋ　智 ʧi(ti)/ʧi	ʧ(tj)　t	ʧ(tr)	タ	タ
10　徹 ʈʰ	恥 ʧʰi(tʰji)/si　畜 ʧʰuk(tʰjuk)/suk	ʧʰ(tʰj)　tʰ	s	タ	タ
11　澄 ɖ	伝 ʧən(tjən)/ʧwien　直 ʧik(tik)/ʧɯk	ʧ(tj)　t	ʧ(tr)	ダ	タ
12　娘 ɳ	女 njə/nɯ　娘 naŋ/nɯəŋ	n　j	n	ナ	ダ　ナ
13　見 k kj	国 kuk/kwok　九 ku/kɯu　甲 kap/zap	k	k　z	カ	カ
14　溪 kʰ kʰj	快 kʰwɛ(kʰoai)/xwai　巧 kjo/sau	k　kʰ	x　s	カ	カ
15　群 g gj	琴 kɯm/kə̆m　近 kɯn/kə̆n　期 ki(kɯi)/ki	k	k	ガ	カ
16　疑 ŋ ŋj	厳 əm/ŋiem　元 wən/ŋwien　牙 a/ɲa	Ø(ŋ)	ŋ　ɲ	ガ	ガ
17　精 ts	接 ʧəp(tsjəp)/tiep　子 ʧa(tsʌ)/tɯ	ʧ	t	サ	サ
18　清 tsʰ	千 ʧʰən(tsʰjən)/tʰien　七 ʧʰir/tʰə̆t	ʧʰ	tʰ	サ	サ
19　従 dz	全 ʧən(tsjən)/twien　族 ʧok(tsok)/tok	ʧ	t	ザ	サ
20　心 s	三 sam/tam　四 sa(sʌ)/tɯ　新 sin/tə̆n	s	t	サ	サ
21　邪 z	習 sɯp/tə̆p　続 sok(sjok)/tuk　謝 sa(sja)/ta	s	t	ザ	サ
22　荘 tʂ	争 ʧɛŋ(tsʌiŋ)/ʧaɲ　荘 ʧaŋ/ʧaŋ	ʧ	ʧ(tr)	サ	サ
23　初 tʂʰ	冊 ʧʰɛk(tsʰʌik)/sac　創 ʧʰaŋ/saŋ	ʧʰ	s	サ	サ
24　崇 dʐ	事 sa(sʌ)/sɯ　助 ʧo/ʧə　雛 ʧʰu/so	s　ʧ　ʧʰ	s　ʧ(tr)	ザ	サ
25　生 ʂ	生 sɛŋ(sʌiŋ)/siɲ　山 san/sən	s	s	サ	サ
26　章 tɕ	戦 ʧən(tsjən)/ʧien　正 ʧəŋ(tsjəŋ)/ʧiɲ	ʧ	ʧ(ch)	サ	サ
27　昌 tɕʰ	春 ʧʰun(tsʰjun)/swə̆n　処 ʧʰə(tsʰjə)/sɯ	ʧʰ	s	サ	サ
28　船 dʑ	食 sik/tʰɯk　蛇 sa(sja)/sa	s	tʰ　ʂ	ザ	サ
29　書 ɕ	詩 si/tʰi　世 se(sjəi)/tʰe　水 su(sju)/tʰui	s	tʰ　ʂ	サ	サ
30　常 ʑ	十 sip/tʰə̆p　城 səŋ(sjəŋ)/tʰaɲ　時 si/tʰəi	s	tʰ　ʂ	ザ	サ
31　影 ʔ ʔj	音 ɯm/ə̆m　安 an/an　乙 ɯr/ə̆t	Ø	Ø	アヤワ	アヤワ
32　暁 x xj	暁 hjo/hieu　海 hɛ/hai　香 hjaŋ/hɯəŋ	h	h	カ	カ
33　匣 ɣ	行 hɛŋ(hʌiŋ)/haɲ　学 hak(hʌk)/hɔk	h	h	ガ　ワ	カ
34　云 ɥ	友 u/hɯu　永 jəŋ/viɲ	Ø	v　h	ア　ワ	ア　ワ
35　羊 j	延 jən/zien　容 joŋ/zuŋ	Ø	z	ヤ	ヤ
36　来 l	六 rjuk/luk　両 rjaŋ/lɯəŋ　理 ri/li	r [*17]	l	ラ	ラ
37　日 ɳ̊	二 i(zi)/ɲi　日 ir(zir)/ɲə̆t	j (z) [*18]	ɲ	ナ	ザ

4.3 日本漢字音

4.3.1 主な特徴

①『切韻』の濁音声母が呉音では濁音（匣ɣの一部はワ行：「黄《ワウ》」「和《ワ》」など）に対応、漢音では清音に対応。ただし疑母はともにガ行。以下ルビは呉音。

		呉音	漢音
・群g、匣ɣ	期《ゴ》・勤《ゴン》・強《ガウ》、行《ギヤウ》	ガ行	カ行
・従dz、邪z、崇dʐ、船dʑ、常ʑ	自《ジ》、象《ザウ》、事《ジ》、食《ジキ》、成《ジヤウ》	ザ行	サ行
・定dʻ、澄ɖ	頭《ヅ》・達《ダツ》・弟《ダイ》・道《ダウ》、直《ヂキ》	ダ行	タ行
・並b	白《ビヤク》・平《ビヤウ》・病《ビヤウ》・奉《ブ》・凡《ボム》	バ行	ハ行

②『切韻』の明母mや泥母n娘母ɳが漢音では濁音（バ行やダ行）に対応することがある。日母ɲは呉音ナ行、漢音ザ行に対応。

		呉音	漢音
・明m	馬《メ》、文《モン》	マ行	バ行
・泥n娘ɳ	男《ナム》・内《ナイ》、女《ニヨ》	ナ行	ダ行
・日ɲ	人《ニン》・然《ネン》・如《ニヨ》・日《ニチ》・二《ニ》	ナ行	ザ行

「馬バ」「文ブン」「男ダン（ダム）」「内ダイ」のような漢音の特徴は唐の長安音の反映である。

4.3.2 平安時代日本語からの変遷

ハヒフヘホ *ɸa ɸi ɸu ɸe ɸo → ha çi ɸu he ho、タチツテト *ta ti tu te to → ta tɕi tsu te to、ダヂヅデド *da di du de do → da dʑi dzu de do[20]、ヱヲ *we wo → e o、などが漢字音にも関係する[21]。たとえば「八ハチ」*ɸati → [hatɕi]、「越ヱツ」*wetu

→[etsu]、「地チ」*di→dʑi（=字ジ）。

4.4 朝鮮漢字音

4.4.1 主な特徴

朝鮮語には p k と p^h k^h のような無気・有気の対立があるが、中古音の幇 p 見 k や滂 p^h 渓 k^h ときちんと対応しないところがある。たとえば幇母 p の「編」が p^hjən、渓母 k^h の「遣」が kjən など。[*22] このため朝鮮語の有気音は歴史的に遅い時期に発生したと見る学説もある。並 b 定 d 群 g は無気音に対応することが多いが、一定の条件なしで有気音が現れることもある。[*23] たとえば並母 b の「平」は p^hjəŋ、「貧」は pin。ハングル（訓民正音）が創製された当初（十五世紀中頃）は、並 b 定 d 群 g などの漢字音を今のいわゆる「濃音」（ㅃ ㄸ ㄲ など）で表記する方法もあった。現代朝鮮語において濃音表記の漢字音はごく少数である。[*24] いずれにせよ濃音は濁音ではない。

4.4.2 15世紀以来の変遷

十五世紀を中心とするいわゆる「中期朝鮮語」から現代語までのさまざまな変化の中で、*tj- t^hj- → tʃ- $tʃ^h$-、*tsj- → tʃ-、*sj- → s- などが漢字音に関係する。*z-（ハングルは△）は固有語の場合と同様、ゼロとなる。*ŋj-, nj- は現代韓国語において単語の初めなどで普通 j- と発音される。

4.5 ベトナム漢字音

4.5.1 主な特徴

①幇滂並の一部の字が [ɓ f] ではなく [t] や [t^h] に対応、明母 m の一部が [m] ではなく [z] に対応。幇母「標」を含む「標準」が [tieu^{33} tʃuăn^{213}]（ティエウジュアン）となり、明母「民」を含む「人民」が [ɲăn^{33} zăn^{33}]（ニャンザ

ン）となる。[*25]

②見母の一部（いわゆる「二等韻」の場合）が［k］ではなく［z］に対応。「家」は［za^{33}］、「甲」は［zap^{35}］となる。

③精 ts 従 dz 心 s 邪 z が［t］に、清 tsʰ 書 ɕ 船 dʑ 常 ʑ が［tʰ］に、昌 tɕʰ 徹 ʈʰ が［s］に対応。たとえば「さよなら」を意味する［tam^{32} ɓiet^{32}］は「暫別」の漢字音（「暫」は従母）。

問題は中古音から見るとかなり特殊に見えるこれらの対応が、中国原音に由来するものなのか（その場合、どの時代のどの地域から伝来したのか）、それとも、ベトナム語に借用されたあとベトナム語の中で独自の変遷を遂げたものなのか、ということである。今のところ後者の説が有力である。

④羊母 j と云母 ɥ が［z-］と［v-］［h-］という風に、はっきりと区別されることも特徴である。現代中国語諸方言や日朝の漢字音ではほぼ区別されない。[*26]

4.5.2 歴史的変遷

イエズス会士A・ロードの『ベトナム・ポルトガル・ラテン語辞書』[*27]（一六五一年刊行）に現れる漢字音と現代語を比較することによって、十七世紀以来の変遷を垣間見ることができる。上に挙げた声母関連の特徴はほぼすべてすでにロードの辞書にも表れている。ローマ字表記の tr- と ch- は *［tr-(tʂ-)］と *［tʃ-］と発音されていたと推定されるが、現代ハノイでは同音（ともに［tʃ-］）になっている。tr-［tʂ-］、ch-［tʃ-］と区別する方言もある。ローマ字表記の ph- と kh- はそのまま［pʰ-］［kʰ-］と発音されていたと推定されるが、現代ハノイでは［f-］［x-］となっている。そのほかのローマ字表記のうち現代ハノイの音と違うものは以下のとおり：r- gi- s- x- *［r- dʒ- ʂ- ʃ-］。現代ではそれぞれ［z- z- s- s-］。

唐から宋に相当する時代のベトナム語のことはよくわかっていないが、ベトナム語内部で *p→ɓ、*t→ɗ、*ts→t、*s→t、*tsʰ→tʰ のような変化が起こった、また一部の *pj- や *mj- が t- や z- に変化した（上述「標」［tieu^{33}］、「民」［zăn^{33}］

など）[*28]、と推定する研究者もいる。*t→dの変化が先に起こり、空席となったtの位置に*tsや*sが入りやすくなったという可能性もある。

5　韻母（母音的部分）の対応

5.1　『切韻』の韻母

『切韻』ではすべての字音を大きく四つの声調（平声・上声・去声・入声）に分けたあと百九十三の韻に分属させている。ʌuŋ/iʌuŋ（以下の表の01と01'）やɑŋ/uɑŋ（表の43）のように一つの韻に二つ以上の韻母が含まれることもある。-uɑnのように主母音の前に-u-を伴うものを「合口韻」という。たとえばɑn/uɑnを一つの韻にするか二つの韻にするかによって、全体の韻の数は変わりうる。なお『切韻』系韻書の代表である北宋初の『広韻』では二百六韻である。平声・上声・去声がメロディックな音調であるのに対し、入声は平上去の-ŋ -n -mに対応する-k -t -pを伴う（恐らく短促な）音調であると推定される。たとえばɑŋ平/ɑŋ上/ɑŋ去/ɑk入、ɑn平/ɑn上/ɑn去/ɑt入、ɑm平/ɑm上/ɑm去/ɑp入のように、相配する形で並べられる。

5.2　対応の表

これらの韻と各漢字音の間に整然たる対応が見られるので、以下に表示してみたい。01の「工、谷」を例に挙げれば、朝鮮漢字音はkoŋ kok、ベトナム語は$koŋ^{33}$ kok^{35}、呉音は「エク」（「空」はクウ）、漢音は「エコウ、谷コク」である。このような例に基づき、以下の表では「朝鮮 oŋ ok　越南 oŋ ok　呉音ウウ、ウ　漢音オウ、オク」と概括してある。01'以下も同様の方法による。日本漢字音は歴史的仮名遣いによる。呉音の欄は特徴的なもののみ挙げた。漢音のようにほぼ全面的に対応するものではない。朝鮮語とベトナム語は現代音によるが、前者は括弧内に十五世紀の復元音、後者には括弧内にローマ字表記を記した。韻は『広韻』二百六韻のものによる。紙幅の関係で各例字の直後に朝鮮漢字音の子音（現代）のみを示した。

表【表3】が煩雑になりすぎるため、個別の例外的対応は注の中で示した。[*43]

5.3　各漢字音の特徴

5.3.1　共通する特徴

日朝越に共通するのは09魚韻と10虞韻のほぼ全面的な区別である。隋の『切韻』と同時代の資料は当時の北方中国では両者の区別がなくなっていたことを示す。現代中国諸方言で区別するところはほとんどない。[*44] たとえば、魚韻の「余」と虞韻の「愉」の対応状況は以下のとおり（両者とも声母は羊母、声調は平声）。

	北京	広東	日本漢音	朝鮮	ベトナム
余	y^{35}	jy^{21}	ヨ	jə	$zɯ^{33}$
愉	y^{35}	jy^{21}	ユ	ju	zu^{33}

5.4　日本漢字音

5.4.1　主な特徴

①全体的に、『切韻』でi-を伴う韻母の対応に関して、呉音は直音、漢音は拗音という傾向がある。以下の例、呉音と漢音の順。

居士コジ／居住　虚空コクウ／空虚　相談／首相　興奮／興味

ただし、呉音：拗音、漢音：直音の例もある。条件は声母が荘初崇生の諸母。例：荘園／老荘、義疏ギショ／ギソ。荘は荘母、疏は生母。他に44庚～47青にも呉音：拗音、漢音：直音の対応が見られる（後述）。

33 先銑霰屑	en//uen	辺 pj 電前 ʧ 天千 ʧ^h 年 nj 見 kj 賢 hj 練 rj // 犬 kj 県 hj　結 kj 節 ʧ// 決 kj 血 hj	ən ər	ien iet		エン エツ
34 仙獮線薛	ian//iuan	面 mj 乾 k 戦 ʧ 善 s 演 j 連 rj// 伝 ʧ 川 ʧ^h 選 s 権 kw　滅 mj 列 rj// 雪 s	ən ər	ien iet	オン 権	エン エツ
35 蕭篠嘯	eu	皎 kj 彫条調鳥 ʧ 堯 j 料聊了 rj	o	ieu		エウ
36 宵小笑	iau	標鑣表 p^{h}j 妙廟 mj 橋 kj 朝趙照 ʧ 焼召 少紹 s 腰要遶 j 燎 rj	o	ieu		エウ
37 肴巧效	au	交 kj 孝 hj 豹 p^{h}j 卯 mj 包飽 p^h 梢 s 貌 m	o	au	エウ	アウ
38 豪晧号	ɑu	刀 t 高 k 早 ʧ 騷 s 好 h 老 r, 宝 p 毛 m	o	au		アウ, オウ
39 歌哿箇	ɑ	多 t 他 t^h 歌可 k 我阿 Ø 娑 s 何賀 h 羅 r	a	a		ア
40 戈果過	uɑ	波婆破 p^h 磨 m 妥墮 t^h 鍋科課 kw 臥 w 坐 座 ʧw 禾和火 hw	a	a		ア
41 麻馬禡	a//ua	巴 p 馬 m 家 k 亜 Ø 夏 h// 瓜 kw 化 hw	a	a	エ	ア
41' 麻馬禡	ia	斜写謝舎社蛇 s 遮者 ʧ 車 ʧ^h 夜 j	a	a		ヤ
42 陽養漾薬	iɑŋ//iuɑŋ iɑk//iuɑk	良 rj 強 k 章 ʧ 上 s 羊 j 香 hj// 王 w 雀 ʧ 略 rj 若 j	aŋ ak	ɯəŋ ɯək	アウ	ヤウ ヤク
43 唐蕩宕鐸	ɑŋ//uɑŋ	傍 p 湯 t^h 航 h 郎 r 藏 ʧ, 岡 k 堂 t// 光 kw 荒 hw　博 p 莫 m 各 k 落 r// 郭 kw	aŋ ak	aŋ, ɯəŋ ak [*34]		アウ アク
44 庚梗映陌	aŋ//uaŋ	彭 p^h 孟 m 坑 k 行 h[*35] 白 p 額 Ø 宅 t^h	ɛŋ(ʌiŋ) ɛk(ʌik)	aɲ ac	ヤウ ヤク	アウ アク
44' 庚梗映陌	iaŋ//iuaŋ	兵丙病 pj 平 p^{h}j 明 mj 京敬 kj 迎 , 英影 j 警景卿慶競 kj[*36]　戟 kj 逆 j	əŋ ək	iɲ, aɲ ic	ヤウ ヤク	エイ エキ
45 耕耿諍麦	ɐŋ//uɐŋ	争 ʧ 鶯 Ø 幸 h[*37] 責策 ʧ^h// 獲 hw	ɛŋ(ʌiŋ) ɛk(ʌik)	aɲ ac	ヤウ ヤク	アウ アク
46 清静勁昔	iaŋ//iuaŋ	餅 pj 軽 kj 貞精井整正鄭 ʧ 性 s 領令 rj, 成声聖 s 名 mj　積 ʧ 釈 s, 石 s	əŋ ək	iɲ, aɲ ic, ac [*38]	ヤウ ヤク	エイ エキ
47 青迥徑錫	eŋ//ueŋ	瓶並 pj 冥 mj 丁定 ʧ 聽 ʧ^h 寧 nj 経 kj 星 s 形 hj 靈 rj// 螢 hj　歴 rj 的寂 ʧ	əŋ ək	iɲ ic	ヤウ ヤク	エイ エキ
48 蒸拯証職	iʌŋ [*39]	徵 ʧ 応 Ø 興 h　直職 ʧ 食 s, 側測 ʧ^h	ɯŋ ik,ɯk	ɯŋ ɯk[*40]	オウイキ	ヨウ ヨク
49 登等嶝徳	ʌŋ/uʌŋ	騰 t 能 n 肯 k 増 ʧ// 弘 h　得 t 黒 h 勒 r	ɯŋ//oŋ ɯk	ăŋ ăk	オ ウ	オウ オク
50 尤有宥	iʌu	九 k 牛優 Ø 休 hj, 受 s 周 ʧ 富 p	u	ɯu,u	ウ オ牛	イウ ウ
51 侯厚候	ʌu	茂 m 斗豆頭 t 透 t^h 構口 k 後后 h 楼 r	u	ŏu	ウ オ後	オウ オ母
52 幽黝幼	ieu	謬 rj, 糾 kj	u	ŏu, u	エウ	イウ
53 侵寝沁緝	iem iep	朕 ʧ 針 ʧ^h 心 s 林 r, 音吟 Ø 琴 k 集 ʧ 十 s 立 r 入 Ø, 及 k	im, ɯm[*41] ip, ɯp	ŏm ŏp	オム	イム イフ
54 覃感勘合	ʌm	曇 t 貪 t^h 南 n 紺 k 蚕 ʧ[*42] 参 ʧ^h 暗 Ø 含 h 答踏 t 納 n 雑 ʧ	am ap	am ap	オム	アム アフ
55 談敢闞盍	ɑm	担 t 甘 k 暫 ʧ 慙 ʧ^h 三 s 覧 r　塔 t^h 臘 r	am ap	am ap		アム アフ
56 塩琰艶葉	iam	漸占 ʧ 尖 ʧ^h 奄 Ø 厭炎 j 険 h 廉 rj　葉 j	əm əp	iem iep		エム エフ
57 添忝㮇帖	em	點店 ʧ 念 nj 兼謙 kj　協 hj 牒 ʧ^h	əm əp	iem iep		エム エフ
58 咸豏陥洽	ɐm	湛 t 緘減 k 讒斬 ʧ^h 杉 s 陥 h　挿 s	am ap	am ap	エム	アム アフ
59 銜檻鑑狎	am	巌 Ø 艦 h 監 k 衫 s 懺 ʧ^h　鴨圧 Ø 甲 k	am ap	am ap	エム	アム アフ
60 厳儼釅業	iɑm	剣 k 厳醃腌 Ø　劫怯 k 脅 hj	əm əp	iem iep	オム	エム エフ
61 凡范梵乏	iʌm	帆範犯 p　法 p	əm əp	am ap	オム	アム アフ

表 3

平上去入	復元	例字	朝鮮	越南	呉音	漢音
01 東董送屋	*ʌuŋ ʌuk[*29]	蓬 p 蒙 m 工 k 同 t 聡 tʃʰ 翁 Ø 紅 h 木 m 谷 k 独 t 族 ʧ 禄 r	oŋ ok[*30]	oŋ ok	ウウ ウ	オウ オク
01' 東董送屋	iʌuŋ	中 ʧ 宮 k 充 ʧʰ　竹 ʧ 菊 k 熟 s 六 rj	uŋ uk[*31]	uŋ uk	ウウ ウ	イウイク
02 冬 宋沃	ɑuŋ	冬 t 統 tʰ 農 n 宗 ʧ　篤毒 t 梏 k	oŋ ok	oŋ ok		オウオク
03 鍾腫用燭	iɑuŋ	奉 p 恭 k 従 ʧ 容 j　曲 k 欲 j 録 r	oŋ ok	uŋ uk	ウウ ウ	ヨウヨク
04 江講絳覚	auŋ	邦 p 江腔 k 項巷 h　剝 p 濁 tʰ 角 k	aŋ ak	aŋ ak	オウ	アウアク
05 支紙寘	ie//iue	皮 p 奇 k 知 ʧ 施是 s, 紫 ʧ// 規 kj 睡 s	i, a(ʌ) //u[*32]	i,ɯ//ui	エ	イ　ウイ
06 脂旨至	iei//iuei	比悲 p 美 m 遅 ʧ 伊 Ø, 資 ʧ 死 s// 累 rj	i, a(ʌ) //u	i,ɯ//ui		イ　ウイ
07 之止志	iʌɪ	期已 k 止 ʧ 詩 s 以 Ø 理 r, 字 ʧ 寺 s	i, a(ʌ)	i, ɯ [*33]	オ	イ
08 微尾未	iʌi//iuʌi	衣 Ø 希 h, 飛 p 気 k// 鬼貴 k 威胃 Ø	ɯi,i//wi(ui)	i//ui	エ	イ　ウイ
09 魚語御	iʌ	居去巨 k 書序 s 余如 j, 助 ʧ 所 s	ə, o	ɯ, ə		ヨ オ
10 虞麌遇	iuʌ	夫 p 務 m 句区 k 株朱 ʧ 須 s 宇 Ø 愉 j	u	u		ユ ウ イウ$_{ダ}$
11 模姥暮	uʌ	歩 p 都図 t 土 tʰ 奴 n 苦 k 素 s 胡 h 路 r	o	o	ウ	オ
12 斉薺霽	ei//uei	鶏計 kj 提題帝第 ʧ 体替 ʧʰ 礼 rj// 慧 hj	e(jəi)	e//ue	アイ エ	エイ
13 祭	iai//iuai	世 s 藝 j// 税 s	e(jəi)	e//ue	エ	エイ
14 泰	ɑi//uɑi	大 t 泰 tʰ 奈 n 害 h// 会 h	ɛ(ai)/we(oi)	ai//oi	エ	アイ
15 佳蟹卦	aɪ//uaɪ	牌 pʰ 買賣 m 嬭 n 解 h 債 ʧʰ 崖 Ø	ɛ(ai,ʌi)	ai	エ	アイ
16 皆駭怪	ɐi//uɐi	拝排 p 埋 m // 乖怪壊 k 懐槐 h	ɛ(ʌi)/we(oi)	ai	エ	アイ
17 夬	ai//uai	敗 pʰ 邁 m// 快 kʰw	ɛ(ai)	ai	エ	アイ
18 灰賄隊	uʌi	杯 p 毎 m 対 t 内 n, 雷 r 催 ʧʰ 罪 ʧ 回 h	ɛ(ʌi),we(oi)	oi	エ	アイ
19 咍海代	ʌi	臺 t 乃 n 開 k 再在 ʧ 菜 ʧʰ 孩 h 愛 Ø 来 r	ɛ(ʌi)	ai	エ	アイ
20 廃	iɑi//iuɑi	肺吠 pʰj// 穢 j	e	e//ue	エ	アイ
21 真軫震質	ien iet	賓 p 民 m 陳 ʧ 新 s 緊 k 因人 Ø, 銀 Ø 必 pʰ 一日 Ø, 乙 Ø	in, ɯn ir, ɯr	ǝ̆n ǝ̆t	オン オツ	イン イツ
22 諄準稕術	iuen	均 kj 俊 ʧ 春 ʧʰ 舜純順 s 倫 rj 閏 j 律 rj 出 ʧʰ 述 s	un ur	wǝ̆n wǝ̆t		ユンイン ユツイツ
23 臻　櫛	ien	榛蓁 ʧ, 莘 s　瑟蝨 s	in, ɯn ɯr	ăn ăt		インイツ
24 文吻問物	iuʌn	分 p 聞 m 群 k 訓 h 雲 Ø　佛 p 屈 k 鬱 Ø	un ur	wǝ̆n wǝ̆t	オン	ウンウツ
25 欣隠焮迄	iʌn	斤謹勤近 k 欣 h 殷 Ø　訖 h	ɯn ɯr	ǝ̆n ǝ̆t	オン	インイツ
26 元阮願月	iɑn//iuɑn	翻煩 p 建健 k 軒献 h // 原鴛遠 w, 飯 p 萬 m 越 w, 発 p	ən, an ər, ar	ien, an iet, at	オン	エンアン エツアツ
27 魂混慁沒	uʌn	本 p 困 k 敦 t 存 ʧ 村寸 ʧʰ 損 s 温 Ø 昏 h, 奔 p 門 m 屯 t　突 t 骨 k 卒 ʧ 忽 h	on, un or	on ot		オン オツ
28 痕很恨	ʌn	艮墾懇 k, 恩 Ø 根 k	an(ʌn), ɯn	ǝ̆n		オン
29 寒旱翰曷	ɑn	旦壇 t 炭 tʰ 難 n 干 k 讃 ʧʰ 残 ʧ 散 s 安 Ø 韓 h 蘭 r　達 t 葛 k 薩 s 剌 r	an ar	an at		アン アツ
30 桓緩換末	uɑn	伴半 p 潘 pʰ 端団 t 暖 n 酸 s 乱 r 官寛 kw 喚 hw 完 w　奪 tʰ 括 kw 撮 ʧw 活 hw	an ar	an at		アン アツ
31 刪潸諫鎋	an//uan	班攀 p 版 pʰ 蛮慢彎 m 姦 k 顔雁晏 Ø// 関 慣 kw 還患 hw　瞎 h// 刮 kw	an ar	an at	エン	アン アツ
32 山産襇黠	ɐn//uɐn	間艱簡 k 桟 ʧ 眼 Ø 閑 h // 鰥 kw 幻 hw 八 pʰ 札 ʧʰ 殺 s // 滑 hw	an ar	an at	エン エツ	アン アツ

②21真～34仙の入声字は、ふつう「質シツ」「節セツ」のように-ツが対応するが、呉音ではしばしば「質シチ」「節セチ」のように-チに対応する。53侵～61凡の入声字は呉音も漢音も「十ジフ」「甲カフ」のように-フが対応するが、ごくまれに漢音で-ツが現れる。たとえば「立リツ」（呉音はリフ）「摂セツ」「接セツ」「圧アツ」など。

③01東02冬03鍾の諸韻は、漢音で01オウ　01'イウ　02オウ　03ヨウと対応するが、呉音ではすべてに渉りウウかウが現れる。01大工／工業、01'宮内庁／宮中、02宗教／宗主ソウシュ、03供奉グブ／供給。

④05支06脂07之08微は、ほとんどの方言や日本漢音（イ、ウイ）、朝鮮漢字音で区別されないが、日本呉音では05支と08微にエ段が現れ、07之にオ段が現れる。[*45] たとえば05施セ、是ゼ、戯ゲ、08衣エ、稀気ケ、07期碁ゴ、己コ。ベトナムでも-ɨ（および後述のɯ）が普通の対応であるが、少数の字音が05支 iə̆、06脂 əi、07之 əi/ə、08微 ə の対応を示す。

⑤12斉は、呉音アイと漢音エイの対応が特徴的である。体育／体裁、唐招提寺／提起、礼記ライキ／礼儀、白米／米国。

⑥31刪 32山 37肴 41麻 58咸 59銜は、漢音で31アン 32アン 37アウ 41ア 58アム 59アム、呉音では31エン 32エン 37エウ 41エ 58エム 59エムが現れる。たとえば32大山ダイセン、37教ケウ、41家ケ、59監物ケン（ケム）モツ。中国音韻学ではこのような諸韻を二等韻という。ベトナムではこれら諸韻の見母 k の字が z- に対応する。

⑦44'庚46清47青は、呉音ヤウ ヤク、漢音エイ エキの対応が特徴である。たとえば44'兄弟キャウダイ／ケイテイ、46 44'声明 ショウミョウ（シャウミャウ）／セイメイ、44' 47明星 ミョウジョウ（ミャウ＋シャウ）／メイセイ。44庚と45耕でも呉音ヤウ ヤク、漢音アウ アクの状況が見られる。たとえば桔梗キキョウ（キャウ）／梗塞コウ（カウ）ソク、客キャク／刺客シカク。これらのアウやエイの後半部分は鼻音化していた可能性もある。01～04、42 43 48 49も同様。

5.4.2　平安時代以来の変遷

①アム、イム、エム、オムがアン、イン、エン、オンに合流。ただし「三位」（サム＋ヰ→サンミ）のように化石的に

「-ム」の面影を留める語もある。
②アウ・アフがオウに、ヤウ・エウ・エフがヨウに、イフがユウに合流。例：高カウ、甲カフ、陽ヤウ、遥エウ、葉エフ、集シフ。上述の01〜04、42〜49の鼻音化は消失。
③クワはカに合流。[*46] 例：火クワ→カ、官クワン→カン。

5.5 朝鮮漢字音

5.5.1 主な特徴

①『切韻』の*-k -t -pすなわち「入声」が-k -r [-l] -pに対応。53侵〜61凡が-m。
②05支06脂07之の精清従心邪の諸母および荘初崇生の諸母が [i] ではなく [a] に対応するのが特徴。この [a] は十五世紀の*ʌに由来する。例：女子 [jədʒa]（←*njə + tsʌ）。
③44庚45耕の*ʌiŋ/ʌik（現代は [ɛŋ/ɛk]）の対応が特徴的である。例：「白」[pɛk]（←*pʌik）。

5.5.2 15世紀以来の変遷

①「アレア」と呼ばれる母音*ʌが아 [a] や이 [ɯ] に合流。
②*ʌi/ai→[ɛ]、*əi→[e] など二重母音の単母音化が目立つ。05支06脂07之08微の見渓群の諸母の一部も*kɯi→ki[*47]の変化を見せる。

5.6 ベトナム漢字音

5.6.1 主な特徴

①『切韻』の*-ŋ -n -mが-ŋ/ɲ -n -mに対応、『切韻』の*-k -t -pすなわち「入声」が-k/c -t -pに対応。ベトナムの-ɲ

と -c は44庚～47青に現れる。[*48] 日本漢音において44'庚46清47青だけにエイ／エキが現れるのと類似する。
②42陽 *iɑŋ のみならず43唐 *ɑŋ の一部の字音にも -ɯeŋ が現れるのは不思議である。例：陽［zɯeŋ33］、唐［dɯeŋ11］。
③05支06脂07之の精清従心邪の諸母の字および一部の荘崇生の字が［i］ではなく［ɯ］で現れるのが特徴。例：字［tɯ32］、事［sɯ32］。これは日本の唐宋音で「椅子」の「子」が「シ」でなく「ス」になるのと似ている。上述のとおり朝鮮漢字音でも同様の現象が見られる。日本の唐宋音は宋元以来の中国語すなわち近世音を反映したものである。このことから朝鮮漢字音とベトナム漢字音の主要部分は日本漢音より少し遅い時期に中国からもたらされたのではないかという説も出て来る。
④21真（シン）、53侵（シン←シム）の多くの字音が -in(-it) や -im(-ip) ではなく -ăn(-ăt) や -ăm(-ăp) に対応する。

5.6.2 歴史的変遷

上述④の現象が広東語に似ていることから、ベトナム漢字音は唐代の華南から伝わったのではないかと考える研究者もいる。例：勤［kăn11］（広東［kʰɐn21］）、琴［kăm11］（広東［kʰɐm21］）。[*49] しかし、歴史的変遷の面から見ると、初めは -in -im のように受入れたものが、ベトナム語の中で後に -ăn -ăm に変わった可能性もある。その根拠は十七世紀のロードの辞書の中で、たとえば「人」「一」が nhân nhất ではなく nhin nhít と書かれていることである。[*50] ただし「引」dẩn「疾」tật のような例もあり、*-in/-it -im/-ip → -ăn/-ăt -ăm/-ăp の変化が進行中だったと推測される。

ほかには母音 *u を持っていた一部の字音が -ɔ となる現象が注目される。例：風 phung →［fɔŋ33］、儒 nhu →［ɲɔ33］、由 du →［zɔ33］。あるいは（元々存在した）古層の音が優勢になったということかもしれない。

6 声調の対応

中国語の音節は子音や母音のみならず声調を伴う。日朝越の字音にもその反映が見られる。隋の『切韻』の四つの声調と、平安時代の漢音と十五世紀の朝鮮語のアクセント、[*51]および現代ベトナム語の声調の対応を示してみたい。日本漢音のアクセントは唐代長安の具体的声調の形を反映する可能性があると考証されている。

	平声	上声	去声	入声
日本漢音	高低と低低[*52]	高高	低高	高高と低低
日本呉音	低高	低低		
十五世紀朝鮮語	低	高または低高		高
現代ベトナム	33と11	213と3ʔ5/32	35と32	

字音の変遷を考える際、声調の問題を避けて通ることはできない。紙幅の関係上ここではその重要性を示す一例のみを挙げる。

数字の「一二六九」は呉音／漢音で「イチ／イツ、ニ／ジ、ロク／リク、ク／キュウ（キウ）」のように明確な違いを見せる。「三サム、四シ、五ゴ」[*53]は一見すると呉音か漢音かわからないが、平安末期の日本漢字音の資料によれば、漢音の場合「サム高低」「シ低高」「ゴ高高」、呉音の場合「サム低高」「シ低低」「ゴ低低（低高）」というアクセントの違いが存在したことがわかる。

7　中国上古音[*54]との関連

以上は中国中古音を基準に各国漢字音を考えたものである。主要な対応関係を挙げてあるが、それ以外に対応に合わないものがあり、その中にはより古い段階の中国原音の反映もあるのではないかと考えられている。たとえば朝鮮漢字音の場合、上の対応に合わないものが少数見つかるが、可能性としては唐代を中心とする主体部分より前の時代、あるいは後の時代に伝来定着したものと推定される。

ここでは前の時代と推定されるものを挙げてみたい。たとえば12斉の字音は多く -ɘ (-jəi) に対応するが、「西妻麗低」などは -(j)ə であり[*55]、より古い段階の反映と推定される。比喩的に言えば、主体部分は日本漢音に相当、-(j)ə の層は日本呉音に当たると言えようか。十五世紀の資料において16皆19咍に -ai でなく -ʌi が現れるのもやや古い時代の状況を反映すると思われる。

日本の万葉仮名では19咍の字がオ段（乙類）に使われる。たとえば「乃ノ」「台ト」など。ベトナムでも普通の対応 -ai でないものが現れる場合がある。たとえば16皆の「介」giới [zəi^{35}]、19咍の「亥」hợi [həi^{32}] など[*56]。

日本では推古天皇の時代の漢字音が有名である。05支の「奇ガ」「移ヤ」、07之の「止ト」「已ヨ」「意オ」、09魚の「居ケ」「挙ケ」など[*57]。支韻がア段に対応するのは中古音では普通ありえないので[*58]、上古音の影響と見るのが一般的である。問題はなぜ六世紀末から七世紀初の推古朝の字音が紀元前（あるいは遅くとも後漢まで）の上古音を反映しうるのかということである。紀元前から中国と交流のあった朝鮮半島に、早い段階（漢代など）で伝わった字音が、百済で定着ののち、推古朝（あるいはそれ以前）の日本に伝わったと考える説が最も説得力を持つ[*59]。『日本書紀』継体紀所引の「百済本紀」に「押山君」が「意斯移麻岐弥（オシヤマギミ）」と書かれていることも根拠のひとつである。11模にア段が対応する例も上古音的である。後漢時代（一世紀）に伝来した金印の「漢の委の奴（ナ?）の国王」、そして『三国志』魏志東夷伝倭人の条の「末盧（マツラ?）」など。ただし、これらは日本の字音というより、当時の中国の音訳字音というべきもの。

ベトナムも秦漢時代から中国と交流があるので、古い字音が存在する可能性がある。前述の05支 iə̆、06脂 əi、07之 əi/ə という対応もかなり上古音的である[*60]。たとえば支韻「義」ngiã [ŋiə̆^{325}]、脂韻「利」lợi [ləi^{32}]、之韻「詩」thơ [tʰə^{33}]。脂韻「地」địa [ɗiə̆^{32}] は対応に合わないが、中国戦国時代の竹簡資料の中で「地」は「陀＋土」の字体で現れる。「陀」が声符であれば支韻に対応する[*61]ので địa [ɗiə̆^{32}] も納得できる。

来母字の「龍」「簾」の越南漢字音は long [lɔŋ^{33}]、liêm [liəm^{33}] だが、「龍」「簾」を表す単語として rồng [zoŋ^{11}]、

表4

庚清韻の例	呉音 -ヨウ（-ヤウ）	漢音 -エイ	唐宋音 -イン	朝鮮語 -(j)əŋ	ベトナム語 -iɲ	北京語 -iŋ
明	ミョウ（ミャウ）	メイ	ミン	mjəŋ	miɲ^{33}	miŋ^{35}
平	ビョウ（ビャウ）	ヘイ	ビン	pʰjəŋ	ɓiɲ^{33}	pʰiŋ^{35}
清	ショウ（シャウ）	セイ	シン	ʧʰəŋ	tiɲ^{33}	tɕʰiŋ^{55}
請	ショウ（シャウ）	セイ	シン	ʧʰəŋ	tiɲ^{213}	tɕʰiŋ^{214}
京[*64]	キョウ（キャウ）	ケイ	キン	kjəŋ	kiɲ^{33}	tɕiŋ^{55}

rèm［zɛm^{11}］がある。後者のような例を「古漢越語」と言い、より古い段階の中国語を反映すると考えられている。最新の上古音研究において「(中古) 来母字は上古では＊［l-］ではなく＊［r-］だった」という説が有力であるが、その手掛かりの一つが「古漢越語」なのである。

「許」hứa［huɯə̌^{35}］、「初」xưa［sɯə̌^{33}］、「墓」mả［ma^{213}］のように、09魚や11模に -a が対応する例もある。

8　おわりに

今回は主に中国の中古音との対応関係を中心にして日朝越の漢字音の変遷について考えた。上古音との関連についても少し触れることができた。中国近世音との関連で言えば、日本では「唐宋音」という字音の層（鎌倉時代以降）があり、朝鮮語・ベトナム語にもわずかではあるが近世音を反映する字音が存在する。[*62] 本章4や5の対応に合わないものの中にはそのような字音も含まれる。他にも例外を生む要因として「類推」「避諱」[*63]などがある。

最後に唐宋音も含めた各字音の典型的対応の例を挙げておきたい。5．2「対応の表」のうち44′庚、46清（ほかに47青も）の例である【表4】。

「明」などは他に推古朝の「有明子」（蘇我馬子）の「マ」、「明太子」の「メン」[*65]まである。ここからも日本では各時代の字音が幾つもの層を為して共存していることがわかる。朝鮮語・ベトナム語そして本国の中国諸方言の場合にも多かれ少なかれ同様の現象を見ることができる。どの時代の層なのか、どの地域に関係するのか、どのように伝来したのか……字音研究の興味は尽きないのである。

注

1 中国ではもともと多くの単語が単音節語であったため、漢字という表記が中国語に適していた。現代でも（各方言により状況は異なるが）古代の多くの単音節語が自由な語としては使われなくなっているとはいえ、意味を有する最小単位としての形態素としての役割を果たしている。現代の漢字は表語文字というよりは表形態素文字となっているのである。なお、新漢語については沈国威『近代日中語彙交流史』（笠間書院、一九九四年）などを参照。

2 IPA の説明 ①子音 tɕi：ジのような音（濁音ではない）、ɕi：シのような音、ʂʅ：そり舌のシの音、tʂ：そり舌のジの子音（濁音ではない）、ɲ：ニャの子音、tʃʰi/tʰe：息を強く出すチやテ（h は有気音を表す）。②母音 ɐ：あいまいで短いa、ɛ：口の開きを広めにしたe、œ：ɛの舌の位置はそのままで唇を丸める、ʊ：口の開きがuとoの間の音、ɪ：口の開きがiとeの間の音、ɯ：uの唇の丸めを解除した音（東京の「ウ」に近い）、ɤ：oの唇の丸めを解除した音。ə̆：母音上の記号は短母音を表す。③声調 55：高平 22：低平、35：高いところでの上昇、51：高いところからの下降調、214：低いところで窪む声調。

3 nhiệt độ（熱度）ともいう。ベトナム漢字音については注15所掲書および『越漢辞典』（商務印書館、一九六〇年）などを参照。

4 音声学的には［-ɪ］。

5 慶尚道や咸鏡道の一部では単語ごとの決まったアクセントを有する（固有語も）。

6 初期の頃は「有気音」を示す記号を使った資料もあるが、人為的なもの。日本漢字音については沼本克明『日本漢字音の歴史』（東京堂、一九八六年）、小倉肇『日本呉音の研究』（新典社、一九九五年）などを参照。

7 無気音を「平音」、有気音を「激音」というが、厳密に言うと朝鮮語の「平音」と中国の無気音は完全に同じものではない。

8 前喉頭化子音ともいう。

9 朝鮮語：아에애어오이우으［a, e, ɛ, ə(ɔ), o, i, u, ɯ］。十五世紀の朝鮮語ではこれらが*a, əi, ai, ə, o, i, u, ɯと発音され、さらにアレア（*ʌ）と呼ばれる大事な母音があった。ベトナム語ローマ字：a, ê, e, ơ, o, ô, i, u, ư［a, e, ɛ, ə, ɔ, o, i, u, ɯ］。

10 ただし十七世紀初の『日葡辞書』には「大仏」をdaibutと記すような例が見える。

11 朝鮮語では「simnihak シムニハク」、ベトナム語では「təm^{33} lɪː^{35} hɔk^{32} タムリーホック」である。

12 もちろん日朝越それぞれのどこの地域に借用されたかという問題もある。

13 幸い慧琳『一切経音義』（八〇〇年頃）の反切のおかげで唐の長安音のことも相当詳しく判明している。

14 Bernhard Karlgren（高本漢）1915-1926 *Études sur la phonologie chinoise*、趙元任・李方桂・羅常培訳『中國音韻學研究』（一九四〇年）。

15 三根谷徹『越南漢字音の研究』（東洋文庫、一九七二年）。

16 B.Karlgren は舌面音と復元。

17 韓国では普通 rj-, ri の r は発音されず（たとえば李祘イ・サン）、それ以外の r- は［n-］（たとえば「羅列 na-jər」）となる。音節が結合する時はさまざまな状況がありうる。例：新羅 sin-ra［silla］、理論 i-ron、心理 sim-ri［simni］など。表2や表3では r- で表記した。朝鮮漢字音については、河野六郎「朝鮮漢字音の研究」（『河野六郎著作集2』、平凡社、一九七九年）、伊藤智ゆき『朝鮮漢字音研究』（汲古書院、二〇〇七年）などを参照。

18 初声のゼロと終声の -ŋ は現在同形（ㅇ）。十五世紀の表記で -ŋ は「ㆁ」であり、初声の疑母に「ㆁ」を使うこともあった。

19 たとえば、朝鮮語、幇 p：八 p^{h}ar 板 p^{h}an 廃 p^{h}je（p^{h}jəi）、知 ʈ：忠 ʧ^{h}uŋ 哲 ʧ^{h}ər、疑 ŋ：験 həm、荘 tʂ：責 ʧ^{h}ɛk、章 tɕ：針 ʧ^{h}im、常 ʑ：辰 ʧin、匣 ɣ：校 kjo。ベトナム語（声調省略）、徹 ʈ^h：徹 ʧiet、初 tʂ^h：挿 t^{h}ap、書 ɕ：扇 ɦen、影 ʔ：一 ɲăt、匣 ɣ：話 t^{h}wai、云 ɥ：郵 ɓuu。例外の中には類推によるものが多いが（たとえば「校 kjo」は「交 kjo」の類推による）、それだけでは説明がつかないものもある。廃 p^{h}je(p^{h}jəi) などは唐代の軽唇音化を反映する可能性も。

20 現代日本語（東京）ではジとヂ、ズとヅは同音。

21 上代の早い段階ではヤ行の「エ *je」とア行の「エ *e」の区別もあった。

22 音節の形によって偏向が見られるという。

23 北京語の場合、中古音の平声字が有気音になるという明確な条件がある。

24 「双쌍 ʔsaŋ」や「氏씨 ʔsi」など。

25 中国音韻学で「重紐」という現象と関連がある。厳密に言えば、幇滂並明のうち pj, p^{h}j, bj, mj と復元されるいわゆる「重紐A」の系列の字の一部がベトナム語で t, t/t^h, t, z に対応する。

26 福建語では区別の痕跡がある。日本語でも平安時代の表記では羊母 j の「縁」と云母 ɥ の「円」を「エン」と「ヱン」で区別することがある（旧仮名でも）。ただし影母 ʔ の場合も「煙エン」「鴛ヱン」の対立がありうる。この点、朝鮮漢字音の縁 jən 円 wən 煙 jən 鴛 wən に類似する。ベトナムでは縁 zwien^{33} 円 vien^{33} 煙 ien^{33} 鴛 wien^{33} のようにすべて区別する。

27 Alexandre de Rhodes, *Dictionarium Annamiticum Lusitanum,et Latinum*, Rome,1651。清水 1999「Alexandre de Rhodes の辞書に見るベトナム漢字音について」（『東南アジア―歴史と文化―』28、五五～八〇頁）参照。

28 最初はベトナム語でも pj-, mj- で取り入れ、その後変化したという考え。注25参照。

29 *-ŋ -n -m の入声は -k -t -p。以下、21/42/53 のみ入声の音を表示。

30 たとえば「蓬 p 蒙 m 工 k 木 m 谷 k 独 t」と｛oŋ ok｝を組み合わせれば、朝鮮漢字音「蓬 poŋ 蒙 moŋ 工 koŋ 木 mok 谷 kok 独 tok」となるということ、以下同様。

31　本来はjuŋ, ɯŋ juk, ɯk とすべきであるが、煩雑になるので、本表では例字の子音に -j- をつける方式を採った（-w- も）。以下同様。なお4．4．2で言及したように、中期朝鮮語では j- があったのに現代では変化・消失している場合がある。たとえば「中」*ʧjuŋ → ʧuŋ。

32　見渓群の諸母の場合、中期朝鮮語では「岐 ki」:「奇 kɯi」のような対立があった（いわゆる「重紐」の反映）。表に示していないが、疑影暁の諸母の場合は今でも ɯi がありうる。例：05宜07疑医［ɯi］、05戯07熙［hɯi］。なお05支の「為」、06脂の「位」などは wi(ɯi)。

33　同じ崇母でも去声「事」は sɯ^{32}、上声「士」は si^{325}。

34　ベトナムの入声合口は例外的。「郭 kwac」「拡 xwac」「霍 xwăk」など。なお「光荒」は -aŋ。

35　一部 jəŋ jək にも対応。たとえば「庚更 kjəŋ」「格 kjək」など。「生」は特殊：sɛŋ(sʌiŋ)/siɲ^{33}、漢音セイ。合口の例、「横」：hwɛŋ(hoiŋ)/hwaɲ^{11}、呉音ヤウ、漢音ワウ。

36　合口の例、「兄」：hjəŋ/hwiɲ^{33}。

37　一部 jəŋ jək にも対応。たとえば「耕 kjəŋ」「隔 kjək」など。合口の例、「宏」:hwɛŋ(hoiŋ)/hwaɲ^{11}。

38　合口の例、「傾」：kjəŋ/xwiɲ^{33}、「頃」：kjəŋ/xwaɲ^{213}、「役」：jək/zic^{32}。

39　入声には *iʌk 以外に合口 *iuʌk もある。たとえば「域」jək/vɯc^{32}。なお48の韻に *ieŋ iek という韻母の共存を認める学説もある。

40　ほかに「陵 lăŋ^{33} 昇 tʰăŋ^{33} 勝 tʰăŋ^{35} 縄 tʰăŋ^{11}」、「側測 ʧăk^{35}」のような対応もある。49徳の合口では「国 kwok^{35}」が例外的。朝鮮語は「国 kuk」。

41　「品」は pʰɯm。これに限らず初声が唇音の場合、後続の非円唇母音が円唇化することがある。24入声「弗」も *pɯr が pur に、49入声「北」も *puk が puk に変わっている。

42　中期朝鮮語では「蚕」のみ tsʌm。他は -am。

43　たとえば、朝鮮語（以下、現代音のみ）：01’「鳳 poŋ」「終 ʧoŋ」、03「重 ʧuŋ」「衝 ʧʰuŋ」「凶 hjuŋ」、06「軌 kwe」「季 kje」、10「甫 po」、12「米 mi」「圭 kju」、13「逝 sə」、15「派 pʰa」（日本漢音も「ハ」）「街 ka」「画 hwa」「柴 si」、16「階戒 kje」、17「話 hwa」、21「巾 kən」、22「帥 sor」、25「乞 kər」、26「曰 war」、27「勃 par」、31「刷 swɛ」、35「叫 kju」、39「個 kɛ」「左 ʧwa」、40「倭 wɛ」、41「覇 pʰɛ」、44’「劇 kɯk」、46「益 ik」、48「称 ʧʰiŋ」「極 kɯk」「力 jək」、49「恒 haŋ」「肱 kweŋ」「徳 tək」「賊 ʧək」「則 ʧʰik」、50「謀 mo」「丑 ʧʰuk」「就 ʧʰwi」、51「母 mo」、52「彪 pʰjo」、53「(人) 参 sam」、56「潜 ʧam」、58「狭 hjəp」。ベトナム語（以下、声調省略）：01’「風豊 fɔŋ」、02「宗 tɔn」、03「封蜂 fɔŋ」「玉 ŋɔk」、04「双窓 sɔŋ」「学 hɔk」（中期朝鮮語も hʌk）、10「珠 ʧău」「無武 vɔ」「儒 ɲɔ」「数 so」、14「外 ŋwai」、18「裴 ɓui」「退 tʰwai」、21「進 tien」、26「言 ŋon」、27「論

lwǎn」、29「単 ɗan」「懶 lai」、32「山 sən」、36「苗 mɛo」「遥 zau」、42「房 fɔŋ」「望 vɔŋ」「往 vaŋ」、44「生 siŋ」、44'「命 meŋ」、46「営 zwaŋ」、48「承乗 thuŋ̌」、50「由 zɔ」「求 kǎu」、51「部 ɓo」、53「任 ɲiem」、54「合 hap」。これらの中には日本の呉音のような古層の字音が含まれているかもしれない。

44　福建語では一部区別を見せる地点がある。

45　07之のオ段は上代仮名遣いの乙類に相当することが多い。注57参照。

46　上代には「クヰ」「クヱ」もあったが早くから「キ」「ケ」に合流した。たとえば「均クヰン」「怪クヱ」。

47　5．2の表では *ɯi の対応は省略。

48　たとえばスープを表す「羹 kaŋ^{33}」は日本人には「カイン」のように聞こえる。ちなみに朝鮮語は *kʌiŋ（→[kɛŋ]）。

49　もちろん広東語自体の変化も考えなければならない。

50　清水政明 2015、A Reconstruction of Ancient Vietnamese Initials using Chữ Nôm Materials、『国立国語研究所論集』9、135–158、などを参照。

51　金田一春彦『国語アクセントの史的研究 原理と方法』（塙書房、一九七四年）、注17所掲伊藤二〇〇七、などを参照。

52　「AとB」としたものは声母に基づく明確な条件があるもの。『切韻』の濁音系声母の字（本章4．2の並定群従邪船常崇匣明泥疑来日羊云）はB。ただし明泥疑来日羊云は漢音の入声「高高」とベトナムの33に対応（もちろん例外もある）。「高または低高」は条件が分明でないもの。なお呉音の対応は漢音ほど厳密ではない。

53　「七八十」は、ふつう呉音のみが使われる。呉音「一二六七八九十」の呉音のアクセントは「イチ低低　ニ低低　ロク低低　シチ低低　ハチ低低　ク低高（低低）　ジフ低低」、「一二六九十」の漢音のアクセントは「イツ高高　ジ低高　リク高高　キウ高高」。なお声調やアクセントにも歴史的変遷がありうることは言うまでもない。上野和昭氏のご教示による。

54　上古音についての研究書は数多いが、検索しやすいものとして次の本がある。Schuessler, A. 2007. *ABC Etymological Dictionary of Old Chinese*. Honolulu : University of Hawai'i Press.

55　西 sə(sjə)、妻 tʃ^{h}ə(ts^{h}jə)、麗 jə(rjə)、低 tʃə(tjə)。これらを古層と見ない説もある。注17所掲、伊藤二〇〇七、本文篇一四二頁。

56　「山」son［sən^{33}］、「珠」châu［tʃə̃u^{33}］「筆」bút［ɓut^{35}］なども古い段階を反映する可能性がある。

57　大矢透『仮名遣及仮名字体沿革史料』（一九一二年）など参照。なお07之がオ段に対応するのは呉音でも同じ。「止」は4．2の章母（サ行に対応）の字であり、タ行「ト」と読むのは上古音的。奈良時代には「キヒミケヘメコソトノモヨロ」に甲類・乙類二種の音の区別があった。ここの「止ト」「已ヨ」「居挙ケ」はすべて乙類である。

58　埼玉県稲荷山古墳出土の鉄剣の象嵌銘にある「獲加多支鹵」が雄略天皇（倭の五王の一人「武」）の名「わかたける」を表す

とすれば05支の「支」が「ケ」（甲類）と読まれたことになる。なお上古音研究によれば、中古音の支韻には上古の二つの来源がある。その二つは「支部」と「歌部」と名付けられていて、「支」「是」などは支部、「奇」「義」などは歌部に由来すると考証されている。

59 推古朝漢字音と呉音との関係がいまひとつ明らかでない。

60 ただし、これらのうちの幾つかは避諱に関連する可能性もある。注50や注63に挙げた論文に詳しい。

61 正確には、支韻のうち上古歌部に由来する部分に対応。

62 たとえば、ベトナム語の「今金 kim^{33}」（対応どおりであれば kăm^{33}）や朝鮮語の姓「金 kim」（姓以外は kɯm）は近世音の反映と言われる。

63 たとえば、日本の「輸ユ」は本来「ス・シュ」と読まれるべきもの（書母、虞韻）。「兪ユ」などの類推による。ベトナム語の「輸 [zu^{33}]」も同様である。「避諱」は皇帝などの名前の音を避けて別音にする現象。ベトナム語の例は、清水正明「護城山碑文（1342）欠落部の発見：所収避諱文字と虞韻所属例外字音」（『大阪大学世界言語研究センター論集』2、二〇一〇年）に詳しい。

64 字音例：天平（天秤）テンビン、六根清浄ロッコンショウジョウ、請来ショウライ、普請フシン、京師ケイシ。

65 「明マ」と似たものに「寧楽ナラ」（奈良）がある。「明」：44′庚韻、「寧」：47青韻（5．2の表3）。なお「明太子」の「メン」はふつう朝鮮漢字音に由来すると言われる。

03

新羅・百済木簡と日本木簡

李 成市

1　はじめに

本章は、近年出土の新羅《しらぎ》木簡、百済《くだら》木簡の研究成果を踏まえ、東アジア漢字漢文文化圏における漢字の字体や字音、また漢字から派生した文字、さらに文体などを紹介することを目的とする。

日本木簡の出土数は三十七万点と伝えられる。一方、中国簡牘《かんとく》は二十万とも三十万とも言われるが、その実数は把握できないほどに増加の傾向にある。中国簡牘と日本木簡の関係については中国では四世紀半ばには公的には紙が用いられるようになったため、七世紀中頃から使用され始める日本木簡は、中国とは関係なく独自に生まれ発展したものとみなされた時期があった。韓国木簡はいまだ千点に満たない状況にあるものの、現在では、荷札、付札《つけふだ》、伝票、帳簿、文書木簡、『論語』書写木簡、呪符木簡、習書木簡、題籤軸《だいせんじく》、封緘《ふうかん》木簡、陽物《ようもつ》木簡、九九段《くくだん》木簡、削屑《けずりくず》など、日本列島で出土しているものはほぼ検出されている。それゆえ、現在では日本木簡は韓国木簡との影響関係が注目されている。

さらに、韓国木簡については、新羅や百済の都であった慶州《けいしゅう》・扶余《ふよ》のみならず、両国の支配が及んでいた地方からも六世紀以降の木簡が出土している。これらの多様な地域から出土した木簡の比較検討によって、新羅・百済両国の木簡文化には差異があるとの指摘がある。そのような地域性にも留意しつつ、各々の木簡を紹介したい。

2　新羅の付札木簡

加耶《かや》諸国の一国であった安羅《あら》国が所在した慶尚南道咸安《かんあん》郡の山城から約二百点の新羅木簡が発見されている。そのほとんどは、六世紀後半にさしかかった頃に安羅国が新羅に滅ぼされ、新羅が統治していた洛東江《らくとうこう》中・上流地域より、この地に食料を運搬させた際に用いられた荷札と推定されている。それらに加えて、文書木簡も何点か発見されている。

荷札には、地名に次いで人名、穀物名、穀物の数量などが記されている。基本的な表記法は次のとおりである。

仇伐　于好□村　卑尸　稗　一石
郡名＋　村名＋　人名＋　物品名＋　数量

人名中には、在地首長に与えられた官位（外位）が記されているものもある。その表記を手がかりにして木簡群は六世紀半ばの木簡に一部は後に投棄されたものが含まれていると推定されている。その出土状況から、ある一時期に使用されたものとは特定しがたく、六世紀末までを視野に入れる必要がある。これらの木簡群は、山城の東門跡付近における城壁の基盤施設として造成された排水施設から、他の植物性有機物とともに一括して出土した。出土木簡の大半は、下端の左右に切り込みを入れた荷札の形状をしており、基本的な記載内容は、上掲のとおりである。地名には村名だけが書かれたものと、村名の上に「及伐《きゅうばつ》」「仇利伐《きゅうりばつ》」「鄒文《すうぶん》」などの地名が書かれたものもあるが、これらは「村」より上位にある行政単位の郡と推定される。洛東江中・上流の新羅統治下にある各地域からもたらされた荷札の物品は、稗が圧倒的に多く、その他に麦や米などがある。

これらの荷札木簡の使用は城壁築造より先行し、稗や麦などの穀物が築城時に消費された食料であるとみられる。つまり、山城の築造にあたり多数の労働力を動員する際に集中的に投下された食料運搬時に用いられた荷札であった。

新羅における文字の流通に関わって木簡がどこで作成されたのかが問題となるが、木簡の製作技法や、書体などの研究によって、郡規模で作成されていたことが明らかにされている（橋本繁）。書体は地域ごとにやや異なるが、一九七九年に丹城で発見された赤城碑（五四五年＋α）と酷似している木簡が少なくない。

また、城山山城木簡の作成や荷札木簡の送付と受信に関わって重要なのは次の木簡である。

竹尸弥牟ㇾ于支稗一

かつて「牟」字と「于」字の間の「ㇾ」は二つの間の二文字を転倒させる符合とみられたことがあった。しかしながら、最近に至り、漢代簡牘の用例に従えば、句読の符合であることが金秉駿氏によって指摘された。上掲の木簡の符合もそれに当たるとの見解は軽視できない。というのも、句読のための符合は当然のことながら、荷札木簡の作成地で書き手が記したものではなく、受信した読み手の側の城山山城において付されたものでなければならないからである。そうすると、句読の符合の意味するところは、地域名と人名の弁別を目的として、受信側で付された記号とみなさざるをえない。すなわち読み手が地名「竹尸弥牟」と人名「于支」とを分節したことを示すと推察されるのである。符合によって地名と人名の弁別が受信側でなされたのは、受信側で改めて物資の受領に関わる帳簿が作成されたためであろう。荷札木簡の利用法を垣間見せる符合として注目される。

3　六・七世紀の文書木簡

城山山城木簡の第十七次調査において、付札木簡とは別の次のような四角形（長さ約三四センチ）の文書木簡が報告されている。

・三月中眞乃滅村主憹怖白
・本城在弥即尒智大舎下智前去白之
・即白　先節　本日代法稚然

・伊他羅仇伐尺采言□法三十代告今三十日食去白之

冒頭の「三月中」の時格の「中」は、後に取り上げる百済の文書木簡にも用例があるが、古代朝鮮半島で広く用いられている。また、二行目末尾の「前去白之」が古代日本木簡に見られる前白（某に申し上げる）という形式であると推定されるので、その他の「白」字に注目すれば、その内容は、在地首長である「眞乃滅村主」が京位を帯びた中央官吏である「本城」に滞在していた「弥即尒智**大舎**」と「下智」に告げたと推定される（ゴチックは新羅官位一二等）。

このような四面体や棒状の木簡が多い点に新羅・百済木簡共通の特徴がある。たとえば、京畿道河南市に所在する二聖山城からは、新羅木簡十三点が出土しているが、その中の一点には、四面のうち三面にわたって次のようにある。

・戊辰年正月十二日明南漢城道使×
・須城道使村主前南漢城城火×
・城上蒲黄去□□□賜□×

すなわち、戊辰年（推定六〇八年）正月十二日の明け方に、南漢城道使（地方官）が、「□須城」道使・村主に発信した文書と推定される。これもまた二行目の「前」字から、「某の前に申す」の文書形式の一つとみられる。なお三行目の蒲黄《ほおう》は出血止めの薬草として知られる。

ほぼ同じ頃と推定される木簡群が新羅王宮の所在した月城垓子《がいし》（堀）からも出土しており、その中に四面体の文書形式の木簡がある。

・大烏知郎足下万拜白了
・経中入用思買白雖紙一二斤
・牒垂賜教在之後事者命盡
・使内

冒頭は、「大烏（新羅官位一五等）知郎の足下に万《よろず》拜白す《おがみてもう》」と読み、「某足下白」は、前掲の二つの「某前白」形式の文書木簡の直接的な淵源であったとの見解がある。また、この木簡には動詞「垂」に助動詞「賜」があり「垂《くだ》し賜う」という表現や、「教在り、後事は命を盡す」などの新羅特有の用字や文体がみられる。

同じく月城垓子木簡の中には円柱状（棒状）の木簡があって次のように記されている。

「四月一日典大等教事
　勺筈日故為改教事□

新羅の中央官庁群を統括した執事部の次官・典大等《てんだいとう》の教事（命令）を記す簡略なもので、「故為改教事」以外には「教事」の具体的な内容はみえない。その特異な形状と併せて日本木簡の利用法を参照すると、こうした形状の木簡を所持することによって一定の権威づけがなされ、さらに具体的な「教事」が口頭で伝えられたとも推測される。これらの垓子出土木簡は、共伴の遺物から、いずれも六〇〇年前後と推定されている。

文書木簡でさらに注目されるのは、やはり垓子で近年発見された次の木簡である。

□□年正月十七日□□村在幢主再拝□涙廩典□岑□□
　　喙部弗徳智小舎易稲參石粟壹石稗參石大豆捌石
　金川一伐上内之　所白人登彼礼智一尺　文尺智重一尺

某村に駐在していた幢主（軍官）から財政を掌る中央官司の廩典《りんてん》に差し出された木簡と推定されるが、その文体は、「在」の位置などから漢文ではなく、上掲の文書木簡と共に新羅独自のものと推定される。さらに地方に派遣された幢主と中央官司の廩典との間で交わされた文書は初めての事例である点でも興味深い。とりわけ、稲、粟、稗といった穀物の分量を、従来の荷札の表記とは異なり、「壹《いち》」「參《さん》」「捌《はち》」といった修正が困難な漢数字で表記する点も文書の公的な性格を帯びているものとして注目される。なお二行目の「喙部」は新羅王京六部人の帰属を示し、「小舎」は京位であり、三行目の「一伐」と「一尺」は地方人に与えられた外位である。

4　統一新羅の付札木簡、帳簿木簡

八世紀中頃と推定される約五十点が出土した雁鴨池《がんおうち》木簡のうち十九点は、ほぼ同一の形式からなる食品付札木簡であった。典型的な木簡を二点挙げると次のとおりである。

A・甲寅年四月九日作加火魚醢

B・三月廿一日作獐助史缶

Aの末尾の「醢」は元来「さかずき」を意味するが、『三国史記』神文王三年条にも、「米・酒・油・蜜・醤・豉・脯醢」と食品が列挙された中に「脯醢」(肉の塩辛)とみえており、雁鴨池木簡の六点にみえる「醢」は、「醢」(しおから、ひしお、ししびしお)として用いられていることになる。醢は魚や動物の肉を塩漬けにしたものの意と解され、雁鴨池木簡には、A、B二つの木簡に記された加火魚や獐のほかに、鹿、猪、犭などが見られる。

「加火魚」とは、エイ(カオリ)の借字表記で、最も古い用例としては『世宗実録地理志』に平安道の貢物としてみられる。同一箇所にあるBの「獐」はノロシシである。「犭」は正倉院佐波理《さはり》加盤付属新羅文書にもみられるが、「猪」字の略字とする指摘がある(平川南)。

またAの醢と同じ箇所に記されたBの「助史」は、「醢」の音借字で、現代朝鮮語の塩辛「チョッ」(젓 jos)を「助 jo」と「史 sa」の二字で表記したものである。Bの缶《ほとぎ》は加工食品の容器であり、他には瓮、瓫などの文字が検出されている。これらの容器が並べられ、食品付札が各々の容器に付されていたと推定される。

さらに、宮廷の調度、食品に関わる木簡に次のようなものがある。

・郎席長十尺　細次枇三件　法次枇七件　法□

「郎席」は宮中で用いられた敷物で、その次に記す「細次枇」と「法次枇」は、円形の匙と柳葉形の匙と推定される。雁鴨池からは多様な匙が出土しているが、正倉院には新羅からもたらされたと推定される佐波理(銅・錫・鉛の合金)製の匙があって、円形と柳葉形の匙がセットになって十組が細縄で結わかれたまま残っている。「細次枇」と「法次

杙」は、各々柳葉形の匙と円形の匙（法は決まった形、定形か）と推定される。「次」は後世の吏読には生地、材料（감カム）の用例がある。なお雁鴨池出土の食品付札からは、これまで日本の国字とされてきた「鮑《あわび》」が検出されている。

雁鴨池遺跡には宮殿址が発掘によって確認され、いくつかの門跡が確認されているが、雁鴨池木簡の中には表裏に門の名を記した木簡があって、

・「策事門思易門金」
・「策事門思易門金」

これは二つの門（策事門、思易門）のキーホルダーとみられ、末尾の「金」は現代朝鮮語の鍵を意味する「열쇠ヨルセ」の sue を表記したと推定される。『三国史記』所載の用例にも「金」は、「蘇」「素」「徐」などの文字によって互換的に用いられており、ここでの「金」は新羅固有語で鍵を表す借訓字として用いていたことを示している。

さらに、宮殿の門については、両面に次のように門名を記す木簡がある。

・隅宮北門迓阿□才者左　同宮西門迓元方左馬叱下左
・東門迓三毛左──　開義門迓小巴乞左金老左

みられるように表裏に四つの門名を記しており、その門の下に細字で人名を記す。平城宮木簡に全く同様の書式の木簡があって、宮殿の門番に食料を給付する兵衛《ひょうえ》木簡と呼ばれる。古代日本と新羅において同一形式の木簡の実在が判明し、共通する帳簿として注目されている。「門」字の次に記された「迓」は門番を意味し、高句麗に由来する造字と推定される。『三国史記』地理志には、旧高句麗地名に迓城郡、猪迓穴県があり、それらは八世紀に唐風に改称された際に各々、守城郡、豢豭《かんか》県と改称され「守」「豢」の文字に置き換えられている。迓は「道」と「守」（まもる）からなる造字であろう。同様の例は、後述するとおり、古代朝鮮半島や日本列島で用いられた「椋」字がある。すなわち、「椋」とは、元来、高句麗で小さな倉を意味した「桴京」（『三国志』東夷伝高句麗条）の「桴」と「京」からなる造字と同じ原理によるものと推察される。

5　新羅と百済の『論語』木簡

現在、韓国では、三点の『論語』木簡が発見されている。二〇〇一年に金海市鳳凰洞で発見された『論語』は、上下端を欠損しているが（約二〇センチ）、四面には公冶長《こうやちょう》篇の一部が次のように記されていた。

Ⅰ×不欲人之加諸我吾亦欲无加諸人子×
Ⅱ×文也子謂子産有君子道四焉其別
Ⅲ×已□□□色舊令之正必以告新×
Ⅳ×違之何如曰清矣□仁□□曰未知×

また、京畿道富川市の桂陽《けいよう》山城からも五角柱の木簡（約一四センチ）が二〇〇七年に発見され、そこにも『論語』の公冶長篇の一部が記されていた。

Ⅰ×賤君子□□人□×
Ⅱ×吾斯之未能信子□×
Ⅲ×□不知其仁也求也×
Ⅳ×〔　　　　　　〕×
Ⅴ×〔　　　　　　〕子曰吾×

この桂陽山出土の木簡は、発掘担当者によれば、出土位相から五世紀百済土器が出土したとするが、その後の調査で遺跡の性格は全体としては六世紀中葉以降、高麗初期に至る新羅を中心とする遺構とされ、『論語』木簡も統一期新羅時代のものと推定されている。これら二つの木簡の判読された文字は、『論語』公冶長のテキストを省略せず記していることで共通している。また、欠失している下端から次の面の上端までの文字数は各々近似しているので、欠失したスペースには、元来、同様の間隔で文字があったと推定され、こうした事実から、両者はいずれも『論語』の公冶長篇を省略することなく、一メートル以上の多面体の木材に全文が書写されていたという復元案が提起されてきた（橋本繁）。かかる多面体の『論語』木簡の使途、利用目的については諸説あるが、学習のためとするものや、象徴空間でのテキストの誇示あるいは儀式の場での利用など象徴的な用途を推定するものがある。

一方、百済の王都であった扶余郡双北里《そうほくり》からも、次のような四面体の木簡に『論語』学而編の冒頭の章句が記されたものが二〇一八年に発見された。双北里出土木簡については後に言及するが、出土地は百済の官衙が所在したところでもある。

Ⅰ 習子曰學而時習之　不亦說（乎）
Ⅱ 有朋自遠方來　不亦樂（乎）
Ⅲ 人不知　而不慍　不亦（君）
Ⅳ 子乎　有子曰　其爲人（也）

木簡の長さは長さ二八センチ、幅は一・八、二・五センチで、下部に一字分の欠失があるものの、学而篇の冒頭が省略されることなく記されている。その特徴は、冒頭に「習」字を記した後に、章句の切れ目に空格を設けて分かち書きしている点にある。ちなみに、空格によって文章の切れ目を示す例として新羅の壬申誓記石が知られている。

この『論語』木簡は、「丁巳年十月二十日」と記された木簡と共に出土しており、六五七年と推定されている。このように百済でも『論語』木簡の出土が確認されたのであるが、いずれも多角形の棒状の木簡に論語が書写されていた点に注目される。

日本でも多角形の木簡にテキストの全文を記す例として、七世紀半ばの飛鳥池遺跡から出土した千字文木簡があるが、両者は時期的にも近い時代の木簡となる。

6　百済木簡にみる用字、造字、字音

扶余・双北里は、泗沘《しひ》城時代の官衙群があった地域と推定され、王都の山城である。扶蘇《ふそ》山城の山麓東方に位置している。ここからは、二〇〇八年に三点の木簡が発見され、その中の一点に次の木簡がある。

戊寅年六月中　（刻線）固淳□［夢カ］三石　（刻線）佃麻二石
○
佐官貸食記　上夫三石上四石（　）　比至二石上一石未二石
佃目之二石上二石未一石　習利一石五斗上一石未一石×
（二九一×四二×四㎜）

素麻一石五斗上一石五斗未七斗半　佃首行一石三斗半上一石未一石甲　并十九石□×
○
今沽一石三斗半上一石未一石甲　刀己邑佐三石与　得十一石　×

木簡の頭部に穴が穿たれた表面冒頭に「戊寅年六月中」「佐官貸食記《さかんたいしょくき》」と併記し、表裏両面に三段に分けて記載されている。この表面の第一段の表題は、「戊寅年六月に官人（ないしは官庁）を佐けるために食を貸した記録」と解されている。「食」は百済木簡に「食米」の用例があり、食用米とみられる。表面の第二段から裏面の第二段までには、「人名+石数+上石数+未石数」の順に、表面には六名、裏面には四人の計十人分の記録が記されている。人名の下の石数は、各々に貸し付けた量、上石数は返納された量、未石数は、いまだ返納されていない量を示す。このように貸し付ける行為を「貸」で表記し、表題にその時期を明記して、その下に貸し付けた人物を列記する記載様式を持つ木簡は、福岡県太宰府跡で出土した次の木簡（七世紀後半）に共通する。

「八月□日記貸稲数財マ人□　財×物×」

上石数と未石数を合算すると貸し付けた石数の一・五倍になり、利率は五割となる。二人の未石数に記された「甲」は、四分の一を意味しており、こうした甲の用例は鳥取県大御堂廃寺出土の木簡（七世紀後半〜八世紀前半）にもみられる。

裏面の第三段は全体の合計であり、貸し付けた石数の合計、「得十一石」は、これまでに返納された石数の合計で、貸

し付けた量と回収した量のみを記録しているが、その目的が稲の管理のためであったことによる。

この貸食記木簡と日本の出挙木簡は、書式や用字法が一致することから、そのシステムや文書行政は百済から古代日本に伝わったことを示しているとみられている。なお百済木簡には、このような記録簿として他に「兵与記」「文欒児記」などが出土している。

ところで、同じ双北里遺跡から出土した木簡には、『周書』「百済伝」にのみ百済の中央官司として伝わっていた「外椋卩（部）」が記されていた。「卩」は部の略字体で、古代日本でも多用されたものの、新羅では石碑、木簡ともに、その事例はない。外椋部は日本の大蔵省に当たり、国家の財政を掌る官庁と推定されている。「椋」字は扶余陵山里出土の百済木簡にも「三月仲椋内上丑」（「丑」は「刃」の異体字で籾を意味する）とあり、一方、新羅においても皇南洞出土の八世紀と推定される新羅木簡に、

・五月廿六日仲食□□之下椋□

・仲椋有食廿二石

とあって、同じく「仲椋」の用例がある。日本の古代木簡にも「椋」字を使用した例が見られ、その多くは七世紀から八世紀初頭のものであって、八世紀以降になると地方官衙の木簡に「椋」字は用いられず、倉などの字が使用されるようになる。

「椋」は従来、日本の国字と考えられてきたが、前述のとおりその由来は高句麗のクラを意味する「桴京」にあって、合わせ文字として「椋」となり、百済・新羅や日本列島の倭国でも広く用いられていた。しかしながら古代日本では八世紀に至ると、律令制下では「椋」字は廃されて倉、蔵、庫などに厳密な区分をもって用いられるようになる。

なお、百済の王都で発見された木簡に見られる字音と書体について注目されるのは、六世紀中頃に使用され廃棄されたと推定される陵山里出土の次の木簡の例である。

□城下部對徳疏加鹵

すなわち、百済の五部（下部）に属し十一等の官位（對徳）を帯びる百済官人「疏加鹵」の表記は、埼玉県稲荷山古墳出土の鉄剣銘に刻まれた「獲加多支鹵大王（ワカタケル大王）」の表記にある「加」「鹵」を人名の字音表記に用いている点で一致している。さらに鹵の字体も酷似している。稲荷山鉄剣銘が五世紀後半であることを勘案すると、両者の年代はきわめて近接しており、漢字の伝播と受容の経路を考える上で軽視できない。

7　百済地方木簡と日本木簡

百済の地方木簡は二〇〇八年に全羅南道羅州伏岩里《ふくがんり》で十六点が発見された。同遺跡からは「庚午年」と記された木簡が含まれており、共伴遺物などから六一〇年と推定されている。木簡と共に出土した土器には「官内用」とか「豆肹舎」と書かれ、「豆肹《とうきつ》」は高麗時代の会津県であり、これらから出土地は官衙と推定される。出土した木簡からは、この地方の近隣の地名である半那、軍那、毛羅などが検出された。ただし、その中には、

・□三月中監数肆人
・出背者得捉得安城

とあって、末尾の「得安城」は、出土地より直線距離でも一三〇キロ離れた地であり、「出背者」（逃亡者）を捉えた記録と推定されている。官衙に相応しく都や近隣住民を動員した記録簿と推定される木簡の中に次のような木簡（二八一×五〇×三㎝）がある。

兄将除公丁　婦中口二　小口四
□兄定文丁　妹中口一
前□□□
『定』

二行にわたって記された部分には、「除公丁」「中口」「小口」という年齢区分が注目される。「除公」については、正倉院所蔵の新羅村落文書（六九五年）の年齢区分に、男子の場合は「丁―助子―追子―小子―除公―老公」の六区分が

あって、その中に「除公」が含まれていた。この村落文書の年齢区分は、古代日本の「正丁—次丁—少丁—小丁—緑児—老者」の「次丁」（老丁）に比すべきであるとの指摘がある。これに従えば、「除公丁」は「中口」の上に位置しているので、「除公丁—中口—小口」の順になり、「除公丁」の同列の左に記された「□兄定文丁」を「丁」とすると、この木簡には、「丁—除公丁—中口—小口」の年齢区分が検出されたことになる。

「中口」には、各々「婦」と「妹」が付されており、「婦」と「妹」がいかなる区分を意味するかが問題となる。六世紀の新羅蔚州《うつしゅう》川前里書石銘文の「己未年追銘」（五三九）には、親族呼称として「婦」と「妹」が記され、「婦」は「乙巳年原銘」（五二五）には「妻」となっているので、六世紀の新羅の事例ではあるが、親族呼称として「婦」と「妹」が弁別されていたことになる。さらに「中口」に「婦」と「妹」が付されていることに関わって、注意すべきは、次の扶余宮南池木簡である。

・西□○ア夷

・西卩後巷巳達巳斯丁　依□□□丁
　○
　婦人　中口四　小口二　邁羅城法利源水田五形

上掲の伏岩里木簡の事例を参照すれば、この木簡もまた、「達巳斯丁」、「依□□□丁」といった二人の「丁」から「婦人中口」「小口」へと順に記されており、上掲の「除公丁」「婦中口」「小口」の表記に対応する。

かれらは王京人地域（西部後巷）から「邁羅城法利源」へと動員された者たちとなるが、伏岩里木簡と同様に、一定の年齢区分をもった者たちを国家が動員する際に作成した帳簿とみられる。

百済の文書木簡がいまだ出土の事例が少ない中で、次の伏岩里木簡は文書の形式や文体を知る上でも貴重である。

・「郡佐□□□　□文」

・「受米之及八月八日高嵯支□記遣□之好□□□又及告日□□
　賣之□□　□□□□　八月六日　」

これまで韓国で発見された木簡の中では最大（六〇八×五二×一〇㎜）であり、完形である。ただし状態が悪く釈読は困難である。表面の「郡佐」は文献には未見であるが、郡の長官である郡将の補佐ではないかと推定される。

一方、裏面の末尾に記された「八月六日」は文書を発した日付とみられ、その上に署名があったものと推測される。文書の内容については、冒頭の「受米」についての作業手順を「八月八日」までに「賷之」（もたらす）ように命じた命令書のごとき性格をもつと推定される。木簡の整形や形状、文体、書体、文書形式等どれも八世紀の日本木簡に酷似しており、六・七世紀における新羅の文書木簡に比べそれらの諸点において相当の差異があったことがうかがえる。

しかも、この木簡の形態は扶余で発見された百済の短冊形木簡の二倍に及ぶ大きさであることや、表面に記された「郡佐」の文字から、古代日本の「郡符木簡」が想起される。郡符木簡とは六〇センチメートル前後の長さであり、二尺の大きさにこだわったことを示すとみられる。郡符木簡は下達文書として郡からその支配下の責任者に宛てられるが、その大きさは、在地社会において権威の象徴として可視化する意味があったのではないかとの指摘がある（平川南）。

さらに上掲の扶余宮南池木簡と類似したものとして注目されるのが次の木簡である。

・「大祀○村□弥首山　丁一　中口□〔一カ〕
　□□□〔四カ〕
　□丁一　牛一」

・「□〔径カ〕水田二形得七十二石　在月三十日者
　○畠一形得六十二石
　得耕麦田一形半」

完形（一八五×二七×六㎜）であり、上部の孔は文字を書いてから開けたと推定される。表面には、中央に「大祀村□弥首山」と記され、その下には、三行に分けて年齢区分を示す「丁」「中口」などが記され、三行目の末尾には牛の数がみられる。

裏面には、「水田二形」、「畠一形」、「麦田一形半」と田畑の各々の面積が記されている。これまで必ずしも明確ではなかった上掲の宮南池木簡の「形」字は、これによって土地の面積を示すことが判明した。「水田」と「畠」では収穫をおこない、「麦田」は、水田と畠における収穫後の裏作とも考えられ、「在三十日者」とは、それらの収穫と耕作に要した日数かとみられる。

ところで、耕作地として記された水田、畠、麦田のうち、「畠」字は従来、国字と言われてきたが、百済に由来することが明らかになった。一方、新羅では水田という二文字を合わせ文字にして「畓《とう》」を造字している。たとえば、新羅の真興王昌寧《しょうねい》碑（五六一年）には、「畓」に対して畠は、「白田」と二字で記しており、新羅と百済では「はたけ」と「たんぼ」の漢字表記が違っていたことになる。

以上の事実は、古代日本の漢字文化が百済経由であることを強く示唆するものであるが、伏岩里木簡は典型的な六朝風書風をもち、字形、加工方法、形、記載方法など、いずれをとっても、八世紀初頭の古代日本木簡に酷似している（渡辺晃宏）。また情報伝達システムとしての木簡の利用についても、百済滅亡後の多数の渡来人によるところが大きいとの指摘がある（馬場基）。

参考文献

- 李成市「古代朝鮮の文字文化―見えてきた文字の架け橋」、『古代日本　文字の来た道』大修館書店、二〇〇五年。
- 李成市「東アジアの木簡文化」、木簡学会編『木簡から古代がみえる』岩波書店、二〇一〇年
- 李成市「羅州伏岩里百済木簡の基礎的研究」、鈴木靖民篇『日本古代の王権と東アジア』吉川弘文館、二〇一二年。
- 李成市「韓国出土木簡と東アジア世界論」、角谷常子編『東アジア木簡学のために』汲古書院、二〇一四年。
- 李成市「日韓古代木簡から東アジア史に吹く風」、『史学雑誌』124―7、二〇一五年。
- 工藤元男・李成市編『東アジア古代出土文字資料の研究』アジア研究機構叢書人文学篇第一巻、二〇〇九年、雄山閣。
- 国立昌原文化財研究所『改訂版　韓国の古代木簡』国立昌原文化財研究所、二〇〇六年、昌原。

・国立歴史民俗博物館・平川南編『歴博国際シンポジウム　古代日本と古代朝鮮の文字文化交流』大修館書店、二〇一四年。
・瀬間正之『記紀の表記と文字表現』おうふう、二〇一五年。
・橋本繁『韓国古代木簡の研究』吉川弘文館、二〇一四年。
・平川南「正倉院佐波理加盤付属文書の再検討」、『日本歴史』750、二〇一〇年。
・馬場基「木簡の作法と一〇〇年の理由」、『日本古代木簡論』吉川弘文館、二〇一八年。
・三上喜孝「古代東アジア出挙制度試論」、前掲『東アジア古代出土文字資料の研究』所収。
・早稲田大学朝鮮文化研究所編『日韓共同研究資料集　咸安城山山城木簡』、アジア研究機構叢書人文学篇第3巻、朝鮮文化研究所・国立加耶文化財研究所編、雄山閣、二〇〇九年三月。
・渡辺晃宏「日本古代の都城木簡と羅州木簡」、『六～七世紀栄山江流域と百済』国立羅州文化財研究所開所五周年紀年国際学術大会、二〇一〇年。

※文献中、地方都市名が入っているものは韓国語文献。

04 ハングルとパスパ文字

鄭 光

1　ハングルをめぐる諸問題

ハングルは五百余年前、朝鮮の世宗《せいそう》大王によって訓民正音《くんみんせいおん》という名で創制《そうせい》された。世宗の新しい文字の制定については、『朝鮮王朝実録《ちょうせんおうちょうじつろく》』の『世宗実録《せいそうじつろく》』を始め、さまざまな史料に多数の記録が残されている。その一部の例として『世宗実録』に次の記事がある。

①是月、上親制諺文二十八字、其字倣古篆、分為初中終声、合之然後乃成字。凡于文字及本国俚語、皆可得而書。字雖簡要、転換無窮、是謂訓民正音。

（『世宗実録』巻百三、世宗二十五年十二月末）

②癸亥冬、我殿下創制正音二十八字、略掲例義以示之、名曰訓民正音。

（『世宗実録』巻百十三、世宗二十八年九月二十九日甲午四番目の記事）

①の記事から世宗二十五年（一四四三）、王が親しく諺文《げんぶん》二十八字を創制し、訓民正音と呼ばれことがわかる。②から二十八字を創制して簡略に例と義を明示し、訓民正音と名づけたことが分かる。そして世宗が「略《ほ》ぼ例義を掲《かか》げる」、つまりハングルの字の例とその発音を示したという。

「例義」とは「ㄱ牙音如君字初発声（ㄱは牙音で、君［kun］」字の最初に発する声）、（中略）、・如呑字中声（・字は呑［tʌn］」

字の中の声）、（中略）、終声復用初声（終声は初声を復用する）、（中略）、ㅇ連書唇音之下、則為唇軽音（ㅇを唇音の下に連書すれば唇軽音になる）、入声加点同而促急（入声は点を加えることは同様だが急である）」に該当する。つまり、初声と中声の字形と音価を漢字で提示し、唇軽音と終声、そして声調について説明したのをいう。

「訓民正音」と名づけられた諺文に対する解説書は三種ある。まずはソウルの澗松美術館に所蔵されている『訓民正音』（国宝七十号）で、普通〈解例本〉という。世宗の「御製序文」と「例義」、そして「解例」と鄭麟趾《ていりんし》の後序が付されている最も完成した版本である。二番目は『世宗実録』（巻百十三）世宗二十八年九月条の「是月訓民正音成」という記事とともに載せられている「訓民正音」で、「世宗の序文」と「例義」、そして「鄭麟趾後序」があり、「解例」が欠けている。普通、〈実録本〉「訓民正音」と呼ばれる。

三番目の「訓民正音」の解説書は、朝鮮世祖五年（一四五九）に刊行された『月印釈譜』巻頭に収録された「世宗御製訓民正音」である。これは「世宗御製序文」と「例義」のみ朝鮮語で諺解したもので、普通 訓民正音の〈諺解本〉という。従来の研究によれば『月印釈譜』に収められている「世宗御製訓民正音」は三種の訓民正音解説書の中で最も時代が下るというのが定説である。しかし、鄭光[*1]によると、『月印釈譜』には新編と旧巻とがあり、旧巻が世宗の生存時に刊行されたもので、むしろ〈実録本〉よりも時期的に先立つものである。すなわち〈諺解本〉の刊行こそ新文字の頒布とみたのである。

ところで、従来のハングル創制をめぐる研究には、いまだに解決されない議論が山積みである。訓民正音、または諺文という名で制定されたハングルに対して数多くの先行研究があるが、その研究の多くは主に日本帝国主義による植民支配時期に、韓国民族の自負心を目覚めさせるための国粋主義的な視角から発したものである。大部分の韓国人は偉大なる世宗大王が国民への愛民精神で、史上前代未聞の独創的なハングルを作ったと信じ込まされてきた。そしてハングル創制に対する研究者らの研究方向もこのような神話的な信頼にもとづき、これを毀損するいかなる視角も排除されてきた。しかしハングル研究の多くの議論は未解決のままであり、客観的かつ合理的な視角へと研究の方向性を変えるべきである。

ハングル研究の論点の中の一つは、文字の名称が明確ではないということである。ハングルという名称は韓国の中でしか使われないもので、北朝鮮では朝鮮文字《チョソンムンチャ》と呼ばれている。実際「ハングル」という名称が作られた過程を見れば、すんなりとこれを受け入れることは難しい。世宗は新文字を「訓民正音」と命名したが、当時の記録では「正音」と呼ぶ場合が多い。また『朝鮮王朝実録』等の官撰記録では「諺文」が公式の名称であり、「諺書」とも言われた。アンニョジヤ（内の女子）・すなわち婦女子らの文字といい、「アングル（内の文字）」という名称もあり、大韓帝国時代には「国文」とも呼ばれた。

「ハングル」がこのように多様な名称をもつには、この文字が単に民衆の文字生活の便宜を図ろうとして作られたものではないからである。つまりハングルは表記の対象によって異なる名をもった。「訓民正音」は世宗が改定した『東《とう》国正韻《ごくせいいん》』式の漢字音を表記するための記号であり、「正音」は漢字の中国標準音を表記する時の名称である。「諺文」は朝鮮語と朝鮮の漢字音の表記に使用された文字で、「アングル（内の文字）」とは主に婦女子らが使ったので名づけられ、「国文」は国が使う公用の文字を意味する名称である。

一般にはハングルは世宗が独創的に作った文字であると信じられ、その創制の背景にどういう理論があるか検討されていない。上述のごとくハングル制定の背景には、多種多様の言語学的理論と哲学が土台としてある。とくにベーダ（veda）経典のサンスクリットを文法的に考察した古代インドの「毘伽羅《ビカラ》論」（Vyākarana）が、仏典によって中国を経て高麗と朝鮮にも伝わった点が重要である。今日ではパニーニ（波你尼、波膩尼：Pāṇini）の『八章』（Aṣṭādhyāyī）（以下〈八章〉と略称）という文法書としてその一部が知られる「毘伽羅論」が、世宗周辺の学僧、信眉らによって紹介された。〈八章〉から見られる文法理論は、梵語とは文法構造が異なる中国語には適用できず、形態論と統辞論を除外して音声研究の声明記論として翻訳され、中国声韻学の基礎になった。[*2] 人間の発話の音声を研究する「声明」は仏家五明の一つで、これに対する「毘伽羅論」の研究を声明記論といった。ここでは音声を口腔内の発音位置によって、牙《が》音《おん》、舌音《ぜつおん》、唇音《しんおん》、歯音《しおん》、喉音《こうおん》に分け、全清《ぜんせい》、次清《じせい》、全濁《ぜんだく》、不清不濁のごとく調音方式によって音韻を分析した。

ハングルのように、朝鮮語を分析してそこから抽出された音声資質を記号に変えて文字を作る方法は、東アジア諸民族の文字制定にも見られる方法であった。しかしハングルほど精巧で緻密に調音位置と調音方式で音韻を分別し、これを記号に変え文字化したものは、他にパスパ文字しかない。鄭光[*3]はハングルより百七十余年前に制定されたパスパ文字と、この文字の典拠になったチベット文字が、「毘伽羅論」に基づいて作られたことを明らかにし、ハングルもこの理論をもとに制定されたと主張する。従来の研究は、〈解例本〉を含め訓民正音のさまざまな解説書を理解して説明するだけで、古代インドの「毘伽羅論」や中国の声韻学からの影響などについての研究はほとんど管見に入らない。

2　韓半島周辺の諸民族の文字制定とハングル

上述のごとくハングルの制定には、周辺国家の文字からの影響があった。以下ハングルと韓半島周辺の国々の文字との関係について考察する。中国の北方民族はハングルの制定に先立って、多様な表音文字を創製した。孤立的な文法構造の上古中国語を表記するための漢字が、中国周辺の諸民族の言語、とくにアルタイ諸語のように膠着的文法構造の言語を表記するには適しなかったからである。しかしハングルを中国北方諸民族の文字制定と関連づけた研究は韓国ではほとんどなく、筆者の元代パスパ文字との関連性についての研究がほぼ唯一の例である。[*4]

パスパ文字以外にもチベット文字や党項《タングート》の西夏《せいか》文字、遼の契丹《きったん》文字、金の女真《じょしん》文字、蒙古と満洲のウイグル文字も表音中心の文字であった。表意的な漢字を表音文字へ転換させ、自民族の言語を記録する文字として使ったのである。

高麗は契丹の遼と女真の金と密接に交流し、モンゴルからは何度も侵略され、後に駙馬《ふば》国として密接な関係にあった。つまり契丹、女真、モンゴルの文字を使用した民族はすべて高麗と盛んに交流した。これら民族の文字もまた高麗と朝鮮初期に広く伝播し、熟知されていた。これらの文字がハングル制定に強く影響を及ぼしたことは当然予測されることで、朝鮮時代、李瀷《りよく》の『星湖僿説《せいこさいせつ》』と柳僖《りゅうき》の『諺文志』でも、諺文に対するモンゴル文字、すなわちパスパ文字の影響を指摘している。

高麗時代の中国は大きな変革期である。唐が滅んでから宋へと王朝が代わり、長い間、通用語であった長安中心の通語が次第に衰退した。とくにモンゴルの元朝が首都を現在の北京に置いてから、言語の中心地は中国の東北地域に移った。元来この地域は唐代には、中国人と別の主にアルタイ語族が住んでいた所である。現在の北京は遼金代にはじめて重要な都市へと発展した。そこに住んでいた多くの少数民族は、孤立的な中国語と膠着的な周辺民族の言語を結合させて新しい言語を生み出した。「漢児言語」と呼ばれたこの言語は、それまでの中国語とはかなり異なる言語であった。

高麗後期に漢児言語（以下漢語）が元帝国との交渉で重要な言語として登場すると、それまで儒教の経典で習っていた中国の雅言《がげん》（上古語）や儒経の解説書、仏典、唐宋の文学書等の通語《つうご》（中古語）のほかに、新しい漢語を習わなければならなくなった。よって漢語教育が中国語を通訳する訳官にとって、最も重要な言語教育になったのである。この言語を学習するため設立された機関が高麗後期の漢語都監《とかん》、漢文都監、訳語都監、通文館、司訳院などである。[*5]

高麗から朝鮮へと王朝が代わってからも、漢語は歴とした中国語として認められた。伝統的な中国の通語と元代以後の漢語は、文法や語彙にも部分的な差異があったが、何よりも重要な差異は漢字の発音にあった。当時北京地域の漢字音、すなわち東北方言音の漢語の発音は、唐代の漢字音とはかなり異なるものであった。その間韓半島で通用した漢字音は主に唐の長安音で、朝鮮漢字音もこれに基づいて形成されたが、この伝統的漢字音と北京地域を含む東北地域の漢語発音は大きく異なっていた。この事実を直視して自国の漢字音を改めようとしたのが、世宗の『東国正韻』式漢字音の改訂で、この漢字音こそ民に教えるべき正しい音、つまり訓民正音だったのである。

したがってハングルは民に正しい漢字音を教えるための文字、すなわち発音記号として制定されたのである。鄭光[*6]によれば、世宗の次女の貞懿《ていい》公主が「変音吐着《へんおんとちゃく》」を解決したのが、朝鮮語を全面的に表記する文字、すなわち諺文へと発展させるきっかけになったが、それ以前、ハングル発明の始まりは漢字音のための発音記号であることを強調した。また朝鮮時代に多くの学者はハングルを正音と呼んだが、当時正音といえば中国の漢字音で、科挙試験に適用される標準音を指すのであった。ハングルの制定された当時は明の金陵、現在の南京が都として言語の中心であり、その漢字音の発音が正音であった。

いわゆる南京官話と呼ばれ、明初の漢語で発音される当時の漢字音は朝鮮の漢字音、つまり朝鮮語の発音の東音はむろん、新しく修正した『東国正韻』式の漢字音とも相当な開きがあった。つまり正音の表記のために三十六の声母と二十九の中声字を作ったが、朝鮮語や朝鮮漢字音の表記のための諺文では初声十七字と中声十一字、合わせて二十八字を作った。朝鮮の中宗朝に刊行された『訓蒙字会《くんもうじかい》』の「諺文字母」では声母の二十七字を作り、これを「俗に所謂《いわゆる》反切《はんせつ》二十七字」と言った。訓民正音の反切上字二十七字を、諺文字母では初声十六字と中声十一字で捉えたが、もともと初声と中声を結合して漢字音を表音するのは、もとの反切法ともずれたので、「俗に所謂」という修飾語を付け加えたのである。

しかしハングルの制定において、諺文、正音、訓民正音という名称が示す対象については、いまだに明らかにされていない。鄭光[*7]によれば、諺文とは朝鮮語と朝鮮漢字音の表記に使われる文字を言い、正音とは漢字の中国語の標準音を表記するための記号であり、訓民正音とは朝鮮漢字音を修訂した『東国正韻』式漢字音を表記するための記号である。唐代の長安発音を基盤とする朝鮮漢字音、すなわち漢字の東音は、当時新しく登場した元代北京の漢語音とは全然離れたものになっていた。そのため雅言（上古語）で書かれた四書五経で学習した中国語が、元代以後は中国人との交流では役に立たなくなったのである。朝鮮漢字音を元明代の漢字音に改めようとしたのが朝鮮初期の『東国正韻』編纂理由である。朝鮮漢字音と漢語音との差異を少しでも克服しようとする努力として、『東国正韻』式漢字音が人為的に作られたのである。こういう漢字音を民に教えるべき朝鮮つまり東国の漢字の正音とみて、漢字音の改訂に使用された発音記号こそ訓民正音である。そしてこの記号で朝鮮語の表記もできるようになり、諺文または諺書という名称を得るようになった。

3　パスパ文字と訓民正音

世宗が新しい文字を制定した直接的な動機は、周辺民族の表音文字の制定と深く関わる。中国周辺の諸民族の間で最初に表音文字を作って使用したのは、今まで知られたところでは恐らくチベット文字であろう。この文字は孤立的な文法構造の中国語の表記のために考案された漢字に比べ、チベット語の表記に適切であった。現代でもこの文字はチベット語の表記に使われているのがその証しであり、多様な字体を開発して使用した。そして当時吐蕃《とばん》王国の周辺に広がり、非孤立的な言語の表記にもこの文字が利用された。このように吐蕃王国で新文字の制定に成功すると、中国北方民族の間では新しい国を建てると新文字を制定する伝統が生まれた。

ハングルに直接的影響を与えたのは、モンゴルの元で制定されたパスパ文字である。パスパ文字を制定した八思巴《パスパ》はチベットの吐蕃王国出身で、吐蕃が成吉思汗《チンギスハン》のモンゴル軍に滅ぼされた後、忽必烈汗《フビライハン》に投降した。忽必烈汗は彼を国師にして天下の教門を統率させた。彼は忽必烈汗の勅にしたがって、チベット文字を変形し、モンゴル語と漢字の標準音を記録する表音文字のパスパ文字を制定したのである。彼はチベット文字制定の基本理論である古代インドの声明記論、つまり調音音声学の理論に合わせて発音位置と発音方式にしたがい漢字の音節初子音、つまり声母を分類して文字で記した。そしてそれぞれにチベット文字を変形させた文字を対応させて漢字音表記に有用な文字を作ったのがパスパ文字である。チベット文字を増減し、文字の形を改訂して蒙古新字を作ったのである。元代の盛熙明《せいきめい》の『法書考』と陶宗儀《とうそうぎ》の『書史会要』によれば、四十三字を制定したという。中国伝統の三十六声母と喩《ゆ》母（母音）の七字を合わせると四十三字になる。

このように作られたパスパ文字は元の世祖（忽必烈汗）により至元六年（一二六九）詔令として頒布された。八思巴字、蒙古新字、国字といって、蒙古―ウイグル字（畏兀字）と区別する。明の太祖、朱元璋《しゅげんしょう》はこの文字をモンゴルの残滓として徹底的に廃絶した。現在パスパ文字で編纂された書物がほとんど残されていないのは、このような歴史的背景に因る。元から影響を受けた高麗後期と朝鮮初期、パスパ文字を司訳院で教えたので、多くの有識者がこの文字を知っていた。元代にこの文字を発音記号として漢字の正音と俗音を表音し、編纂した蒙韻、つまり『蒙古韻略』、『蒙古字韻』、そして〔増訂〕『蒙古字韻』は高麗と朝鮮では有識者らが多く参考にしていた。これらの書物によって漢語音を学習したからである。したがってこの表音文字は高麗と朝鮮では既知のものであり、当然ハングルの制定に甚大な影響を与えた。

パスパ文字が訓民正音の制定に及ぼした影響関係について着目した鄭光[*8]は、訓民正音が中国伝統の声母と韻母ではなく、初声、中声、終声に区分され、各音節の音節初子音と母音、音節末子音に分けられるのはパスパ文字の影響であることを明らかにした。とくに訓民正音の中声十一字は当時の朝鮮語の母音を反映したのではなく、実際には中世蒙古語の母音体系に根拠したパスパ文字の七つの喩母字を模倣したものだと主張した。そしてパスパ文字の喩母を訓民正音では欲母と見て、母音字には［ㅇ］を付けて用いるに至った。〔新編〕『月印釈譜』の巻頭に附された〈世宗御製訓民正音〉、つまり訓民正音の〈諺解本〉から三十二個の初声字を制字してみせた。すなわち訓民正音の初声十七個に全濁字六つ（ㄲ、ㄸ、ㅃ、ㅆ、ㅉ、ㆅ）を加え、歯音から歯頭（ᅎ、ᅔ、ᅏ、ᄼ、ᄽ）及び正歯（ᅐ、ᅕ、ᅑ、ᄾ、ᄿ）を区別した五字、そして唇音から唇重と唇軽（ㅸ、ㆄ、ㅹ、ㅱ）を区別して作った四字を加えて総三十二字を提示した。これはパスパ文字の字母数に合わせたものである。〔増訂〕『蒙古字韻』ロンドン鈔本は、現存する唯一のパスパ文字の文献として、当時の漢字音を表音してまとめた韻書である。ロンドン鈔本『蒙古字韻』巻頭に収録されたパスパ文字の三十六字母が訓民正音の初声で、ここに喩母七字を加えて四十三字を制定した。しかしパスパ文字では、字母は実際には三十六ではないので三十二のみを見せた。

この三十二の語頭子音は、中国で流行していた三十六字母図で表示される。朝鮮中宗の時、崔世珍《さいせいちん》の編纂した『四《し》声通解《せいつうかい》』は、ハングル制定に関わった申叔舟《しんしゅくしゅう》の『四声通攷《こう》』に典拠したもので、その影響を受けている。このような影響関係は、『四声通解』の前部に「四声通攷凡例」を転載したことからも分かる。『四声通解』には『四声通攷』か

表1　{増訂}『蒙古字韻』ロンドン鈔本の「字母」の三十六字母図（鄭光『ハングルの発明』312頁より）

濁全	清全	清不濁不	濁全	清次	清全	声四／音五	
		ꡃ疑	ꡂ群	ꡁ溪	ꡀ見	音牙	
		ꡋ泥	ꡊ定	ꡉ透	ꡈ端	音頭舌	舌音
		ꡇ娘	ꡆ澄	ꡅ徹	ꡄ知	音上舌	
		ꡏ明	ꡎ並	ꡍ滂	ꡌ幫	音重唇	唇音
		ꡓ微	ꡤ奉	ꡤ敷	ꡤ非	音軽唇	
ꡕ邪	ꡛ心		ꡒ従	ꡑ清	ꡐ精	音頭歯	歯音
ꡮ禅	ꡚ審		ꡆ床	ꡅ穿	ꡄ照	音歯正	
	ꡭ（么）	ꡗ喩	ꡖ影	ꡣ匣	ꡜ暁	音喉	
		ꡙ来				音舌半	半音
		ꡔ日				音歯半	

ら転載したものと思われる「広韻三十六字母図」、「韻会三十五字母図」、「洪武韻三十一字母図」が掲載されている。これは実際には『蒙古韻略』、『蒙古字韻』、朱宗文の{増訂}『蒙古字韻』の巻頭に附された「字母」のパスパ字三十六字母図を、訓民正音に転写したものである。それについて鄭光[*9]で、【表1】と【表2】との対照を通じて両者の影響関係を明らかにした。

パスパ文字の影響は字母の順序からも見られる。ハングルの初字が牙音の全清の「ㄱ-君字初発声」で、次いで次清の「ㅋ-快字初発声」、全濁の「ㄲ-群字初発声」、不清不濁の「ㆁ-業字初発声」の順に製字されたのは、すべてパスパ文字と同一である。

むろん、こういう字母の順序はパスパ文字が模したチベット文字、さらにその典拠となった悉曇字とも同じである。パスパ文字の初字は「見ꡀ [ka]、溪ꡁ [kha]、群ꡂ [ga]、疑ꡃ [nga]」であり、チベット文字の初字も「ka、kha、ga、nga」であり、悉曇の子音の体文も「迦 [ka]、佉 [kha]、誐 [ga]、伽 [gha]、哦 [nga]」の順に始まる。世宗が制定した最初の訓民正音が「ㄱ [k、君]、ㅋ [kh、快]、ㆁ [ng、業]、そしてㄲ [g、虯]」から始まるのは、これらの文字の影響である。

なお訓民正音で全濁字、つまり、今日の硬音を表記する双書字は、すべて全清字を二度並書してㄲ、ㄸ、ㅃ、ㅆ、ㅉのごとく作るが、とりわけ喉音の双書字は次清の［ㅎ］を二度書いて［ㆅ］で表記する。な

表2 『四聲通解』巻頭の「洪武韻三十一字母図」

濁全	清全	清不 濁不	濁全	清次	清全	音七	行五	音五
		ㆁ疑	ㄲ群	ㅋ溪	ㄱ見	音牙	木	角
		ㄴ泥	ㄸ定	ㅌ透	ㄷ端	音頭舌	火	徵
		ㅁ明	ㅃ並	ㅍ滂	ㅂ幇	音重唇	水	羽
		ㅱ微	ㅹ奉	ㆄ敷	ㅸ非	音軽唇		
ᄽ邪	ᄼ心		ᅏ従	ᅔ清	ᅎ精	音頭歯	金	商
ᄿ禪	ᄾ審		ᅑ床	ᅕ穿	ᅐ照	音歯正		
		ㅇ喩	ㆆ影	ㆅ匣	ㅎ暁	音喉	土	宮
		ㄹ来				音舌半	火半	徵半
		ㅿ日				音歯半	金半	商半

ぜこのように表記したか、その理由については全然解明されなかったが、鄭光[*10]ではこれに対して『蒙古字韻』のロンドン鈔本に、虚母［ㅎ］と同一の暁母［h］が全清の位置にあり、この暁（h）母は訓民正音の虚（ㅎ）母と同一であり、『蒙古字韻』ではこれが全清であり、それにならって訓民正音では［ㅎ］を二度書いて「ㆅ」のような全濁字を作ったことを明らかにした。

4 訓民正音の中声と『蒙古字韻』の喩母

『蒙古字韻』では、パスパ字の母音字はすべて喩母に属すると見なした。つまり、パスパ文字の母音は三十六字母の一つの喩母に含まれるとみて、母音字を単独で使用する時は喩母［ꡝ］を前に置いて、ꡝꡦꡡ（ö）、ꡝꡦꡟ（ü）のように書いた。訓民正音でもすべての中声字は欲母に属するとみて、中声字を単独で使う時は欲母［ㅇ］を付けて、「아［a］、어［ə］、오［o、u］、우［ü］、이［i］」のように書く。『蒙古字韻』の三十六字母の喩母［ꡝ］は、『東国正韻』の二十三字母の欲母［ㅇ］(null)と同じである。

次の【写真1】〔増訂〕『蒙古字韻』の〈ロンドン鈔本〉の「字母」には、右端の中央に「ꡞ ꡟ ꡦꡟ ꡡ ꡦꡡ ꡦ 此七字帰喩母」と見える。これは前に言及したごとく、当時の蒙古語の母音「ꡞ［i］、ꡟ［u］、ꡦꡟ［ü］、ꡡ［o］、ꡦꡡ［ö］、ꡦ［e］」が喩母に属するとみたのである。実際には六字しか見えないが、それはここに提示した六字に喩母［ꡝ、ꡖ［ɑ］］を加えた七字が、当時の蒙古語七単母音を表音したのである。

これまで金石文の研究で得られたモンゴル語の母音のパスパ字の表音は、八つ[*11]

の母音字で紹介されて混乱をもたらしたが、『蒙古字韻』の「字母」に提示された喩母七字こそまさにパスパ字の母音字であり、これはパスパ文字がモデルにしたチベット文字でも認識されなかったのである。しかのみならず、これら喩母の母音字は必ず声母と結合して始めて使用されたのである。

従って、パスパ文字で母音字などを単独で使用する時、つまり前に結合して使う別の声母のない時は、喩母［ꡖ］を付けてꡖꡡ (o)、ꡖꡟ (u) のように書くべきである。Poppe[*12]が主張したごとくパスパ字の vowel で initial の［ö］を表音するパスパ文字の36 ꡖꡦꡡ［ö］、37 ꡖꡦꡟ［ü］は、まさに喩母ꡖ、ꡦ［e］、そしてꡡ［o］とꡟ［u］を結合したものである。

つまり上記の【表3】に見える36の［ö］は、ꡖ［喩］+ꡦ［e］+ꡡ［o］= ꡖꡦꡡ［ö］、37の［ü］は、ꡖ［喩］+ꡦ［e］+ꡟ［u］= ꡖꡦꡟ［ü］のような方法で文字を作ったのである。ꡦ［e］をꡡ［o］とꡟ［u］に結合して前舌母音［ö、ü］をつくり、前に別の子音がないので喩母ꡖを前に書いたのである。このような文字の制定方式は、訓民正音でもㅇ［欲］+ㅗ［o］+ㅣ［i］= 외［ö］とㅇ［欲］+ㅜ［u］+ㅣ［i］= 위［ü］を結合して、前舌母音の「외［ö］、위［ü］」を表記したのと同じである。同じく『蒙古字韻』（上22）でも、「ꡖꡞ［ʼi］、平伊、［中略］、ꡗꡞ［i］、平移［下略］」と「ꡗꡦꡋ［ʼjen］、平延［下略］（下10）」でもꡖ（喩母）の代わりにꡗ（么母）を書いたが、初声に喩母を書くのは同様である。パスパ文字で母音字を単独に書く時に喩母ꡖ、么母ꡗを前につけて書くように、訓民正音でも中声を単独に書く時には欲母ㅇを付けて書き、現在、ハングルでもこの正書法はそのまま維持されている。

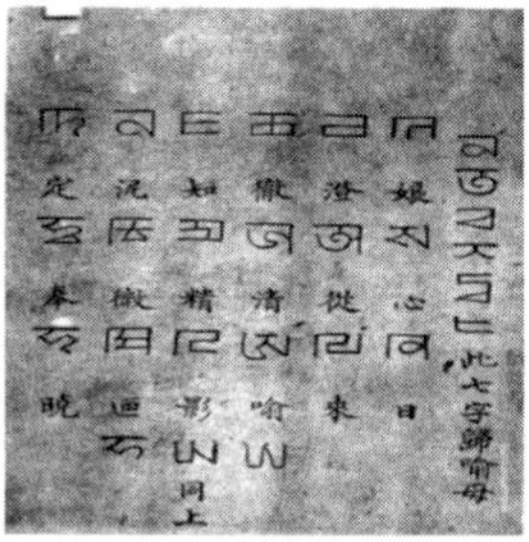
写真１　〈増訂〉『蒙古字韻』ロンドン鈔本の巻頭の「字母」の右端

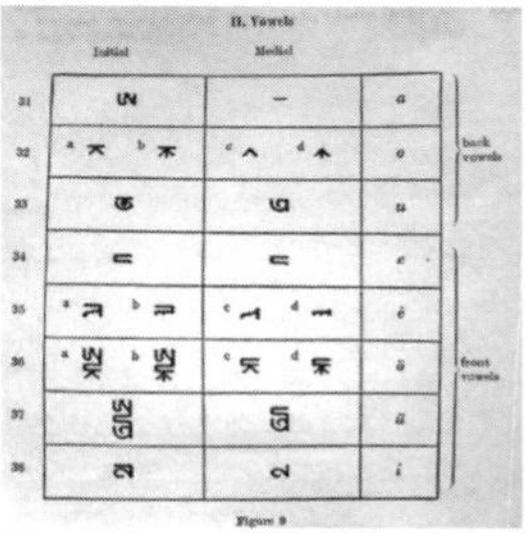

表３　Poppe（注 11、24 頁）の八母音、左の方が vowel initial である。

5　おわりに

これまでハングル創制とその研究に関わるさまざまな問題点について論じた。ハングルの字形は独創であり、世界のどの文字にもこれと類似した形は見られない。ただし南宋・鄭樵《ていしょう》の『六書略』の「起一成文図」に訓民正音の初声字と同様な字形が提示されたが、訓民正音の〈解例本〉ではこの文字を発声器官と結びつけて説明しているので、調音音声学の理論による独創的な制字である。つまり、〈解例本〉「制字解」で「ㄱ象舌根閉喉之形、ㄴ象舌附上腭之形、ㅁ象口形、ㅅ象歯形、ㅇ象口形」といい、牙舌唇歯喉の基本字を発音器官の形に似せて制字し、調音方式によって引声加画して次の字を制字したのである。かくのごとくハングルの字形は独創的かつ科学的な方式で作られた。

しかし、従来のハングル研究で見過ごされたのは、古代インドの「毘伽羅論」が仏典によって韓半島に伝わり、ハングル制定当時、信眉のような学僧がこれを受け入れ、新文字制定の理論にしたということである。西洋ではパニーニの『八章』で知られた「毘伽羅論」は、元来屈折語の梵語の文法論であり、文法構造が違う中国語では音声学のみ受容されて声明記論として紹介された。

高度に発達した調音音声学でハングルの文字を解説した訓民正音〈解例本〉は、古代インドの「毘伽羅論」の影響を受けた。世宗は不屈の意志で深奥な理論を研鑽し、息子の首陽大君と学僧の信眉たちに『釈譜詳節《しゃくふしょうせつ》』を作らせ、王自らも『月印千江之曲《げついんせんこうのきょく》』でこの文字を試し、終に朝鮮語の表記に最も相応しい科学的な文字を作り出したのである。

注

1 鄭光「新しい資料と視角から見た訓民正音の創製と頒布」(『言語情報』7、高麗大学校言語情報研究所、二〇〇六年)、同「〈月印釋譜〉の舊巻と諺解本訓民正音—正統12年佛日寺板〈月印釋譜〉の玉冊を中心に」(『国語学』68、韓国国語学会、二〇一三年)。

2 鄭光「毘伽羅論と訓民正音—パーニニの〈八章〉と佛家の聲明記論を中心」、『韓国語史研究』2、韓国国語史研究会、二〇一六年。

3 鄭光『ハングルの発明』金英社、ソウル、二〇一五年。

4 鄭光『蒙古字韻研究』博文社、ソウル、二〇〇九年、中文版(北京:民族出版社、二〇一三年)、日語版(東京:オークラ情報サービス、二〇一五年)。

5 鄭光『朝鮮時代の外国語教育』(金英社、ソウル、二〇一四年)、日語版『李朝時代の外国語教育』(臨川書店、京都、二〇一六年)。

6 注3同前（一八二～一八六頁）。

7 注3同前。

8 鄭光「訓民正音初聲31字とパスパ字32字母」（『訳学と訳学書』2、国際訳学書学会、二〇一一年）、同「〈蒙古字韻〉喩母のパスパ母音字と訓民正音の中聲」（『東京大学言語学論集』31、東京大学言語学科、二〇一一年、一～二〇頁）。

9 注8「〈蒙古字韻〉喩母のパスパ母音字と訓民正音の中聲」、注3同前。

10 注8「訓民正音初聲31字とパスパ字32字母」。

11 N. Poppe : *The Mongolian Monuments in hPags-pa Script*, Second Edition translated and edited by John R. Krueger, Wiesbaden: Otto Harrassowitz., 1957.

12 注11、二四頁。

05 異体字・俗字・国字

笹原宏之

1 異体字

漢字は、いわゆる象形文字、指事《しじ》文字の段階から、字画が込み入ったものが生じていたが、それらが会意《かいい》文字、形声《けいせい》文字などとして組み合わされる中で、一層複雑な形態を持つこととなった。

そのために、略字や続け字にすることで筆画を簡易化することや、二次的な解釈による変形、全く別の着想による字の再度の作製などが次々となされた。こういった字の変形は、すでに殷代より起こっており、漢字の運用においては宿命的で必然的なことであった。

「肉」は古くは「月」のように書かれたが、ツキと区別するために偏などの要素以外では楷書体で「肉」に変化した。これ自体が異体字であるが、その前の段階の「月」も、これが絶対的に正しいとも認めがたく、それぞれが互いに異体字と言える。この「肉」を書きやすくなるようにと周りを「宀」とし、また字音を示すために内部を「六」に変えて示したのが「宍」であり、さらに異体字が増加した。これが上代の日本人の用いるところとなり、和語の「しし」と結びついて訓読みとなった。『説文解字』に収められた「嬭」と、そこから派生した、反対語と否定詞を組み合わせた会意文字「歪」も、互いに異体字である。

六朝時代にこうして生み出された数多くの「俗字」は、中国大陸の各地のほか、朝鮮半島、インドシナ半島東部のベトナムに影響を与えた。それらの地でもまた独自の異体字が生みだされ続けた。俗字は使用者層、使用場面の日常性に着目した、異体字の一部に対する用語であり、価値判断を含むことがあるが、日常生活における文字や字体としてとらえることもできる。

中国北部から朝鮮半島にかけての地域で使用された「弖」は、「氐」(テイ)が書きやすく変形し、字源から離れた異体字だが、古代に日本列島に流入し多用され、万葉仮名ともなった。日本でも、「応」（應）「沢」（澤）など時代とともに独自の異体字が生み出されてきた。「國」に対する「国」は、中国産だが日本で字体や構成が好まれたのかよく使われたもので、あたかもイスラム世界に保持されていたギリシャ・ローマの古典文化が西欧に伝えられたように、近代になって本国へと伝播し、再び多用されたものである。

僧侶は、写経などに際して筆記労力の経済性を求めて字体を簡易化することがあった。新出の異体字は歴史性を欠くものの、その理解しやすさ、書きやすさのために、正式でない場面や民間の人々によって書き継がれたため、それらもしばしば典雅さを欠くとして俗字という括りに入れられた。俗字は、口語を表すなど通俗的な文字の意でもあったが、異体字の一つとして認識されることが増えていった。字によっては「寂」のように時代、社会や個人ごとに字体の規範や流行が移ろうこともある。「﨑」「髙」は日本で書写体と呼ばれるまでは、字書の中で俗字として扱われ、唐の四大家が用いていても正格を欠くものとして斥ける人々もいた。隋・唐代以降、多様な動態に対するラベルである通字《つうじ》、さらに略字、誤字（譌字《かじ》）などとともに異体字の下位に分類されるに至り、出自がはっきりしない字をも指すことから、ときに日本製の漢字も含められた。ただし「正字」は時代や社会、個人によって基準も実体も可変的なものである。

2　転用と造字

漢字を用いて固有の語まで表記するために、訓読みという方法が文法的にも近い言語を持つ朝鮮から日本へともたらされた。ベトナムでも独自に行われたが、そこにも中国南方の方言や壮（チワン）語を表記するための実践行為が影響した可能性がある。そのようにして漢字で民族のことばまで表記するようになると、字種に不足を感じたり、既存の漢字をあてがうことに適切さが感じられない場面が生じる。そこでまず、既存の漢字を意味だけ転用したり、漢字の構成要素に俗解、二次的解釈を加えたりして自国語を表記する国訓・地域訓（字義や字訓）を生み出した。ただし、「鮑」をアワビ、「串」をクシの意で用いるといった習慣がどこで起こったのかは、現実に資料を辿ると、現存する各国の金石文と文献からは断定できない。漢字圏の各地で見られた国訓は、日本でも七世紀には「椿」を「つばき」と読ませるケースなどが現れた。

さらに中国で造字する際に伝統的に用いられた六書や合字の方法が朝鮮でも利用され、国字が作られるようになった。なお、ベトナムでも、やはり南方の造字文化を受け、遅れて造字としての字喃が個々人によって作られ、国家による整理をほとんど受けずに使用され続けた。そのため、字体の面で個人性、臨時性が比較的高い文字の体系となった。中国では、字体の統一が政策や科挙《かきょ》に関連して断続的に行われており、漢字の形音義に関する規範は一元化に向かう傾向をもっていることは、現在のコード化の影響を受けた簡体字の浸透、第二次簡体字の使用に対する不評や印刷書体の統一の状況にもうかがえる。

閉音節構造で、単音節語を豊富に有する朝鮮語やベトナム語は、漢語との親和性が比較的高いために、中国と同様に形声文字が多く作られた（朝鮮は記録が残る造字が数百種、ベトナムは数万種）。それに対して、日本では多くの和語の語形が字音とは隔絶していたために、訓読みを表すためには会意の方法が多く採られ、七世紀末に「[illegible]」（さらけ）「鵤」（いかるが）が現れて以降、優に数千種に達する和製漢字（国字）が生み出されてきた（菅原[*1]は千五百種余り、大原[*2]は約三千三百種を収集するが、国訓や漢字の異体字などを含む）。中国では水田もハタケも「田」であって区別をしなくてもよかったが、ハタケに対しては「白田」という熟語が六朝時代に現れ、朝鮮でも使われた（縦に詰めて書くことも起こった）。それが日本でハタケを表すために、奈良時代に明確に一字の形に組み合わされて「畠」となった。そこには、朝鮮からの渡来人が伝えた「水田」の合字の手法が影響したのであろう。「麿」は万葉仮名「麻呂」が「万呂」などとともに時間をかけて奈良時代の後半に一字になっていって生じた合字である。

女陰を意味する「[illegible]」（つび、くぼ）のように、唐代に賦《ふ》に用いられた漢字だったにもかかわらず、日本にだけ書証が見出されていたために国字と誤認されてきたような佚存《いつぞん》文字も見出せる。敦煌《とんこう》文献や金石文まで精査することでこうした誤解は今後とも解消されていくであろう。平城宮跡から出土した陶器に記されていた呪符「[illegible]」も、唐代に同じパーツを同様に並べた例が見つかっている。また字を転倒させることで呪力を発揮させようとする方法を学んだ日本人は、平安時代には「⿺辶頁」（当時の音義は不明）を、室町時代には「⿺辶⿱⿰頁頁⿰頁頁」を転倒させたとみられる「⿸厂⿱⿰頁頁⿰頁頁」を「（あまの）はしだて」の表記のために生み出した。近世初頭には、後者から派生した字に、神代の天照大神《あまてらすおおみかみ》の作という説明がなされることまで起こった。[*3]

日本製漢字は、それぞれの時代の社会的、文化的な状況と言語の状態に従って作られてきた。「働」は、「はたらく」とも訓読されていた「動」に人偏を付加することで用法を特化したもので、中世に戦場でのはたらきにしばしば用いられた。「田畠」でデンバクのように、「労働」でロウドウなど、和製漢語も生み出すこととなった。「凪」は、中世の連歌に現れ、近世に俳諧に受け継がれ、次第に一般化していった。日本独自の概念を表す「躾」は、室町期に小笠原流の礼法書に多用され、江戸時代のうちに「⿰身花」「⿰身益」といった同訓の他の国字を廃字へと追いやった。刀剣鑑定家たちは、戦国時代の「冮」（にえ）のような暗号性の高い字から近世初期に「錵」のような国字へと切り替えた。

国字の消長は語や字ごとに個別性が高い。エビは奈良時代以前から「海老」（日本人の「うみのおきな」という発想から）という和製熟字訓が使われ、既存の漢字「鰕」「蝦」よりも広く使われてきたが、室町時代にはそれらの発想が融合して「⿰虫耆」が生じ、江戸時代初期に「蛯」となり、東日本に広まり用いられた。こうした史的実態に対する字誌の記述は近世から起こり、近年、電子媒体におけるデータベースの蓄積と活用により盛んになりつつある。[*4]

一方、中国での故実が重んじられる漢詩文において、日本の地名を詠み込むために「濹」（隅田川）、「⿰氵異」（淀川）といった音読みをもつ造字が漢学者によって創作されるというねじれをもった行為も生じた。これは、字音ではあるが「働」（ドウ）などと合わせて慣用音の一種として捉えるべきであろう。一人で千種にのぼる字を作った人も思想家の安藤昌益《あんどうしょうえき》や蘭学者の海上随鷗《うながみずいおう》のようにおり、[*5]個人が作った字が次第に広まっていく過程が現存する文献によって辿れるケースもある。先の「蛯」は江戸時代に現れ、その使用状況には時代、地域、位相（集団・場面）の差が確かめられる。それぞれの造字は、共時的には個人文字、地域文字、位相文字、一般文字（共通文字）、標準文字、廃字（死字）などとカテゴライズできる。院政期の『江談抄《ごうだんしょう》』に渤海人の名という「丼」（どぶり）「丼」

（ざぶり）は仮託されたものだが、後の文献において言及がなされ、さらに中世の真名本に使用されるに至るようなケースもある。

ときに国字が書籍や筆談などを通して国境を越えて認知されることが起こる。宋代以降に確かめられるが、近代には「鱈」「腺」「粁」のように明治期から漢字圏に伝播した。「働」などは廃れたが、人名で「畑」「彅」「蛯」「辻」「笹」「凪」などや位相的な国訓としての「萌」「丼」などが各種メディアを通じて広まりつつある。

3 日本の独自性

造字は明治期にも国文学者、漢学者、洋学者、各界の研究者、商店主など、教育機会の増加に伴って広がった識字層の中から生み出され続けたが、印刷の不便もあって大正期には実用的な表記法としてはほぼ採用されなくなり、異体字も昭和期を最後に新たに世に拡散するものはほとんど出てきていない。ただし、インターネットの中では、ＪＩＳ漢字やユニコードの範囲で、かつての新造字や異体字を復活させ、応用した表現が見受けられる。

日本では、上代より地域ごとに造字がなされ、いわゆる方言文字の一つとなっていた。地域的な造字は、先述のとおり朝鮮、ベトナム、壮族などの居住地域の中でも見られ、ことに中国大陸の南方と日本列島に顕著であり、日本では主に名字や地名にそれが継承されている。*6

このように変形、転用、造字という方法は、いずれも中国に端を発したものだが、ことに日本で独自の変質をもたらした。発音を形声や借音の方式による漢字で表そうとする傾向の強い中国、韓国、ベトナムの漢字や新造字と異なり、日本では音読みを表す形声文字よりも、訓を想起しやすい会意文字が好まれてきたのだが、漢字の字体に象形性を感じ取る傾向も強く、種々の見立てのような俗解（二次的解釈）と国訓を生んできた。「想」は「相手のことを思う」、「絆」は旁が「半」を理解する人でも糸を半分ずつ持つことだといった感覚的、情緒的な漢字使用に傾き、細かなニュアンスまで表現しようとして語の表記においては今なおさまざまな工夫を凝らしているのである。

参考文献

1 菅原義三（飛田良文監修）『国字の字典』東京堂、

一九九〇年。

2　大原望「和製漢字の辞典」 http://ksbookshelf.com/nozomu-oohara/WaseikanjiJiten/ （二〇一四年）。

3　笹原宏之「会意によらない一つの国字の消長—「[illegible]」を中心に」（『国語文字史の研究』15、和泉書院、二〇一六年、六五〜八三頁）、笹原宏之「京都の「天橋立」を表す日本製漢字の展開と背景—「[illegible]」「[illegible]」を中心に」（首届跨文化汉字国际研讨会：东亚碑刻汉字及文献研究、鄭州大学、二〇一八年十月）。

4　西井辰夫『「しんにょう」がついている国字　不思議な字「辷」不死身な字「込」』幻冬舎、二〇一八年。

5　西嶋佑太郎「海上随鷗の造字法」、『日本漢字学会報』2、二〇二〇年。

6　エツコ・オバタ・ライマン『日本人の作った漢字—国字の諸問題』（南雲堂、一九九〇年）、笹原宏之『国字の位相と展開』（三省堂、二〇〇七年）。

参考文献

・笹原宏之『方言漢字』角川学芸出版、二〇一三年。
・笹原宏之『日本の漢字』岩波新書、二〇〇六年。
・笹原宏之『謎の漢字』中公新書、二〇一七年。

06 疑似漢字

荒川慎太郎

1 「漢字文明圏」と「疑似漢字」

漢字は漢語を表記するのみならず、東アジアを中心として分布する非漢語の表記にも強い影響を与えた。これらの表記のうち、本節は「疑似漢字」を扱う。派生漢字・変形漢字に関しては別項を参照して欲しい。

例えば藤堂[*1]に見られるような古典的な「漢字文化圏」観は、「日本・朝鮮・ベトナム」に於ける漢字受容と、各地でここに発展した漢字字形を対象としたものであった。一方、西田[*2]は、西夏《せいか》文字・契丹《きったん》文字の解読と、東アジア各種文字の詳細な研究から、より深いレベルでの「漢字の周辺文化への影響」を論じた。彼自身の用語でいえば「漢字文明圏」と呼ばれる。この漢字文明圏の中でも特異な位置を占めるのが、疑似漢字と呼ばれる、一群の文字体系である。具体的には、契丹文字、西夏文字、女真《じょしん》文字が該当する。中国北方、西北、東北には、遼（契丹）（九一六～一一二五年）、西夏（一〇三八～一二二七年）、金（一一一五～一二三四年）という国家が並存した。契丹文字、西夏文字、女真文字は、それぞれの国家が皇帝の名において創製し公布した文字である。

はじめに、一般に「契丹文字」として知られている文字は、実は「契丹大字」「契丹小字」と呼ばれる、字形も文字構造も表音システムも全く異なる、二種の体系（大字・小字とは字形の大小などではなく創製年代の順）からなることを述べておく。契丹語を表すという点では共通するものの、二者には相当の隔たりがあるためである。「小字」の成立後も「大字」が使われていたこと、日本語の漢字と平仮名のように文字体系が混在しないこと、などの留意点がある。本稿ではこの二種は、契丹大字・契丹小字と分けて扱う。

表1　国家・民族名と文字の呼称

国家名	民族名	文字通称
遼（契丹）	契丹	契丹文字（契丹大字・小字）
西夏	党項	西夏文字
金	女真	女真文字

2　実は多様な疑似漢字

「疑似漢字」とひとくくりにされても、それぞれの字形は大きく異なる。次の例を参照して欲しい。なお、言語の系統と文字の系統は、まったく別物である。疑似漢字の間でしいて系統関係があるとすれば、契丹大字→女真文字であるが、あてはまる字形が多いとは言えない。

各文字による「年」

契丹大字　契丹小字　西夏文字　女真文字

各文字による「国」

契丹大字　契丹小字　西夏文字　女真文字

このように、西夏文字や契丹小字は、漢字と字形的な共通点がほとんどない。しいて共通点を挙げれば、楷書体の漢字と筆画が類似する程度である（それでも、例えば西夏文字は「垂直の縦棒が『はね』を持つことはない」などの、漢字とは異なる特徴があるのだが）。同じ契丹語を表したはずの、契丹大字・契丹小字でさえ、字形と文字構造は著しく異なる。

もっとも説明を要するのは契丹小字であろう。これは「漢字の訓読み」的な発想で作られた文字ではなく、表音要素を漢字のように、「正方形に入るイメージで配置した」文字である。アルファベットをハングルのように並べているとでも思ってほしい（book が bo/ok のように）。

大竹[*3]の論考から、契丹小字の分解法・個々の要素の推定音・全体としての音と意味を紹介したい。

eč　-ī
-iš　-ed
-ber
čišedber

「孝行な」
（注3：八二図1より）

後述する、各言語における「一語の音節数」をも含めて、文字の特徴を一覧化すると次のようになる。「部首法」とは、漢字の部首をそのまま援用するという意味ではなく、同じ意味・音の要素を持つ要素を組み合わせて、新たな文字を造字することである。象形性とは一つの字形、あるいは構成要素が象形的な起源を持つことである。契丹小字の表音節数は「要素の集合による一字」を基本とした。

表2　各文字の特徴（参考のため「日本の漢字（訓）」も）

文字名	漢字字形類似	部首法	象形性	表音節数
契丹大字	△	×	△	1～複数
契丹小字	×	×	×	1～複数
西夏文字	×	○	×	1
女真文字	△	×	△	1～複数
日本の漢字	○	○	○	1～複数

3　東アジアの言語と疑似漢字による表記

本節の内容と密接に関係するので、読者には周知の内容も多いこととは思うが、漢語を中心とした東アジアの言語概況を述べたい。比較言語学の用語で、「系統を同じくする、最もおおきな言語集団」を「語族」、その下位区分を「語派」と呼ぶ。例えばビルマ語は「シナ・チベット語族、チベット・ビルマ語派」に属する。「語族」は、いかなる言語特徴に立脚するかで、研究者によって認定される言語が異なることも多い。漢語を取り巻く「語族」としては、モンゴル語族、ツングース語族、チュルク語族、オーストロアジア語族、そして、これらの語族のどれにも属さない（少なくとも系統関係が十分には証明されない）日本語・朝鮮語などが挙げられる。

漢語と西夏語は、大きな言語系統でいえばシナ・チベット語族に属することになっているものの、言語特徴の乖離は激しい（前者は「主語・動詞・目的語」「形容詞・名詞」の語順で、後者は「主語・目的語・動詞」「名詞・形容詞」の語順）。類似点は、声調言語であること、一音節が一語（乃至一形態素＝意味のある最小単位）であること程度である。一方、契丹語・女真語には声調がなく、一語は複数音節からなることが多い。文字の「表音」から見ると、中国における漢字は一語＝一文字＝一音節であるが、日本における訓読みでは一語＝一文字＝複数音節となることがある（例えば「志」はko-ko-ro-za-shiの五音節）。契丹語・女真語を、契丹大字・女真文字で表記する際は、日本語（訓読み）と同様な状況となるわけである。

言語は、系統的な分類だけでなく、類型的特徴によっても分類される。本稿に関係するものに関して略述すれば、文中で「誰が主語で誰が目的語かを示す」のが「語順」である「孤立語」、日本語のように適宜「格助詞などで標示する」のが「膠着《こうちゃく》語」である。漢語は孤立語であり、契丹・西夏・女真語は（系統こそ異なるものの）膠着語である（ただしこれは大雑把な分類であり、膠着語の中にも屈折語的・孤立語的な特徴が見られることもある。また格標示の義務性なども言語によって異なる）。漢字：疑似漢字の対立は、孤立語タイプ：膠着語タイプの対立とも並行していた。したがって、類型論的な視点からみれば、疑似漢字とは、漢語に馴染みの薄い膠着的要素を、「漢字系文字で表記するか」に苦心した文字体系とも言える。

次に、文レベルで、疑似漢字がどのような表現を行うか示したい。⬚内が格助詞にあたる要素である。

契丹文（契丹小字）の例

oǰoɤʷ mooğ -ond yëër ruu ǰ kuul -eğ-eer

小さい 大きい-に 等しく 倣-われ-た

老若に［＝年齢を問わずすべての人に］等しく見倣われた

（『Puunuñ Toy oser 墓誌』［一〇六八］*4）

西夏文の例

myer lden ryur jyan tse e li? wyer

如-来 諸 菩-薩 を 念 護

如来は諸菩薩を念じ護る

（『金剛般若経』*5）

西夏文字は、漢字と同形の要素がないかわりに、部首という概念を有し、多くの派生字を造字している。

西夏文字の派生の例

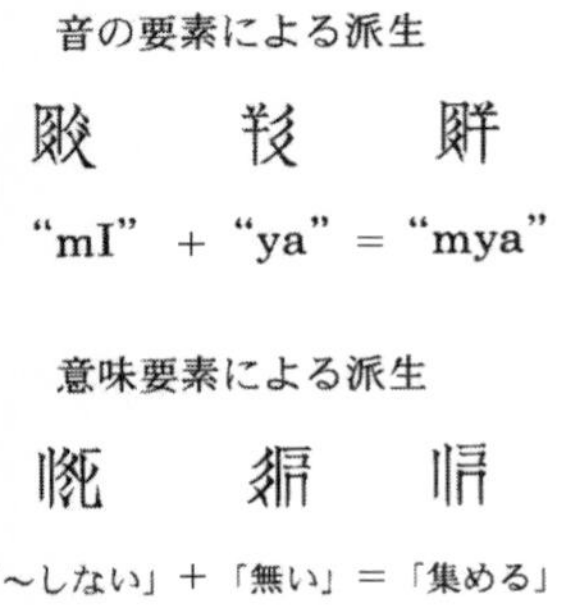

前者は、本来西夏語の音節に無い「mya」という音を表す文字を造字している（仏典において、サンスクリット音を音写するため）。後者は「『無い』ことを『無くする』から『集める』」のように、漢字の造字には見られない発想で、会意文字を造字している。

4　疑似漢字とその文献研究

現存する資料という観点で述べれば、西夏文字資料は、契丹・女真文字資料を圧倒する分量である。出土地が仏教遺跡であるため、仏典が多いのは当たり前であるが、中国古典の翻訳、西夏独自の法律書・詩歌・格言集・発音字典など多種多様な資料が残っている。しかし一方、近年出土文物の量が飛躍的に増加し、歴史・言語の研究が進んでいるのは契丹文字である（近年の出土品とその研究は呉[*6]など参照）。またロシアで発見された、「冊子写本」という特異な形態の契丹大字資料も、内容の解明・公開が待たれる（ザイツェフ[*7]参照）。

歴史的な帰結のみから言えば、疑似漢字はすべて使用者が絶え、「漢字系文字による、非漢語の表記を行う、独立した民族」は現在まで存在しない。契丹・西夏・女真文字の中で、国家さえ存続していたならば西夏文字が存続した可能性が高いと考えられるものの、予想の域を出るものではない。しかし、疑似漢字という、いわば「表記システムの実験」が無駄であったかというとそうではなく、西夏文字であれば「漢字に無い発想の会意文字の創出」、契丹小字であれば「既存の文字に無い、興味深い表音システム」など、文字学・文字論を考えるうえで、重要な例を提供し続けてくれるのである。

注

1　藤堂明保「漢字文化圏の形成」（『岩波講座世界歴史6 東アジア世界の形成Ⅲ』岩波書店、一九七一年）、藤堂明保『漢字とその文化圏』（中国語研究・学習叢書、光生館、一九七一年)。

2　西田龍雄『漢字文明圏の思考地図』ＰＨＰ研究所、一九八四年。

3　大竹昌巳「契丹小字文献における母音の長さの書き分け」、『言語研究』148、二〇一五年。

4　大竹昌巳「契丹語形容詞の性・数標示体系について」、『京都大学言語学研究』35、二〇一六年、六五頁。

5　荒川慎太郎『西夏文金剛経の研究』松香堂、二〇一四年、テキスト編二二一頁。

6　呉英喆『契丹小字新発見資料釈読問題』東京外国語大学アジア・アフリカ言語文化研究所、二〇一二年。

7　ヴャチェスラフ・Ｐ・ザイツェフ（荒川慎太郎訳）「ロシア科学アカデミー東洋文献研究所所蔵契丹大字写本」、『内陸アジア言語の研究』27、二〇一二年。

参考文献

・西田龍雄「西夏文字」、河野六郎他編『言語学大辞典別巻　世界文字辞典』三省堂、二〇〇一年。

07 仮名

入口敦志

1　はじめに

本章では、『古今和歌集』の登場を、ひらがなによる文章表現の歴史の上に位置づけ、さらには、東アジア漢字文化圏における民族固有文字の問題として考察してみたい。

日本固有文字としての仮名の発生について語るとき、『古今和歌集』をとり上げることは普通にはないだろう。「ひらがな」という文字を最初に創作し、使用したものではないからである。『古今和歌集』以前のひらがなの使用例は、すでに知られている。しかし、仮名の問題を単なる表記の問題としてではなく、表現あるいは思想の問題としてとらえようとするとき、『古今和歌集』、特にその「仮名序《かなじょ》」は最も重要な作品であると考える。日本固有語としてのやまとことばによるまとまった分量と内容を持つ文章を、日本固有文字としてのひらがなで表現しきったという点で、画期的なものであった。

2　万葉仮名からひらがなへ

日本における最初期の著作は『古事記』（七一二年、太安万侶《おおのやすまろ》）や『日本書紀』（七二〇年、舎人親王《とねりしんのう》）であり、八世紀初頭のものである。それらは基本的に漢文で記されている。漢文で表せない固有名詞や歌謡については、漢字によって音をあらわす万葉仮名によって表記される。『万葉集』（七五九年以降）には約四千五百首もの和歌が採録されているため、ほとんどが万葉仮名によって表記されているように見えるが、詞書《ことばがき》については漢文で記される。音に重点を置く韻文は万葉仮名を、歌が詠まれた状況を説明する文章には漢文を用いるという役割分担があることに注意しておきたい。

その後、楷書で書かれていた万葉仮名が、草仮名になり、さらに簡略化されてひらがなになっていく。

現在、和歌を記した木簡や土器が多く発見されている。

たとえば「なにはづに」の歌を記した木簡が、滋賀県の紫香楽宮《しがらきのみや》跡（八世紀中頃）をはじめとして、徳島県や富山県などからも出土している。この「なにはづにさくやこの花ふゆごもりいまははるべとさくやこのはな」という歌は、『古今和歌集』「仮名序」でも「手ならふ人のはじめにもしける」とあり、手習の和歌とされるのだが、その記述を裏付けるように多くの木簡が出土していることは大変興味深い。和歌を詠むとは、声に出して朗唱することであったはずだが、ここでは文字として書くものになっていることを示している。万葉仮名の使用によって、朗唱する和歌だけでなく、書き付ける和歌が加わったことは、和歌の贈答を根本的に変えることになったと想像される。直接会わなくても、遠く離れた人と和歌の応酬が可能になったのである。

また、藤原良相《ふじわらのよしみ》（八一三〜六七年）邸跡から出土した土器《かわらけ》には「かはらけの」「すきなひとにくしとおもはれ」と読めるひらがなが墨書されており、九世紀後半のものと推定されている。このようにひらがなを記した土器も全国各地から出土しており、ひらがな利用の拡がりがみられる。山口謠司氏はこれについて、「天皇家の男子に嫁ぐ藤原家の女性たち、藤原家による外戚関係が始まることによって、初めて〈ひらがな〉による洗練された和歌や和歌文学の世界が発達していく」（山口謠司『〈ひらがな〉の誕生』中経の文庫、二〇一六年）とし、ひらがなの生成と発展について、その背景に政治や社会の状況と関わらせて論じているが、重要な論点であろう。

『伊勢物語』六十九段は「狩の使」の段として著名であるが、そこに「盃のさら」に書いた文字をとおしての和歌の応酬が描かれる。

夜やうやう明けなむとするほどに、女がたよりいだす盃のさらに、歌を書きていだしたり。取りて見れば、

　かち人の渡れど濡れぬえにしあれば

と書きて末はなし。その盃のさらに続松《ついまつ》の炭して、歌の末を書きつぐ。

　またあふ坂の関もこえなむ

とて、明くれば尾張の国へこえにけり。

（「新編日本古典文学全集」による）

斎宮《さいくう》とは、伊勢神宮に仕えるために天皇の代わりとして派遣される皇女である。潔斎《けつさい》することが求められ、男との恋愛は許されない。逢いたくても逢えない二人が、文

字をとおして思いを伝え合うこの段では、引用部分のほかにも書かれた和歌の贈答があり、「書く」こと、「やる(送る)」ことが強調される。そのことによって、道ならぬ恋の切なさがより一層際立つ。物語ではこの斎宮は清《せい》和《わ》天皇(在位八五八~八七六年)の時に派遣された文徳《もんとく》天皇の皇女であるとされ、事実とすれば、九世紀なかばのこと。「盃のさら」は土器と考えられる。それは、同時代の遺跡から発掘されたひらがな書きの土器とも呼応し、ひらがな利用の具体像を示していると言えるだろう。『伊勢物語』初段では「狩衣のすそを切」って和歌を書き付けているし、十三段では、手紙をとおして武蔵にいる男と京にいる女との遠距離での和歌のやりとりまでもが描かれる。

ひらがなを用いた散文には『藤原有年申文《ありとしもうしぶみ》』(八六七年)などがあるが、これらはみな短いものである。前述した『伊勢物語』そのものが、当初どのような文字で記録されたかはわからない。しかし、仮にひらがなで書かれていたとしても、散文の詞書は短いものであり、長文でないことは注意しておきたい。ひらがなの用い方は、九世紀末までは和歌や歌謡のような韻文と短い文章であったと考えられる。

そういう状況の中、十世紀初頭にひらがなを用いた大著が忽然とあらわれる。『古今和歌集』である。とくにその「仮名序」は、それまでごく短いものであったひらがな散文の記述と比較したとき、その内容と分量において画期的なものであった。

3 『古今和歌集』成立前夜

九世紀前半には、勅撰の漢詩文集が続けて選進される。『凌雲集《りょううんしゅう》』(弘仁五年[八一四]、嵯峨《さが》天皇)、『文華秀麗集《ぶんかしゅうれいしゅう》』(弘仁九年[八一八]、嵯峨天皇)、『経国集《けいこくしゅう》』(天長四年[八二七]、淳和《じゅんな》天皇)である。「国風暗黒時代」(小島憲之『国風暗黒時代の文学』一九六八年)ともいわれる漢詩文全盛の時代の幕開けを告げるもので、和歌などの国風の文学は低迷していたとされる。このことは『古今和歌集』「仮名序」に記すところでもあった。

かの御ときより、この方、としはもゝとせあまり、
世はとつぎになんなりにける。いにしへのことをも、
うたをも、しれる人、よむ人おほからず。
(「日本古典文学大系」による。以下同)

「かの御ときとは、平城《へいぜい》天皇（在位八〇六〜八〇九年）時代で、それから『古今和歌集』選進の延喜五年（九〇五）までの天皇十代百年間、和歌を知る人も、詠む人も少なかったと主張する。引用部分に続けて、その間に著名であった僧正遍昭《そうじょうへんじょう》、在原業平《ありわらのなりひら》、文屋康秀《ふんやのやすひで》、喜撰《きせん》、小野小《おののこ》町《まち》、大友黒主《おおとものくろぬし》の六人の歌人の評価を記す。しかし、後に六歌仙と呼ばれ歌の達人として称揚される六人の評価は決して高くはない。たとえば、業平を「その心あまりて、ことばたらず。しぼめる花のいろなくて、にほひのこれるがごとし」と評し、さらには、その時代の多くの歌人たちの和歌を、

　このほかの人々、その名きこゆる、野辺におふるかづらの、はひひろごり、はやしにしげき、このはのごとくに、おほかれど、うたとのみおもひて、そのさましらぬなるべし。

と総括する。『古今和歌集』の時点を高く評価するために、敢えて前時代を低く評価するというようなレトリックでもあると考えられよう。一方で、ひらがなが普及するにつれ、それ以前には記録されることもなかったような「うたとのみおもひて、そのさましらぬ」和歌までが記録され、後世に残されるようなことが起きていたとも言えるのではないか。

　このような状況の中、大規模な歌合が行われた。『寛《かん》平御時后宮歌合《びょうのおおんときききさいのみやのうたあわせ》』である。寛平元年から五年（八八九〜八九三）の間に成立したとされる。この歌合は百番二百首からなっていたが、ここから菅原道真《すがわらのみちざね》が編纂したとされる『新撰万葉集』（寛平五年［八九三］）に百七十首もの和歌が採られており、なんらかの関連があったと考えられている。その序文には次のような記述がある。

　当今寛平聖主、万機余暇、挙宮而方有事合歌。後進之詞人、近習之才子、各献四時之歌、初成九重之晏、又有余興、同加恋思之二詠。

（寛文七年［一六六七］版による）

「宇多《うだ》天皇の御代、政務の余暇に宮廷こぞって歌合を行うことがあった。後進の詩人や近習の才子は、各々四季の和歌を献上し、その後宮中の宴となった。その折、余興があり同じく恋思の二詠を加えた」という。『寛平御時后宮歌合』も春夏秋冬の四季と恋の部立てとなっており、この序文の記述と照応する。「后宮」は、宇多天皇の母后斑子、あるいは中宮温子《おんし》を指すとの二説があり、また歌

合の行われた場所を示すという説もあって、定説をみない。いずれにせよ後宮を舞台に行われた歌合であることは確かで、その背景には宇多天皇の強い意志があったことは間違いないであろう。

その『新撰万葉集』には、ひらがなは使われていない。和歌は漢字を用いた万葉仮名で表記されており、さらに和歌一首ずつに漢訳した七言絶句が添えられている。ひらがなが使い始められていた時代ではあるが、和歌の選集は漢字を用いて編集されたのだ。しかも、宇多天皇自身の強い意志がその編纂の背景にあったはずではあるが、勅撰集としての位置づけは与えられていない。使い始められたばかりのひらがなはまだしも、和歌そのものも公的なものとして公認されることはなかった。しかし、そのわずか十二年後、ひらがなを用いた和歌の選集が勅撰されることになる。

4 『古今和歌集』の背景

最初の勅撰和歌集である『古今和歌集』は、醍醐《だいご》天皇の命により編纂された。編者は紀友則《きのとものり》、紀貫之《つらゆき》、凡河内躬恒《おおしこうちのみつね》、壬生忠岑《みぶのただみね》の四人。「仮名序」「真名序」ともに「延喜五年四月」（九〇五）の年記が記されているが、これが下命の年か奏覧の年かなど、成立については諸説ある。いずれにせよ、延喜五年にはその構想があったことは確かであろう。また、前述したように、『新撰万葉集』の編纂からわずか十二年しかたっていないが、その間には国内でも国外でも大きな変革が起こっている。

寛平五年（八九三）　『新撰万葉集』成立
寛平六年（八九四）　遣唐使休止
寛平九年（八九七）　宇多天皇退位、醍醐天皇即位
昌泰四年（九〇一）　昌泰《しょうたい》の変、菅原道真左遷
延喜五年（九〇五）　『古今和歌集』
延喜七年（九〇七）　唐滅亡（唐の年号は天佑四年）
同年　契丹《きったん》の耶律阿保機《やりつあぼき》が即位し、遼建国

唐王朝の衰運を理由に、菅原道真の建議により遣唐使が休止され、その後間もなく唐王朝は滅亡する。宇多天皇は道真を重用すべきことなどを説いた『寛平《かんぴょうの》御遺誡《ごゆいかい》』を与えて、醍醐天皇に譲位するものの、道真は昌泰の変により左遷されて中央での影響力を失ってしまう。このような時代背景の中で、『古今和歌集』は編まれたのであ

る。

5 漢字文化圏の民族固有文字

ここで目を転じて、中国周辺の民族固有文字についてみてみよう。

「漢字文化圏」という言いかたがある。漢字を発明し使っていた中国はもちろんのこと、中国をとりまく周辺の異民族も、その漢字をとりいれて使っていた。そういう漢字の影響を受けた文化のことを言う。漢字を取り入れるだけではなく、漢字で書かれた漢文をそれぞれ文法の異なる民族固有の言語に適した読み方で翻訳する工夫が必要であった。いわゆる漢文訓読である。そこで「漢文文化圏」（金文京『漢文と東アジア—訓読の文化圏』岩波新書、二〇一〇年）という考え方が提示されている。また「漢字文明圏」（西田龍雄『漢字文明圏の思考地図』二十一世紀図書館、PHP研究所、一九八四年）という捉え方もある。中国の影響は文字や文化だけではなく、政治、法律、制度、技術など多岐にわたっているのだから、「文明圏」と称した方がより正確かと考えられよう。

しかし一方で、周辺民族は次第に民族独自の文字を持つようになる。特に漢字の影響を受けながら、新たな固有文字を作り出した国々を概観してみたい。

6 固有文字の制定

漢字を利用しながら工夫を重ね、漢字と併用するかたちで新たな文字を作り出したのは日本とベトナムである。したがって、この二国においては固有文字の制定者や制作者の個人名は特定されていない。多くの人が関わりながら、自然発生的にできたものであろう。それ以外の国については、文字を作らせた人物と制定された年、および制作にあたった人物の名前がはっきりしており、興味深い特徴が認められる。次の年表**【表1】**を見てみよう。

遼、西夏、金、朝鮮、清においては、いずれも皇帝または王が命じて作らせており、文字自体が欽定なのである。それぞれの民族によって事情は異なるであろうが、自立した民族の独自性を主張するものとして、固有の文字を持とうとした可能性が高い。遼、西夏、金では、建国とともに初代の皇帝が制定していることが、そのことを端的に示している。固有文字の制定が国家の建設を象徴しているのである。

表1　年表

国号	文字	制定年	制定者	制作者
日本 『古今和歌集』	ひらがな	九世紀中頃 九〇五年	― 醍醐天皇	― 紀貫之、等
遼	契丹文字（大字） （小字）	九二〇年 九二四年頃	耶律阿保機 耶律迭剌	
西夏	西夏文字	一〇三六年	李元昊	野利仁栄
金	女真文字（大字） （小字）	一一一九年 一一三八年	完顔阿骨打 熙宗	完顔希尹
ベトナム	チュノム	十三世紀頃	―	―
朝鮮	ハングル	一四四三年	世宗	申叔舟、等
清	満州文字（無圏点字） （有圏点字）	一五九九年 一六三二年	ヌルハチ ホンタイジ	エルデニ、等 ダハイ

一方、日本の朝廷は文字そのものを制定したり公認したりはしていない。しかし、『古今和歌集』の勅撰は、実質的にひらがなを民族の固有文字として国家が公認したということを意味するのではないか。その「仮名序」をひらがな宣言と見たいのである。宮崎市定氏は「このような民族文字の成立を、民族主義の発生の一標幟として見るとき、日本における仮名文字の成立は年代的に見て非常に早い」(宮崎市定『中国史』岩波全書、一九七八年）としている。

万葉仮名のように、漢字の運用によって固有語を表記する方法は、朝鮮においても吏読などがあった。しかし、ひらがなは、民族固有文字という点では東アジアにおいては早い例である。すでに、九世紀には使用されており、その公認とも言うべき勅撰も十世紀の極初であった。同時期に制定された契丹文字との直接の関連は考えにくいが、取り巻く状況は同じであって、宮崎氏の指摘する「民族主義の時代」の潮流の中に『古今和歌集』も位置づけられるのである。

7　仮名序と真名序

『古今和歌集』には、「真名序」とともに「仮名序」が添えられている。真名序は紀淑望が、仮名序は紀貫之が執筆したとされている。その冒頭を読んでみよう。

真名序

それ和歌は、其の根を心地に託け、其の華を詞林に発くものなり。人の世にある、無為なること能はず。思慮遷りやすく、哀楽あひ変はる。感は志に生り、詠は言に形はる。こゝをもちて、逸せる者は其の声を楽しみ、怨ぜる者は其吟悲しむ。もちて懐を述べつべく、もちて憤を発しつべし。天地を動かし、鬼神を感ぜしめ、人倫を化し、夫婦を和ぐること、和歌より宜しきは莫し。（中略）夫の、春の鶯の花中に囀り、秋の蟬の樹上に吟ずるがごとき、曲折無しといへども、各歌謡を発す。物皆これあり、自然の理なり。

（「日本古典文学大系」による読み下し文）

仮名序

やまとうたは、ひとのこゝろをたねとして、よろづのことの葉とぞなれりける。世中にある人、ことわざしげきものなれば、心におもふことを、見るもの、きくものにつけて、いひいだせるなり。花になくうぐひす、みづにすむかはづのこゑをきけば、いきとしいけるもの、いづれかうたをよまざりける。ちからをもいれずして、あめつちをうごかし、めに見えぬ鬼神をも、あはれとおもはせ、おとこ女のなかをもやはらげ、たけきものゝふのこゝろをも、なぐさむるは哥なり。

両者を比べながら読んでみると、相互に関連をもちながらも内容や表現が異なっている部分が見られ、興味深い。たとえば、真名序の「樹上の蟬」は、仮名序では「水に住む蛙」となっているのはどういうわけであろうか。真名序の「人倫を化し」という抽象的な表現は、仮名序の「たけきものゝふのこゝろをもなぐさむるは哥なり」と対応しており、仮名序では具体的な言い方になっている。

両者の対照の中でとくに注目したいのは、真名序の「思慮遷《うつ》りやすく」以下「憤りを発《はっ》しつべし」までが、仮名序では全く触れられていないことである。変転を繰り返す人の哀しみや楽しみ、あるいは怨みや憤りの感情は、ことばとなって表出される。この部分は『詩経《しきょう》』「大序」の「在心為志、発言為詩、情動於中、而形於言」を踏まえたものだという。人間の心情の発露が詩だというのだ。しかし、そういう人としての哀しみ、楽しみ、怨み、憤りのような感情については、仮名序では説明されない。日本人にもそういう感情はある。やまとことばでも「かなしみ」「たのしみ」「うらみ」「いきどおり」と言うことができる。しかし、和歌や和文にあっては、そういう生の感情を直接的に表出することを避ける傾向があるように思われる。現に『古今和歌集』の恋の部の歌をみても、悲しいとかうれしいとか、直接的にいうことはほとんど見られない。なにかに託して、それとなく悲しい、うれしい感情をにおわせるというような、抑制的な表現方法をとる。極端な誇張表現をとる「白髪三千丈」（李白《りはく》『秋浦歌』）の漢詩の世界とは大きく違っているのである。

このように両序の冒頭には、すでに漢文と和文との違いについての意識的な表現がみられる。それは、漢字とひらがなとを用いたそれぞれの詩歌の表現の違いとして表面に現れるものであって、単に内面のあり方が違うというだけではないだろう。内面と表記とはなにかしら関係を持っていると考えたい。

8　おわりに

最初の勅撰和歌集『古今和歌集』に、ひらがなで表記された和文の序があることの意義は大きい。公的なものは漢文であった時代に、勅撰集選進の状況、和歌の歴史、歌人の評価、和歌の種類、そしてなによりも和歌とはなにかという評論的な内容を、漢語をほとんど交えることなくやまとことばで書き切っているからである。紀貫之の力作というべきだろう。

その貫之の『土佐日記』も意欲に満ちたもの。漢文で書くべき日記を、ひらがなで書こうというのである。貫之のいずれの著作にも、ひらがなの文章を漢文と同じ地位に押しあげようとする、強い意志が感じられる。その意欲は、ここで見たように、東アジアにおける民族主義の高まりと軌を一にするものであった。

［付記］この項は、入口敦志『漢字・カタカナ・ひらがな　表記の思想』（ブックレット〈書物をひらく〉2、平凡社、二〇一六年）の第一章「『古今和歌集』の意義」の内容を書き改めたものである。

08 中国の女書（nüshu）

遠藤織枝

1 名称

中国湖南《こなん》省の江永《こうえい》県上江墟鎮周辺に存在した女性だけの文字。この文字を現地では「女書 nüshu」と呼び、言語学・文字学でも「女書《nüshu》」と呼ばれている。女書を日本語で表記すると、女性の文字・女性の書物・女性の書いたものと意味が広がるので、遠藤は日本語の論文では「中国女文字」「女文字」の語を使うことがある。

2 文字創成の背景

湖南省江永県の女性たちが、この文字を生み出したのは、遠く離れた義理姉妹に自らの思いを表現した歌を伝えるためのコミュニケーション手段を希求したからだと考えられている。この地では、互いに意思を通わせたり、思いを伝える手段のひとつとして歌が使われた。また、女性たちは、娘時代は結交姉妹という義理の姉妹関係を結ぶことが盛んであった。義理の姉妹たちは、村の娘々廟（昔、薬草で村人を救ったなど、村人に貢献した女性を祭る廟）などの祭りを一緒に楽しみ、ともに女紅（織物・縫い物・刺繍・布靴つくりなど手仕事の総称）の腕を競った。その極めて親密な関係も結婚では切られてしまう。

結婚式の日取りが決まると、その半月前から、嫁ぐ娘の家に姉妹たちは集まって、別れを惜しんだ。三日前からは村の中心部の祠堂に集まって、歌堂という歌を歌い合う行事を行い、最後まで別れを悲しんだ。その歌も、遠く別れてしまうと、共に歌えない。離れてしまった義理の姉妹たちに自分の心を伝えたい、そのための文字がほしい――。この強い希求が女書を生んだ、と推測される。

女性たちには、文字を習う機会は与えられなかったが、村には漢字は古くから存在し、村の為政者や知識層は漢字を使いこなしていた。文字を欲した女性たちは、村の指導層の持つ漢字を形の上で模倣し、それに現地の方言の音をあてはめながら文字を創ったと考えられる。

3　文字数と文字の由来

この文字が世に出た一九八〇年代から研究している清華大学教授の趙麗明[*1]によれば、この地の方言の音韻は、約四百とされ、この文字でその音韻をすべて表記することができる。文字数は、三千四百字以上という陳[*2]の説から、三百字説まで幅が広い。多く数える説は、異体字をすべて異なる字としている。陳[*3]は、点画・音も同じでも、字形の傾斜が異なる字まで別の文字と数えている。遠藤は、最後の伝承者何艶新[*4]の文字を調査した結果、約四百五十と考えている。趙は一千二百字説を唱えていたが[*5]、十年後には基本字三百字と大幅に減らしている[*6]。なお、二〇一三年の放送[*7]では、四百字と述べている。遠藤[*8]は、何艶新の文字を調査した結果として、漢字由来と思われる文字が七五・二%あるとしている

この文字の歴史としては甲骨《こうこつ》文字に類似する文字、陶《とう》文《ぶん》に類似する文字もあることなどから、李[*9]など三千年の歴史を持つとする説もあったが、現在ではそうした漢字以前からとする説は淘汰され、女書の多くは漢字に由来するとする説が定説になっている。文献に表れる最も古い記述は一九三一年の『湖南各県調査筆記』である。趙[*10]は、一九九五年に発見された銅貨に「天国」「聖宝」の漢字と、「天下婦女　姉妹一家」を意味する女書が彫られていることを根拠として、この文字の歴史を太平天国時代にさかのぼれるとした。しかし、太平天国博物館の研究員で、貨幣歴史を専門とする張鉄宝[*11]は、太平天国の洪秀《こうしゅう》全《ぜん》の女性観や、銅貨の製法の杜撰さなどから、太平天国政府の発行したものではないと断定し、趙の説を否定している。

4　造字法と用字法

漢字由来とみられるものを、造字法と、用字法の点から見てみる。

4―1　造字法

①字形の類似

上の女文字の元になるのが、下の漢字であることは明らかである。

↑「可」

↑「東」

②会意《かいい》文字と同じ作り方のもの
（言）をもとに（信）がつくられている。

③形声《けいせい》文字と同じ作り方

（ɕioŋ^{44}）（兄・青）をもとに

（ts'ioŋ^{42}）（情・晴）、と
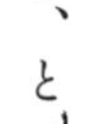
（ts,ioŋ^{42}）（清）、

（ɕyə^{44}）（孫）、

（tsioŋ^{42}）（庭）がつくられている。

④漢字由来以外では、象形文字として作られたと思われる文字が少数ある。

草→

4―2 用字法

たとえば、kaŋ^{44}の音を表記する文字は（光）だが、この文字は同音の「崗」・「鋼」・「官」を表記する際にも使われる。そのため、「高官」はとなり、「上崗」は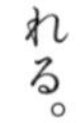と表記される。つまり、ここでは、漢字の意味は問題ではなく、表音文字として使われている。もう一例挙げる。

ɕioŋ^{44}の音を表記する文字は（兄）だが、同音の「声 ɕioŋ」を表記する際にも使われ、たとえば「名声」は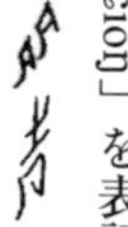と表記される。

5 女書で書いたもの

こうして創成した文字で、女性たちは写真に示す「三朝書」を書いた。現地では娘が嫁ぐと、三日目に実家から食べ物や婚家の人々への土産などを届ける習慣があったが、三朝書は、その届け物と一緒に娘に届けられた手製の冊子で、届け物の中で最も重要な位置を占めていた。

これには、嫁ぐ娘に対する、義理のまた実の姉妹、叔母、兄嫁などの、それぞれの思いが歌の形で書かれる。

黒または紺の木綿で表紙を作り、中に十二、三枚の宣紙を袋のように挟んで綴じつける。中の三枚六ページに歌を書く。その他の紙の間には刺繍糸・切り紙・刺繍の図案などが挟まれる。歌は、七文字または五文字を一句として、贈る者の思いが綴られる**【写真】**。

歌の構成はかなり定式化されていて、特徴的なのは、書き出しの句である。「筆を執り手紙を認め嫁ぎ先へお届けします」「筆を執って詩を一首作ります」のように、「書く」ということを宣言してから始めている。ここに当時の

三朝書（鳳田村　1999 年 1 月　14.0 × 24.1 cm）右はその内部（撮影：著者）

女性たちの文字を書くことに対する深い思いが察せられる。ついで、結婚を祝うことば、別れの悲しみを嘆く句、さらには嫁ぎ先をもちあげ、姑へ「妹よろしくお願いします」と続く。その他、女に生まれたことを嘆き、女だけが不本意な結婚をさせられることは神の間違いと恨む。最後は、早く里帰りをしてほしいという言葉で結ばれる。

　こうした要素が全部一冊の三朝書に織り込まれるわけではない。そのいくつかが、取り入れられ、相手との関係や、家族環境などで、最もふさわしいことばが選ばれていく。陽煥宜[*12]に聞いたところでは、陽煥宜も頼まれて三朝書を何冊も書いた。その内容は、頼んできた人の家族構成や生い立ち、姉妹関係など詳しく聞いて、できるだけいいところを取り上げて詩に作り上げて書いたという。女文字の書き手はまた詩人でもあった。

　三朝書のほかにこの文字で書かれたものに自伝がある。生まれたときのことから、場合によっては生まれる前の家族構成から書きおこし、意に染まぬ結婚、夫との死別、子どもの病死、日本軍から逃げ惑ったなど、辛く悲しい生涯が綴られる。庶民の女性が、悲哀に満ちた自己の半生を長い歌の伝記に書き表すという習慣は、世界中でもほとんど類を見ないのではないだろうか。

6　伝承

この文字は、母から娘、義理と実際の姉妹間、祖母と孫娘、叔母から姪へ、と教え伝えられていった。ある場合は、よく書ける人の所に通って習得した。陽煥宜は隣村の義早早の所に二年ぐらい通い、何艶新も十歳のころ、祖母楊燦仙からやはり二年ぐらい習った。祖母はまず、歌の一句を歌う、そして、そのことばを書いて教えた。歌と文字との密接なつながりがよくわかる。

だれでもが書けたわけではない。七人の結交姉妹を結んでいた女性に聞いたところでは、七人のうち二人は書けたがあとは書けなかった。自分も習ったが途中で挫折した、とのこと。きれいに書ける人は、書けない人から頼まれて書いて、村の中でも教養のある女性として尊重された。

この文字は女性だけの秘密の文字と言われることがあるが、[*13]遠藤は現地を調査した結果として、そうではないと考える。結婚して三日目に届けられた三朝書を、婚家の人たちの前で、読める女性が読み歌って、披露したのだから、秘密性はないと言える。

7　女書の現状

二〇〇四年に没した陽煥宜は、娘時代にこの文字で三朝書を書き、姉妹との手紙のやりとりをした最後の伝承者であった。一九九四年に、河淵村で遠藤が偶然のきっかけで出会うことができた何艶新は、当時はわずかしか書けなかったが、思い出しながら練習して四十五年間のブランクを埋めて、陽煥宜よりもきれいに多くの文字を書けるようになった。従来の女性たちが、悲しみの思いを歌で表したと同じように、何も、歌を作って表現することができる。卓抜な記憶力で祖母から教わった多くの歌を正確に再現できる。本来の女書の姿を知っている最後の女性である。

現在、江永県政府が伝承者として重用している何静華は、一九九七年の遠藤の調査をきっかけとして書き始めた。いい文字だから残す必要があるといういわば使命感から習得し、女子中学生たちに教え、積極的に保存活動を行っている。観光客用やイベント用に大きな朱色の文字を書き、毛沢東《もうたくとう》の詩や共産党の党章を書くなど、女書は今や奔放に利用されている。

　中国政府が中国の各地に残る習俗や文化を国連の無形文化遺産に申請する動きに歩調を合わせて、県政府が女書を無形文化遺産として申請しようとしていることに対して、劉[*14]は、本来の歌も心も伴わない形だけの文字の現状では無形文化遺産として申請するには問題があるとしている。

　何艶新は、祖母は細い小さい字で女性の悲しみや辛さを書いていた。朱色の文字などありえないことだと、何静華らの文字に異を唱えている。何艶新を最後に本来の女書は消えていくのであろう。

注

1　趙麗明「女書与漢字」、史金波他編『奇特的女書 全国女書学術考察検討会文集』北京語言学院出版社、一九九五年、九〇頁。
2　陳其光『女漢字典』中央民族大学出版社、二〇〇六年。
3　同前。
4　何艶新（一九三九〜）十歳のころ、祖母から女書を習い、多くの故事や歌を歌い書くことができ、また、自分の思いを歌にできる。県政府が認める伝承者の中で、唯一少女時代に習得しているので、遠藤は「最後の伝承者」と位置づける。
5　注1、八八頁。
6　趙麗明「《女書用字比較》的学術価値」、遠藤織枝・黄雪貞編『女書的歴史与現状—解析女書的新視点』中国社会科学出版社、二〇〇五年、九六頁。
7　NHK番組「〝涙の書〟〜作曲家　タン・ドゥンの世界〜」二〇一三年三月二十七日放映。
8　遠藤織枝『中国女文字研究』博士学位論文　お茶の水女子大学大学院人間文化研究科提出、二〇〇三年、一一四頁。
9　李荊林『女書与史前陶文研究』珠海出版社、一九九五年など。
10　趙麗明「女書最早資料—大平天国女書銅貨」、『人民日報海外版』二〇〇〇年三月二日、七頁。
11　張鉄宝「対所謂太平天国女書銭幣的質疑」、遠藤織枝・黄雪貞編『女書的歴史与現状—解析女書的新視点』中国社会科学出版社、二〇〇五年、一一七〜一二六頁。
12　一九九五年九月、北京女性会議に陽を招いたとき北京のホテルで。
13　The Japan Times Monday,March 1, 2004 p19 など。
14　劉頴「無形文化遺産としての『女書習俗』をめぐる問題点」、『日本常民文化紀要』33、成城大学、二〇一八年、一八〇〜二二〇頁。

参考文献

・遠藤織枝「中国女文字・ハングル・平仮名—その女性性を中心に—」、『日本語学』32—11、二〇一三年九月号、六四〜七九頁。

09

中国地名・人名のカタカナ表記をめぐって

明木茂夫

1　「SunYat-sen」とは誰のことか

よく喫茶店で資料を読んだり原稿を書いたりする。ある日、ふと気づくとすぐ隣の席から何やら英会話が聞こえてくる。いかにも友人の西洋人に英語の会話練習につきあってもらっているという雰囲気であった。帰り際に、では来週も同じ時刻にみたいな話をしていたようなので、定期的にやっているのであろう。べつに聞き耳を立てていたわけではないのだが、どうも歴史の話になってきたようである。そこでふと聞こえてきたのが、

Do you know Sun Yat-sen?

という西洋の友人の言葉であった。ああ、これは知らない人にはきついな、と思っていると案の定会話はそこで頓挫したらしい。有名な人物なのに知らないのかなと、彼はちょっと訝しんだようだが、まあしかし今は便利なもので、彼はスマートフォンを取り出し、「Sun Yat-sen」を検索し、おそらくWikipediaであろうページを探し当てた。それを見た日本の友人は、「あ〜」と声を上げ、それが「孫文」のことだと理解したようだ（「Yat-sen」は孫文の号「逸仙」の広東語読みローマ字表記）。おそらく西洋の友人も日本語は話せるのだろうが、ある歴史上の人物が英語と日本語でそれぞれどう表記されるか、そしてどう発音されるか、熟知しているとは限るまい。西洋の友人がすぐに日本語で助け船を出

せなくても仕方ない。日本語では「孫文《そんぶん》」と言い、英語では「Sun Yat-sen」と言う。それを互いに、あああの人のことね、と認識するのはなかなか難しい。しかしこれ、実は意外と重要な問題をはらんでいるのではないかと感じている。

2　社会科教科書のカタカナ表記

では学校の歴史の教科書で「孫文」はどう書かれているのだろうか。「孫文」は「孫文」だろうなどとおっしゃらず、手近な教科書を一度ご覧いただきたい。実は現在使用されている歴史の教科書では、孫文に「そんぶん」という振り仮名がついているものと、「スンウェン」という振り仮名がついているものと、両方あるのである。正確に言うと、「スンウェン」という中国語読みカタカナのみを使用している歴史教科書はなく、「孫文」という漢字に「そんぶん（スンウェン）」と読みが二つつけてあったり、「孫文」という漢字の上に「そんぶん」下に「スンウェン」と、上下二重のルビがついていたりする。いずれにせよ、教科書通りに学べば「孫文」は「そんぶん」か「スンウェン」である。ところが右で触れたように西洋語では「Sun Yat-sen」と認識されているわけだから、学校で「スンウェン」と覚えても英会話の役には立たない。ではせめて中国人には通じるのかと言えば、残念ながら中国語を学んだことのない人が日本語のカタカナ式に読んでも、通じることはまずあり得ない。また中国語で「孫文」は「孫中山」と表記されることが多い。結局誰のためのカタカナなのかよく分からないことになっているのである。その他にも、

教科書は「毛沢東＝マオツォートン」

英語に於ける綴りは「Mao Zedong」もしくは「Mao Tsedung」

とか、

教科書は「蒋介石＝チャンチエシー」

英語に於ける綴りは「Jiang Jieshi」「Chiang Chieh-shih」もしくは「Chiang Kai-shek」

など、同様の例はたくさんある。

地名にしてもそうで、「広州」は地図帳では「コワンチョウ」である。「食は広州に在り」を「しょくはコワンチョウにあり」と読ませる教師用教科書指導書を見たこともある。英語の綴りは「Guangzhou」もしくは「Kwangchow」がよく用いられる。また「広東」はと言うと、日本語では「かんとん」と読み慣わしているが、地図帳では「コワントン」である。英語では「Guangdong」もしくは「Kwangtung」、あるいは今でも「Canton」がよく用いられる。他にも「陝西」は教科書式のカタカナだと「シャンシー」（もしくは「シェンシー」）だが、西洋語では「Shensi」あるいは「Shaanxi」と書かれることが多い。このように、西洋語の中で用いられる綴りと、実際の中国語発音と、日本の地図帳などに書かれているカタカナとは、なかなか一対一に対応しないものなのである。一方「湖南」の中国語発音は「Hunan」で、地図帳では「フーナン」である。英語での綴りは「Hunan」が用いられる。これは中日英が基本的に一致してくれているように見える。しかし実際には英語話者は「Hunan」を「フーナン」ではなく「ヒューナン」と読むようである。おそらく「human」に引きづられるためであろう。

3　漢字廃止のためのカタカナ表記

さてここで次の疑問。では日本の教科書や地図帳は何のために中国の人名・地名をこうした現地音カタカナにしているのだろうか。カタカナ表記推進派の方々からよく耳にするのは、「現地の人の発音で呼んであげないと失礼だから」という言い方と「英語の中では現地音で呼んでいるので日本語読みしか知らないと分からないから」という言い方である。これについては、このカタカナではどっちみち現地の人には通じない、このカタカナを知っていても英語の中の人名地名が分かるとは限らない、ということはすでに述べた。では教科書や地図帳のカタカナは何を意図したものなのだろうか。

ここでは紙幅の関係で途中を端折って、結論だけ申し上げる。教科書や地図帳のカタカナ中国地名・人名は、現地の人への配慮とか、西洋語の中での地名認識とか、そういったことのために作られたのではない。実は漢字廃止・制限論から生まれたものだったのである。終戦直後、日本語から漢字を廃止し、日本語をすべてカタカナ、もしくはローマ字で書き表そうとする人たちが、国語審議会を中心に活発に活動していた。その中で優勢を占めたカタカナ派の人たちが、将来日本語がすべてカタカナになった時、中国の地名人名をどう書くかに悩んだ。中国語で「Shandong」、日本語で「さんとう」、いずれも「山東」という漢字の音読みである。ところが漢字を無くしてしまうと、「Shandong」と「さんとう」がなぜ結びつくのか分からなくなってしまう。そこで日本語の方を中国語の発音に合わせて「シャントン」と言うことにしよう、というのが彼らの考えだったのである（詳しいことは拙著『中国地名カタカナ表記の研究』をご参照願いたい）。その証拠はいくらもあるが、たとえば昭和二十四年（一九四九）の「中国の地名・人名のかな書きに関する懇談会」で国語審議会会長と中国の地名・人名の書き方に関する主査委員会委員長がそれぞれ、

「むずかしい漢字をへらすのが、漢字制限である」

「これからは、漢字を考えないで、カントンならカントンでおぼえてしまおうというのが、この案の趣旨である。これはシナ語を学ぶ便利のために用いるのではない」

と発言していることからも明らかである。また実際の教科書や地図帳では、

シャントン（山東）

のように、漢字の方がカッコ入りで、カタカナの後ろに置かれている。これはあくまでカタカナが中国地名の正式表記であって、漢字は添えただけ、ということを示している。だから、同じ教科書内で同じ地名が二回目に出てきた時、二回目は漢字を省略してカタカナだけになったりする。さらに、一部の教科書や参考書では最初から堂々と漢字無しのカタカナだけ、ということもよくある。

さらに、地図帳独特の交ぜ書きにも触れておかねばならない。すなわち、万里長城が「ワンリー長城」、大運河が「ター運河」、淮河が「ホワイ川」、珠江が「チュー川」、渭水が「ウェイ川」、泰山が「タイ山」といった調子なのである。さすがにこれには笑わせてもらった。「スエズ運河」「パナマ運河」のように中国の大運河も「ター運河」にすべ

きだと言うのだろうが、でも大運河の「大」は固有名詞とは言えまい。河川名にしても「〜河」「〜江」「〜水」を全部「〜川」にしてしまっているが、珠江は珠江の二字で川の名前なのであって、「珠」を独立させて固有名詞でございとは言えまい。横浜は英語で「Yoko Beach」ではない、神奈川は「Kana River」ではない、というのと理屈は同じではないか。「黄河」については歴代地図帳で表記が二転三転しており、現在では「ホワンホー」が主流である。過去には「ホワン川」とか「ホワン河」という奇妙な表記も存在した。歴史の教科書で「黄河《ホワンホー》文明」とルビがついているのを見たことがある。これらの交ぜ書きが、中国人にも通じるようにとか、西洋語の中でも分かるように、といった目的で作られているはずはない。「〜川」や「〜山」は日本語なんだから。ここには、中国地名を無理矢理にでもカタカナ外来語地名にしてしまいたい、という漢字廃止論者の執着ぶりがうかがえる。現在の教科書・地図帳もその呪縛から逃れ得ていないのである。

4　カタカナ表記統一の難しさ

さて、中国の地名や人名をカタカナで表すと言っても、中国語で読むとおりにカタカナに置き換えればよい、などと言うほど簡単なことではないのはお分かりであろう。そのカタカナがどのような目的意識で作られたかによって、随分と異なるものができてくる。中国語の発音をできるだけ忠実に表すため（中国人に通じるように、あるいは中国語の学習に用いるため）、英語など西洋言語の中に出てくる中国地名・人名が分かるようにするため（中国語と言うより西洋言語の表記や読み方に合わせるため）、漢字を廃止ないしは制限するため（カタカナ外来語として扱うため）、こうした目的によってかなり異なるものができてくるわけである。極端な例を挙げるならば、「万里長城」は、

中国語で「Wanli Changcheng」と発音するので「ワンリーチャンチョン」

英語では「Great Wall（Great Wall of China）」と呼ばれるので「グレートウォール」

固有名詞の漢字表記を排除する漢字制限論の立場では「ワンリー長城」

などとなる可能性がそれぞれあるわけである。さらに中国語の発音には日本語にない音が多いので、それをどのようなカタカナで書くかについては何種類もの方式がある。しかもどれも主流となり得ていない。できるだけ中国語の発音に忠実に対応させようとするものと、思い切って簡略化して日本語の中になじませようとするものとでは、書き方は相当に異なるのである。

では我々はどうすればよいのか。英語の中に出てくる中国人名・地名を理解できるようにするために、また中国人にも通じるようにするために、日本語の中でもすべて中国語発音のカタカナ表記を用いることにしよう、というのはあまりにリスクもコストも大きい。「私は今度チョンツーに行きます」で相互理解ができるように国語を改革する、なんてことが果たして可能なのだろうか。また中国人に対しても、「チョンツーに行きます」では絶対に通じない。日本語の相当に上手な方でも通じたためしがないのだ。結局このカタカナで認識したところで、英語の中の固有名詞の理解、中国人との交流、といったことに役立つ可能性は非常に低い。思うに、結局従来の普通の表記・普通の読みで頭に入れておくことが重要なのではないか。そして英語や中国語に出会った時には、面倒がらずに検索すること、そしてそれが検索できる情報をネット上にちゃんと置いておくことだと思う。現在、スマートフォンなど情報機器をほとんどの人が持ち歩くようになっている。いろんな表記や読みから常識的な表記が検索できるようなさまざまなウエブサイトを作っておけば、随時検索することができるのである（僭越ながら私も「中国地名カタカナ表記・ローマ字表記一覧」をアップロードしているのでご覧いただきたい。https://www.chukyo-u.ac.jp/research/ics/china/index2.html）。そうした検索の結果を見て「ああ、〇〇のことね」と認識する。その「〇〇のこと」というのは、日本語環境に於いてはやはり従来の「普通」の書き方と読み方であろう。「スンウェン」と言われようと「Sun Yat-sen」と言われようと、すぐ検索して「ああ、孫文のことね」と分かればよい。その「孫文」を歴史の教科書の中でしっかり見せておくこと、それが教育だと思う。中国語では「スンウェン」と読むんですよ、というのはある意味補助的情報に過ぎない。要は、その補助的情報に出会った時、「〇〇のこと」という共通認識にたどり着けることが重要なのである。その意味では、教科書や地図帳の中国地名はカタカナになっているのに世間には全く普及していないという状態は、今後再考すべきであろう。

5　音楽の教科書のカタカナ表記

ところが、もう一つ別の問題も気になってきた。音楽の教科書の楽器名である。近年の音楽の授業では、西洋クラシックと日本の歌ばかりではなく、世界各地の民族音楽もとり上げるようになっている。その中国の音楽の項目に出てくる中国の楽器は何と、「ピーパー」「アルフー」「グージョン」「グーチン」「ション」とみんなカタカナ（しかも漢字なしのカタカナのみ！）なのである。何の楽器かお分かりだろうか。それぞれ「琵琶」「二胡」「古箏」「古琴」「笙」である。楽器名ばかりではない。「ジンジュ」「ミングー」なんてのもある。これが「京劇」と「民歌」のことだというのだから驚きだ。中国語の分かる方はこれが中国語の実際の発音からかなりかけ離れていることをお感じであろう。

しかし私が一番気になるのは、そもそも「民歌」までカタカナにする必要があるのか、ということなのである。たとえば「シャンソン」や「カンツォーネ」はいずれも単に「歌」を表す一般名詞だが、とくにフランスやイタリアの特定の歌曲ジャンルを指して使われることが多い。それと同じことを「民歌」でもやりたかったのではないか、つまり、中国の特定の民間歌曲を「ミングー」と言うことにしたかったのではないかと想像している（「グー」を「グゥ」と書いている音楽教科書もあって不統一なのがややこしい）。先程の人名や地名は固有名詞なので、現地の読みでという理屈がまだしも成り立っていた。しかし中国の歌だから「ミングー」だ、中国の琵琶だから「ピーパー」だ、などということを言い始めたらそれこそきりがなくなる。ならば同じピアノでもイギリス製は「ピアノ」、ドイツ製は「クラヴィーア」、イタリア製は「ピアノフォルテ」、中国製は「ガンチン（鋼琴）」と言わねばならないのではないか。中国の「琵琶」を「ピーパー」にしてしまったために、「日本の琵琶は中国から伝わったが、その形状や奏法は中国の琵琶とはかなり異なる」という簡単な話が、音楽の教科書や指導書ではえらく回りくどい言い方になってしまっている。「ピーパーは東アジアの琵琶類の元となった」などと平気で書いてあるのである。これだとピーパーは琵琶類に入らないことになってしまう。

音楽の教科書についてはもう少し言いたいことがある。そのカタカナ表記の方式が、すでに触れた社会科のそれと相当に異なることである。漢字廃止・制限のために作られた中国地名・人名用のカタカナではあるが、あれはあれで中国語のどの母音・どの子音をどう書くかが厳密に定められていた。正式には「中国語拼音(ピンイン)とかな書きの対照表」と呼ばれるものが作られ、それに従うことになっている。ところが、音楽で用いられるカタカナはそれとは書き方が異なるのである。専門的なことは措くとして、たとえば先程の「民歌」、音楽科方式だと「ミングー」だが、社会科方式(中国語拼音とかな書きの対照表)だと「ミンコー」となる。そして「京劇」は、音楽科方式だと「ジンジュ」だが、社会科方式だと「チンチュイ」となる。中国語の発音は同じなのに、これほど異なるカタカナが当てられるのである。中国語をご存じない方は驚かれるかも知れないが、これはどちらが正しいのかという問題ではない。カタカナの当て方次第で書き方は相当に違ってしまう。「バイオリン」と「ヴァイオリン」が違う楽器だと思う方はおられまいが、理屈としてはそれと同じだ。しかし中国語の場合はこれほどに振れ幅が大きくなってしまうのである。私は社会科のカタカナに全く賛同していないのだが、それはそれとして、せっかく社会科の方でカタカナのシステムを作ってくれていたのに、なぜ音楽科はそれを無視して独自のカタカナを採用したのか。もしかすると音楽の専門家は、すでに中国語のカタカナ表記の対照表が存在することをご存じなかったのかもしれない。右の「中国語拼音とかな書きの対照表」は本来地理だけではなく、すべての教科に適用することが意図されたものなのだが……。

以上を要するに、音楽教科書の中国楽器カタカナ表記には大きく二つの問題がある。一つは、同じ種類の楽器でもその産地によって呼び名を変えるという現地音主義によって、同じ楽器の歴史やサブタイプのつながりを断ち切ってしまったこと。もう一つは、既存の教科書用カタカナ表記を参照せず新たなカタカナの書き方を採用したことによって、同じ発音の表記の揺れを無用に拡大してしまったことである。ではこの矛盾はどこから生じたのだろう。その根拠の一つが文部省編『教育用音楽用語』である。「タンバリン」と言ってはだめ、なぜなら『教育用音楽用語』には

「タンブリン」と書いてあるから、というくらい権威のある書物なのだそうだ。昭和二十五年（一九五〇）に最初の『楽典編』が出た後、昭和二十七年（一九五二）、昭和四十年（一九六五）、昭和五十三年（一九七八）、平成六年（一九九四）、平成十四年（二〇〇二）に増補と改訂が行われている。このうち最も大きな改訂が行われたのが平成六年度版で、その特徴は、平成元年（一九八九）の『学習指導要領』を受けて、それまでの版にはなかった「諸外国の音楽編」が加えられたことにある。問題はこの第3章「諸外国の音楽」の第2節「地域別用語」、1「アジア」のカタカナ音楽用語なのである。ここで初めて中国音楽用語の中国語読みカタカナが導入された。巻末の付録1「『教育用音楽用語』――歴史と今回の改訂の特色」に「初めての試みでもあり、発音表記や記述その他になお問題は残しているかも知れませんが」とわざわざ書いてあるので、作ったご本人もあまり自信がなかったのかも知れない。結局この改訂で、いろいろな民族の音楽も教育用の音楽用語に加えることとなった、そしてその際に中国の音楽に対して極端な現地音主義が持ち込まれたため今まで存在しなかった不自然な中国音楽用語が作られ、社会科との連携も全く考慮されなかったため右に見たような不統一を生じた、といった事情が想像できるのである。やはり、音楽の授業で先生が中国の琵琶を指して「これはピーパーです」と説明なさる光景には、どうしてもなじめない。また「ジンジュ」と教えたところで、この読みでは中国人には絶対通じないし、また「京劇」は英語で「Peking Opera」や「Beijing Opera」と呼ばれるので、結局大した役に立たないことは先ほどの「孫文」と同様である。

社会科や音楽科など、教科書を通じて中国のカタカナ現地音を教えることにどんな合理的・実用的意味があるのか、我々はここで一度考え直してみるべきではなかろうか。逆に、補助的なものとして活用するならば、カタカナにもそれなりの利用価値があるのもまた事実なのである。問題の本質は、カタカナ表記は補助に過ぎないのに、それを正式な表記とすることにこだわった点にあるような気がしてならない。従来の常識的表記をしっかり頭に入れ、さまざまな表記が生じる理由を理解し、そしてさまざまな表記から常識的表記にたどり着く検索の方法を身につける。そちらの方がよほど「国際化」とやらに対応できると思うのだが、いかがなものだろうか。

第2部　漢文の読み方と翻訳

01 日本の訓読の歴史

宇都宮啓吾

1　はじめに

翻訳とは、ある言語で表現された文章内容を、その原文内容に即して別の言語に置き換えて表現することを言う。その一方で、日本における訓読とは、漢文という中国語を日本語で理解するという点では翻訳と似通っているが、漢文の表記をそのまま用いて、語句等に切り分け、配列し直して日本語文となるように再構築することでその表現内容を理解しようとする行為であるため、両者は大きく異なっている。

そして、その切り分け方や配列し直す時に用いる符号、さらには日本語文として再構築（読み下し）するときに補う和訓や助詞・助動詞、送仮名等々をどのように用いるかは、漢字・漢文の伝来と共に確定されたわけではなく、そこには長い年月をかけた創意工夫や試行錯誤が試みられ、創造と継承の歴史を読み取ることができる。例えば、現在の

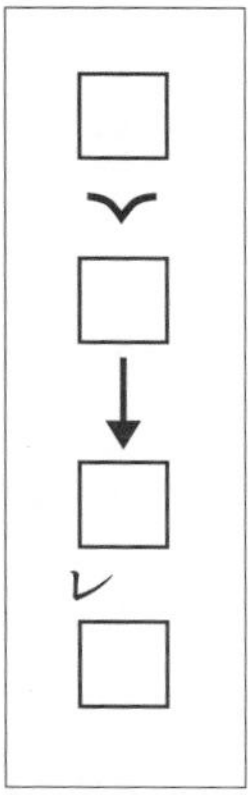

図1

我々が漢文訓読に用いるレ点も、その古い例は十二世紀頃から使用されるようになり、当初は漢字と漢字の間に記入されていたものが、十三世紀後半頃には**【図1】**のように、雁が羽を広げて飛ぶような形で用いられ、十四世紀後半以降になると、現在のような文字の左端に記入されるようになる。

また、読み下す場合にも、現代では読み下し文は教科書のように定まった一つの形のみが示されるが、江戸時代までは、仏教界の宗派や流派、貴族の家柄、時代等々のさまざまな要因によって、それぞれに異なっていた。

そこで、本稿では、こういった日本における漢文訓読の歴史について概観していきたい。

2　奈良時代以前の訓読

日本に漢字・漢文が伝わった確実な例として最も古いものは、「漢委奴国王印《かんのわのなのこくおういん》」の印記を持つ金印である。『後漢書《ごかんじょ》』「巻八十五 列伝巻七十五 東夷伝」には、「建武中元二年（西暦五十七年）倭奴國、貢を奉じて朝賀す。（中略）光武賜ふに印綬を以てす」とあり、この記述の印綬が金印に当たると考えられている。つまり、一世紀の日本には、すでに漢字が伝来していたことが確認できる。ただし、このことをもって、当時の日本人が自由に漢字を使いこなして、漢文訓読や漢文作成を行なっていたとは考えられない。日本人が漢文を作成したことが明らかで年号の知られる最古の例は「稲荷山古墳出土鉄剣銘」（埼玉県）であり、鉄剣に刻まれた銘文には、辛亥《かのとい》年に記されたとあり、杖刀人首であった乎獲居臣《おわけのおみ》が獲加多支鹵大王《わかたけるだいおう》（雄略天皇）の斯鬼宮《しきのみや》（泊瀬朝倉宮か）御座の折にこの剣を作らせたとある。この辛亥年が西暦四七一年と考えられるため、五世紀後半には、東国・武蔵国においても漢字が使用され、実際に漢文を作成していたことが確認できる。当時は現在と異なり、情報伝達が一瞬で行なわれておらず、ある程度の受容・普及の期間を考えれば、漢字の使用は、それより五十年から百年ほど前に始まったのではないかと予想される。このことは、『日本書紀』の応神天皇十五年に「百濟王、阿直岐《あちき》を遣はす。（中略）阿直岐も亦、能く経典を読む。即ち、太子、菟道稚郎子、師としたまふ。」、また、応神天皇十六年に「王仁《わに》来り。則ち太子、菟道稚郎子、師としたまふ。諸の典籍を王仁に習ひたまふ。通り達らずといふこと莫し。」とあることから、西暦四〇〇年前後頃には、朝鮮半島・百済《くだら》から遣わされた人物（阿直岐・王仁）を師として、漢字・漢文学習の行なわれていることが確認でき、日本における公的な漢字伝来は、この頃と考えられる。そして、当時における漢文の読み方とは、中国語音での読み方、ただし、百済から伝わったので、中国原語そのものではなく、古代朝鮮語系の発音で読んでいたものと考えられ、その読解とは、現代における外国語学習のように、外国語の発音による音読とその翻訳という形式であったと考えられる。

そして「稲荷山古墳出土鉄剣銘」が漢文形式と日本語文形式とを織り交ぜた文章を作成していることからすれば、それ以前、五世紀前半頃には、日本語文の作成の際に、漢文の字句をそのまま用いながら、そこに日本語としての字句も加えるといった方法が使用され、漢文訓読に繋がる萌芽が窺える。但し、この時点でも、漢文の読解は、漢文そのものに訓点を加えて漢文訓読文を構成できるほどの段階には至っておらず、未だ翻訳に近い形であったものと考えられる。

漢文訓読の方法自体については、七世紀の高昌国（現在の新疆ウイグル自治区トルファン市周辺）や七世紀後半から八世紀前半頃の朝鮮半島にその存在に関する記述が確認できる。この点から、中国周辺諸国における漢文訓読はこの時期あたりに起こっていたものと考えられる。日本の場合、その地理的環境や人的交流の面から朝鮮半島の漢文訓読の影響を受けて、奈良時代頃には漢文訓読の発想や概念が伝わっていたものと考えられる。

そして、この漢文訓読という発想に基づいて、それ以降には、漢文の表記をそのまま用いて、語句等に切り分け、配列し直して日本語文となるように再構築するという、現在の我々が行なうような漢文訓読の営みによって、漢文の学習や理解が行なわれるようになったものと考えられる。

なお、当初より中国・朝鮮半島から伝来した書籍は非常に貴重なものであり、まずは、それを書写し、広めることが重要であったため、書籍の本文はそのまま保持されることが求められ、本文に漢文訓読の実際を墨等の筆記具で書き込むことは奈良時代に至るまでほとんど行なわれていない。この書き込みがないことを理由に、奈良時代までの日本人は漢文訓読（特に、仏教経典の訓読）を行なっていないと考える研究者もいるが、平安時代極初期には詳細な訓点記入（漢文訓読のための書き込み）が行なわれている以上、それ以前からの積み重ねがあったと考えざるを得ない。また、訓読の証拠として、奈良時代の写経の中には非常に小さな凹みや針穴による記入の存在が確認されており、これらは、当時の僧侶が仏教経典の訓読に際して、文や語句の区切れ目や返読、また、確認や注意を促すために記入したものと考えられる[*1]。

つまり、奈良時代までの漢文訓読は、その行為としては実際に行なわれてはいるものの、テキストの保持を目的として、目に見える明確な形での記入が成されない状態で行なわれていたと言える。

3 平安時代の訓読

前項のような実態であった漢文訓読から、明確に「見える」形で訓点（漢文訓読のために用いられた諸符号や仮名等）が記されるようになるのは、平安時代直前の延暦二年（七八三）・延暦七年（七八八）に訓点を加点（訓点を付けること）した識語をもつ大東急記念文庫蔵『華厳刊定記』巻第五が現存最古であり、この頃から始まるものと考えられる。これは、奈良時代までにおける積極的な書写活動、とりわけ、仏教経典の書写が落ち着きを見せ、書籍の書写だけでなく、積極的な活用としての訓読、加点が始まったものと考えられる。そして、最も初期の加点形態は、朱点・白点による句読点、語序点（後の返点）等であり、訓読における最低限の情報記入とも言える。

次いで、仮名を用いた加点が行なわれるようになる。延暦年間（七八二〜八〇六）頃の加点として、正倉院に所蔵される聖語蔵の古写経の類、『央掘魔羅経《おうぐつまらきょう》』平安極初期点、『阿毘達磨雑集経《あびだつまぞうしゅうきょう》』平安初期点等は万葉仮名が中心の訓点である。また、神護寺蔵『沙門勝道歴山瑩玄珠碑《しゃもんしょうどうれきさんほうげんじゅひ》』平安極初期点には万葉仮名を崩した草体の仮名が用いられている。

一方、訓点として漢字の傍ら（行間）に万葉仮名で訓点を付けることは、速記性に乏しく、多くの文字を記入するには余白が足りなくなる。こういった問題の解決策として、万葉仮名を省画した仮名による訓点が付けられるようになり、これが現代の片仮名に通ずる。

さらには、万葉仮名を付ける代わりに、ヲコト点と呼ばれる符号を漢字に付けることも行なわれるようになる。ヲコト点とは、形（・／―｜など）と位置（漢字一字を□に見立てた時、その左下・左中・左上中央など）とによって頻出する助詞・助動詞などに付ける万葉仮名の代用として表記に用いたものである。例えば、次のような形で用いる。

【ルール】（それぞれの符号が仮名の代用として使用される）

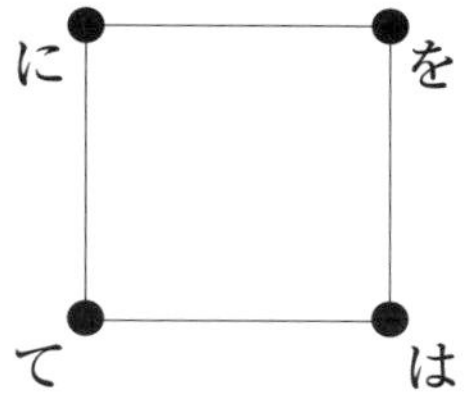

【使用例】（訓読文は「我は山に登（り）て街を眺（む）」）

我登山而眺街

このヲコト点の形式（ルール）は、宗派や流派、貴族の家等によってそれぞれに異なっており（例えば、右のルールは「博士家点」と称される学問を司る貴族のヲコト点の一部）、ヲコト点の形式（ルール）を知ることが出来れば、訓点を付けた人物がどの宗派、流派に属していたかを知ることができる。なお、助詞の類をまとめて、「てにをは」（例えば、文章の整合性がないことを「てにをはが合わない」）と言うことがあるが、これは、右のヲコト点図の四隅を左下から時計回りに読んだものである。

片仮名は、平安時代から鎌倉時代を通じて現代の形へと近付いていくが、ヲコト点は、後の時代に至るまで統一することはなく、それぞれの独自性を保持している。このヲコト点も起源を辿れば、中国唐代の経典の中に、漢字の字面に朱点等の印を加えて、声調（アクセント）の違いによる字義の区別を示した例が存し、この手法が日本に伝わることでヲコト点が創案されたものと考えられている。なお、ヲコト点に類するものは、朝鮮半島においては十一世紀の資料にも確認されており、その関係をどう捉えるかが課題となっている。とは言え、日本においてヲコト点が極度に発達していることについては衆目の一致するところである。

加点者（訓点を付ける者）の工夫は、仮名やヲコト点に留まらない。漢文の区切れを示す点（漢字と漢字の間の点「〜・〜」）や文の切れ目を示す点（〜。）は、それぞれ、現代語の読点と句点に繋がる。また、音読する場合に、中国語としての発音を忠実に示そうとしたところから、漢字の四隅のいずれかに点を加えて、その漢字のアクセント（「山」と示せば「山」の音読み「サン」を低いアクセントで発音する）と清濁（「我」と示せば、「我」の音読みを「ガ」と濁音で高いアクセントで発音する）を示す符号を生み出し、これが、十六世紀中頃以降には、アクセントの機能を捨てて、文字の右肩に点を二つ付けることで濁音を表す濁点として成立する。このように、漢文をより正確に訓読しようとする態度から、さまざまな符号が生み出され、句読点や濁点のように現代にまで伝わるものもある一方で、朱引《しゅびき》（漢字の右隣に朱色の線を付けて地名であることを示したり、漢字の中央に朱色の線を付けて人名であることを示すなどの記入方法）のように現代の漢文では使用されないものも数多くある。

漢文訓読については、平安時代前期九世紀頃までは、解釈や訓読方法、また、その用語については、逐語的・直訳的であったために個々による差が比較的大きい面があったが、平安時代中期十世紀以降になると、仏教諸宗派や流派（南都諸寺や天台・真言宗等）、また、貴族の家（博士家）毎で、独自の解釈等が定まることによって、訓読についてもそれぞれの違いを持ちながら集約されていく。言わば、諸宗派・諸流派の祖師や学僧らの師説の確立や博士家における家説がこれ以降生み出され、それぞれに伝承されていくこととなる。

このような状況は、漢文訓読が学問として継承されていくことを意味しており、結果として、訓読方法の固定化が進められる。例えば、「未ダ〜ズ」・「将《まさ》ニ〜セムトス」といった現代にも繋がる再読字としての訓読法の定着や、当初は不読字であった「而」や「即・則」が「しかうして」・「すなはち」という形で接続詞として読まれるようになるなど、十世紀以降には従来の直訳的・逐語的な訓読から、日本語文としてより自然な訓読が適用されるようになる。ただし、その一方で、訓読の継承という点から、「いはく」などのク語法や「あらゆる」に見られる助動詞「ゆる」、「あるいは」に見られる助詞「い」のような奈良時代以前の古語が残存した例も存する。そして、これらの中には現代の訓読法にまで伝わるものが存する。

また、漢文訓読は、本来の日本語にはないような、漢文だけの特殊な内容があり、字面に合わせて日本語として読み解き、表現する必要があったため、その結果として、漢文訓読に独特な新しい表現や語彙が生み出されることも多々あった。例えば、「教ふ」という動詞が、『源氏物語』のような和文では、「(人)に(物)を教ふ」のような形で用いられるが、漢文訓読では「(人)ヲ教フ」のように訓読される。また、一字の漢字を訓読するために、和語一語では表現しきれないために二語の和語を組み合わせた複合語「オモムバカル(「オモヒハカル」の音便形)」(慮)のような例や、二字以上の連続した句を訓読する際の新しい表現として「アヘテ～ズ」(「不敢」)などの語句も生み出された。

このような表現や語句は漢文訓読という学問の世界の中で蓄積・継承され、平安時代中期以降には、漢文訓読という固定化された文体の中で、漢文訓読特有の語彙・表現を形成していった。その中には、同じ意味の語ではあっても、和文とは異なる語形として見出され、また、和文では使用されないような語形もあった。例えば、漢文訓読の「キタル」(来)・「ヒソカニ」(密)・「スミヤカニ」(速)は、和文では、それぞれ大凡同じ意味を表す語として「く」・「とく・はやく」・「みそかに」が使われた。現代からすれば、漢文訓読の言葉は特殊なように感じるかも知れないが、漢文訓読の言葉が学問の場で継承されて来たために現代にまで残り得たという側面もあり、右の漢文訓読の言葉であった「ヒソカニ」は現代語にも残ったが、和文の言葉であった「みそかに」は現代語としては残っていない。

4　鎌倉室町時代の訓読

前項で述べたように、漢文訓読は、平安時代後半以降には学問として継承されていった結果、漢籍については大学寮を中心とする博士家とその関係者の専業として、また、仏書については寺院を中心とする学僧とその関係者の訓説が継承され、それぞれの流れの中で固定的なものになっていった。

鎌倉室町時代においても、従来から伝わる書籍類の訓読については、平安時代を踏襲していると言え、その伝統がそれぞれの専家によって継承されている。その一方で、中国・宋代文化の受容の結果、新たな典籍の訓読を中心として、例えば、『花園院日記《はなぞのいんにっき》』元亨三年（一三二三）七月十九日条に「口伝無きの間、面々、自己の風を立つ」とあるように、新しい学問研究に惹かれる貴族や僧侶たちが「自己の風を立」てて訓読や講説を展開していく側面もあった。その一つに、漢籍訓読の新たな担い手として禅宗五山僧も活躍するが、当時の五山僧による訓読の主流は博士家の訓読法を多く含むものであったため、五山僧によって、博士家の訓読に対する新たな訓読を志向する動きも起こっている。東福寺不二庵岐陽方秀《きようほうしゅう》（一三六一～一四二四年）や、彼の訓読法を継承した桂庵玄樹《けいあんげんじゅ》（一四二七～一五〇八年）の記した『桂《けい》庵和尚家法倭点《あんおしょうかほうわてん》』によれば、博士家風の和様の読みを避けて音読を旨とすること、「学《マナンデ》而時習《トキニナラフ》之」の際の「而・之」のような置字・助字の類を不読とせず原文に忠実に訓読する（「学《(まなび)テ》而《(しか)シテ》時ニ習《(なら)フ》レ之ヲ」）こと、「則」を「トキンバ」と読むような博士家の読み癖を排除すること等が主張されている（後述）。ただし、このような動きは、当時において普及・定着するには至らず、限定的なものであった。

とは言え、鎌倉室町時代とは、漢文訓読の歴史上、平安時代以降の伝統的な博士家訓読が継承される一方で、新たな宋学に基づく訓読が生み出された時代と言える。

そして、こういった「自己の風を立つ」状況は、漢文訓読が盛行する要因ともなり、訓読自体も旧来典籍・新来典籍をも含め、貴族や僧侶のみならず武家や民衆へも広まっていくこととなった。

漢籍の訓読について言えば、金沢文庫旧蔵の『群書治要《ぐんしょちよう》』巻第五・六の『春秋経伝集解《しゅんじゅうけいでんしっかい》』は、鎌倉幕府執権・北条《ほうじょう》実時《さねとき》（一二二四〜一二七六年）の命令によって清原教隆《きよはらののりたか》（一一九九〜一二六五年）が加点を行ない、その訓読を実時に教授しているように、漢籍の訓読は、鎌倉時代以降においては、新たな権力の担い手であった武家へと広まることとなる。この点は、室町時代に入っても、例えば、博士家の儒者であった清原宣賢《きよはらののぶかた》（一四七五〜一五五〇年）が越前朝倉氏や能登畠山氏、若狭武田氏の招きに応じて漢籍の講義を行なっている。そして、諸宗派の僧侶たちも、貴族のみならず、武家や民衆への教化として、説法や法会を営む上で漢籍を訓読し、また、その本文内容を活用したことが、諸寺の記録から、また、実際の漢籍訓点資料等の存在からうかがえる。例えば、『平家物語』の写本として、鎌倉時代の奥書を伝える延慶本は根来寺僧の手に成るものであるが、ここでは、『白氏文集』等の漢籍の引用や訓読した箇所が散見され、また、この根来寺で修行した水戸六地蔵寺の恵範《えいはん》（一四六二〜一五三九年）が書写した『錦繍段抄《きんしゅうだんしょう》』・『長恨《ちょうごん》歌《か》』・『老子道徳経《ろうしどうとくきょう》』等が伝わる。こういった動きは、さらには、民間にも広がることとなり、正平十九年（一三六四）版『論語集解』では「堺浦道祐居士」による刊行の旨が記され、この「居士」とは在家の仏教修行者を指すことから、堺の経済を背景とした「民間人」の間にも漢籍訓読が広まっていることをうかがわせる。*2

　仏書の訓読については、諸宗派における経典訓読や読誦が行なわれる一方、諸寺院における仏書の刊行が隆盛となることにも注目される。平安時代後期以降には、経典の書写だけでなく、訓点をつけること自体が功徳になるという考えも広まったため、*3これらの本文には訓点を書き込むことが多くなり、後には訓点付きの経典の刊行を促すこととともなって、応安五年（一三七二）刊行の嵯峨本『法華経』や心空（一三一九〜一四〇一年）による嘉慶元年（一三八七）刊行の『倭点法華経』等が刊行されている。このような仏書の刊行は、寺院の経済力をうかがわせるが、一方で、仏書の訓読の需要に応えるとともに、仏書訓読を広める役割をも果たしている。また、経典の訓読を仮名書きで記すことが平安時代末から行なわれており、鎌倉時代には鑁阿寺《ばんなじ》本『法華経』（元徳二年［一三三〇］識語）や後宇多天皇（一二六七〜一三二四年）宸翰と称せられる『仏説阿弥陀経《ぶっせつあみだきょう》』等が知られ、これらの存在は、経典の読者層が広く民衆レベルにまで広がっていることの現れとして見ることができる。

鎌倉室町時代の訓読は、平安時代と比べて、その読者層の拡大という点に注目できるが、その役割を果たしたものの一つとして、「抄物」についても紹介しておく。「抄物」は室町時代中期から江戸時代初期にかけて製作された、漢文作品の解説書で、その多くが講義の筆録もしくは講義体の形式となっている。この「抄物」の講義対象となったものは、漢籍と仏書、また、一部の国書が中心であり、これらも漢文訓読や漢文学習の普及に大きな役割を果たしている。漢籍としては、経書では四書、『毛詩』、『周易』等、史書では『史記』や『漢書』の列伝を中心とする部分に多くの抄物が残り、その訓読に博士家が関わる一方で、後には五山僧が大きな担い手となっている。そのため、仏書としては、禅宗関係の書籍がほとんどを占めている。

5　江戸時代の訓読

江戸時代に入ると、前述の岐陽方秀・桂庵玄樹の継承・発展を担った文之玄昌《ぶんしげんしょう》（一五五五～一六二〇年）が訓点を付した『黄石公素書《こうせきこうそしょ》』（慶長二十年刊）・『四書集註』（寛永三年）・『周易伝義』（寛永四年）が刊行されている。これらは、新注点（朱子学による新たな解釈に基づいた訓点）の嚆矢として、朱子学普及の原動力となっている。近世・現代へと通じる訓読方法としては、博士家の読み癖が排除され、置字や助字とすることなく訓読するといった特徴が広く流布するに至ったことを挙げることができるが、それは前代の岐陽方秀・桂庵玄樹にその萌芽があるものの、この文之玄昌の訓読をもって始まると言える。例えば、前述の桂庵玄樹が批判した博士家の訓読「学而《マナンデ》時習《トキニナラフ》之」を文之玄昌は「学《(まなび)テ》而《(しか)シテ》時ニ習《(なら)フ》レ之《ヲ》」のように、読み癖としての音便（マナンデ）を避けて「マナビテ」と訓読し置字として不読の「而」・「之」を訓読するように、博士家の訓読とは異なり、むしろ現代の漢文訓読に近い面を持つ。

一方、近世儒学の開祖とされる藤原惺窩《ふじわらせいか》（一五六一～一六一九年）やその弟子の林羅山《はやしらざん》（一五八三～一六五七年）は博士家の系統を受け、文之玄昌の新注点を取り入れる一方で、博士家の訓読に従うところも多い訓読を行なっている。林羅山の訓点は道春点《どうしゅんてん》（道春は羅山の法名）と呼ばれる。この道春点では、先述の箇所を「学《マナンテ・ナラフテ・カクハ》而時《トキヨリ・トキトシテ》習《カサヌ・ナラフ》レ《ナラハス》之《ヲ》。」

と、文之点と同様に「之」字を訓読する一方で、「而」を訓読せず、また、博士家訓読のような音便を含む複数の訓点を付けている。このようなところにも、文之点と博士家点の折衷的な面や注釈的な面が見える。林羅山は、徳川将軍の侍講として家康から四代に仕え、近世朱子学における推進・普及の実質的な中心人物であり、その基本テキストである四書五経のすべてに訓点を加え、広めた者として初めての人物である。また、非常に大部の漢籍に訓点を付けている。その意味で近世訓読史は林羅山から始まるとも言え、林羅山の道春点は近世訓読の基調の一つとなっている。なお、道春点の呼称は、広義には、江戸初期から江戸後期に至る林羅山の流れの訓読全般を指し、狭義には、林羅山自身の加点を指す場合があり、特に後者を羅山点として区別する場合もある。

江戸時代中期になると、独自の訓読法や訓読観を主張する儒者も増え、その中でも後世に大きな影響を与えた人物として、山崎闇斎《やまざきあんさい》（一六一九〜一六八二年）と荻生徂徠《おぎゅうそらい》（一六六六〜一七二八年）がいる。山崎闇斎の訓点は嘉点と称される。その特徴は、平安時代以来の博士家のような古点の和訓を排除し、注に沿った簡潔な訓読を行なっているところにある。訓読法としては文之点や道春点の流れを残しながらも、読添語や付訓が簡略化されており（例えば、博士家等の古訓や道春点にある表現「ナラクノミ」を「ノミ」に、「セザラマシ」を「セジ」に、「ナラム」を「ナリ」にすることを主張）、江戸時代初期における注釈的・啓蒙的な訓読（例えば、文選読の類等を含む）の要素はなくなっている。

一方、荻生徂徠は訓読否定者として知られる。漢文を言語として読み、それを日本の俗語で訳すことで、訓読しないことを「第一等」とするが、次善の方策として、訓読に際して正確な和訓を定めて訓読を行ない、そこに俗語訳（「訓訳」とも言う）を行なうとした。この徂徠の考えは、その高弟で会った太宰春台《だざいしゅんだい》（一六八〇〜一七四七年）にも引き継がれ、その著書『倭読要領』では、和読（訓読）はやむを得ずにすることであって、その場合はできるだけ「音」に読むべしとの基本的態度を主張した。この書は、明治初年に至るまでほとんど累年刊行を重ねるほどに盛行していたことがうかがわれ、原則として原音（当時の中国語の発音に基づく音読）重視であったために、漢文訓読における日本語表現は差し置かれる状況にあったことが知られる。

江戸時代後期には、このような音読重視、付訓の簡略化が推進される一方で、そのような傾向に反発する動きも生まれ、後藤芝山《ごとうしざん》（一七二一～一七八二年）の後藤点や佐藤一斎《さとういっさい》（一七七二～一八五九年）の一斎点が登場する。寛政異学の禁（松平定信が寛政の改革で行なった学門統制）を契機とした朱子学復興の中で、そのテキストとして道春点に代わって後藤点による四書五経が採用され、後藤芝山の訓読が広まることとなった。この書は近代に入っても版を重ねており、その影響力がうかがえる。また、佐藤一斎も林家の門人で昌平坂《しょうへいざか》学問所の教官であったために、一斎点も広く流布した。一斎点の特徴は極端に簡潔で、原漢文を重視するために却って日本語らしさを失い、特異な訓読、場合によっては訓読そのものでは意味の理解しがたい箇所もあった。例えば、「人不知而不慍」を「人知らずして慍《ウン》せず」と「慍」字を音読するが、道春点では「いきどおらず」と訓読するところであり、道春点の方が内容理解としては容易である。そのため、後には、日尾荊山《ひおけいざん》（一七八九～一八五九年）による「訓点復古」の動きも起こり、日本語重視の訓読が提唱されることともなっている。

江戸時代における訓読とは、伝統的な博士家の訓読と朱子学に基づく新注点とをどのように折り合いを付けるか、また、原漢文の正確な理解を目指して音読本位とするか、または、日本語としての理解のためにどのような訓点を付けるかといった問題に対して、さまざまな営みが試みられた時代とも言える。

6　おわりに

以上、古代から江戸時代までの漢文訓読の歴史を大まかに概観して来た。近代に入ると、「漢文」という教科が明治十四年（一八八一）「中学校教則大綱」において採用されたことから、「漢文教育」が始まり、明治四十五年（一九一二）三月二十九日の官報『漢文教授ニ關スル調査報告』で訓読や訓点についての標準が示され、これが今日でも模範的なものとして準拠されている。そして、明治から現在に至るまで、紆余曲折を経ながらも、漢文訓読は、教科書の記述を中心にそれらが模範としてその訓読方法が示され、一つの定まった読み方のみが〝正しい・模範的な〟訓読として一般的に理解されている。しかし、漢文訓読の歴史を概観するだけでも、そこには、歴史的、文化的な背景が存し、さまざまな訓読の営みが積み重ねられていることが知られる。

漢文訓読の歴史は、日本語学研究の一ジャンルという限られた分野で中心的に研究が進められているが、各時代における学問世界の歴史である以上、そこには、言葉の分析に留まらない、人の動きや教育、異文化受容を含めた幅広い「歴史・文化」の問題として研究されるべきであり、学際的な研究の進展を今後に期待したい。

注

1　宇都宮啓吾「初期訓点資料における一問題―加点意識と料具を巡る問題―」、『書誌学報』40、韓国書誌学会、二〇一二年十二月。

2　宇都宮啓吾「和泉国家原寺聖教の形成に関する一考察―智積院聖教・金剛寺聖教を手懸かりに―」、『密教学研究』49、二〇一七年三月。

3　築島裕「加点の功徳」、平山輝男博士米寿記念会編『日本語研究諸領域の視点』下巻、一九九六年。

参考文献

・中田祝夫『古點本の國語學的研究　譯文篇』（講談社、一九五八年／改訂版　勉誠社、一九七九年）第一編（附論）中近世の訓読の沿革。
・築島裕『平安時代の漢文訓読語につきての研究』東京堂出版、一九六三年。
・吉田金彦・築島裕・石塚晴通・月本雅幸編『訓点語辞典』東京堂出版、二〇〇一年。

02 韓国の漢文訓読（釈読）

張 景俊（金 文京訳）

1 韓国における漢文訓読資料の発見

表意文字である漢字は、基本的に音と意味をそなえており、中国では一つの漢字の読み方は原則として一つである。しかし日本の漢字の読み方には、中国語に由来する音読みと、その漢字の日本語の意味で読む訓読みがある。たとえば〝天〟の中国語音は［tiān］だけだが、日本語では音読みの〝テン〟と訓読みの〝アマ〟がある。訓読みは一般には日本独自のものと考えられているが、実は古代朝鮮半島にもあった。現在でも韓国で『千字文』を読む場合には、〝天〟は訓読みの〝하늘〟［hɑnɯl］と音読みの〝천〟［tʃən］双方で読んでいる。

しかし現在の韓国では、『千字文』を読む場合などを除き、訓読みはすでに行われず、漢字はすべて音（朝鮮漢字音）で読む。例外的に音と訓が一致する場合があり、たとえば〝江〟の読み方は〝강〟［kaŋ］であるが、もともとは音が〝강〟で、訓は〝ᄀᆞᄅᆞᆷ〟［kʌrʌm］であったのが、〝ᄀᆞᄅᆞᆷ〟という固有語が使われなくなったため、〝강〟が音と訓を兼ねると認識されたのである。韓国人が日本語を初めて習う時、漢字の訓読みは、奇妙なものに感じられる。

韓国で漢字の音読みだけが行われるようになったのは、ハングル創製後は、漢文を習う時、まず漢文の句に〝토〟［to］（吐、口訣《くけつ》ともいう。助辞や動詞などの語尾）をつけ音読した後、その文の意味を考えるという教育が行われたことが、

大きく影響している。漢文の教材は、漢文の原文に〝吐〟をつけた口訣文と、それを翻訳してハングルで記録した諺《げん》解《かい》文が併用されるのが一般的となった。【図1】と【図2】を見よう。

【図1】『論語諺解』巻一

口訣文：有（유）朋（붕）이自（ᄌᆞ）遠（원）方（방）來（래）면不（블）亦（역）樂（락）乎（호）아

諺解文：버디遠（원）方（방）으로브터 오면 ᄯᅩᄒᆞᆫ 즐겁디 아니ᄒᆞ랴（ともが遠方よりくればまたたのしからずや）

【図2】『大方広円覚略疏注経』巻下之二

口訣文：圓覺ろ［아／a］汝當知ソ厶［ᄒᆞ라／hʌra］一切諸衆生丶［이／ɨ］欲求無上道ㄱ大ㄱ［ㄴ댄／ndayn］先當結三期ノオ厶［호리라／horira］懺悔無始業ソろ［ᄒᆞ야／hʌya］經於三七日ロ［고／ko］然後正思惟ノオヒ［호리니／horini］非彼所聞境オ入ㄱ［어든／ədɨn］畢竟不可取オ丨［어다／əda］

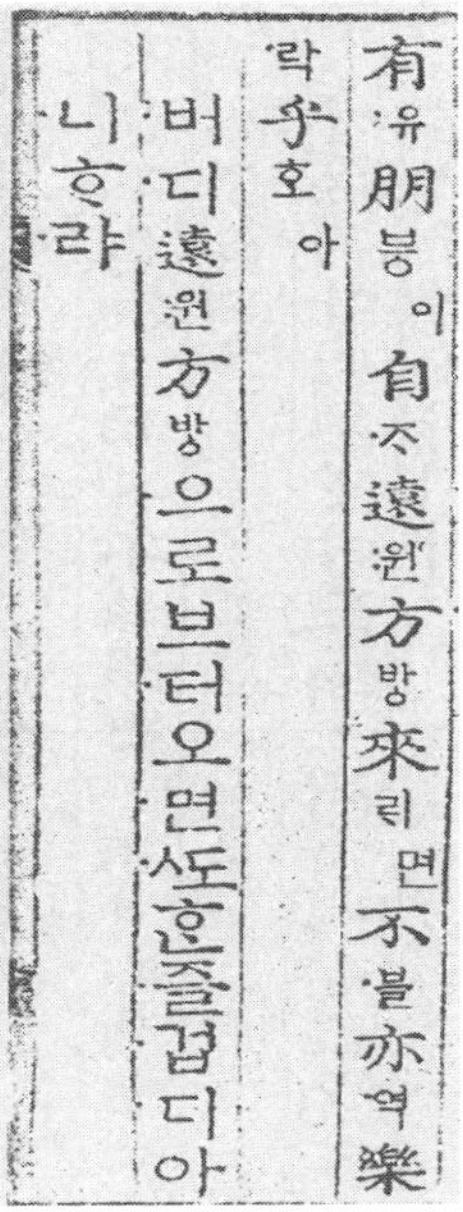
有유朋붕이自ᄌᆞ遠원方방來ᄅᆡ면不블亦역樂락乎호아
버디遠원方방으로브터오면ᄯᅩᄒᆞᆫ즐겁디아니ᄒᆞ랴

図１『論語諺解』巻一

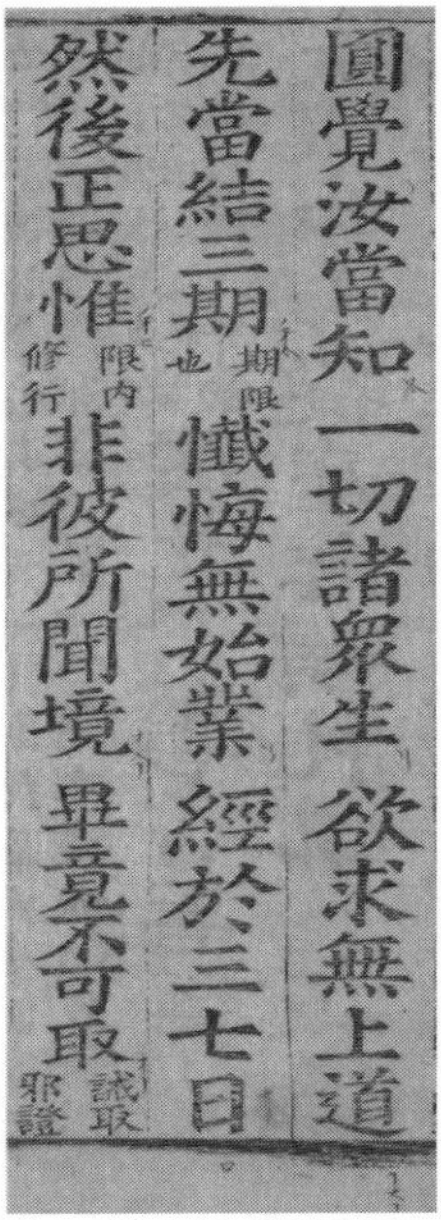
圓覺汝當知一切諸衆生欲求無上道
先當結三期懺悔無始業經於三七日
然後正思惟非彼所聞境畢竟不可取

図２『大方広円覚略疏注経』巻下之二

【図1】の『論語諺解』は、一五九〇年に王命によって刊行された代表的な諺解である。ここではまず原文を〝有朋、自遠方來、不亦樂乎〟の三つに分け、それぞれに〝—이（主格助詞）、—면（条件の連結）、—아（感嘆の終結）〟の〝吐〟をつけた口訣文を示し、改行してハングルに翻訳した諺解を提示する。そしてすべての漢字にハングルで音をつけ、漢字を音読できるようにしてある。

【図2】『大方広円覚略疏注経』は、ハングル創製以前の十四世紀に刊行された。ここでも原文を〝圓

覺、汝當知、一切諸衆生〟などに区切って、各句にそれぞれ〝吐〟をつける。ただしハングル以前の資料であるため諺解はなく、〝吐〟に使用された文字は日本の仮名と同じく、漢字の筆画を省略した口訣字を用いている。〝吐〟のついた漢文はすべて音読した。このように韓国では十四世紀以後、漢文の漢字はすべて音で読んでいたため、日本の漢文訓読のように漢文を韓国語で訓読する資料があるということを想像するのは難しかった。もちろん韓国語の表記に漢字の訓を利用する方法があったことは広く知られていた。たとえば〝ᄒᆞ고〟[hʌgo]は〝爲古〟、または〝ソロ〟と表記したが、〝爲〟は訓を借りた訓借で、〝古〟は音を借りた音借である。しかし漢字の訓を利用して韓国語を表記することと、漢文の漢字を訓で読むことは次元の異なる話である。

ところが一九七三年、高麗時代の刊本『旧訳仁王経《にんのうぎょう》』の書き入れに、これまで知られていなかった口訣が発見された。その解読には二年を要したが、その結果わかったことは、それまで知られた口訣は、漢文を音読して句の終わりに〝吐〟をつけたものであったが、この資料では単語ごとに〝吐〟がついており、一部の漢字は訓読みされ、また〝吐〟を本文の左右に書き分け、さらに符号を使うことで漢文を韓国語の語順で返読するようになっているということである。これによって韓国にも十三世紀以前に漢文訓読があったことが明らかになった。『旧訳仁王経』につぎ、『瑜《ゆ》伽師地論《がしぢろん》』、『華厳経《けごんきょう》』、『合部金光明経《ごうぶこんこうみょうきょう》』、『華厳経疏《けごんきょうしょ》』、『慈悲道場懺法《じひどうじょうせんぼう》』などからも同じような口訣が発見されたが、十二〜十三世紀の資料と考えられる。韓国の学界では、これらを、漢文を韓国語で解釈して読む口訣という意味で釈読口訣、また漢文を韓国語の語順で逆に読む口訣という意味で逆読口訣と称している。

二〇〇〇年には、『瑜伽師地論』にハングルや口訣字のような文字ではなく、点や線を漢字の特定の位置に角筆《かくひつ》で記入した口訣が発見された。これまたそれまで知られていなかった資料で、日本のヲコト点に類似したものと推定されたが、解読されるまでには、やはり二年近い時間が必要であった。そして解読の結果、驚くべきことに、それらの点や線は釈読口訣と同じ役割をもっていることが明らかになった。韓国の学界では、これらを点で〝吐〟をつけた口訣という意味で、点吐口訣、または文字でなく符号を使ったという意味で符号口訣と呼んでいる。点吐口訣は主に『瑜

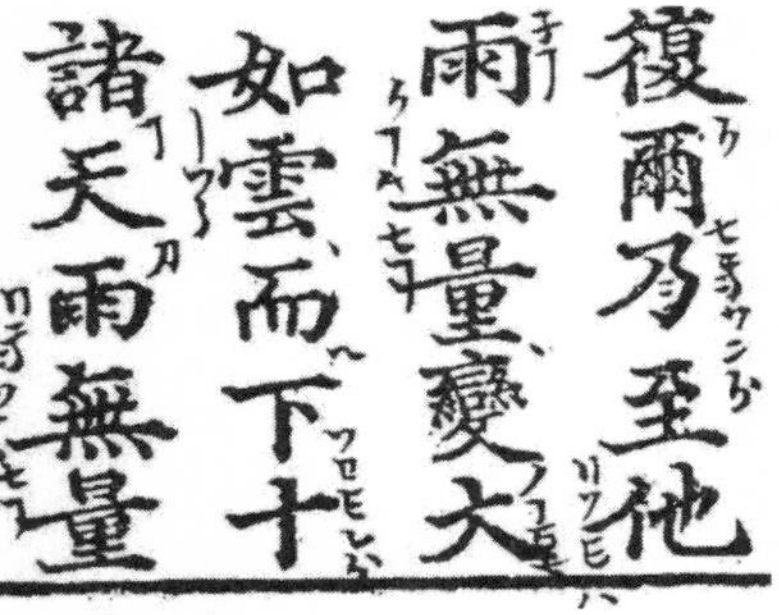

図3 『旧訳仁王経』巻上

図4 『瑜伽師地論』巻八

伽師地論』と『華厳経』から発見されたが、ほぼ十〜十二世紀の資料と考えられる。

点吐口訣の発見により、釈読口訣は二つの種類に下位分類されることになった。【図3】の『旧訳仁王経』のように口訣字を主に使用する字吐釈読口訣と【図4】の『瑜伽師地論』のように口訣点を使用する点吐釈読口訣である。日本の訓点と比較すると、口訣字は仮名点に、口訣点はヲコト点にほぼ相当する。しかし日本では仮名点とヲコト点は一つの文章の中で併用されるのが一般的だが、韓国の場合は字吐と点吐は完全に分離され、字吐口訣では口訣点は使用されず、点吐口訣では口訣字が使用されない点、また日本のヲコト点は筆、角筆どちらもあるのに対して、韓国の点吐はほとんど角筆である点に大きな相違がある。

釈読口訣は十四世紀以降には使われなくなり、先に述べたごとく漢文をすべて音読する口訣に取って代わられる。これを音読口訣、または順読口訣というが、それが現在に至るまで六百年あまり続いている。ただし音読口訣の初期資料には、原文の漢字を訓読みし、韓国語の語順を表示した訓読の痕跡を残したものが間々ある。しかしそれらは十四世紀以前の字吐釈読口訣、点吐釈読口訣の表記体系とは根本的に異なっており、ハングル創製以後にできた諺解の内容を反映している場合が多い。

一方、釈読口訣のより早い資料と推定されるものとして、日本にある八世紀の新羅写経《しらぎしやきよう》が知られる。新羅僧表員撰『華厳文義要決』(『東大寺諷誦文《ふじゆもん》并華厳文義要決』佐藤達次郎刊、一九三九年)には、朱書で口訣点と符号が、また東大寺所蔵の『華厳経』(節略本)には、角筆で口訣字と符号が記入されており、どちらも釈読口訣の発達と関連して考えることが可能である。ただし『華厳文義要決』の場合は、口訣点

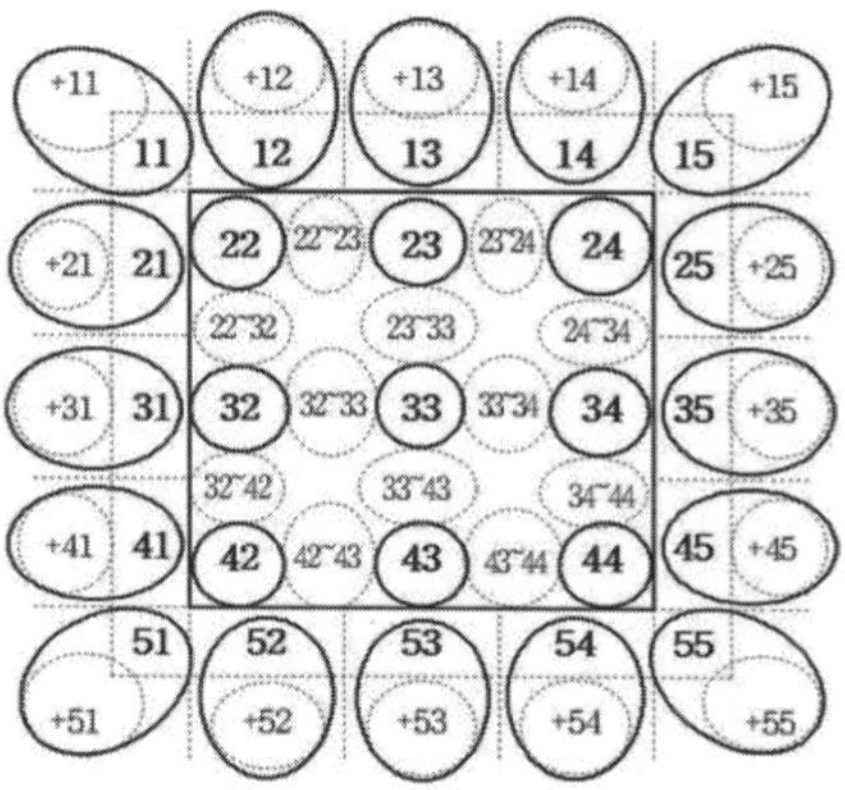

図５　:『瑜伽師地論』系統の位置分割表示

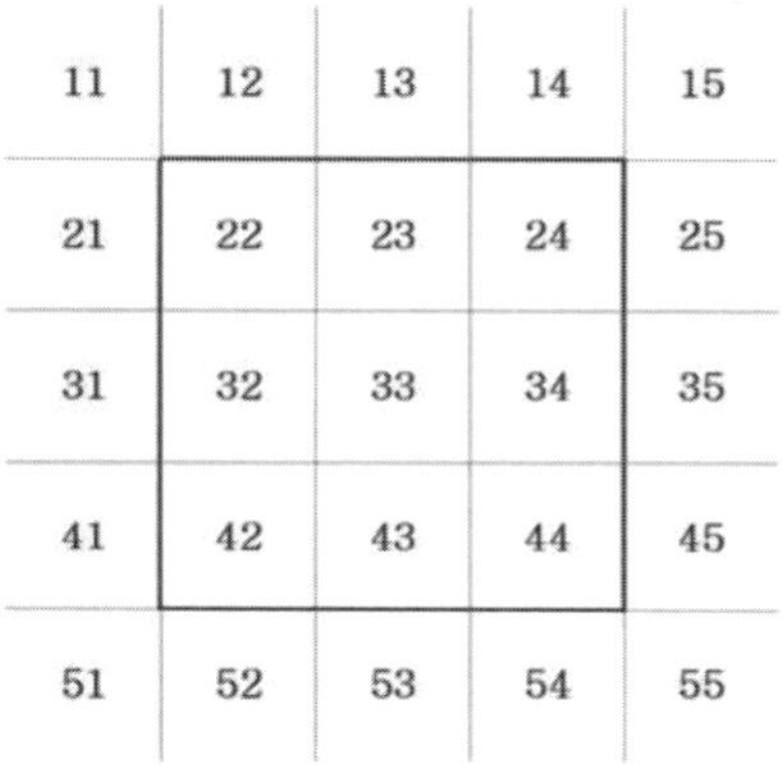

図６『華厳経』系統の位置分割表示

と符号の体系が単純で、韓国語（新羅語）、日本語のどちらで訓読したのか議論の余地があり、『華厳経』（節略本）の方は韓国語で訓読したと見なせる部分が多く、韓国語文法史研究の重要な資料として注目されるが、角筆で記入された文字などの判読が容易でない点に難がある。以下、これまで発見された韓国の漢文訓読資料の中で代表的な三つの類型について、より具体的に紹介することにする。

2　十～十二世紀の資料――点吐釈読口訣

現在知られる点吐釈読口訣は、全部で十五種あり、『瑜伽師地論』と『華厳経』の系統に大別されるが、二つの系統の点図の構成と符号の使用法は大きく異なっている。『瑜伽師地論』系統では、口訣点が互いに区別される位置がきわめて細かく分かれている半面、その形態の種類は少ない。一方『華厳経』系統では、反対に口訣点の位置はさほど細かく分かれていない反面、より多様な形態が使用されている。**【図5】【図6】**は口訣点の位置分割表、**【図7】【図8】**は基本形態である単点の点図である。

【図5】と**【図7】**でわかるように、『瑜伽師地論』系統の点吐口訣では、口訣点相互の位置が非常に近い。日本のヲコト点になれた読者には、これほど稠密《ちゅうみつ》な点図はおそらく想像できないであろう。筆者は『瑜伽師地論』点吐口訣の解読によって学位を授与されたが、もっとも困難であったことの一つは、ヲコト点についての知識を先入観としてもっていた

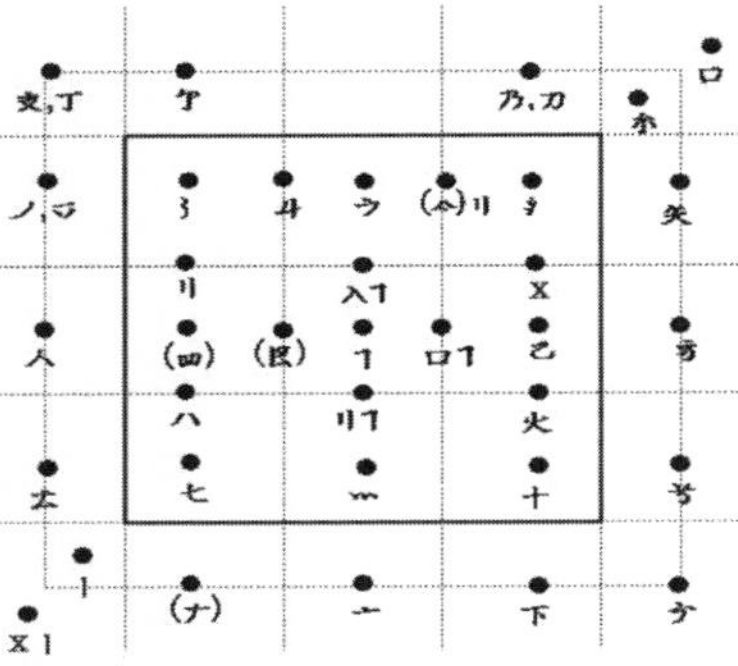

図7　『瑜伽師地論』系統の単点の点図

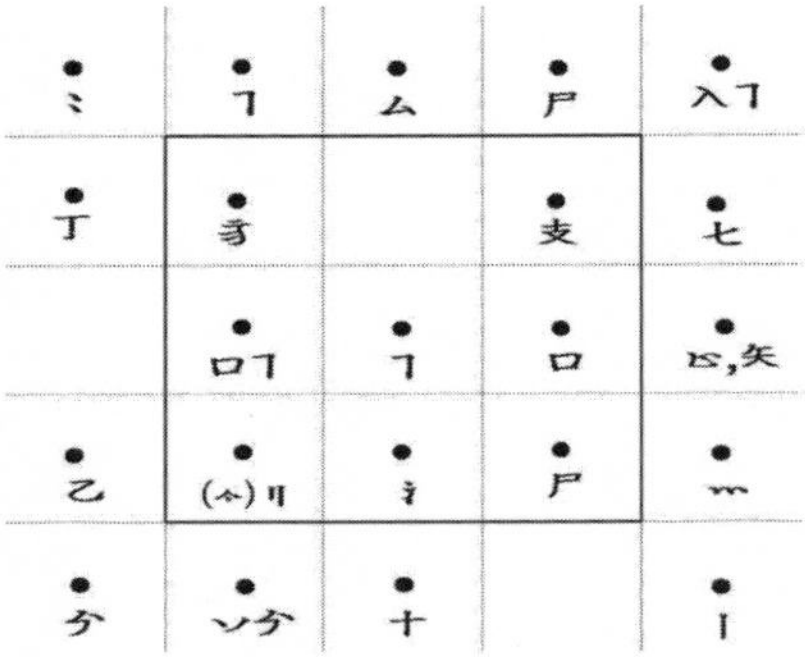

図8　『華厳経』系統の単点の点図

先輩研究者たちを学問的に説得することであった。

　韓国の点吐口訣の特徴は、大部分の資料が角筆で記入されており、肉眼では確認が難しいということである。先が鋭い角筆や小さな細い筆を筆記具としなければならないほど、口訣点の位置を精密に区分したことが、その理由の一つであろう。点吐口訣は二〇〇〇年二月に西村浩子氏がまず朝鮮王朝時代の角筆資料を発見、ついで同年夏に、小林芳規氏の訪韓調査により、高麗時代の角筆による点吐口訣が発見された。もしこの時、小林氏の調査がなかったら、あるいは今でも点吐口訣の存在を私たちは知らなかったかもしれない。当時、延世大学で開かれた講演で、小林氏は韓国で角筆資料の重要な発見があったことを震える声で報告された。当時大学院生であった筆者は、その感動的な場面を今でもはっきりとおぼえている。その後、韓国の学界では、点吐口訣を判読し、その結果を客観的に記録する方法を開発、使用しているが、その概要は次のとおりである。

A：判読案――漢字の右側の［　］の中に、判読した口訣点と符号を記録する。口訣点の位置と形態は、【図5】【図6】に表示された数字を使用する。

B：解読案1――判読案に記録された口訣点を、それに相当する口訣字に置き換える。

C：解読案2――解読した結果を、韓国語の語順に合うように、字吐口訣の型式で記録する。

D：現代語翻訳——解読案の内容を現代語に翻訳。

誠庵古書博物館所蔵の高麗版『瑜伽師地論』巻八の一部を次に示す。【図9-1】は【図9】で角筆によって記入された部分を、わかりやすく表示したものである。

A：令臨終［+15～25（—）、33（／）］時［53（·）、44（·）］生大憂悔［34（·）、23～24（·）、55（·）］令身壊已［22（·）］墮諸悪趣［44（·）、15（·）］生那落迦［42（·）、23～24（·）、55（·）］中［44（·）、指示線（／）］令不［逆読線］證得［2字合符 - 逆読線］自勝義［15～24（／）、42（·）］利［34（·）、32～42（·）、24（·）、55（·）、指示線（／）、境界線］如是等［33（／）］過［33（·）］无量［55（·）］無邊［52（·）］

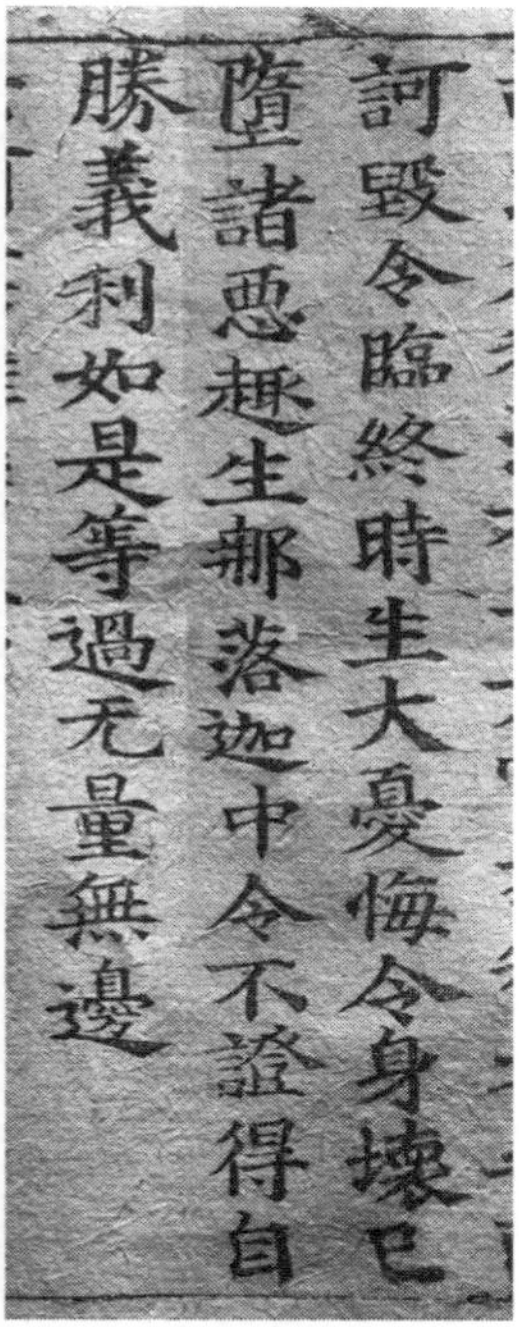
図9『瑜伽師地論』巻八の点吐釈読口訣

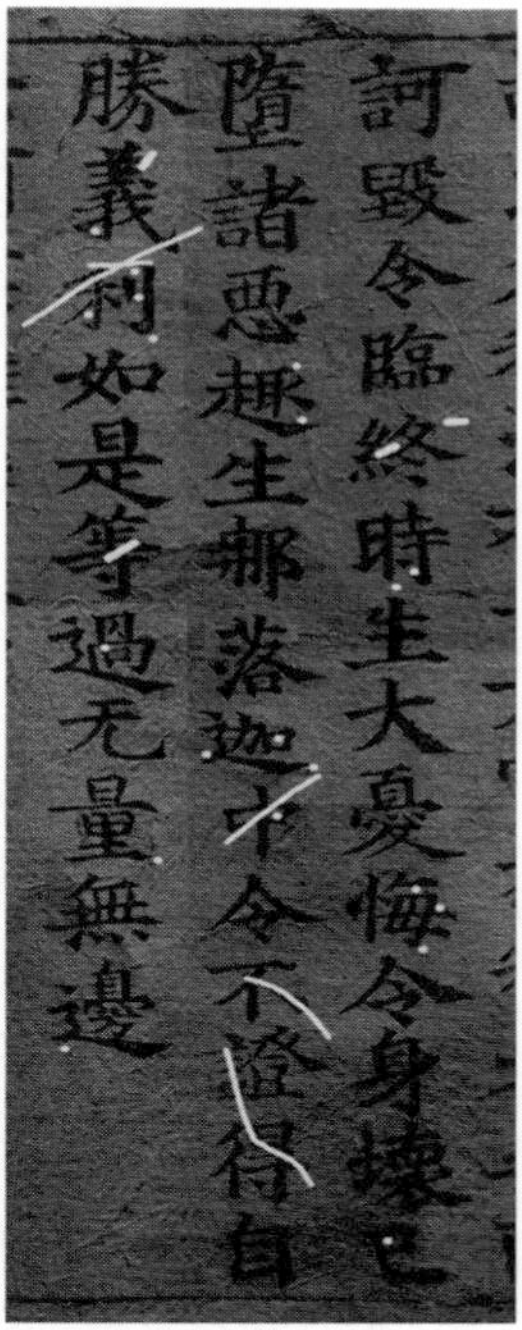
図9-1　口訣点と符号の表示

B：令臨終［ノ尸、ソㄱ］時［亠、十］生大憂悔［乙、刂、ゕ］令身壊已［ろ］墮諸悪趣［十、ホ］生那落迦［セ、刂、ゕ］中［十］令不證得自勝義［ソ令、セ］利［乙、ハ、刂、ゕ］如是等［ソㄱ］過［ㄱ］无量［ゕ］無邊［ナ］

C：終ノ尸 臨ソㄱ 時亠十 大憂悔乙 生（ソ）令刂ゕ 身壊（尸）已（シソ）ろ 諸悪趣十 墮（ろ）ホ 那落迦セ 中十 生（ソ）令刂ゕ 自勝義利乙 證得 不ハ（ソ）令刂ゕソ令セ 是如（支）等ソㄱ 過ㄱ 无量（ソ）ゕ 無邊（ソ）ナ（—）

D：終わりに臨む時をして、大憂悔を生じさせ、体をして壊れ已み、すべての悪趣に堕ち、那落迦中に生まれさせ、自勝義利を証得できないようにする、このような過ちは无量で無辺である。

判読案Aで、口訣点の位置を表示した数字の前の〝+〟は、漢字から遠く離れていることを、数字の間の〝~〟は、二つの位置の間であることを意味し、数字の後の〝( )〟は、その中に口訣点の形態を表示したものである。符号の中で、〝不〟に記入された逆読線は、語順として後で読まれることを表示し、〝證得〟に記入された二字合符―逆読線は、〝證〟と〝得〟の二字が一語であることを意味する二字合符と逆読線が合体したものである。また〝中〟と〝利〟に記入された長い斜線は、元来はすべて〝中〟と〝利〟に記入すべき口訣点を、その上の字に分けて記入したことを示す指示線である。最後に〝利〟に記入された水平の長い線は、口訣点の正確な位置を表示するため、点図の基準四角形の上の辺を表示した境界線である。

点吐口訣に使用された符号は、『瑜伽師地論』と『華厳経』の系統で違いがあり、【図9】に見える符号は、『華厳経』の系統ではあまり使われない。また点吐口訣に使用される符号は、日本の訓点で使われる符号と比較しても一致するものがほとんどない。たとえば、上で紹介した符号の中で、指示線や境界線は、日本の訓点資料ではまったく見ることができず、逆読線は返り点に相当するが、その形態や置かれる位置はまったく異なる。また合符は、日本では字と字の間に短い線で表示されるが、韓国の点吐口訣では、字全体を貫通する長い線であり、形態が異なっている。

3　十二~十三世紀の資料――字吐釈読口訣

釈読口訣の最大の特徴は、点吐口訣と字吐口訣が完全に分離されていることである。字吐口訣では点吐口訣の口訣点や符号がまったく使用されず、口訣字と逆読の符号のみが用いられる。ただしその言語内容の面から見ると、字吐口訣も点吐口訣と同じように、『瑜伽師地論』と『華厳経』の二つの系統に大別される。したがって点吐口訣と字吐口訣の区別は、ただ表記方法の違いにすぎず、それよりも文献の系統による差異の方が、言語的には重要な意味をもっていると言えよう。ハングル博物館所蔵の『瑜伽師地論』巻二十の一部を次に示す（【図10】）。

判読文：應︹匕丨︺知［ノ𢀳逆読点（、）］如︹ハソ㇆亠︺所︹匕︺説［ノ㇆逆読点（、）］相［乙逆読点（、）］除︹口斤︺此［乙逆読点（、）］更［ろ］无︹ソ㇆リ㇆丁︺若過［ソ𢀳］若増［ソ𢀳ソ㇆逆読点（、）］如︹支︺是［逆読点（、）］若先［下］所︹匕︺説［ノ㇆逆読点（、）］世間一切種清淨［人］若此所︹匕︺説［ノ㇆逆読点（、）］出世間一切種清淨［人乙］總略［ソろホ］爲︹氵ろ︺一［逆読点（、）］説［尸］名［下］修果［亠ノオ丨］

解読文：知ノ𢀳應匕丨説ノ㇆所匕相乙如ハソ㇆亠此乙除口斤更ろ若過ソ𢀳若増ソ𢀳ソ㇆无ソ㇆リ㇆丁是如支若先下説ノ㇆所匕世間一切種清淨人若此説ノ㇆所匕出世間一切種清淨人乙摠略ソろホ一爲氵ろ説尸名下修果亠ノオ丨

現代語訳：知るべきだ、説く所の相の如きは、此れを除いて、更にもしくは過ぎるもの増すものはない。このように先に説く所の世間一切種清浄、ここに説く所の出世間一切種清浄を総略して一つとして、説いて名づけ修果という。

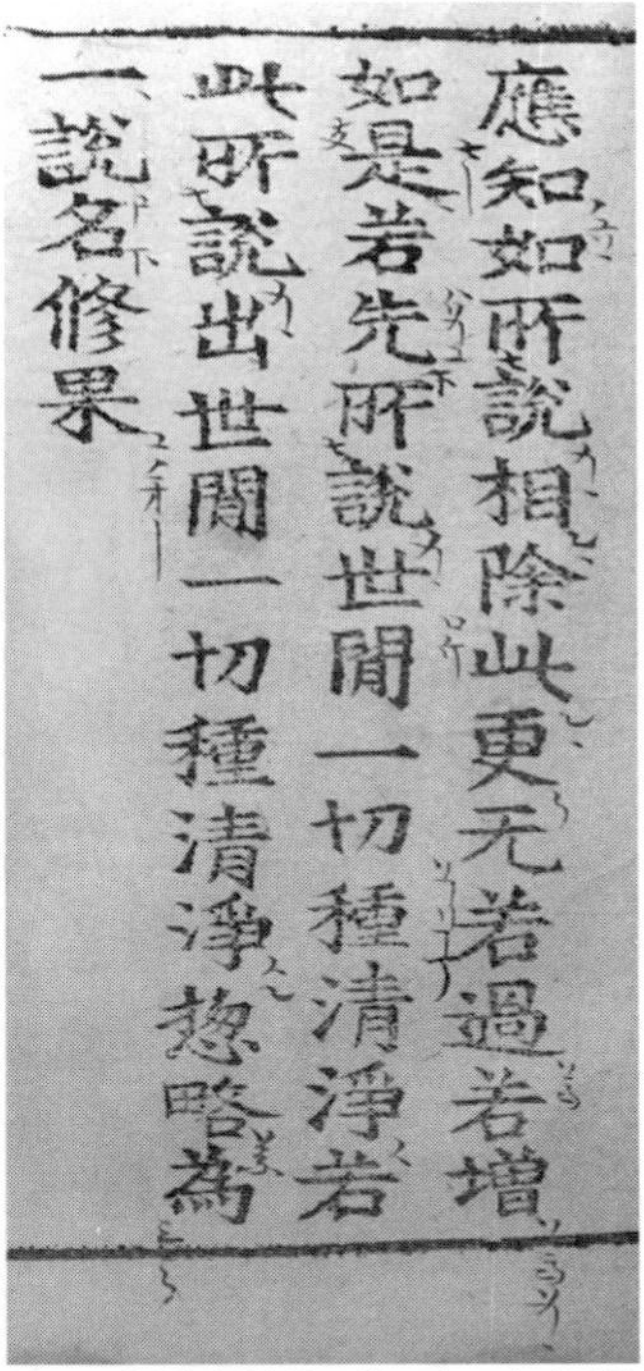
図10 『瑜伽師地論』巻二十の字吐釈読口訣

字吐口訣では、語順を表示するのに、〝吐〟の位置を漢字の右下と左下に区分し、逆読点の〝、〟を符号として用いる。上記の判読文では便宜上、右下の〝吐〟を〝［ ］〟内に、左下の〝吐〟を〝︹︺〟内に記載した。その具体的な読み方は、まず右下に〝吐〟がある単語を読み、逆読点があれば上にさかのぼって左下に〝吐〟のある単語を読む。左下の〝吐〟

に逆読点があれば、さらにその上の左下に〝吐〟のある単語にさかのぼって読み、そこに逆読点がなければ、またもとにもどって右下に〝吐〟のある単語を読む。単語を読む時には、〝吐〟の内容と文脈によって、漢字を音読みまたは訓読みするが、おおむね専門用語や〝ソ〟[ᄒᆞ]からはじまる〝吐〟がついた単語は音読みし、それ以外は訓読みする。

上に示した最初の部分、「應知如所說相」（まさに知るべし、説く所の相の如き）を例にとると、①まず右下の〝吐〟がある〝知ノㅎ〟[알ᄋᆞᆷ]を読み、逆読点があるのでさかのぼる。つぎに②左下の〝吐〟がある〝應ヒ丨〟[ㅅ다]を読み、逆読点がないのでまたもどり、③右下に〝吐〟のある〝說ノㄱ〟[닐ᄋᆞᆫ]を読み、逆読点があるのでさかのぼり、④左下の〝吐〟がある〝所ヒ〟[밧]を読み、逆読点がないので、またもどり、⑤右下に〝吐〟のある〝相乙〟[相ᄋᆞᆯ]を読む（相は音読み）。逆読点があるのでさかのぼり、⑥左下の〝吐〟がある〝如ハソㄱㅗ〟[ᄆᆞᆨᄒᆞᆫ여]を読む。このように〝吐〟の左右の位置と逆読点によって読めば、結果的に原文を韓国語の語順に合うように、〝知—應—說—所—相—如〟の順序で読むことになるのである。

このように字吐口訣で漢字の右下の〝吐〟と左下の〝吐〟を分け、逆読点を用いて韓国語の語順を表示するのは、点吐口訣において逆読線以外に語順表示をする手立てがないのに比べると、効果的な方法であるといえる。またこれは、日本の訓点で〝雁点《かりがねてん》〟または〝レ点〟、〝一二三〟、〝上中下〟などの語順表示符号によって、日本語の語順を表示するのとは、まったく異なる方式である。

4　十四世紀以降の資料——訓読表示口訣

以上に述べた二種類の釈読口訣が使用された十〜十三世紀は、韓国の歴史では高麗時代（九一八〜一三九二年）である。十三世紀までの高麗時代には漢文を韓国語で訓読するのが一般的であったようである。この時代の資料には、漢文を音読した口訣資料が残っていないためである。ところがきわめて精巧な表記法をもつこの釈読口訣は、十四世紀には突然なくなり、漢文を音読する音読口訣が大勢を占《し》めるようになり、現在に至っている。釈読口訣がなくなった理由は、いまだ明らかでないが、十三世紀後半に高麗が元に侵略され、元の文化を受け入れたことと関連があるように思える。

ところが釈読口訣の伝統が絶え、音読口訣が一般的となった以後の十五〜十七世紀の資料に、漢文訓読を示す〝吐〟がついたものが間々ある。『法華経』、『円覚経《えんがくきょう》』、『楞厳経《りょうごんきょう》』、『牧牛子修心訣《ぼくぎゅうししゅしんけつ》』、『大乗起信論《だいじょうきしんろん》』などの資料があるが、それらは高麗時代の釈読口訣とは異なる方式で訓読を表示している。これらを高麗時代の釈読口訣と区別するため、仮に訓読表示口訣とよぶことにしたい。

その例としてミュージアム・サン（Museum San）所蔵の『法華経』を挙げてみよう。この資料には音読口訣と訓読表示口訣のどちらもが記入されているが、以下の判読文では訓読表示口訣を〝［　］〟の中に記録した。

図 11 『法華経』

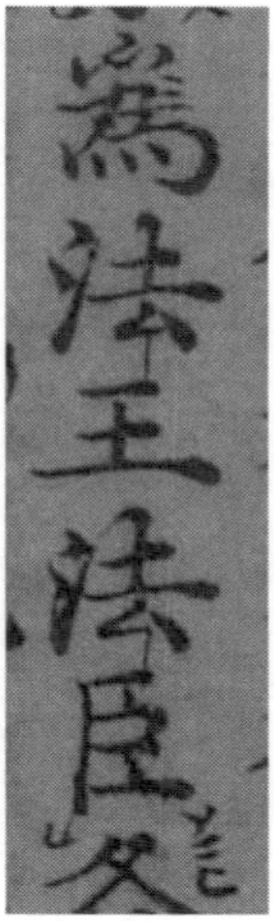
図 12 『法華経』

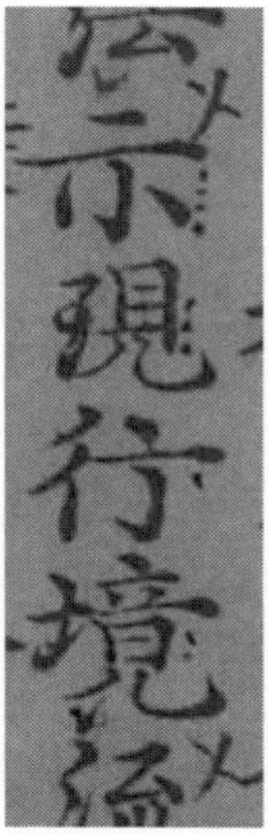
図 13 『法華経』

【図11】

判読文：自［丶］爲［弋］限［지］礙［고미］ソろ

『法華経諺解』の口訣文：自爲限礙ᄒᆞ야

『法華経諺解』の諺解文：제 그지 마고미 ᄃᆞ외야

【図12】

判読文：爲［三］法［合符（―）］王法［合符（―）］臣［乚］ソニヒ

『法華経諺解』の口訣文：爲法王法臣ᄒᆞ시니

『法華経諺解』の諺解文：法王法臣ᄋᆞᆯ 사ᄆᆞ시니

【図13】

判読文：示［語順（……）］現［語順（…）］行［語順（、）］境

［乚、語順（・・）］ッ入

『法華経諺解』の口訣文：示現行境ᄒᆞ샤

『法華経諺解』の諺解：行境을 나토아 뵈샤

【図11】、【図12】、【図13】は、『法華経』巻一のそれぞれ別の部分から引用したものである。まず音読口訣を見ると、【図11】の「自爲限礙ッろ」、【図12】の「爲法王法臣ッニヒ」、【図13】の「示現行境ッ入」は、それぞれ『法華経諺解』（一四六三年）の「自爲限礙ᄒᆞ야」、「爲法王法臣ᄒᆞ시니」、「示現行境ᄒᆞ샤」と正確に対応しており、ただ〝吐〟の表記に用いられた文字が口訣字かハングルかの違いがあるだけである。

次に訓読表示口訣を見ると、【図11】は〝自〟に〝ヽ〟［이］、〝爲〟に〝ヤ〟［디］、〝限〟に〝지〟、〝礙〟に〝고미〟がついているが、これは『法華経諺解』の諺解文〝제 그지 마고미 ᄃᆞ외야〟をそのまま反映している。〝自ヽ〟の〝ヽ〟は〝제〟の〝ㅣ〟に相当し（十五世紀〝에〟は二重母音［əy］であった）、〝爲ヤ〟の〝ヤ〟は〝ᄃᆞ외야〟の〝ᄃᆞ（외）—〟に相当し、〝限지、礙고미〟はそれぞれ〝그지、마고미〟の〝—지、—고미〟である。

【図12】では〝爲〟に〝三〟［삼］が、〝臣〟に〝乚〟［을］がついているが、それぞれ〝爲〟の訓である〝삼—〟と目的格助辞〝—ᄋᆞᆯ〟を表記したもので、諺解文の〝法王法臣ᄋᆞᆯ 사ᄆᆞ시니〟の〝—ᄋᆞᆯ、삼—〟と正確に対応している。また法王と法臣には二字を結ぶ短い線（合符）が記入されている。合符は高麗時代の釈読口訣でも使用されたが、高麗では文字を貫通する長い線で形態が異なり、むしろ日本の合符と似ている。

【図13】では、語順を表示する符号が、〝行、境、現、示〟にそれぞれ〝、〟を重ねた形態で記入されているが、やはり諺解文の〝行境을 나토아 뵈샤〟（行境を現し示す）の語順（行—境—現—示）と一致する。『円覚経』などの他の訓読表示口訣資料でも語順表示符号が見られるが、おもに〝一二三四五〟のような漢字数字を基本にしており。より高次元の訓読順序を示す場合は〝○〟や〝８〟などが用いられた。注目すべきは、このような語順表示符号（日本では語順符という）が、高麗時代の釈読口訣の語順表示方法とは無関係であり、むしろ日本の訓点と類似しているという事

※ 本章で例示した口訣字の原字と讀法（出現順）

口訣字	原字	讀法	口訣字	原字	讀法
ろ	良	아 [ɑ]	ハ	只	ㄱ [k]
ソ	爲	ᄒᆞ [hʌ]	ナ	在	겨 [kyə]
亽	羅	라 [rɑ]	氵	沙／三	사（삼）[sa]
刂	是／利？	이 [i]	支	支	디？[ti]
𠃍	隱	ㄴ（은）[n]	丨	多／之？	다 [tɑ]
大	大	대 [tɑy]	音	音	ㅁ [m]
ノ	乎	호／오 [ho]	斤	斤	근 [kɯn]
禾	利	리 [ri]	丁	丁	뎌 [tyə]
口	古	고 [ko]	齐	齊	져 [ʤyə]
尸	尸	ㄹ（을）[l]	下	下	하 [ha]
亠	亦	여 [yə]	人	果	과 [kwa]
十	中	긔 [kɯy]	丶	是	이 [i]
乙（乚）	乙	ㄹ（을）[l]	弋	代	ᄃᆞ [tʌ]
ゕ	彌	며 [myə]	三	三	삼 [sam]
尔	爾	곰 [kom]	二	示	시 [si]
七	叱	ㅅ [s]	匕	尼	니 [ni]
今	利？	리 [ri]	入	舍	샤 [sya]

実であろう。

以上述べたように、釈読口訣による漢文訓読が行われなくなり、音読による音読口訣が主流となった十五～十七世紀に現れた訓読表示口訣の起源がなんであるかは、いまだ解明されていない。十世紀以前からすでに存在したものが、高麗時代にも部分的に命脈を維持し、十五世紀の諺解の登場とともに再度活性化したのか、または日本の訓点の影響を受けたものかは、今後の調査と研究に待たねばならない。

参考文献

・南豊鉉「高麗時代의 點吐口訣에 대하여」、『書誌學報』24、韓国書誌学会、二〇〇〇年、五～四五頁。
・南豊鉉「東大寺所藏新羅華嚴經寫經과 그 釋讀口訣에 대하여」、『口訣研究』30、口訣学会、二〇一三年、五三～七九頁。
・南豊鉉・沈在箕「舊譯仁王經의 口訣研究（其一）」、『東洋學』6、檀国大東洋学研究所、一九七六年、一～六八頁。
・安秉禧「口訣과 漢文訓讀에 대하여」、『震檀學報』41、震檀学会、一九七六年、一四一～一六二頁。

・朴富子「東大寺圖書館 所藏『大方廣佛華嚴經』卷第12〜20의 角筆을 통해 본 新羅語文法 形態素」、『口訣研究』33、口訣学会、二〇一四年、一六一〜一九五頁。
・李丞宰他『角筆口訣의 解讀과 飜譯1、2、3、4、5』太學社、二〇〇五〜二〇〇九年。
・李田京「〝爲〟字에 懸吐된 釋讀表記字와 그 解讀」、『口訣研究』28、口訣学会、二〇一二年、一六五〜一八九頁。
・張景俊『瑜伽師地論 點吐釋讀口訣의 解讀 方法 研究』太學社、二〇〇七年。
・張景俊「釈読口訣と訓点資料に使われた符号について」、『訓點語と訓點資料』131、訓点語学会、二〇一三年、八〜二八頁。
・張景俊他『瑜伽師地論卷20의 釋讀口訣 譯註』亦樂、二〇一五年。
・鄭在永他『韓國 角筆 符號口訣 資料와 日本 訓點 資料 研究—華嚴經 資料를 중심으로—』太學社、二〇〇三年。
・金文京『漢文と東アジア』(岩波新書 一二六二)、岩波書店、二〇一〇年。
・藤本幸夫「韓國의 訓讀에 대하여」、『國語史 資料와 國語學의 研究』文學과智性社、一九九三年、六四二〜六四九頁。
・藤本幸夫編『日韓漢文訓讀研究』勉誠出版、二〇一四年。
・小林芳規『角筆文獻研究導論(上卷 東アジア篇)』汲古書院、二〇〇四年。
・小林芳規・西村浩子「韓國遺存の角筆文獻 調査報告」、『訓點語と訓點資料』107、訓点語学会、二〇〇一年、三六〜六八頁。

図版出典

図1　陶山書院蔵
図2　湖林博物館蔵
図3　修德寺權域聖寶館蔵
図4　誠庵古書博物館蔵
図5〜図8　張景俊(二〇〇七)、『瑜伽師地論 點吐釋讀口訣의 解讀 方法 研究』
図9　誠庵古書博物館蔵
図10　ハングル博物館蔵(宝物〈重要文化財〉一一七一号)
図11〜図13　ミュージアム・サン(Museum San)蔵(宝物〈重要文化財〉一一五三号)

03

ウイグル語の漢字・漢文受容の様態

庄垣内正弘の研究から

吉田 豊

1 ウイグルとは

ウイグルは中国の歴史書では「回紇」あるいは「回鶻」と表記されるトルコ系の民族である。八世紀中葉突厥《とっくつ》を滅ぼして東ウイグル可汗国を樹立し、その後一世紀の間、モンゴル高原を本拠地として遊牧世界の覇者となっていた。その後八四〇年にこの遊牧国家は瓦解し民族は四散したが、有力な部分は温存され、南西のオアシス地域に移住して西ウイグル国を建設し十四世紀元朝時代まで存続した。その中心は現在の新疆《しんきょう》ウイグル自治区のトルファンであった。西ウイグル国時代は、ソグド人から借用した文字を使ってウイグル語を表記するウイグル文語が確立した。中国周辺の民族による漢字・漢語の受容を考える場合、ウイグルは受容時に表音文字による書記体系をすでに持っていたという点で特殊である。

2 ウイグル人と漢字音

強大な唐の周辺国家として漠北時代のウイグルは、中国文化の影響を受けた。八世紀以前すでに、sangun「将軍」、qunčuy「公主」などの称号、文化語彙としてtoγ「纛」、mäkkä「墨」なども借用していた。西遷後は仏教文化圏に定住した関係で次第に仏教を信仰するようになった。受容した仏典は、定住したオアシス地域で流通していたトカラ語仏典や梵語仏典だけでなく、漢文仏典もあった。十世紀にはトカラ語仏典（小乗仏教）からの翻訳と漢語仏典（大乗仏教）からの翻訳が拮抗していたように見える。ウイグル語の仏教用語は主にトカラ語由来だったようだ。しかしながら十一世紀以降シルクロードの土着の仏教は衰退し、漢文仏典からの影響が優勢になる。十世紀以降敦煌と西ウイグル国は密接な関係を持ち、敦煌仏教の影響がウイグルに及んだ。その過程で敦煌の中国語の発音が伝わり字音化した。敦煌《とんこう》からは砂漠を隔てていたトルファンは中国語圏になることはなかったが、すべての漢字をウイグル式に発音することや、独自に漢字を組み合わせて僧侶の法名など、漢語にはない表現を作り出すことができた。

ウイグル字音が認められる最も早い事例は、十世紀の敦煌で流行していた禅宗文献の「金剛五礼文《こんごうごらいもん》」の発音をソグド・ウイグル文字で表記した文書である。漢文仏典を字音で読誦することは、この時期からあったようだ。西暦一〇〇〇年頃 Šïŋqo šäli「勝光闍梨《しょうこうじゃり》」が翻訳した玄奘の伝記が残されている。そこには非常に多くの漢語の固有名詞が字音で音訳されているが、すでにウイグル語の音韻体系への同化が認められる。この時期の敦煌漢字音の特徴として、清濁の区別がなく（常 šww [šo]、書 šw [šu]）、鼻音声母の脱鼻音化（蜜 pyr [bir]）、宕《とう》・梗摂《こうせつ》の -ŋ 韻尾の脱落が見られる（広 xw [qo]）。ただし中古漢語をベースにしており入声の韻尾は保持された（業 kyp [geb]）。ウイグル語の音韻体系への同化の結果、声調や有気性が失われた。その一方で母音調和の影響で、軟口蓋子音が3・4等と1・2等で区別された（見母 k- の漢字：宮 kwynk [küŋ]、江 xwnk [qoŋ]）。

3　ウイグル語仏典にみられる漢文訓読

十世紀以降多くの漢文仏典がウイグル語に翻訳されることになる。十三世紀になると、西ウイグル国はいち早くジンギスカンに帰順し、元朝期には色目人の代表として大いに優遇された。ウイグル文字で表記したモンゴル語が、後にモンゴル文語となったことはその証左である。この時期ウイグルの仏僧は多種多様な漢文仏典をウイグル語に翻訳していた。功徳のために仏典の印刷も行った。ウイグル語の活字まで見つかっているほどである。

元朝期の学僧は、仏教教理の習得のために、漢訳された阿含経典やアビダルマ論書を熱心に学習したようだ。ウイグル語仏典にはこの時期の学僧の学習の様子を示す写本がみつかる。庄垣内正弘が研究した『阿毘達磨倶舎論《あびだつまくしゃろん》実義疏《じつぎそ》』のウイグル語訳はその代表で、敦煌で発見された十四世紀半ば頃の写本である。そこには、ウイグル文字表記のウイグル文の中に漢字を取り込み、当該の漢字をウイグル語で訓読する文が見られる。敦煌出土の写本に見られる「先-ki oqïš 大力奴 baxšï-nïng qïlmïš dïravï-sïnga yarašï ol」は、甘粛《かんしゅく》省で見つかった別の写本では、漢字は含まれず以下のようになっている。

öngdün-ki oqïš tailigdu baxšï-nïng qïlmïš dïravï-sïnga yarašï ol

先-にある 読みは 大力奴 先生-の 行った 事柄-に 合致して いる。

「先」が öngdü と「訓読み」されていたことが知られる。ちなみに人名の tailigdu はウイグル字音で発音されている。baxšï は漢語の「博士」からの借用語である。

漢文の訓読あるいは読み下し文というとき、訳者の個性や工夫を反映した自然な訳文とは異なる一種の機械的な翻訳をイメージする。それは原文の内容語を訳文に一対一に対応させ、文法が許す限り原文の語順を維持しようとする。つまり訓読から原文を復元できることを目指す。日本の場合は原文の内容語に文法的な形態素を送り仮名（あるいはヲコト点）として書き込み、語順の違いは返り点で示す方法も見られる。ウイグル語の場合漢文の原文にウイグル語の文法形態素を書き込む方式は見られないが、訓読の性質を備えた機械的な翻訳が存在していた。ただ正式な翻訳ではなく漢文原文を理解するための一種のツールであったと考えられる。庄垣内が好んで引用するのは以下の文である。原文は、「阿毘達磨広釈契経。何故偏疑非仏所説」であって、日本式に読み下すと「阿《あ》毘《び》達《だつ》磨《ま》ハ広ク契経《けいきょう》ヲ釈ス。何故ニシテ偏《かたくな》ニ仏ノ説ク所ニ非ズト疑フヤ」となるであろう。その自然な翻訳は「アビダルマは仏陀の語った言葉を集めた経典を広く注釈しているのだから、どうしてアビダルマは仏陀が説いたものではないのではないかと頑なに疑おうとするのか」となるだろうか。ウイグル語訳は以下のようになっている。

abidarïm-ta keŋürü yörär sudur-uγ

アビダルマ-で 広く 釈する 契経-を

nä üčün säčä sezinür sizlär tŋri burxan yrlïqamïš ärmäz tep

何故に 特に 疑う 汝たち 天 仏陀 おっしゃって いないと。

前半では目的語が動詞の後に来ている。これはウイグル語としては破格だが格語尾があるので理解に問題はない。後半では「非」に対応する否定辞は文末に置かれる。これはウイグル語文法の要請である。また原文にない人称代名詞や tep「〜と」の付加などもウイグル語文法の要請であったと考えられる。自然なウイグル語では abïdarïm-ta sudur-uy keŋürü yörär nä üčün tŋri burxan yrlïqamïš ärmäz tep säčä sezinür sizlär のようになったはずだと言う。そして『阿毘達磨倶舎論実義疏』のウイグル語訳は、全篇このような文体（庄垣内は擬漢《ぎかん》構文と呼ぶ）で翻訳されているという。

このような機械的な「読み下し」ができるためには、内容語だけでなく機能語を機械的に対応するウイグル語に置き換える方法が整備されている必要がある。「応（まさに〜すべし）」や使役の「令」などいくつかの漢字を例に取り、そのような方略が存在していたことも庄垣内は指摘している。実際同じ漢文をもとに独立して行われた二つの「読み下し文」が非常に類似していることから、機械的かつ没個性的な翻訳方法が確立していたことがうかがわれるのである。この伝統はしかし、ウイグル人のイスラム化を契機として消滅した。

参考文献

・庄垣内正弘「文献言語と言語学—ウイグル語における漢字音の再構と漢文訓読の可能性」、『言語研究』124、二〇〇三年、一〜三六頁。

・同『ウイグル文アビダルマ論書の文献学的研究』京都、二〇〇八年。

・同「ウイグル漢字音と漢文訓読」、藤本幸夫編『日韓漢文訓読研究』東京、二〇一四年、二四九〜二八六頁。

・吉田豊「ソグド文字で表記された漢字音」『東方学報　京都』66、一九九四年、三八〇〜二七一頁。

04 ベトナムの漢文訓読現象

Nguyen Thi Oanh

1　はじめに

「漢文訓読」とは、日本人によって使用される術語である。漢文訓読は、原文から離れた訳文を作るのではなく、原文の文字をそのまま残しつつ、原文の漢字を一つ一つ目で追い、日本語に置き換えながら日本語の語順に従って読み進めるものである。そして日本語に置き換えたり、日本語の順番に転倒したりする時には、返り点、ヲコト点などの補助的符号（訓点）を採用する。漢文訓読は日本における特別な現象と考えられていた。しかし、ベトナムの李・陳王朝（十一世紀から十五世紀にかけて）に成立した説話集『嶺南摭怪《れいなんせきかい》』や碑文をはじめとする漢文資料には、日本と同様、訓読みの現象が確認できる。日本の変体漢文と漢文訓読からみた場合、ベトナムの訓読み、漢文訓読をいかにとらえることができるか、四書五経の『礼記《らいき》』『孟子《もうし》』の漢字・字喃（チューノム）対訳作品における訓読みと漢文訓読現象を明らかにしたい。

2　ベトナムの訓読み現象

周知のように、漢字には「形」「音」「義」（日本の訓）の三要素がある。「山」という漢字でいえば「山」の字形、それが「形」である。「音」は日本では「サン」であり、ベトナム語では「sơn」と発音される（「漢越音」）。「義」は日本では「やま」であり、ベトナムでは「núi」という。漢字の意義、漢字の意味するところ、それが「義」である。ベトナム人が漢字を学習するには昔も今と同様、字形を習い、ついで字音と字義とを習うという順序であったに違いない。そして、その字義を国語で説いているものが、やがて「訓」となって、社会的に定着していったのであろう。

日本の変体漢文に関する研究（峰岸明『変体漢文』など）を参照しつつ、ベトナムの李・陳朝時代に成立した漢文説話集『嶺南摭怪』（漢喃研究所の図書記号：A.2914）を中心に研究した。日本の「変体漢文」との比較の視点から見ると『嶺南摭怪』には語彙や文法、特に、漢文訓読文法の混在、ベトナムの字喃と漢字の混在、記録語の文法などの現象が見られる。例えば、「逋乎不来以救我輩」（王様よ、我々を救いに来てくださらないのですか）の「逋」（音読みは「bô」）はベトナム語（字喃）「bố」を表す仮借字であり、「王様」や「父」を意味する。現在でも、ベトナム人は父親をbốと呼ぶ。また「尚」（音読みは「thượng」）を音借用して、ベトナム語の「thằng」（目下の男性に対する二人称代名詞）を表す。また、他資料では、陳王朝に成立した碑文（慈庵碑記、一三五八年、漢・喃研究所の図書記号：25883）の中にベトナム語順でよく使われている熟語「樹柳」がある。「樹柳」はベトナムの訓読みで「cây liễu」という。「Cây」は柳の前にくる類別詞である。

日本では変体漢文についての業績が多くあるが、ベトナムではまず「変体漢文」という概念が使用されてないし、訓読み、漢文訓読などの概念も採用されておらず、これらについての研究もまだ十分ではない。今日に至るまで、『漢喃雑誌』（Tạp chí Hán Nôm）や『漢字・字喃通報』（Thông báo Hán Nôm）（今は『漢喃研究』[Nghiên cứu Hán Nôm]となった）に掲載される漢字の「意味」に関する研究は、主に特定の漢字・漢語の意味解釈に関わるものであり、最も多いのは漢籍解釈の誤りを正すものである。『漢喃雑誌』に掲載された研究論文の中でも、注目に値するものとしてラー・ミン・ハン「義借用字喃の認定基準について」（第三号、一九九七年）がある。論文の中で、ラー・ミン・ハンは「義借用字喃とは、漢字の形と意味を借用した字喃である。」と定義している。ラー・ミン・ハンの論考は、字喃文献に見られる漢字をその意味のベトナム語で読むという現象があることを証明し、それが日本の「訓読み」に相当する現象であることを示唆している。しかしながら、ハン氏自身は、「義借用」の現象を確認しただけで、それが固定化した読み方であるとは考えていない。また、漢字・字喃対訳した作品における訓読みには論及していない。今日に至るまで、義借用の問題や日本漢文の訓読の問題は一部の研究者により言及されてきたが、ベトナム漢文の研究に積極的に応用するには至っておらず、その問題に関する理論的な論考や先駆的業績を待たなければならない。

3　ベトナムの訓読現象

以上挙げた単語だけではなく文単位でも、ベトナム語文における漢字使用が李・陳時代に成立した資料で多く見られる。一つの漢字を一つの義で読み、他の言葉を加えるのは必要ではない場合がある。例えば『嶺南摭怪』における「分中國為十五郡」[*1]（chia trong nước làm mười lăm quận）（国内を十五郡に分けた）などがある。又碑文（呉家氏碑一三六六～一三九五年）における「外洞用台面半為三寶」[*2]（ngoài đồng dùng hai mặt nửa làm tam bảo）（諸田圃中の群に田圃の二面半を使用し、三宝田を作る）などがある。ベトナムの漢文資料では、一つの漢字に対して一つのベトナム語の単語が一対一対応しているのかを検討するために、ベトナム人が過去、いかにして漢文を学習したかを見てみる。

ベトナムの李・陳朝時代、科挙《かきょ》に合格した人物は必ず四書五経に精通していたため、中国の経典が李朝の漢文教育、科挙対策のテキストであったと考えられる。また、経典を学習する場合の正式な読み方はもちろん音読であって、学生はまず、経典の音読を学ぶことになっていたのは間違いない。現在、伝統的な漢文の読み方に従い音読を先に読み、次にベトナム語に訳するというのが一般的である。前近代に出版された漢籍を現代ベトナム語に翻訳する場合も先に音読（翻音）を示すのが一般的である。

黎王朝（十五世紀から十八世紀にかけて）に至ると、漢字以外の表記文字として、字喃が普及し、一般に使われるようになったため、「字喃文学」と呼ばれるジャンルの文学が開花することとなり、『仏説大報父母恩重経《ぶっせつだいほうぶもおんじゅうきょう》』（十五世紀）などのような民衆に流布した仏典、あるいはベトナム人によって書かれ民衆に好まれた『伝奇漫録《でんきまんろく》』（一七一二年）のような文学作品が生まれることとなった。そこではじめて漢文からベトナム語への翻訳が可能となった。同時に、漢文・漢字を学習するために、字喃を用いて四書五経をベトナム語に訳すことが必要となった。[*3] 例えば『礼記大全節要演義』（礼記）（図書番号 AB.30）や『四書約解』（孟子）（図書番号 AB.270/1-5）、『新編伝奇漫録解音集注』（伝奇）（VHv. 1491/1-4）等の体裁を分析してみると、音読にかわって訓読が発達してきたことが分かる。漢字は原則として一字が一語を表しており、その字音とともにその語の意味がベトナム語に訳されたに違いなく、その訳語が社会的に定着していったのが漢字の訓読であると考える。

例えば【図1】のように「性、猶杞柳也」という漢文に対して「性、朋楼杞柳丕」という字喃文が示されている（孟子、1a）。両者は、「性」は「性」、「猶」は「朋」、「杞柳」は「楼杞柳」、「也」は「丕」のように対応しており、日本の漢文訓読と同様、原文の漢文を一字一字洩らさず字喃に変換している（＝普通の翻訳ではない）。

『礼記』『孟子』『伝奇漫録』における固定的な訳語をすべて検討したわけではないが、次のような場合がある。（「đấng 等」のようにベトナム語の後ろにくる文字はチュノムである）。

（一）名詞の「聖人」（礼記、8b）「君子」（礼記、8a）「大夫」（礼記、9a）「長者」（礼記、12a）「先生」（礼記、13a）といった名詞の前に「đấng 等」という尊敬語が付される。「人子」（礼記、8b）「主人」（礼記、12b）などといった名詞の前にすべて「kẻ 几」という人を表す類別詞（名詞が表す事物をその形状や機能によって分類する語。日本語の「枚」「本」などの助数字と同じで、数字を前置きして個数の表現を作る）が付される。

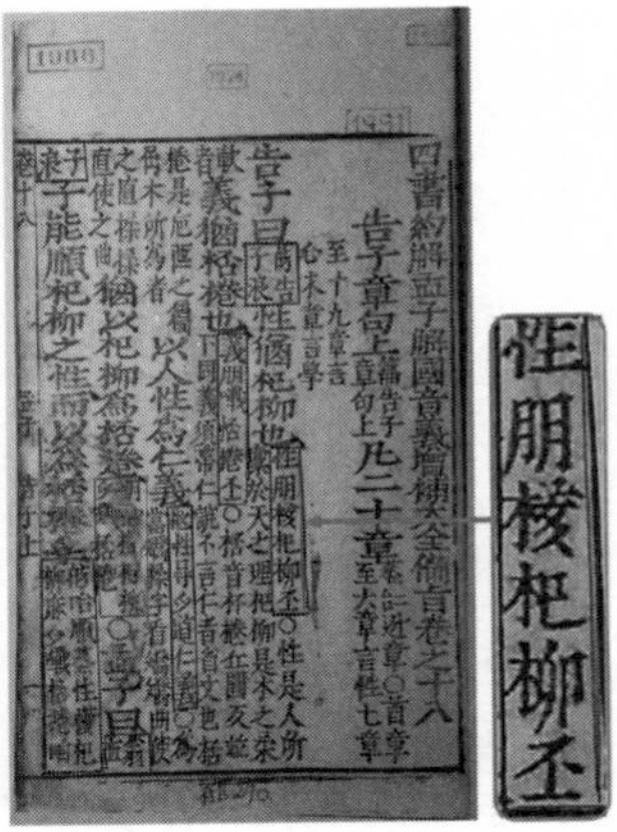

図1

例1：漢字：「鼓舌而議君親」字喃：「咚䄧麻論等君親」（伝奇、9b）

（二）人名のうち「孟子」（孟子、13a）といった有名な人物であれば人物の名前の前にすべて「ông 翁」という尊敬語が付される。また、「文王」、「武王」、「堯」、「紂」（孟子、7a）といった王の名前の前にはすべて「vua 𤤰」という尊敬語が付される。

例2：漢字：「此商紂所以喪國」字喃：（意𤤰紂茹商所黙秼渃）（伝奇、7b）

（三）人名で「告子」（孟子、1a）「孟季子」（孟子、5a）「公都子」（孟子、5a）と人名の前にはすべて「nguoi 㝵」という人を表す類別詞が付される。

例3：漢字：「告子曰」字喃：「㝵告子浪」（孟子、1a）

（四）「杞柳」（孟子、1a）など植物の前には「cây」という類別詞（名詞が表す事物をその形状や機能によって分類詞が体言の前に付される。「桮棬」（孟子、1a）と言った物の前には

「chén 嘰」という類別詞が付される。「眼」（礼記、10a）など身体の部分の前には「con 昆」という類別詞が付される。

例4：漢字：「性、猶杞柳也」字喃：「性朋棱杞柳」（孟子、1a）

（五）「人性」（孟子、2a）「白羽」「白雪」（孟子、3a）、「善行」（礼記 6a）「漢爵」（伝奇、3b）など名詞修飾句は返って読まれる。

例5：漢字：漢字：「猶不貪漢爵」字喃：「羣拯貪爵茹漢」（伝奇、3b）

（六）「雖能言不亦禽獸之心乎」（礼記、8b）「是豈水之性哉」（孟子、2b）の「之」は修飾構造の中の助詞で「之心」はベトナム語で「chung lòng 蒸悉」と読んで、「禽獸」の前に持ってきて読む。「之性」はベトナム語で「chung tính 蒸性」と読んで、「水」の前に持ってきて読む。

例6：漢字：「因疾秦之民」字喃：「因蒸民嵣茹秦」（伝奇、4b）

以上、ベトナム人が如何に四書五経を読んだかについて略述した。ベトナムでは「変体漢文」と「漢文訓読」という概念は使用されていないが、ベトナムの説話集『嶺南摭怪』や碑文をはじめとする漢文資料には、日本と同様、漢文訓読の現象が確認できる。ベトナムの漢文を読むと原則として、原文から離れた訳文を作るのではなく、原文の漢字をそのまま残しつつ、原文の漢字を一つ一つ目で追い、ベトナム語に置き換えながらベトナム語の語順に従って読み進む。そういう訓読の方法は日本と同様であると思う。また、日本の変体漢文と同様の現象もベトナムの漢文資料に見られる。訓読が発達する前に、『日《に》本《ほん》霊《りょう》異《い》記《き》』と同様、漢字とベトナム語（字喃）とを混淆して記した『嶺南摭怪』もある。ベトナムの漢文訓読の歴史的な流れは不明な点も多いが、日本の訓読とは共通点がある。最初は音読が主流であったが、訓読が発達する。次に字音が用いられると共に、字訓が定着する。そして、字喃が公式のものになる。しかし、ベトナム語は中国語と同様、孤立語であるから、「返り点」、「ヲコト点」などという訓点符号は必要がないが、漢字の四隅に破音という小さな符号を加点することがある。また、日本の漢文訓読の場合、単語は訓読み、熟語は音読みされる傾向があるが、ベトナムの訓読の場合は単語も熟語も訓読みである。当時辞書が少ないからである。今後は上述のように関連資料を収集し、それらをさらに明らかにするために研究を進めるべきである。日本、中国の専門家との協力も必要である。

注

1　「分中國為十五郡」の「中国」はベトナムの語順で表す漢字。

2　「外洞用台面半為三寶」の「外洞」「台面半」は字喃である。

3　『四書約解』の序文に「造化が才能を生むことは往々にして勇猛な人が多く、聡明な人が少ない。高明な人は見聞が鋭敏で賢明であるから、飛ばし読みをしても障害がなくてすぐ理解できるが、一般の人は文書や書物をあまり読まないで、知識も十分ではないからちゃんと理解できない。（省略）それで、先代の儒者の先生が自国の言語で『四書約解増補大全備旨』を編纂して、小さなところまで工夫して編纂した。その一般の人と子どものためにはよく考える」と書いた。

参考資料

・Nguyễn Tài Cẩn: *Nguồn gốc và quá trình hình thành cách đọc Hán Việt*『ベトナム漢字音の起源と形成過程』. Nxb. Đại học Quốc gia, Hà Nội, 2000.

・Phạm Văn Khoái: *Hán văn Lý-Trần*『李・陳朝の漢文』. Nxb. Đại học Quốc gia, Hà Nội, 2004.

・Lã Minh Hằng: *Cấu trúc nghĩa trong chữ Nôm Việt*『ベトナムの字喃における会意の構造』. Nxb. KHXH, Hà Nội, 2004.

・Nguyen Thi Oanh:「ベトナムの漢文訓読」、『訓点語と訓点資料』133、二〇一四年、一～一四頁。

・峰岸明『変体漢文』東京堂出版、一九八六年。

・鈴木直治『中国語と漢文―訓読の原則と漢語の特徴』光生館、一九七五年。

・清水政明「漢文＝字喃対訳『仏説大報父母恩重経』に見る字喃について」、「人間・環境学」（京都大学）第五巻、一九九六年、八三～一〇四頁。

・岩月純一「ベトナムの「訓読」と日本の「訓読」―「漢文文化圏」の多様性―」、中村春作・市来津由彦・田尻祐一郎・前田勉編『「訓読」論―東アジア漢文世界と日本語―』勉誠出版、東京、二〇〇八年、一〇五～一一九頁。

・中村春作・市来津由彦・田尻祐一郎・前田勉編『「訓読」論―東アジア漢文世界と日本語―』勉誠出版、東京、二〇〇八年。

・金文京『漢字と東アジア』岩波新書、東京、二〇一〇年。

・小助川貞次「漢字文化圏諸言語の加点現象から見た「訓読」概念の再定義」、『訓点語と訓点資料』13、二〇一四年。

・鷲澤拓也「漢文―チュノム・ベトナム語対訳資料『伝奇漫録』解音における固定的と例外的な訳―「之」「於」「于」「夫」と虚詞 chung を中心に―」、『東京大学言語論集』37、二〇一六年九月、二八四～二八九頁。

・月本雅幸『日本語概説』第二巻、一般財団法人、放送大学教育振興会、二〇一七年。

謝辞：小論の執筆にあたり、河野貴美子氏（早稲田大学文学学術院）から多くのご意見をいただきました。感謝申し上げます。また、二〇一六年から二〇一七年にかけて、博報財団から研究助成を受けました。ここでお礼申し上げます。

05 直解

佐藤晴彦

1　直解とは？

「直解《ちょつかい》」とは主として金末元初以降に見られるようになった経書（儒教の経典）に対する口語訳を指す。「直説」ということもある。明・劉寅《りゅういん》の『武経《ぶけい》直解』、清・劉沅『孝《こう》経《きょう》直解』なども書名に「直解」という語が使われているが、文言で書かれているため、この項目の「直解」の範囲には含めない。

2　経書の口語訳

では経書の口語としてどういうものがあるのだろうか。まず、呉澄《ごちょう》（一二四九～一三三三年）とともに元の二大儒と称された魯斎先生・許衡《きょこう》（一二〇九～一二八一年）が著わした『直説大学要略』、『大学直解』、『中庸《ちゅうよう》直解』などを挙げることができる。しかし、最も注目すべきはウイグル人貫雲石《かんうんせき》が元の至大元年（一三〇八）に出版した『孝経直解』（正式には『新刊全相成斎孝経直解』という。以下、『直解』あるいは「本書」と呼ぶ）であろう。当の貫雲石も『直解』の序文で、〝嘗観魯斎先生取世俗之言，直説大学，至於耘夫蕘子，皆可以明之……〟（以前、魯斎先生が世俗の言葉で著わした『直説大学』を見たことがあるが、農夫や木こりなど誰もが理解でき……）と述べているように、魯斎先生・許衡のことは強く意識しており、『直解』を著わす要因となったことは間違いない。

3　『孝経』とは？

『孝経』は、孔子とその門弟・曽子《そうし》とが「孝」について問答した記録で、『十三経』という経書の一つ。経書は用いられた書体により古文と今文に分かれる。この場合の「文」とは文字のことであり、文章という意味ではない。秦以前に用いられた篆書によるものを「古文」、漢代に通行した隷書にいるものを「今文」といい、『孝経』にも古文と今文とがある。〝身体髪膚受之父母，不敢毀傷孝之始也。〃（身体髪膚は之を父母に受く、敢えて毀傷せざるは孝の始めなり）という文で日本人にも馴染みがある句も『孝経』の一節である。貫雲石は経書本文のままでは難解なため、経書を〝使匹夫匹婦皆可暁達〃（一般民衆にも理解できるように）口語訳を出版すると『直解』の序文で述べている。その言語は「異民族の統治の下、漢族を含む諸民族間で使われていた共通語」であった〝漢児言語〃と呼ばれる独特の表現になっている。

4　貫雲石の『孝経直解』

貫雲石の『孝経直解』は各葉の上部にその章に相応しい絵が入った絵入り本である。絵入りにしたのは、当時、絵入り本が隆盛していた影響もあろうが、恐らく貫雲石は読者に親しみを感じさせたかったのではないだろうか。

実はこの元版『孝経直解』という本は、中国では早くに散逸してしまったらしい。本書は、我が国において『孝経』の専門家として著名であった林秀一氏が一九三三年に名古屋の古書店で発見され、購《あがな》われたのである。『孝経』という書物の数多な版本に眼を通されている専門家であるからこそ、この『直解』の特異さを見抜かれたのであろうが、これには縁《えにし》というものを感じる。中国をはじめ他の国でもその存在を聞かないから、まさに天下の孤本なのである。本書には返り点などが書き込まれているが、阿部隆一[*1]氏は、「この本は古く我が国に伝来したらしく、室町期の朱筆句点返点送仮名が書入されている」と指摘している。室町期といえば一三三六～一五七三年であるから、どういうルートで将来されたかは全く不明であるものの、本書は出版後、まもなく我が国に将来された可能性も否定できない。

本書発見後、林氏は長澤規矩也《きくや》氏と連名で『書誌學』第一巻第五號（一九三三年）に本書を紹介された。しかし、この紹介文により、本書が一般的に知られるようになったとは考え難い。本書発見から五年後の一九三八年に北京の來薫閣書店から本書の影印本が出版された。この影印本出版に関しては、吉川幸次郎[*2]氏が出版社に働きかけたことを吐露しておられる。この影印本が出版されたことによって本書の存在が一般的に知られるようになったと思われる。その意味で來薫閣の影印本は大きな功績を残した。ただ、残念ながらこの來薫閣本は、①原寸大ではなく縮刷されていること、②一部ではあるが書き加えがあること、③原本にある返り点などの書き込みがほとんど削除されていること、この三点が惜しまれる。その來薫閣本も入手し難くなってきたこともあり、この三点を補うかっこうで太田辰夫・佐藤晴彦『元版 孝経直解』[*3]が出版された。

ではどういう口語訳をしているか具体例を挙げてみよう。上に挙げた〝身体髪膚〟の文であれば、『直解』では、

〝身体、頭髪、皮膚従父母生的，好生（しっかりと）愛惜者（せよ），休教（してはならぬ）傷損者，麼道。阿的（これ）是孝道的爲頭児（最初に）合（すべき）行的勾当（事柄）有。〟

（身体、頭髪、皮膚は父母から生まれたものであるから、よくよく大切にし、傷つけてはならないという。これが孝行の道で最初に行うべき事柄である）

という口語訳になっている。この訳文にある〝麼道〟（「という」の意）や文末の〝有〟（文におけるピリオドの機能を持つ—太田辰夫説）は、〝漢児言語〟独特の表現である。

5 元版『孝経直解』と明本『孝経直解』

元版『孝経直解』以後、明代になると『今文《きんぶん》孝経直解』という書物が何度か出版されている。竹越孝氏[*4]はその内の八種を挙げている。筆者は次の四種を目睹した。

(1)福建建陽游英復刻『今文孝経直解』（万暦十四年［一五八六］）

(2)古呉陳仁錫訂『今文孝経直解』（崇禎六年［一六三三］）

(3)明江元祚『今文孝経直解』（崇禎六年［一六三三］）

(4)明帰安茅胤武訂『今文孝経直解』（崇禎七年［一六三四］）

では、元版『孝経直解』と明本の四種『今文孝経直解』ではどういう点で異なるのか？「身体髪膚」の文を比較してみると、次のようになる。

元版：身体、頭髪、皮膚従父母生的，好生愛惜者，休教傷損者，麼道。阿的是孝道的爲頭児合行的勾当有。

(1)人的一身四体，頭髪、皮膚都是父母生下来，做児子的合当保護這箇身已，不敢毀辱了，傷損了。這是行孝道起頭的事。

(2)人的一身四体，頭髪、皮膚都是父母生下来，做児子的合当保護這箇身已，不敢毀辱了，傷損了。這是行孝道起頭的事。

(3)人的一身四体，頭髪、皮膚都是父母生下来，做児子的合当保護這箇身已，不敢毀辱了，傷損了。這是行

孝道起頭的事。

⑷人的一身四体，頭髪、皮膚都是父母生下来，做児子的合当保護這箇身巳，不敢毀辱了，傷損了。這是行孝道起頭的事。

（做児子的：子たるもの、合当：当然〜すべき、這箇：この、身巳：身体、起頭：最初の）

元版と明本を比較してみると一目瞭然。元版だけが明本と異なる文となっているのに対し、明本が判を押したように同じ文になっている。明本には明らかに継承関係があるが、元版と明本の間に継承関係は認められない。

もう一つ例を挙げてみよう。〝諫諍章第十五〟に次のような文がある。

元版：古来宮裏立下七个肯勸諫的人呵，雖有差的勾当呵，也便改正，不失了天下有。

⑴古時帝王有七箇諫争的朝臣，便行的無道，也得他救正，不致差了事務。

⑵古時帝王有七箇諫争的朝臣，便行的無道，也得他救正，不致差了事務。

⑶古時帝王有七箇諫争的朝臣，便行的無道，也得他救正，不致差了事務。

⑷古時帝王有七箇諫争的朝臣，便行的無道，也得他救正，不致差了事務。

元版は、「古来天子はあらかじめ、進んで苦言を呈する臣下を七人おいたので、誤ったことがあった場合でもすぐに改められ、天下を失うということはなかった」という意味。明本は、「古代、帝王には直言して諫める臣下が七人いたので、たとえ行いが道にはずれたとしても臣下によって修正することができ、政《まつりごと》を誤ることにはならなかった」という意味。口語訳している内容はほぼ同じであり、先に見た例と同じく、明本の訳文はみな同じである。

ここでは、元版にあった二つの〝呵〟と文末の〝有〟が明本で使われていないという点に注目したい。

〝呵〟〝有〟の機能についてはいくつかの説があるが、太田辰夫氏[*5]は「両者は句点（。マル）、読点（、てん）に等しい機能しかもたぬ。語気はゼロ。」という解釈を示された。つまり、〝呵〟は「コンマ」、〝有〟は「ピリオド」というわけである。〝呵〟〝有〟は〝漢児言語〟における常用語であるが、それが明本に受け継がれていない（ただし、〝呵〟は『今文孝経直解』の他の箇所で使われているところがある。結局⑴⑵は2箇、⑶⑷は一箇〝呵〟を使っているというように版本によって違うという大変微妙な問題があるが、時間が経つにつれ減少していっていることは確かである）。

明本では、〝因這般上頭〟（このようなわけで）、〝勾当〟（行い）、〝身已（＝己）〟（身体）など〝漢児言語〟で常用される語を多く用いているから、〝漢児言語〟の様相を色濃く残している。が一方で、〝呵〟〝有〟などが使われなくなっていること（一部例外はある）、元版『孝経直解』で使われていた〝阿的〟（これ、それ）が、やはり明本では使われていないというところに、元版と明本の言語的差異を指摘することができる。

6 「直解」の下限

では「直解」という語はいつ頃まで使われていたのだろうか？

民国期に李勇敬の『孝経白話解説』（中華民国二十七年［一九三八］、国光書局）という本が出版されている。『孝経』の一句に対して一つ一つ語彙の解説をしたうえで、一句全体の意味を白話に訳し、さらに〝演説〟という項目を立て、その句を敷衍するという懇切丁寧な構成となっている。

また現代でも、来可泓著『大学直解・中庸直解』（一九九八年、復旦《ふくたん》大学出版社）を初めとし、『荘子直解』、『国語直解』、『孟子直解』、『論語直解』など十二冊からなる「直解叢書」が復旦大学出版社から出版されている。この叢書など確かに書名に「直解」という語が使われているものの、本項でいう「直解」に含まれるかというと、いささか抵抗感がある。それはこの叢書が、『孝経訳注』を初めとする中華書局出版の「中国古典名著訳注叢書」と同じ類のもので、現代中国語による説明、解釈であるためである。「直解」という語の下限は清朝までと考えておきたい。

注

1 阿部隆一「日本国見在宋元版本志経部」、『阿部隆一遺稿集』（第一巻、一九八二年）所収。

2 吉川幸次郎「貫酸斎「孝経直解」の前後―金元明の口語の経解について―」、『石田幹之助博士頌壽記念東洋史論叢』（一九六五年）所収。後、『吉川幸次郎全集』第十五巻 元代編（筑摩書房、一九六九年）に収められる。

3 太田辰夫・佐藤晴彦『元版 孝経直解』汲古書院、一九九六年。

4 竹越孝「『今文孝経直解』校訳稿」、『鹿児島大学法文学部紀要』「人文科学論集」50、一九九九年。

5　太田辰夫「孝経直解釈詞」、『中国語研究』37、一九九五年。

参考文献

・太田辰夫「漢児言語について」、『神戸外大論叢』5－3（一九五四年）。後、『中国語史通考』（白帝社、一九八八年）に収められる。

・太田辰夫「孝経直解」解説、『中国歴代口語文』江南書院、一九五七年。

・佐藤晴彦「『孝経直解』校訂と試訳」、『神戸外大論叢』46－6、一九九五年。

・竹越孝「許衡の経書口語解資料について」、『東洋學報』78－3、一九九六年。

・竹越孝「『今文孝経直解』考」、『鹿児島大学法文学部紀要』「人文科学論集」49、一九九九年。

・林秀一・長澤規矩也「元刊本成斎孝経直解に関して」、『書誌學』1－5（一九三三年）。後、『長澤規矩也著作集』第三巻　宋元版の研究（汲古書院、一九八三年）に収められる。

06 諺解

杉山 豊

1 「諺解」の概念

本章で扱う「諺解《げんかい》」の指すところについては、小倉進平博士（一八八二〜一九四四年）がつとに以下のごとく述べている。この語の定義として、簡にして要を得たものであるため、稿を起こすに当たり、引用して紹介しておく。

朝鮮には「論語諺解」・「朴通事諺解」等の如く、諺解又は諺釈と称する一種特別の体裁を備へた注釈書がある。これは主として漢文の意義を朝鮮語で解釈したものを指すのである。元来此の「諺」なる語は、我が国に於ても屢々用例のある如く、支那の事物に対し自国の事物を貶称する場合に用ひ《ママ》られる語で、漢字に対して朝鮮の文字を「諺文」といひ、華音・華語に対して朝鮮語を「諺語」・「国諺《ママ》」といひ、朝鮮文字で書いた吐を「諺吐」といふなど、何れも同一筆法から割り出された命名法である。日本語・満洲語・蒙古語に関する辞書・読本中、語句の説明に諺文を使用した例は沢山あるが、此等に対しては一つも諺解なる名称を用ひ《ママ》て居ない。つまり支那語に対してだけ諺解なる語を用ひ《ママ》た訳で朝鮮人が如何に慕華の念に厚かつたかを物語る証左とならう。[*1]

つまり「諺解」とは、中国語の原典に対し朝鮮語で解釈を加えたものということである。原典たる中国語には文語（文言。いわゆる「漢文」）のほか——引用文中でも中国語教材である『朴通事《ぼくつうじ》諺解』[*2]に言及していることから知られる通り——口語（≒白話）も含まれる。[*3] 以下では、「諺解」を、「中国語原典の読解の助けを目的として、原典の中国語文を主文とし、これに対訳の形式で[*4]（ハングル書き）朝鮮語文による訳解を施すこと、また、そのような訳解を施した書物」[*5]と、最も狭義に定義しておく。

なお、「諺解」の語の文献上の初出は十六世紀初とされる。[*6] 今日、学界では訓民正音《くんみんせいおん》[*7]（ハングル）創制初期、十五世紀の文献を指す場合にも『訓民正音諺解』、『楞厳経諺解』、等々の名称がひろく用いられているが、これらの名称で呼び慣わされる文献そのものの中に当該の書名が記されているわけでは、従って、ない（たとえば、〝通称〟『楞厳経《りょうごんきょう》諺解』の首題は「大仏頂如来密因修証了義諸菩薩万行首楞厳経」である）。ただし、本章においても以下、諺解文献に言及する際には、煩瑣を避けるため、学界で通用しているこれらの通称・略称を適宜使用することとする。

2　諺解文献の編纂過程と体裁

いわゆる「諺解文献」の本文は、個々の文献ごとに大なり小なり例外は見られるものの、原則としてはおおむね次のごとき体裁から成る。すなわち、中国語の主文の一定の句節、もしくは段落ごとに朝鮮語による訳文が付される。主文の中国語文には、懸吐《けんと》（口訣《くけつ》《こうけつ》）*8が振られることも多く、ハングルにより注音が施される場合もある。その他、注釈文がしばしば挿入されるが、これは漢文白文、懸吐漢文、朝鮮語文等、さまざまである。訳文の朝鮮語は、やはり文献によって程度の差はあるものの、原則として中国語の一語一語（≒一字一字）を忠実に反映させた逐語的直訳体である。

ここで例をいくつか見てみよう。【図1】は一四五九年に刊行されたハングル文献、『月印釈譜《げついんしゃくふ》』巻一（韓国・西江大学校所蔵）の巻頭に附載された「訓民正音諺解」の第

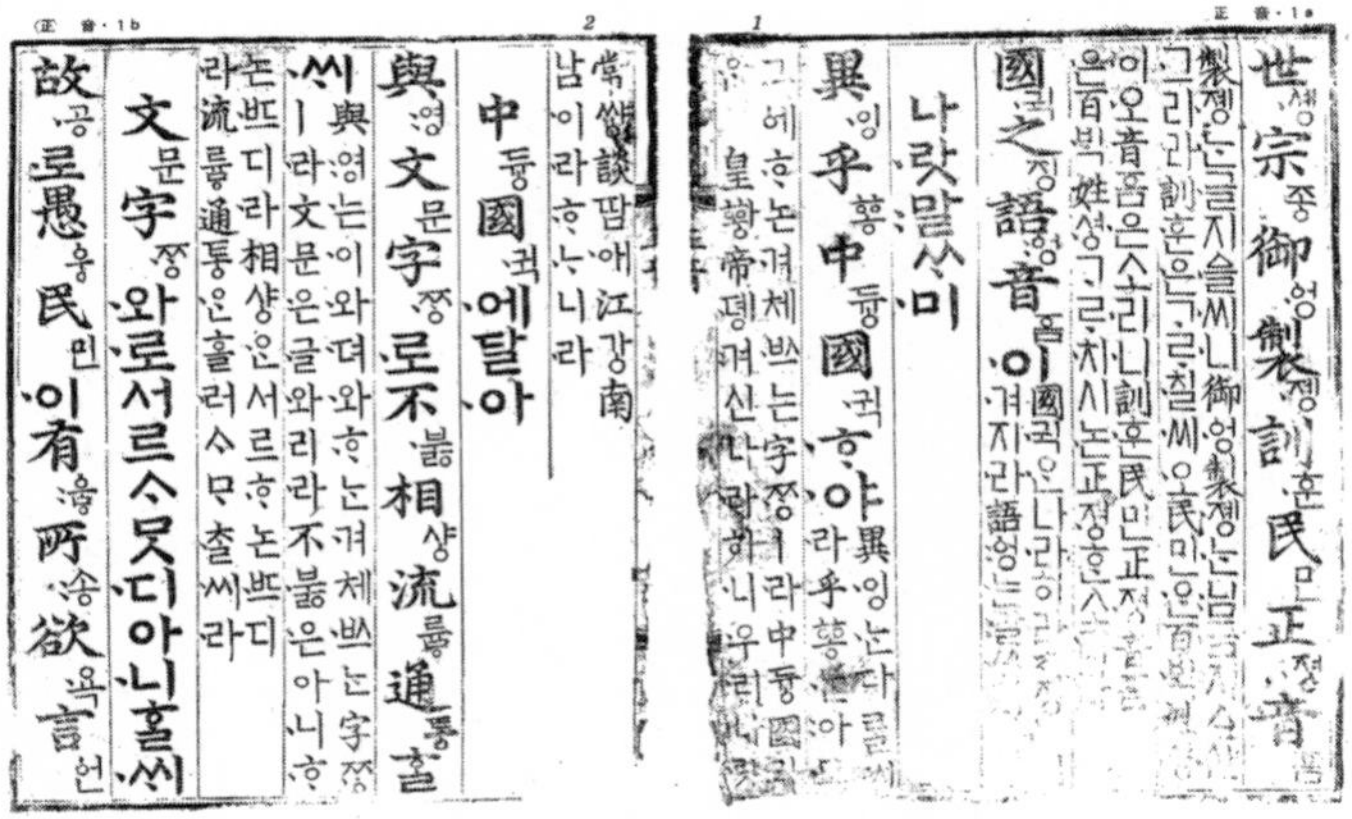

図1　『月印釈譜』（西江大学校人文科学研究所、1972年より）

一頁、『訓民正音』御製序《ぎよせいじよ》の冒頭部分である。*9「諺解文献」の嚆矢《こうし》が、この「訓民正音諺解」である。首題「世宗御製訓民正音」の一字一字にハングルで読音を振り、*10続けて双行《そうぎよう》（二行割り）注で「世宗」を除く一字一字の字義が逐一説かれる。この部分を訳するならば、「〝製〟は〝文をつくる〟ということであるから、〝御製〟は王のつくりたもうた文である。〝訓〟は〝おしえる〟ということであり、〝民〟は〝たみ〟であり、〝音〟は〝おと〟であるから、〝訓民正音〟は〝たみをおしえたまう正しいおと〟である」といった具合である。注釈文の中の漢字にも、すべて音が振られている。続いて、序の最初の句節、「国之語音」の四字にもすべて音が振られるのは同様、さらに、日本語の「〜ガ」に相当する主格助詞「〜·이（i^{H}）」*11の懸吐が振られる。この下にも、各字の字義の注が双行で付く。次に行を改め、一字下げた位置から始まる「나랏 말ᄊᆞ·미（$na^{L}ras^{H}$ $mar^{R}ss\text{ʌ}^{L}mi^{H}$）」が、「国之語音」に対する朝鮮語の訳文であって、「くにのことばが」の意味となる。

【図2】は、その三年後、一四六二年、刊経《かんきょう》都《と》監《かん》*12において刊行された『楞厳経諺解』（木版本）の冒頭部分である。この刊経都監本『楞厳経諺解』の様式が、その後、世祖（朝鮮第七代、在位一四五五〜一四六八年）代を通して盛んに編纂・刊行される一連の「仏典諺解」のモデルとなる。*13「訓民正音諺解」の場合と比較してみると、「如是를 我聞ᄒᆞᅀᆞ오니……」（·를 rʌr は〝〜ヲ［対格助詞］〟、·ᄒᆞ

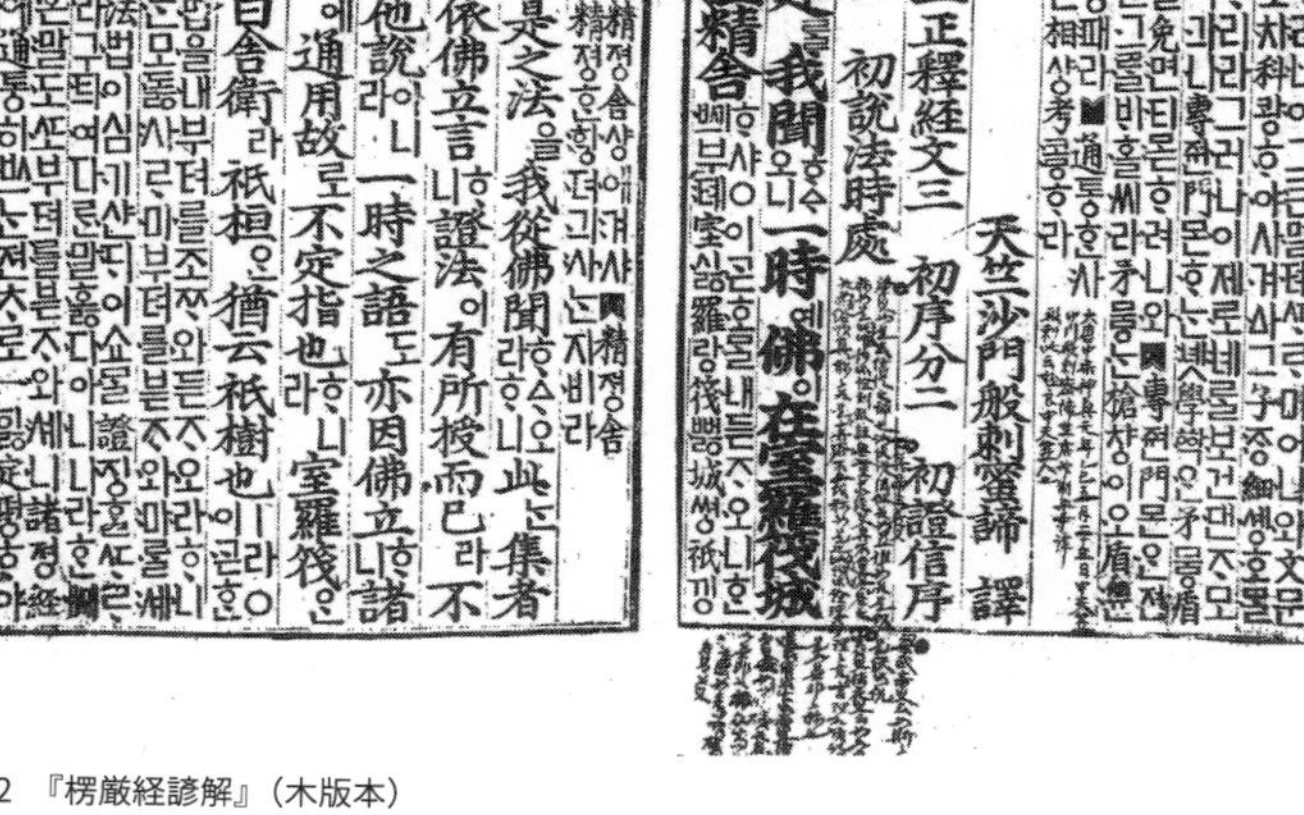
天竺沙門般剌蜜諦 譯
三正釋經文三 初序分二 初證信序
二 初說法時處
如是를 我聞ᄒᆞᅀᆞ오니 一時예 佛이 在室羅筏城
祇桓精舍
如是之法을 我從佛聞이라ᄒᆞᅀᆞ오니 此ᄂᆞᆫ 集者
ㅣ 依佛立言ᄒᆞ니 證法이 有所授而已라 不
必他說이니 一時之語도 亦因佛立ᄒᆞ니 諸
經에 通用故로 不定指也ㅣ라 室羅筏은
亦曰舍衛라 祇桓은 猶云祇樹也ㅣ라

図2 『楞厳経諺解』（木版本）

ᄉᆞ오니 hʌzʌˑomˑ は〝シモウシアゲタガ〟）から始まる漢文の主文には音注が付されなくなり、また「訓民正音諺解」では漢字と同じ大きさであったハングルの懸吐が双行となっている（また、「訓民正音諺解」ではハングル懸吐の左側に、音のピッチ［高低］を記す声点が振られていたが、これも記されなくなる）。「訓民正音諺解」では、やはり主文と同じ大きさで、主文の後、行を改めて配置されていた諺解文も、『楞厳経諺解』では双行となり、主文の真下に置かれている。*14 諺解文の冒頭、「이 ᄀᆞᆮ호ᄆᆞᆯ 내 듣ᄌᆞ오니 ᄒᆞᆫ ᄢᅴ 부톄（iH kʌtʰoH mʌrH naiH tɨtLcʌLoHniH hʌnL pskɨiH puLtʰjeiR）……」を和訳するならば、「かくのごとくであることを私はお聞きしているが、ある時仏が……」となり、主文である漢文の逐語訳となっている。なお、諺解文の末尾に、黒魚尾《くろぎょび》（◖）で区切られて付されているのは朝鮮語による注であり、「精舎《しょうじゃ》は精なる修行者の住む家である」の意味である。ところでこの『楞厳経諺解』の末尾に付された世祖の「御製跋」の注を通して、当時の諺解作業の詳細な手順を知ることができ、貴重である。詳細は先行研究*15に譲るが、大まかに述べれば、まず漢文の原典に懸吐を振り、これに基づいて翻訳、然る後に翻訳文中の漢字に読音を振る。また、間々に声を出しての読み合わせ（〝唱準〟）や翻訳の検討・修正といった過程が入る。【図3】は、さらに二十年近く降った一四八一年、時の国王、成宗（朝鮮第九代、在位一四六九～一四九四年）の命に

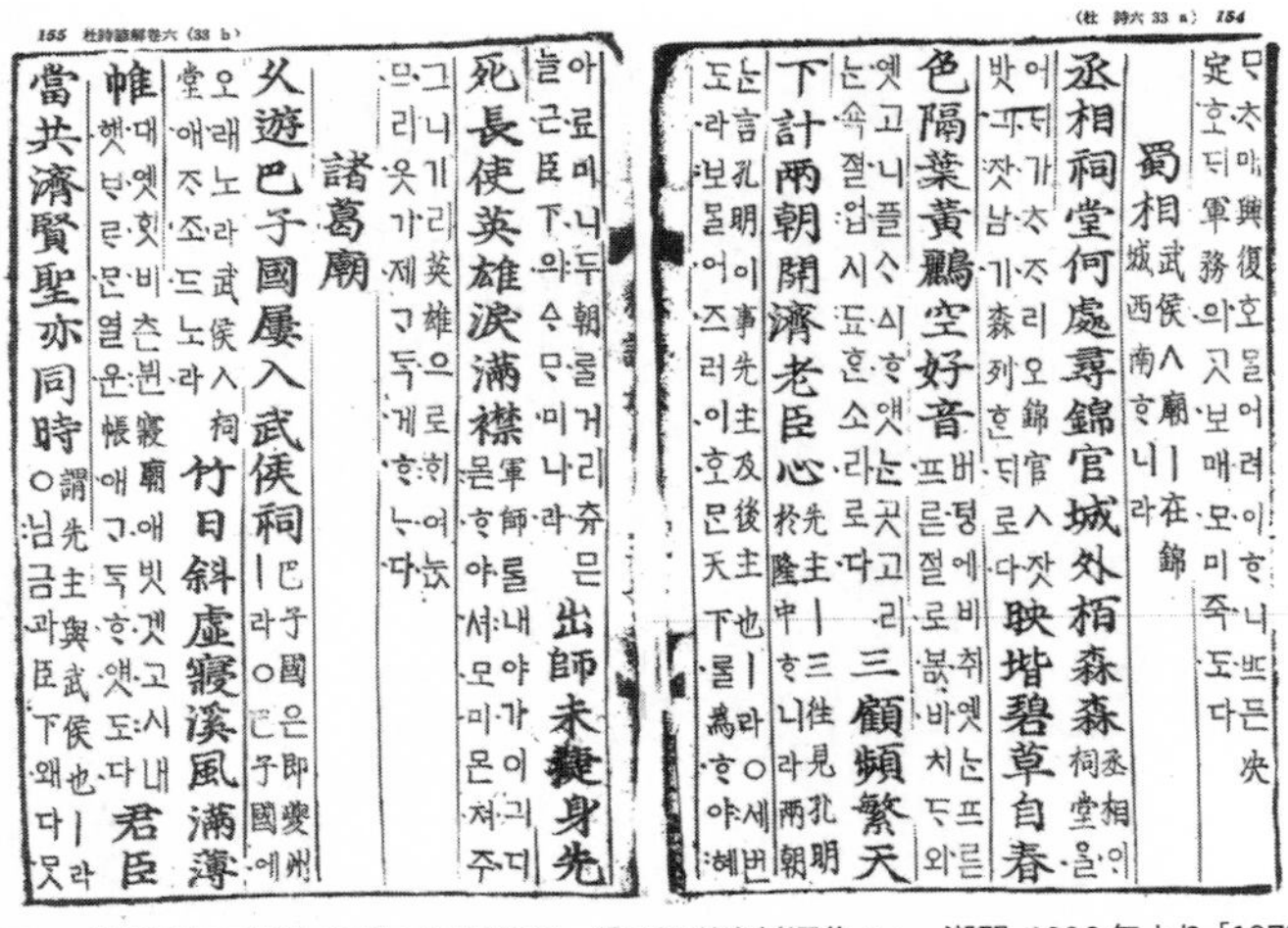
155 杜詩諺解巻六（33 b）
（杜 詩六 33 a） 154
蜀相
丞相祠堂何處尋錦官城外栢森森
映堦碧草自春色隔葉黃鸝空好音
三顧頻繁天下計兩朝開濟老臣心
出師未捷身先死長使英雄淚滿襟
諸葛廟
久遊巴子國屢入武侯祠
竹日斜虛寢溪風滿薄帷
君臣當共濟賢聖亦同時

図3 『分類杜工部詩（通称：杜詩諺解）』（『国語学資料選集Ⅱ』一潮閣、1996年より［1972年初版］）

より編纂の初められた『分類杜工部詩《ぶんるいとこうぶし》（通称：杜詩諺解）』のうち、巻六（韓国・ソウル大学校奎章閣《けいしょうかく》カラム文庫所蔵）の一部である。この文献はその名の通り、中国盛唐の詩人、杜甫《とほ》の詩集の諺解である。上の二つの場合と比べると、主文たる漢詩は漢字でのみ記されて読音、懸吐は振られないのみならず、双行の諺解文、注釈文でも、漢字にはやはり読音が振られないという違いが見て取られる。諺解は、しばしば例外もあるものの、おおむね漢詩の二句を単位に施される。たとえば、図版に挙げた「蜀《しょく》相《しょう》」詩の首聯《しゅれん》（律詩の第一・二句）「丞相祠堂何処尋 錦官城外柏森森」には、「丞相이 祠堂ᄋᆞᆯ 어ᄃᆡ 가 ᄎᆞᄌᆞ리오? 錦官ㅅ 잣 밧긔 잣남기 森列ᄒᆞᆫ ᄃᆡ로다。（丞相 'ʌi$^{:H}$ 祠堂 'ʌr^{H} 'e^{L}tʌi$^{:H}$ ka^{H} c^{h}ʌ^{H}cʌ^{H}ri$^{:L}$o^{H}? 錦官 s cas^{H} pas^{L}kɨi$^{:H}$ cas^{R} nam^{L}ki$^{:H}$ 森列 hʌn^{L} tʌi$^{:H}$ro^{L}ta^{H}.)」、和訳するならば「丞相の祠堂をどこへ行って尋ねようか？ 錦官の城の外に松の木が森列したところであるなあ」といったごとくである。また、頸聯《けいれん》（第五・六句）の主文「三顧頻繁天下計 両朝開済老臣心」と諺解文「세 번 도라 보ᄆᆞᆯ（sei$^{:R}$ pen^{L} to^{L}ra^{H} po^{R}mʌr^{L}［三たびかえりみることを］）……」との間には、「先主ㅣ 三往見孔明於隆中ᄒᆞ니라 兩朝ᄂᆞᆫ 言孔明이 事先主及後主也ㅣ라（先主 i 三往見孔明於隆中 hʌnira 兩朝 nʌn 言孔明 'i 事先主及後主也 ira）［先主ガ三往見孔明於隆中シタノデアル両朝ハ言孔明ガ事先主及後主也デアル」］」という注釈文が挿入され、注釈文と諺解文との間は「○」で区切られている。この注釈文、及び詩題「蜀相」の下に付された題注ともに、「懸吐漢文」で書かれているが、この文体については次節で触れよう。

3　諺解の言語

前節の最後に、『杜詩諺解』の注釈文に言及した。例として挙げたものは、漢文に「懸吐」を振った「懸吐漢文」で書かれていたが、実は、『杜詩諺解』の注釈文のすべてが、「懸吐漢文」で書かれているわけではない。諺解文と同じく、固有語要素の多い朝鮮語で書かれる場合もある。さらには次の例を見てみよう。


李陵曰〝士氣少衰ᄒᆞ니 軍中에 엇뎨 겨지비 업스리오?〟ᄒᆞ고 어더 주기다。

（李陵曰〝士気少衰 hʌni 軍中 'eiH 'es^{R}tjei$^{:L}$ kje^{R}ci$^{:L}$pi$^{:H}$ 'ep$^{R?}$sɨ$^{:H}$ri$^{:L}$o^{H}?〟 hʌ^{L}ko^{H} 'e^{R}te^{L} cu^{L}ki$^{:H}$ta^{L}.)

［李陵曰「士気少衰シテイルガ軍中にどうしておなご

がいないことがあろうか?」」とて見つけ出して殺した。」

(『杜詩諺解』巻八「新婚別」詩「婦人在軍中兵氣恐不揚」注)

「李陵曰」、そして続く李陵の台詞のうち「士気少衰」までは漢文、すなわち中国文語として読める。その直後の、「ᄒᆞ니(hʌni)」まで含めれば「懸吐漢文」である。ところが続く台詞の残りの部分はより「朝鮮語らしい」朝鮮語文にシフトして被引用部分が終わり、さらに同じ文体のまま、注釈が続いている。『杜詩諺解』の注釈文では、「懸吐漢文」と「朝鮮語らしい朝鮮語」が、一文の内部においてさえ、混在し得るのである。では、この「懸吐漢文」の言語的位置づけはどのようなものなのであろうか? 次の例を見てみよう。

甫ㅣ 客星으로 自比ᄒᆞ고 使星으로 比琚ᄒᆞ다。…

甫 i 客星 'iro 自比 hʌko 使星 'iro 比琚 hʌta. …

[甫ガ 客星デ 自比シ 使星デ 比琚シタ。…]

(『杜詩諺解』巻二十「奉贈盧五丈參謀琚」詩「客星空伴使寒水不成潮」注)

これがもしも「懸吐漢文」ならば、「懸吐」を除いたものは漢文、すなわち中国文語の文法に合致していなければならないはずである。ところが上の例からハングルの懸吐を除いた「甫客星自比使星比琚」は、漢文として非文法的である(漢文の文法に合致させるならば、たとえば「甫**以**客星自比，**以**使星比琚。」のようになるであろう)。紙幅の関係から詳細は省くが、筆者はかつて、『杜詩諺解』注釈文に見られる上のような「懸吐漢文風」の文体も、執筆者にとってはあくまで朝鮮語であるという認識の下で書かれていたであろうことを論じたことがある。[*16] そう考えるならば、次のような例も理解が可能となる。

子ᄌᆞㅣ ᄀᆞᆯᄋᆞ샤ᄃᆡ 故고ᄅᆞᆯ 溫온ᄒᆞ야 新신을 知디ᄒᆞ면 可가히 ᄡᅥ 師ᄉᆞㅣ 되얌즉 ᄒᆞ니라。

子 cʌ^{H}i kʌr$^{L'}$ʌ^{L}sja^{H}tʌi^{H} 故 ko^{H}rʌr^{H} 溫 'on^{L}hʌ$^{H'}$jia^{H} 新 sin^{L}'ɨr^{H} 知 ti^{L}hʌ^{L}mjen^{H} 可 ka^{R}hi^{L} pse$^{L?}$ 師 sʌ^{L}i toi$^{L'}$jem^{H}jɨk^{H} hʌ^{L}ni^{H}ra^{H}.

(子のたまわく、故《こ》を温《おん》して新《しん》を知《ち》すれば可なることにもって師となるべきものである。)

(『論語諺解』[一五九〇]巻一)

『論語』「為政《いせい》」篇の、「温故知新」でよく知られた一節の諺解文である。ところが、当の「温故而知新」に該当する部分(下線部)を通して知ることができるのは、「温」

と「知」が他動詞であり、それぞれ「故」、「新」を目的語としている、という統辞構造の情報がせいぜいであって、「故」とは、「新」とは、「温スル」、「知スル」とは何ぞや、といった、本来最も肝心なはずの問いには何ら答えられていない。[*17] しかしこのような、漢文原典の漢字を朝鮮語の語順に並べ替え、間に助詞、助動詞を補っただけのような文も、れっきとした「諺解」、すなわち朝鮮語による訳文なのである。[*18] 本章では主として十五〜十六世紀の諺解を取り上げたが、さらに時代が下って開化期に登場する、いわゆる「国漢文体」が、上のような経書諺解の文体に酷似する事実は、[*19] 朝鮮語の文体形成史、もしくは書記言語形成史において「諺解」の果たした役割を物語っているようで興味深いものである。

注

1 小倉進平著・河野六郎補注『増訂補注 朝鮮語学史』刀江書院、一九六四年、一六九〜一七〇頁。

2 『朴通事』は高麗末期に作られた中国語教材。やはり同時期の成立に係ると見られる『老乞大』とともに、朝鮮後期に至るまで、改訂を重ねつつ国家通訳（訳官）養成に用いられる。原本は一三四七年を成書の上限とすると見られるが（鄭光・佐藤晴彦・金文京「解説」、金文京・玄幸子・佐藤晴彦訳注『老乞大―朝鮮中世の中国語会話読本』［東洋文庫699、二〇〇二年、平凡社］参照）、現在、伝本は知られていない。ハングル創制後は、ハングルにより中国語の音注と朝鮮語訳を施した「諺解本」である『翻訳朴通事』（十六世紀初）、『朴通事諺解』（一六七七年）、『朴通事新釈諺解』（一七六五年）も作られる。

3 ただし一方では、原典の言語を中国語に限定しない用法も存在する。たとえば、『조선말대사전（증보판）［朝鮮語大辞典（増補版）］』（사회과학출판사［社会科学出版社］、二〇一七年）の「언해（諺解）」項では、同語を「漢文や他の国の文からなる書物を、我が語文［＝朝鮮語、朝鮮語文：引用者］で解釈すること、またはそのような書物［和訳は引用者］」を指すものと定義する。

4 諺解文献の体裁については後述。

5 この定義に当たっては、志部昭平「中期朝鮮語（1）―ハングルで書かれた資料とその性格―」（『基礎ハングル』2-8、一九八六年、三修社）を併せて参照した。

6 安秉禧「諺解의 史的 考察」（『민족문화』11、민족문화추진회、一九八五年。安秉禧『國語史 文獻 研究』［신구문화사、二〇〇九年］に「언해의 역사」として再録）、志部昭平（一九八六年）前掲論文等参照。

7 ①一四四三年に完成、一四四六年に頒布された、現在〝ハングル〟として知られる文字の名称、〝訓民正音〟と、②文字〝訓民正音〟頒布に際して世に出された解説書の書名、『訓民正音』との、二種の用法があるが、ここでは①。

8 本書当該論考参照。

9 余談。上述の通り、『訓民正音』はハングルの解説書であり、一四四六年に頒布されたものは漢文で書かれている（〝解例本〟）。『訓民正音』の「諺解」ということは、諺解文の読める者、すなわちハングルをすでに知っている者にとっては、そこに書かれている内容はもはや改めて説かれる必要の無いものということになる。この諺解は、あるいは一種の〝象徴〟として施されたものであろうか？

10 ここに記された読音は、人為的に定められた一種の規範的漢字音、『東国正韻』式漢字音である。『東国正韻』については、河野六郎「「東國正韻」及び「洪武正韻譯訓」に就いて」（『東洋學報』27-4、一九四〇年、『河野六郎著作集』第二巻、平凡社再録）、同「再び「東國正韻」に就いて」（『朝鮮学報』14、朝鮮学会、一九五九年、『河野六郎著作集』第二巻、平凡社 再録）等を参照されたい。

11 本項におけるハングルのローマ字転写は、福井玲『韓国語音韻史の探究』（二〇一三年、三省堂）の方式による。

12 一四六一年、国王・世祖の命により設置され、仏典の刊行及び諺解、もしくは蒐集、また、王室の仏事法会を司る。一四七一年、廃止。詳細は江田俊雄「李朝刊経都監と其の刊行仏典」（『朝鮮の図書館』5-5、朝鮮図書館研究会、一九三六年。江田俊雄『朝鮮仏教史の研究』［国書刊行会、一九七七年］再録）を参照されたい。

13 志部昭平「乙亥字本楞嚴經諺解について」（『朝鮮学報』106、朝鮮学会、一九八三年）参照。

14 「訓民正音諺解」から『楞厳経諺解』に至る「諺解」様式の推移の詳細と、その意味するところについては志部昭平（一九八三年）前掲論文を参照されたい。

15 日本語で読めるものとしては、志部昭平（一九八三年）前掲論文。

16 杉山豊［스기야마 유타카］「『杜詩諺解』注釋文의 文體에 對하여 —'懸吐體'와'諺語'—」、『한국문화』81、서울대학교 규장각한국학연구원、二〇一八年。

17 あるいは、経書解釈における諺解本の役割はここまであった、ということなのかも知れない。字義の細かな訓詁、解釈は、『論語集注大全』等、漢文で書かれた注釈書に譲られたのであろう。

18 なお、「諺解」の朝鮮語の文体が、時代が下るにつれて直訳の度合いを強めてゆく傾向にあることはよく知られている（安秉禧［一九八五年］前掲論文等参照）。

19 金完鎭「한국어 文體의 발달」（李基文・姜信沆・金完鎭・安秉禧・南基心・李翊燮・李相億『韓國 語文의 諸問題』一志社、一九八三年）参照。

07 ベトナムにおける漢文の字喃訳

嶋尾 稔

1 はじめに

十九世紀の末までは、ベトナムの至るところで普通に漢字・漢文が用いられていた。漢文で書かれた行政文書・訴訟文書あるいは法令などが最も重要であるが、そのほか歴史書、文学作品、契約文書、経典類、村の掟、寺社の縁起を記した碑文、一族の歴史を記した家譜など、ほとんどの文献・文書類が漢文で書かれていた。[*1] 漢文を読むことは、ベトナム人が生活してゆくために必要不可欠のことであった。一九一九年に最後の殿試《でんし》がフエで行われるころまでには、公教育や行政や出版業においてローマ字表記のベトナム語の使用がある程度普及して漢字漢文は確実に廃れてゆく趨勢にあったのであるが、それでも一九四五年の八月革命のころまでは、村の神様に皇帝が与える神勅や契約書や寺社の碑文など、依然漢文で書かれたものを読む機会が全くなくなったわけではなかった。

とはいえ、すべてのベトナム人が漢字漢文を読めたわけではないことは言うまでもない。正確な識字率を語ることは到底不可能であるが、少なくとも各村落のリーダー層に漢字漢文を読むことが出来る人間がいたことは間違いない。そういう人がいないと、中央政府や地方行政機関から村に回ってくるさまざまな漢文の文書を理解して執行することが出来なくなってしまう。歴代の王朝は村における漢文教育を重視し、科挙《かきょ》受験者の人物保障を村長に委ねるなど、村々の「儒者」の育成を奨励した。十七、十八世紀には村々に漢字漢文を教えるオンドー、タイドーと呼ばれる先生の塾が開かれることになる。[*2] しかし、村ごとの差異は大きかったようであり、多数の科挙合格者を輩出する村もあれば、学問的成功とは縁のない村もあった。そのような学問的水準の偏差はあるにしても一般に住民の大多数が漢字漢文をすらすら読めるほどの知識を身につけることはなかったであろう。そのような非識字者が漢文で書かれた世界に接近するためには漢文知識人の媒介が不可欠であった。漢文をベトナム語に翻訳するというプロセスが極めて重要であったはずである。

漢文を読める人が事あるごとにそのつどベトナム語への通訳・翻訳を担うということが日常的に行われていたはずであるが、その詳細を語るための資料を私は今のところ見出していない。日々作成される文書類についてはそれにいちいち翻訳が付されるということはない。しかし、よく参照される重要な著作については字喃で表記されたベトナム語訳が付されることがある。ここで注意すべきことは、字喃を読むためには漢字の知識が必要であり、このベトナム語訳が読めるのは漢字のできる知識人だけであったという点である。普通の人がそのままこのベトナム語訳を読めたわけではなく、その訳は知識人が漢文の世界とベトナム語の世界を媒介する際の負担を若干軽減するためのものであった。本章では、そのような事例のいくつかを紹介してベトナムの前近代社会において漢文がどのように読まれたかを考えるための糸口を提供することにしたい。

2　漢字の逐字訳

まず『三字《さんじ》経《きょう》釈義《しゃくぎ》』を取り上げる。[*3] 中国の童蒙教育書である『三字経』にベトナム語訳を付したものである。漢字ごとの逐字的な訳である。

漢文正文が大きく記され、漢字の右横に字喃でベトナム語訳が付されている。字喃は小さく記されている。たとえば、冒頭の「三」の右には「𠀧」という字が小さく記されている。

ここでベトナム語と漢語の類似性に注目しておくことは無意味ではあるまい。もちろん、ベトナム語と中国語は、系統分類では別の語族に属するし、名詞句の修飾語が被修飾語の後に置かれることが一般的であるという点でベトナム語は漢語と大きく異なるのであるが、単音節孤立語という点では共通しており、そのためおそらく日本人が漢文を読むときとは随分違う感覚をベトナム人は持っていたであろうと考えられる。上記のとおり、この本は漢字毎の逐字的な訳をつけているのであるが、これを続けて読むとベトナム語として普通に読めてしまう場合がある。ただし、必ずベトナム語として達意の文になるとは限らないことには注意が必要である。実例を見ておこう。

人不学　不知理

この漢文の漢字毎に付されたベトナム語訳を続けて読むと次のようになる（ローマ字は筆者が付した）。

𠊛庄学　庄別𨤔

Người chẳng học Chẳng biết lẽ

［人＋否定詞＋学ぶ］［否定詞＋知る＋理］という語順の普通のベトナム語として読むことが可能である。ところがこれに続く部分ではそうはならない。

為人子　方少時

爫導昆　皮閉時

Làm người con Vừa bé thời

この語順ではベトナム語として意味をなさない。

3　漢文の傍に付された訳

十九世紀前半にベトナムで作られた童蒙教科書に『初学問津』がある。[*4]この本は中国史とベトナム史の基礎的知識を提供するもので、四字句の漢文で記されている。十九世紀後半の版本には、漢文の右横に小さな字（字喃）でベトナム語訳が付されている。漢字毎の訳ではなく、文毎の訳である。

混茫之初　未分天地　盤古首出　始判陰陽

㶣初𣅶混茫　渚支𡗶坦　𤳇盤古頭生𡙧　買抧氣陰氣陽

「昔、混茫の時代に天地は分かれ、盤古王が最初に生まれ出て、陰の気と陽の気が初めて分かれた」という素直な訳である。

4　漢文の割註内に置かれた訳

阮嶼《げんよ》『伝奇漫録《でんきまんろく》』は、明初の『剪灯新話《せんとうしんわ》』を翻案した漢文小説である。[*5]その刊本では、漢文の文毎に割註が付けられ字喃でベトナム語訳が記されている。

武氏設南昌女子也［**娘戸武㐌羅設羅昆㛪縣南昌丕**］。幽閑貞淑兼有殊姿［審朗䟢𢜠𡢼固姿資邏］。同邑張生慕其容行［共𧵆廊固𤶐張生免所𥋳𢜝涅那］。請諸母氏［𠰺𧀒戸茹媄］。用百両黄金納聘［用黄𧡊𦊚両納禮嘅］。

（『新編伝奇漫録』巻四　南昌女子傳）［　］内が割註。

一文目のベトナム語訳（太字）を見ると、「娘（令嬢）＋戸（一族）＋武＋[鬼+名]（名）＋羅（繫詞）＋設＋羅（繫詞）＋昆㛪（女性）＋縣＋南昌＋丕（断定の語気）→武氏の令嬢は名前が設であり南昌県の女性である」という具合である。

5　上下バイリンガルのテクスト

『嗣徳聖製論語釈義歌』（ベトナム国家図書館蔵）は阮朝四代皇帝で文人として名高い嗣徳《しとく》帝（在位一八四七～八三年）が論語の翻訳解説を行ったものである。この版本は版面を上下二段に分けて、上段に論語の正文と朱子注を記し、下段に字喃で解説と訳を記している。これまで紹介して来たベトナム語訳がすべて漢文正文に従属する副次的なものであったのに対して、この版本では、字喃訳も漢文正文と同じ字の大きさで記されており、両者が対等の地位を有するようになっている。

上段

季路問事鬼神　子曰未能事人　焉能事鬼　敢問死

曰未知生　焉知死　（以下の朱子注は省略）『嗣徳聖製論語釈義歌』巻四　先進第十一

下段

仲由固役羣[魚+疑]　丕鋮嗨聖役蜍神靈　聖悠別唉諸精

學空次序　拯輕吪喇

浪諸別理蜍得　易兒別理蜍魖鬼神

吏尤理[堯+死]嗨路　浪諸別𤯩況浪別亡

Rằng chưa biết lẽ thờ người　Dễ đâu biết lẽ thờ ngôi quỷ thần

Lại đem lẽ chết hỏi lần　Rằng chưa biết sống huống rằng biết vong

下段の前半には、「仲由はまだ疑問なことがあり、そこで聖人に神霊を祭ることについて質問した。聖人は、まだ精通していない者が順序を守らず学習することを心配して、軽々しく教えることはなかった」という解説が付されている。

6　韻文による訳

前節の引用についてさらに見ていく。下段の後半は論語正文のベトナム語訳である（ローマ字は著者が付したものである）が、六八体と呼ばれる韻文で表現されていることが特徴である。韻文ではあるが、意味的には漢文の内容を素直に伝えている。

六八体《ろくはちたい》の韻と平仄《ひょうそく》の規則が正しく守られている。六言と八言が繰り返され、六言の第二音節が平、第四音節が仄、第六音節が平、八言の第二音節が平、第四音節が仄、第六音節が平、第八音節が平（第六音節と第八音節は高低を変える）となっている。六言の第六音節と次の八言の第六音節が韻を踏み、八言の第八音節と次の六言の第六音節、さらに次の八言の第六音節が韻を踏んでいる。六八体は十九世紀ベトナムで広く普及した韻文の形式であり、嗣徳帝がより親しみやすいベトナム語訳を作ろうとしたものであろう。

以上、ベトナムにおける漢文の訳について、五つのパターンを紹介してきた。これらのパターンはいずれも珍しいものではない。これらのベトナム語訳はいずれも漢文に従属するか、漢文とセットで示されるものであった。漢文の字喃訳を単独で刊行した事例を今のところ私は知らないのであるが、「ベトナムにおける漢文の字喃訳」という主題は、本講座の編者の発案と慫慂で初めて取り組んでみたものであり、まだまだ不勉強で見落としも多いと思われる。諸賢のご叱正を請う次第である。

注

1 劉春銀・王小循・陳義編『越南漢喃文献目録提要』（台北：中央研究院中国文哲研究所、二〇〇二年）、劉春銀・王小循・陳義編『越南漢喃文献目録提要補遺　上・下』（台北：中央研究院中国文哲研究所、二〇〇四年）。

2 嶋尾稔「ベトナムの伝統的私塾に関する研究のための予備的報告」、『東アジア文化交渉研究』別冊二号、二〇〇八年。

3 阮俊強（Nguyễn Tuấn Cường）「越南古文献中漢字与喃字的双存現象初考—以小学教材為考察中心」*Journal of Chinese Writing Systems* 2-2、二〇一八年、一四九〜一五〇頁。

4 嶋尾稔「『初学問津』に関する覚書」、『慶應義塾大学言語文化研究所紀要』47、二〇一六年。

5 川本邦衛『傳奇漫録刊本攷』東京：慶應義塾大学言語文化研究所、一九九八年。

08 角筆資料

西村浩子

1 「角筆」とは

墨で書かれた文字の下に、透明な文字がある。色がないのに読める文字がある。そんな文字を実際に見たことがおありだろうか。それらは、紙面をくぼませて書いた文字で、割りばしの先をとがらせたような筆記具「角筆《かくひつ》」で書かれた文字である。その文字を読む時には、光の反射でできた陰影を利用して読む。

このような文字や符号の書き入れられた資料を「角筆資料」別名「角筆文献」とも呼び、訓読との関係が深いものである。本章では、これまでの小林芳規の角筆文献研究の成果[*1]をもとに、日本及び海外の角筆資料について紹介したい。**【写真1・2】**は日本の一地方の角筆で書かれた文字と角筆実物の例である。現存する角筆の遺品は、松平定信《まつだいらさだのぶ》公（一七五八～一八二九年）の象牙製のもの（三重県浜名市鎮国守国神社蔵、二十四cm余）から木・竹製の庶民のものまで、二十点以上存在する。

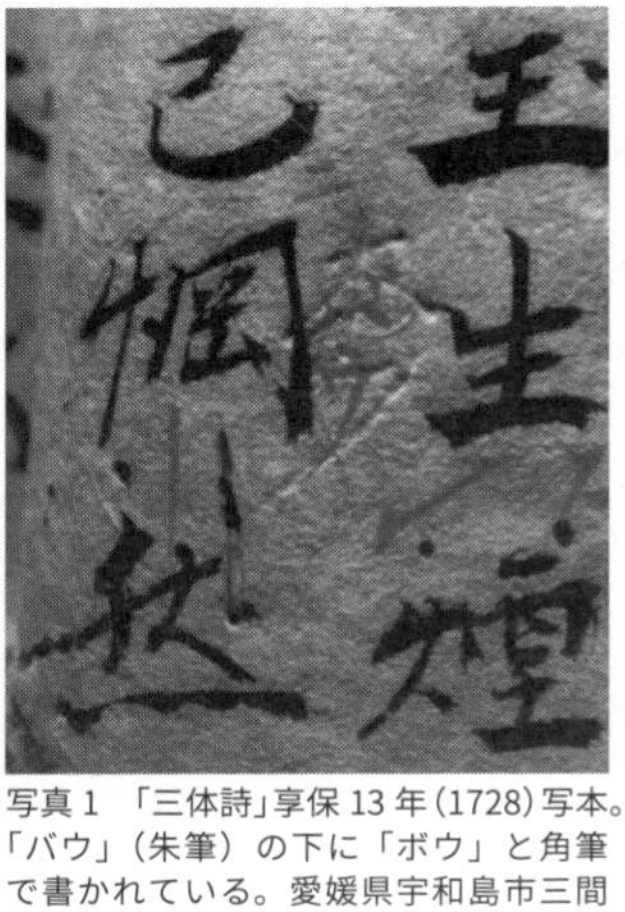

写真1　「三体詩」享保 13 年（1728）写本。「バウ」（朱筆）の下に「ボウ」と角筆で書かれている。愛媛県宇和島市三間町毛利家蔵。

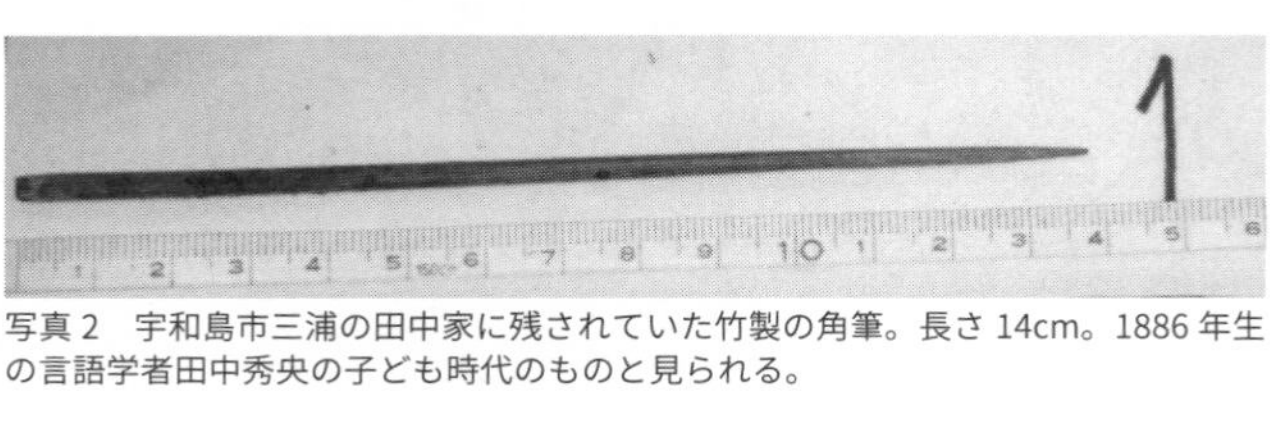

写真2　宇和島市三浦の田中家に残されていた竹製の角筆。長さ 14cm。1886 年生の言語学者田中秀央の子ども時代のものと見られる。

2 「角筆」と日本の漢文訓読資料

二〇二〇年の時点で、日本では奈良時代から大正時代にわたる各時代を通して、三千三百五十点余の角筆資料が発見されている。そして全国四十七都道府県のすべてに存在する。その資料の種類は、仏典・漢籍・国書・古文書・下絵・国定教科書・草稿等、さまざまな種類の資料があるが、多数存在するのは、寺院に残された仏教の経典や、寺社・藩校・旧家・図書館や公文書館等に残された漢籍の版本である。漢籍は角筆資料全体の八割を占めている。

書き入れの内容は、総じて漢字の日本語としての読み方が多い。日本各地で発見された内容を見ると、版本に付刻されている規範的な表記と異なる、各地の方言や言語変化の先駆けを反映したと思われる事象が見られる。例えば、石山寺の『沙弥十戒威儀経』（平安時代中期）に詳密に付された仮名は、平仮名に通ずる平安時代初期の女手の様相を示すものとされる。また、各地の藩校資料の中に残る江戸時代の漢字の振り仮名は、たとえば、山形県の庄内藩致道館《ちどうかん》版の『毛詩《もうし》』（天保六年［一八三五］刊）には「逝《ゆ》く」が「ヨぐ」と書かれ、群馬県立公文書館（小《お》此木《このぎ》家文書）の「四書集註《ししょしっちゅう》」では「襄公」の「襄」を「ジョウ」と読むべきところ、「シウ」（ジウ）となっている。これらは方言書との比較により、当時のその地域の方言を反映していると考えられるのである。

3 「角筆」使用の理由

ではどうしてこのような事象が角筆の場合に現れるのだろうか。

角筆には次のような利点がある。

①目立たない：メモに適しており、貴重な版本や写本の誌面を汚さず書き込める。

②無色である：墨継ぎが不要であるため、漢籍や経典の訓読の場で師の講説を短時間で書き込める。

小林は、毛筆が公的なものに使われる「晴れ」の文字であるのに対して、角筆は「私的性格」が強い「褻《け》」の文字であるとし、「わが国の古代文化に培った学問は、大学寮では漢籍をテキストとし、寺院では経典に基づいて、それぞれの漢文を訓読して読み解くことが中心であったから、多量の訓点資料が今日に伝存するに伴い、角筆の訓点を書き込んだ文献も多く遺ることになった。角筆の使用は、わが国では、訓点の世界に取り入れられて、独自の発達を遂げた」と述べている（『角筆のみちびく世界』）。

4 海外の角筆資料

海外に目を転ずれば、東アジアはじめヨーロッパでも角筆のような凹みの文字や点が見られる。[*2]

（1）韓国の角筆資料

韓国に角筆資料が存在することが分かったのは、二〇〇〇年二月であった。筆者は一九九九年に韓国の留学生を通じて、建国大学校常虚紀念図書館に四書五経等の漢籍が所蔵されていることを知った。これまでの日本の角筆資料調査の経験から、韓国の漢籍にもハングルの書き込みがあるのではないかと考えた。そこで、金容福建国大学校名誉教授に協力を仰ぎ、二〇〇〇年二月に初調査となった。その折に発見できたのが、同図書館蔵『洪範』（写本、十九世紀か、下絵の線）、『孔子家語』（版本、一七〇四年頃、区切り斜線）等五点、檀国大学校東洋学研究院蔵の『地蔵菩薩本願経』（雍正八年［一七三〇］版、圏点や節博士《ふしはかせ》様の線）一点、そして古書店で購入した『中庸章句大全』（版本、一八〇五年以降版、漢字）の表紙に書かれた「中庸／中庸　論語曰」等の文字であった。[*3] その後、同年七月に、小林を中心として韓国の南豊鉉韓国口訣《くけつ》学会会長ほか韓国の学会員との共同調査が行われた。そこで発見されたのが、誠庵古書博物館の初雕《しょちょう》高麗版『瑜伽師地論』に付けられた角筆の点吐《てんと》であった。この角筆資料は、それまでの韓国の訓読（釈読）史を十一世紀にまでさかのぼって研究することのできる資料として大きな注目を集めた。その後二〇一一年までに『周本華厳経』や『法華経』など十四種の角筆資料が発見され解読作業が進められている。[*4] そして、韓国における点吐の解読研究の進展や新資料の発見により、日本のヲコト点と古代韓国語の点吐との影響関係についての研究が進んでいる。

韓国の角筆資料は、二〇一四年現在、七世紀末・八世紀と十一〜十九世紀のものあわせて六十点が発見されているが、十八〜十九世紀の角筆資料の発掘調査・研究[*5]も今後期待される。

（2）ベトナムの角筆資料

漢文文化圏のもう一つの国、ベトナムについて触れておきたい。筆者はベトナムでの角筆資料の存在を確認するため、日本国内のベトナム関係の諸分野の研究者から情報を得て、二〇〇二年三月、ハノイにある漢喃《ハンノム》研究院と国家図書館の門をたたいた。その結果、国家図書館所蔵の医書『衛生要旨』巻七（R1204、写本、書写年代不明。朱筆で傍線と区切り点あり）から、角筆と思われる区切り点を発見した。その後同年九月〜二〇〇五年三月にかけて日本国内の東洋文庫や慶應義塾大学図書館松本文庫の越南本（安南本）調査、ベトナムの漢喃研究院および国家図書館の再調査を行った。[*6] その結果、東洋文庫蔵『詩経大全節要衍義』巻三・巻四（写本、X-1-3）に、角筆で斜線とアルファベット「H」の書き込みがあった**【写真3】**。本書には、朱筆で区切り点・圏点・アルファベット、鉛筆でアルファベットが記入されており、その文字は墨書でもよく見るベトナム式の「H」（中央に縦線を入れる書き方）であった。[*7]

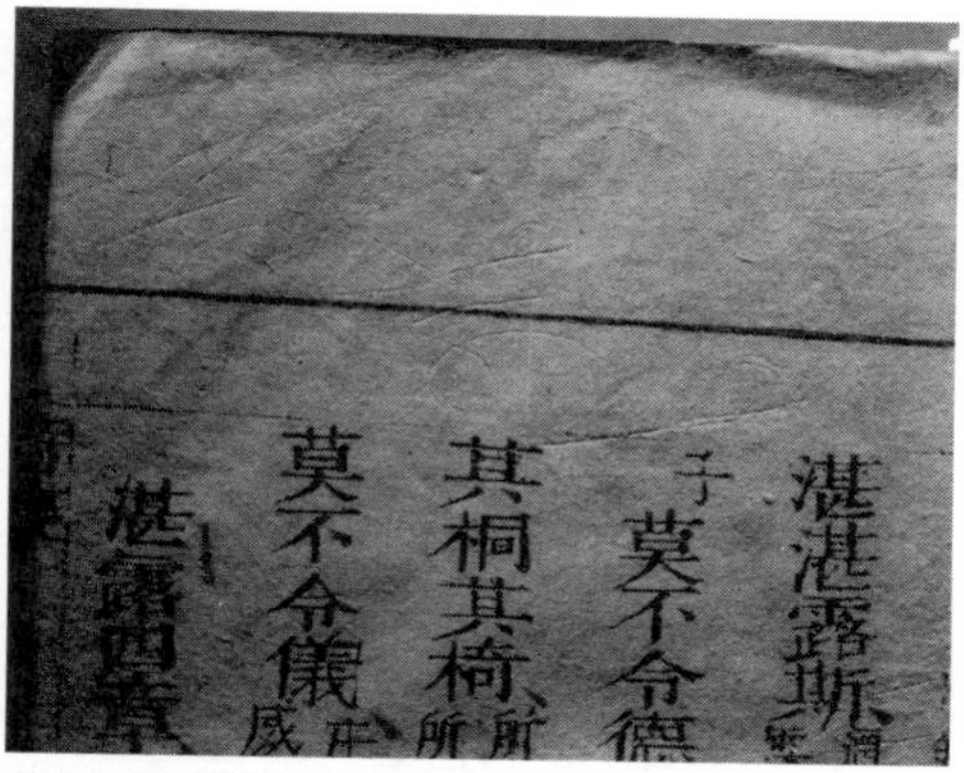

写真３　公益財団法人東洋文庫蔵「詩経大全節要衍義」（巻三、22 丁表）に書かれた「H」の例。3 行目「其」の上欄に右横に倒れた形で筆記体風に書かれている。落書きか。

　この他、国家図書館からは、『地蔵菩薩本願経』（版本、R1204）、『妙法蓮華経』（版本、R182、一九〇一年）、『状元詩（幼学五言詩）』（版本、嗣徳十六年［一八六三］刊、R482）、『三字経演音』（写本、R2042、一八九一年）、『幼学漢字新書』（写本、R1636）、『救刧皇経』（版本、R1059）が発見でき、年代がわかるものとしては十九世紀から二十世紀の資料七点で角筆の区切り点等が確認できた。また、漢喃研究院からは『太上感応篇誦式』（AC333）、『大方便仏報恩経』（AC376）、『仏説金剛経』（AC373）、『大般涅槃経』（AC519/1-2）、『地蔵菩薩本願経』（AC361）、『大乗起信論』（AC330）の六点から角筆の斜線や区切り点が発見できた。現段階では、その斜線等の機能の解明には至っていない。ベトナムにおいても漢文読解にあたって、角筆が使用されていた可能性が高い。

　ベトナムの訓読法や加点資料と日本の訓点資料との比較研究は、岩月純一、グエン・ティ・オアイン、小助川貞次らによって進められており、[*8] 今後、研究が進めば、角筆資料のさらなる発見と位置づけもできるだろう。

5　角筆資料研究の国際性と学際性

東アジアの漢字文化圏の角筆資料に共通する点の一つは、仏典に区切り符号や節博士、字音注など漢文読解や読経するための符号が書き込まれている点である。古代の仏典において、その比較を通して影響関係を探ることができる。今一つは、初学者の教科書となる漢籍にも角筆の書き入れがある点である。日本・韓国・ベトナムで共通に漢籍が存在する十八~十九世紀の角筆資料を学習記録と位置づけて、*9 それぞれの国で漢文文化の受容がどのように行われたか、その変容・発展・継承について、仏教史・文化史・教育史・医学史等諸分野の研究の蓄積を共有し共同研究を行うことができれば、それぞれの独自性を明らかにできるのではないだろうか。

金文京は「日韓の漢文訓読（釈読）の歴史—その言語観と世界観—」*10 の中で、朝鮮半島で「日本よりも早く漢文訓読を生み出し、また仮名と同じような漢字の略体で訓読時の助辞などを表記したにも関わらず、ほぼ朝鮮王朝中期を境に、訓読は急速に消滅」した理由を、新羅から朝鮮王朝に至るまで「朝鮮半島は中国の属国となる運命をまぬがれることができなかった」からであり、そこに自国を中国と対等な国と措定できた日本との大きな違いがあると述べている。そのような背景を考える時、両国の漢文訓読における角筆使用の意味は、どのように位置づけられるだろうか。

目に見える文字で描かれてきた世界を、目に見えない文字の側から見直す。国を越え分野を越えて協働で研究を進める漢文文化研究の国際性を学際性に、角筆資料が新たな視点を与えてくれるはずである。

注

1　小林林芳規『角筆文献の国語学的研究』（研究篇・影印資料編）（汲古書院、一九八七年）、『角筆のみちびく世界　日本古代・中世への照明』（中公新書、一九八九年初版）、『角筆文献研究導論』（上巻　東アジア編、中巻　日本国内篇（上）、下巻　日本国内篇（下）、研究　汲古書院、二〇〇四年・二〇〇五年）、『角筆のひらく文化史　見えない文字を読み解く』（岩波書店、二〇一四年）、藤本幸夫編『日韓漢文訓読研究』（勉誠出版、二〇一四年）の所収論文。

2　中国大陸の二〇〇〇年前の居延漢簡のような木簡や、五~一〇世紀の敦煌文献、日本に伝来した宋版一切経、中国大陸の明・清時代の資料などにも角筆の書き込みが存在することがわかっている。また、古代高地ドイツ語においても角筆様の筆記具による単語の書き込みが存在する。アンドレアス・ニーヴァーゲルト「中世ヨーロッパにおける石筆による注釈の書き込みについて」広島大学学術リポジトリ（二〇一八年九月一日検索）http://ir.lib.hiroshima-u.ac.jp/files/public/1/15537/20141016123423636505/StylusSympo2006_47.pdf　近年、中東でも発見されているという。

3　西村浩子「大韓民国における角筆文献発掘調査報告」、『松山東雲女子大学人文学部紀要』9、二〇〇一年。

4　呉美寧「韓国の口訣資料および口訣研究の現況について　附 研究文献目録」、藤本幸夫編『日韓漢文訓読研究』勉誠出版、二〇一四年。

5　柚木靖史「十九世紀の朝鮮半島版角筆文献─朝鮮半島における漢文訓読と角筆の返読線」、『山口国文』32、二〇〇五年、同「朝鮮半島の角筆文献─架蔵「小学」について」、『広島女学院大学論集』63、二〇一六年。

6　ベトナム本の調査研究は、「平成15～17年度科学研究費補助金基盤研究（C）（2）漢字文化圏における角筆文献の発掘調査並びに比較研究（研究課題番号15520278）」および「平成15～16年度科学研究費特定領域研究（2）東アジア出版文化の研究（公募研究）東アジアにおける漢文受容と角筆使用の関係（研究課題番号15021232）」の成果によるものである。

7　ハンノム研究院のラ・ミンハン研究員によれば、子どもの字ではないかということであった。

8　岩月純一「ベトナムの『訓読』と日本の『訓読』─漢文文化圏の多様性」（『訓読論　東アジア漢文世界と日本語』勉誠出版、二〇〇八年初版）、小助川貞次「ベトナムの加点資料について」（『訓点語と訓点資料』133、二〇一四年）、グエン・ティ・オアイン「講演記録　ベトナムの漢文訓導について」（『訓点語と訓点資料』133、二〇一四年）などがある。

9　原卓志「近世地方寺院における僧侶の修学と角筆使用」、『訓点語と訓点資料』112、訓点語学会、二〇〇四年。

10　藤本幸夫編『日韓漢文訓読研究』勉誠出版、二〇一四年。

【参考】角筆文献の調査方法

（1）日本国内の角筆資料名は、『角筆文献研究導論下巻　日本国内篇（下）』や各地の県立図書館等に寄贈されている「角筆文献目録」（一九九一～一九九九年版）で所蔵先や書名を確認できる。広島大学中央図書館内には「小林角筆資料室」が設置され（二〇二〇年八月）、角筆文献二百九十三点九百四十三冊が所蔵されている（『広大通信』155、二〇二〇年九月四日発行）。

（2）角筆資料の体裁は、冊子本・巻子本・一枚ものの紙等、多様である。角筆資料を発掘する場合には、使用感のあるものを選び、紙面に斜めからの光をあてると見つけやすい。書き入れのよく見られる場所は、行間・欄外・表紙などの文字を書くスペースがあるところである。自然光でもわかるが、懐中電灯やLEDのライトを斜め方向からあてると見やすい。なお、「角筆スコープ」という調査用に作られたライトがあるが、一般には市販されていない。角筆資料を所蔵する図書館には、小林芳規氏より寄贈された角筆スコープが保管されている場合もあるので、各図書館で確認されたい。

09 日中近代の翻訳語

西洋文明受容をめぐって

陳 力衛

1　なぜ漢語で訳したのか

日中近代の翻訳語はほとんど漢語によって担われている。その大きな背景として、江戸中期以降、幕府の朱子学を官学とする方針のもとで、中国の四書五経《ししょごきょう》などの漢籍が熟読されたことが挙げられる。この漢学の吸収とともに、朱子学の世界観が後に現れてくる西洋のそれと対比できる素地が整って、来るべき明治期の新概念の担い手となるよう多くの漢語が備えられた。そして、従来の漢文訓読による文章理解ではその朱子学の神髄に迫れないと批判している荻生徂徠《おぎゅうそらい》の一派は、むしろ同時代の中国語をマスターしなければ真の意味や精神を理解することができないと思って、長崎の中国人から唐話の学習を主張したおかげで、次第に口語を中心とした白話《はくわ》小説が流行し、近世日本文芸に多大な影響を及ぼしただけでなく、同時代の新しい表現――「中央、平常、純白、光景、感激」など唐話語彙の利用につながった。こうした漢文隆盛の時代を迎え、中国からのさまざまな書物の刺激を受けて、近世の漢学者たちは経学だけでなく、同時に、兵学、自然学、歴史・日本史など他の学問をもおこない、広範な分野にわたって漢学の広がりを見せた。

　そこで、十八世紀の蘭学の興起と相まって、いわゆる西洋との接触によって新知識の受容を伴う一連の書物が漢文で書かれるのも至極当然の流れであろう。医学の『解《かい》体新書《たいしんしょ》』（一七七四年）をはじめ、本草学《ほんぞうがく》の『六物新志《ろくぶつしんし》』（一七八六刊）や物理学の『気海観瀾《きかいかんらん》』（一八二七年）なども同じく漢文に訳されていた。そこからおのずと「神経、軟骨、盲腸」など漢語による翻訳語も生まれた。なぜこの新知識の分野でも漢文に訳すか、次の宇野哲人の説に耳を傾けよう。

> ……蘭学はもと医家によりて研究せられしも、幕府の末造之《これをつくる》に指を染むる者、屢々《しばしば》漢学者の間に起れり。箕作紫川《みつくりしせん》・大槻磐水《おおつきばんすい》の如き、漢学の素養により

て蘭学に進みしもの、安井息軒《やすいそっけん》の如きも、天文地理工技算数に於ては洋学の説く所を取り、其の他学者にして之を窺へるもの少なからず。明治初年、中村《なかむら》敬宇《けいう》能く西洋道徳の粋を訳出し、其の説穏健妥当なりしは、其の基礎漢学にありしは世人の周知する所なり。……当時の智識階級に属する者、能く漢学によりて頭脳を錬磨したれば、遂に西洋文明に接触するも周章狼狽することなく、之を咀嚼し之を消化し、採長補短以て国民をして大勢の趨《ゆ》く所に順応して謬《あやま》らざるを得しめし也。

（竹林寛一編『漢学者伝記集成』関書院、一九二八年）

要は「漢学の素養」があって「西洋文明に接触するも周章狼狽することなく、之を咀嚼し之を消化し」たことができるということである。むろんそこには、すでに中国で出版され、漢文で書かれた西洋知識の関係書物——漢訳洋書という手本があった。前期の十七世紀以来のイエズス会士による『職方外記《しょくほうがいき》』『坤輿図説《こんよずせつ》』『天主実義《てんしゅじつぎ》』など歴史・地理を中心としたものと、後期の十九世紀以来の『聯邦志略《れんぽうしりゃく》』『博物新編《はくぶつしんぺん》』『万国公法《ばんこくこうほう》』のような政体・科学・法律などの紹介書や、さらに中国人の手による『海《かい》国図志《こくずし》』などもことごとく和刻され、漢文訓読の方法を通して日本に受容され、同時代の日本人に大いなる知的刺激を与えたことも忘れてはいけない。

したがって、いわゆる外来概念の翻訳に迫られるようになった際、漢文理解という日中知識人の共通項をもって、在華宣教師たちが西洋知識に関する概念を、「地球、幾何、代数、緯度、経度、地平線、顕微鏡、羅針盤」のような漢語で対訳したり、日本人が蘭書の翻訳による新造語「神経、軟骨、盲腸」などで対応させたりすることもありえた。

十九世紀に入ってから中国ではより具体的な専門領域の書物が出され、「電気、汽車、権利、議会、自治、責任、民主」といった新しい概念を表す語が使われるようになった。また、清朝廷により一八六二年に設立された同文館や江南製造局翻訳館などの外国書翻訳機構で出された『格物入門《かくぶつにゅうもん》』『三角数理《さんかくすうり》』『化学鑑原《かがくかんげん》』『地学浅釈《ちがくせんしゃく》』などの近代科学の翻訳書籍からも多くの専門語彙が誕生した。それらの書物はいずれも日本で翻刻されたことで、中国語から日本語への近代語彙の流入が顕著に見られた。さらに十九世紀に中国で刊行されたモリソンの『華英英華字典』(一八一五〜二三年)、ウィリアムス『英華韻府歴《えいかいんぷれっ》階《かい》』(一八四四年)、メドハーストの『英華字典』(一八五四〜五五年)、ロプシャイト『英華字典』(一八六六〜六九年)などの英華字典には、外来概念との対訳によって生まれた「法律、医学、新聞、単位、恋愛、金字塔」などが見られ、それらの辞書も日本での翻刻を通して、または英和辞書の訳語を定めるのに利用されることで、漢語訳語がそのまま日本語として受け入れられるようになった。

こうして十七世紀以来中国で出版された漢訳洋書や十九世紀以来の英華字典などが素早く導入されることによって、日本人は世界情勢に関する新知識を獲得するとともに、西洋文明の受容も中国経由というルートで行われた。

一方、日本では、蘭書の翻訳による新造語のほか、「版権」(福沢諭吉)、「哲学」(西周《にしあまね》)、「国際法」(箕作麟祥《みつくりりんしょう》)、「人格」(井上哲次郎)など、近代啓蒙家・思想家の貢献も無視できないが、「抽象、範疇、絶対、相対」など、『哲学字彙』(一八八一年)に見られるような翻訳語が、次第に哲学、思想、社会の領域にわたって増え始め、明治後期から「人生観、世界観、美学、幻覚、個性、錯覚、性能」など抽象概念を表す訳語も次から次へと生み出された。さらに「的、性、化、界、主義、階級」のような接尾的造語による三字語、四字語の翻訳も増加した。大正期から昭和中期までには「座談会、半導体、赤外線、三角関係、特権階級、最後通牒」など多様な漢語がその時々の需要に応じて翻訳され創出された。

そこで、日本語における漢語訳語を整理すると、蘭学以来の日本人による独創の訳語「元素、水素、悲劇、喜劇、郵便、美学」などはもちろんのこと、既存の中国古典漢語を用いて西洋概念に対訳させた「経済、社会、文化、文明、革命、観念、福祉、写真」や、近代中国の漢訳洋書や英華辞典から直接借りた「電気、電報、地球、銀行、化学、直径、風琴」なども、訳語としてみることができよう。

2　翻訳語の漢字文化圏への拡散

日本で創出された翻訳語も中国由来の訳語も、一旦日本語に蓄積されたのち、十九世紀の末から二十世紀にかけては、近代化を目指すアジア周辺国への拡散が始まった。中国では、一八九八年「広く日本書を訳せ」というスローガンのもとで日本書物の翻訳が盛んに行われ、新聞雑誌や対訳辞典や日本滞在経験のある有名知識人の文章も中国へ新語・訳語を伝える重要なルートとなった。いわゆる日本経由の近代知識の受容である。

漢字漢語の形はそのまま伝わっていて、同時に直接その意味をも借用することになる。その量が多くて、上記の日本人による訳語のほか、古典中国語による訳語と近代中国の訳語も一気に中国語に「回帰」してしまう。洪水のごとく流入したこのような「新名詞」に対して、中国知識人が相当な抵抗もしたものの、最終的には抗うことができなかった。それだけでなく、「瓦斯《ガス》、倶楽部《クラブ》、淋《リン》巴《パ》、浪漫《ロマン》」のように、日本人が音訳した語の漢字形態も中国語読みとして取り入れられるし、純然たる和語や国字なども同じく、「入口、出口、立場、広場、打消、取消、取締、引渡、場合、見習」など訓読みされた語も、日本語の読みを捨象して中国語の漢字発音に一括されている。さらに、近代概念や西洋の度量衡を表す「腺、瓩、癌、糎」などの日本独自の国字による訳語も同じ方法で借用されている。

東アジアに位置しながらも、近代における日本と中国の知識人が救国の方策を西洋に求めている点が同じである。すると、同一なる西洋語のテキストから、日中両国はそれぞれ独自の翻訳が出され、しかも相互に没交渉で参照関係も見られないという現象が翻訳史に現れてくる。そこで、日本において、同一の外来概念に対して既存の蘭学由来の訳語に加えて、上記のように中国語で書かれた漢訳洋書でも日本の西洋知識の受容の媒体となりうるから、中国からの訳語も入ってくることになる。結果的に「越暦《エレキ》（日）→電気（中）」「舎密《セイミ》（日）→化学（中）」のように、訳語の交代があったり、「共和（日）―民主（中）」がrepublic、「裁判（日）―審判（中）」がjudgmentのように、同一英語概念に対する二つの訳語が同時に日本語に存在する一時期があり、後に意味の棲み分けをして共存したりするものもある。

一方、中国においても、歴史的に宣教師の訳語を継承するか、独自に新訳を試みるか、という用語のずれをいかに克服するかの問題がある。たとえば、同じ英語のunitに対して、宣教師の英華字典では「単位」と訳したのに対して、近代の啓蒙思想家厳復は時代的に後でありながら、新たに音訳の「么匿《ヨーニ》」をもってそれに当てる。結果的には二十世紀初頭では今度は日本経由で回帰した「単位」とのせめぎあいで後者が消えることとなった。

　また、日本で新概念に対して最初に漢語の意訳「電視」「排球」を試みたが、後に「テレビ」「バレーボール」による音訳語が一般的になり、漢字語は忘れ去られていて逆に中国語として用いられるケースもある。さらに「徳律風 telephone→電話」「徳莫克拉西 democracy→民主」のように昔は中国語では音訳を使ったものの、今は日本経由で入った意訳語にシフトしたものもある。

　こうした日中の訳語の往来を通して、近代中国語に新たな息吹を吹き込んだだけでなく、日中両国語における同形語の増大の一因ともなっている。

　さらに新思想・新概念を表す近代翻訳語が朝鮮半島やベトナムなど東アジア漢字文化圏へと流通し、近代化への知的共有財産として概念の共通理解に寄与したことが大であろう。

参考文献

・竹林寛一編『漢学者伝記集成』関書院、一九二八年。
・荒川清秀『近代日中学術用語の形成と伝播』白帝社、一九九七年。
・池上禎造「漢語流行の一時期—明治前期資料の処理について」、『国語・国文』一九五七年六月初出、のち『漢語研究の構想』岩波書店、一九八四年に再録。
・朱京偉『近代日中新語の創出と交流』白帝社、二〇〇三年。
・沈国威『改定新版近代日中語彙交流史』笠間書院、二〇〇八年。
・『近代中日詞彙交流研究：漢字新詞的創製、受容与共享』中華書局、二〇一〇年。
・高野繁男『近代漢語の研究』明治書院、二〇〇四年。
・田中牧郎「雑誌コーパスでとらえる明治・大正期の漢語の変動」、『国際学術研究集会 漢字漢語研究の新次元 予稿集』国立国語研究所、二〇一〇年。
・野村雅昭「現代漢語データベースからみえてくるもの」同上。
・宮島達夫「現代語いの形成」、『国立国語研究所論集』一九六七年。
・森岡健二「訳語の方法」、『言語生活』一九五九年十二月、『改定近代語の成立』明治書院、一九九一年に再録。
・陳力衛『和製漢語の形成とその展開』汲古書院、二〇〇一年。
・陳力衛『近代知の翻訳と伝播—漢語を媒介に』三省堂、二〇一九年。
・高名凱、劉正埮『現代漢語外来詞研究』文字改革出版社、一九五八年。
・大西克也、宮本徹『アジアと漢字文化』放送大学教材、二〇〇九年。

第3部　漢文を書く

01 東アジアの漢文

金 文京

1 「漢文」とは何か?

今日、日本で「漢文」と言えば、おそらく誰もが『論語』や『孟子』、『史記』など、高校の「漢文」教科書に出てくるような文章を思い浮かべるであろう。しかしこの「漢文」は日本での呼称であって、本家の中国では「文言文」、または「古文」と言い、「漢文」は漢代の文章のことで、場合によっては漢の文帝など、まったく別の意味になる。この日本での「漢文」という呼び方は、「和文」に対するもので、その背景にあるのは、和(日本)と漢(中国)を対比または対峙させる考え方である。このような考え方は、『和漢朗詠集』(一〇一三年頃)のように、平安時代中期から顕著になった。その時代すでに「和文」に対して「漢文」という場合もあったようだが、[*1] 広く用いられるようになったのは、おそらく室町末期から江戸時代になってからであろう。『日葡辞書《にっぽじしょ》』(一六〇三~四年)の"Canbun"(カンブン)の項には、「正しい言語・文字、文体で書かれたシナの書状や文書」とあり、これは当時広く用いられていた日本的な変体漢文に対して言ったもののようである。[*2] ただし「シナの書状や文書」といっても、かならずしも中国人の著作には限定されず、規格にのっとって書かれた日本人の文章も含まれたはずである。

このような日本的な意味での「漢文」は、現在の中国でも、たとえば「越南(朝鮮、日本)漢文小説」のように、特

に東アジア的な視点からこの文体を問題にする場合には、学界の一部ではあるが使われている。また韓国、北朝鮮での「漢文」（한문 ,Hanmun）は日本とほぼ同義であり、ベトナム語の"Hán văn"も同様であるらしい。[*3]

この「漢文」を文学史的に定義すれば、先秦時代の儒家を含む諸子百家およびその流れを汲む漢代の文章、「左国史漢」（『春秋左伝』、『国語』、『史記』、『漢書』）などの歴史書、そして唐代中期の韓愈《かんゆ》、柳宗元《りゅうそうげん》の古文運動以後の唐宋八家（上記唐代の二人と北宋の欧陽脩《おうようしゅう》、蘇洵《そじゅん》、蘇軾《そしょく》、蘇轍《そてつ》、曾鞏《そうきょう》、王安石《おうあんせき》）の文章およびそれを模範とする後代の文章ということになろう。漢字で書かれた文章には、この他にも対句を駆使し、平仄《ひょうそく》にも配慮した駢儷文《べんれいぶん》、手紙の文体である尺牘文《せきとくぶん》、官庁文書で用いる吏文、梵語の影響を受けた仏教漢文、近世口語を反映した白話文、さらに日本など近隣諸地域で現地語の影響を受けた変体漢文などがあるが、それらについては本書の別の部分で紹介されているので、ここでは上に述べた狭義の「漢文」に話を限定することにする。この狭義の「漢文」こそは、中国だけでなく、その影響を受けた東アジア漢字文化圏において、もっとも重んじられた文章の正宗だからである。

ただしここでは、漢文の文法や構造の説明は目的とせず、それは参考文献に譲り、以下、その性格と文化的意義について、実例をもって示すことにしたい。

2　時空を超えた均一性——舜伝説の文章を例として

古代の伝説上の帝王である舜《しゅん》が、即位前に父の瞽叟《こそう》と継母、継母の連れ子で異母弟の象《しょう》によって殺されそうになりながらも孝行を尽くす話は、中国の民間伝説の中でも、もっとも古くかつ広く語り継がれた話である。その現存最古の伝承は戦国時代の『孟子』「万章篇上」に見える。舜を倉庫の屋根に上らせ、焼き殺す企てが失敗した後、今度は井戸に入らせ、上から石を落とす。今度こそ舜は死んだと思った象は、舜の妻である堯《ぎょう》帝の二人の娘と、堯が舜にあたえた財産をどう分配するかを父母に語るが、舜が生きているのを知って狼狽する。その部分の『孟子』の文章は、以下のとおりである。

①『孟子』「万章篇上」

象曰：「謨蓋都君、咸我績。牛羊父母，倉廩父母。干戈朕，琴朕，弤朕，二嫂使治朕棲。」
象往入舜宮，舜在牀琴。象曰：「鬱陶思君爾。」忸怩。舜曰：「惟茲臣庶，汝其于予治。」

象曰く、「都君を蓋《おお》うことを謨《はか》りしは、咸《み》な我が績《てがら》なり。牛羊は父母、倉廩《そうりん》は父母。干《たて》と戈《ほこ》は朕《われ》、琴は朕、弤《ゆみ》は朕、二《ふた》りの嫂《あによめ》は朕《わ》が棲《ふしど》を治《おさ》めしめん」と。

象は往きて舜の宮《いえ》に入るに、舜は牀に在りて琴ひけり。象曰く、「鬱陶《うつとう》として君を思うのみ」と。忸怩《じくじ》す。舜曰く、「惟れ茲《ここ》の臣庶《しんしょ》、汝《なんじ》其れ予《わ》が于《ため》に治めよ」と。

てっきり舜は死んだと思い込んだ象は、「都君（舜）を井戸に入れて上から覆って殺す計画は、すべて自分の手柄だ。だから舜の牛馬や倉庫は父母にやるが、武器や琴は自分の取り分で、舜の二人の夫人も自分の寝どこの世話をさせる、つまり自分の妻にする」と宣言し、意気揚々と舜の家に行ってみると、なんと舜が床で琴を弾いているではないか。とっさに、「あなたのことをずっと心配していました（「鬱陶」は気がふさぐさま、または心楽しいさまという説もある）」と胡麻化したものの、恥ずかしくなり狼狽すると、舜は、「自分の臣下たちも、おまえが私のために管理したらよい」と言った。

ところでこの文章は、「朕」を「我」の意味（「朕」は秦の始皇帝が皇帝専用とする前は、ふつうの一人称「われ」であった）で使い、また「牛羊父母」以下、動詞がなく、「琴」を動詞として用いるなど、『孟子』の他の部分とはあきらかに異なる古めかしい文体になっていて、儒教経典の中でももっとも成立の早い『書経』の佚文《いつぶん》であるという説もある。ともかく『孟子』以前の古い書物からの引用で、通常の漢文の文体ではない。

②前漢・司馬遷（紀元前一三五?～八六?年）『史記』「五帝本紀」

『孟子』に継いでこの伝説を述べるのは、司馬遷《しばせん》の『史記』「五帝本紀」である。『史記』では、この部分は次のように書かれている。

瞽叟、象喜，以舜為已死。象曰：「本謀者象。」象与其父母分。於是曰：「舜妻堯二女与琴，象取之。牛羊、倉廩予父母。」象乃止舜宮居，鼓其琴。舜往見之。象愕不懌曰：「我思舜正鬱陶。」舜曰：「然爾其庶矣。」

瞽叟《こそう》と象《しょう》は喜び，舜を以て已《すで》に死せりと為す。象曰く、「本《も》と謀《はか》りし者は象なり」と。象は其の父母と分かつ。是《ここ》に於いて曰く、「舜の妻の堯《ぎょう》の二女と琴は、象これを取る。牛羊、倉廩は父母に予《あた》えん」と。象は乃《すなわ》ち舜の宮《きゅう》居《きょ》に止《とど》まり、其の琴を鼓《こ》す。舜往きてこれを見る。象は愕《おどろ》きて懌《よろこ》ばずして曰く、「我れ舜を思いて正に鬱陶たり」と。舜曰く、「然らば爾《なんじ》は其れ庶《ちか》し矣」と。

瞽叟と象は、舜が死んだものと思って喜び、象は自分の手柄だと言って、父母と財産分けをした。その内容は『孟子』とほぼ同じである。そして象が舜の家で琴を弾いていると、そこへ舜がやって来たので驚いて不快に思い、「ちょうどあなたのことを心配していたところだ」と言うと、舜は、「それならおまえも兄弟思いに近いな」と答えた。

『孟子』とほぼ同じだが、ただ『孟子』では、象が舜の家に行くと、そこに舜がすでにいて琴を弾いていたのに対し、『史記』では逆に、象が舜の家で琴を弾いていると、そこへ舜が来たことになっている。なぜこのような違いが生じたのかはわからないが、「庶」は『孟子』では「臣庶」（臣下たち）の意味、『史記』では「ちかい」という意味になっているという相違はあるものの、同じ「庶」が使われており、また「鬱陶」も両者に共通しているので、両者は資料的に何らかの関係があると思える。ただ『史記』のように、象が先に舜の家にいる場合、舜の二人の妻の貞操が疑われることになり（琴を弾くことは、男女和合の隠喩にもなりうる）大問題であるが、ここではこれ以上この問題には立ち入らないことにする。

『史記』のこの文章では、『孟子』の「牛羊父母，倉廩父母」などの無動詞文に対し、「牛羊、倉廩は父母に予《あた》えん」

と動詞「予」があり、また『孟子』では動詞であった「琴」が「琴を鼓す」と名詞になっている。『史記』の文章は典型的な漢文であるとして問題ない。

③後漢・趙岐（一〇八～二〇一年）『孟子』註

次に後漢末の趙岐《ちょうき》による『孟子』の註釈の該当部分を挙げる。趙岐の註釈は語義の説明が主であるが、ここでは文義も解説している。

> 象曰：「謀覆於君而殺之者，皆我之功。」欲以牛羊、倉廩与其父母。象見舜生在牀鼓琴，愕然反辞曰：「我鬱陶思君，故来。」爾辞也。忸怩而慙，是其情也。「惟念此臣衆，汝故助我治事。」
>
> 象曰く、「君を覆《おお》いてこれを殺さんと謀《はか》りし者は、皆な我の功なり」と。牛羊、倉廩を以て其の父母に与《あた》う。象は舜の生きて牀に在りて琴を鼓するを見て、愕然として辞を反《かえ》して曰く、「我鬱陶として君を思う、故に来れり」と。爾は辞（助辞）なり。忸怩として慙《は》ずは是れ其の情なり。「惟《こ》れ此の臣衆を念《おも》う、汝故《もと》より我を助けて事を治《おさ》めよ」と。

「爾は辞なり」とは、『孟子』の「鬱陶思君爾」の「爾」は助辞だとの説明である。全体としてはむろん『孟子』の内容にそって説明しているが、「愕然」は『史記』の「象愕不懌」の「愕」を使ったのであろう。これもむろん典型的な漢文であるが、ただ『孟子』原文の「都君」の「都」を、趙岐は助辞の「於」であると解釈している。このように動詞（覆）とその直接目的語（君）の間に助辞「於」を挿入する語法は、仏教漢文に多く見られ、*4 漢文としては異例である。

④南宋（十二世紀）『孟子正義』

次に前記趙岐の註釈に対する北宋の孫奭《そんせき》（九六二～一〇三三年）の疏《そ》（註釈の再註釈）を挙げよう。ただしこの疏は、実際には孫奭のものではなく、後の南宋の時代、邵武《しようぶ》（福建省北部）の士人が孫奭に仮託して書いたとされる。*5

象乃曰：「謀揜蓋而殺都君者，皆我之功也。」又曰：「牛羊与父母，倉廩与父母，干戈留我，琴亦留我，弤亦留我，二嫂使治我之牀，以為我妻。」於是象遂往入舜之宮，遇舜又在牀而鼓五絃之琴，愕然反其辞曰：「我氣閉積思憶君，故來此。」遂忸怩其顔，而乃慙恥形於面容也。舜曰：「念此臣之衆，汝其来助我治耳。」

象乃ち曰く、「揜《おお》い蓋《おお》いて都君を殺さんと謀りし者は、皆な我の功なり」と。又曰く、「牛羊は父母に与え、倉廩は父母に与え、干戈は我に留め、琴も亦た我に留め、弤《ゆみ》も亦た我に留め、二嫂《にそう》は我が牀《ねどこ》を治めしめ、以て我が妻と為さん」と。是に於いて象は遂に往きて舜の宮に入り、舜が又た牀に在りて五絃の琴を鼓するに遇う。愕然として其の辞を反《かえ》して曰く、「我れ気は閉じ思い積もりて君を憶う、故に此に来たる」と。遂に其の顔を忸怩とし、しかして乃ち慙恥《ざんち》は面容に形《あらわ》るなり。舜曰く、「此の臣の衆《おお》きを念《おも》い、汝《なんじ》其れ来りて我れを助けて治めんのみ」と。

この文章は、趙岐の註釈を踏まえながらも、『孟子』の文章を逐語的にふつうの漢文に改め、さらに「二嫂は我の牀を治めしめ」についで「以て我が妻と為さん」、「忸怩」について「其の顔を忸怩とし、しかして乃ち慙恥は面容に形る」など原文にはない説明的な文を挿入し、また原文の「鬱陶」を「気は閉じ思い積もり」と言い換えるなどの配慮が見られる。これは再註釈である疏の性格からすれば当然ではあるが、より広範囲な読者に、わかりやすく説明しようとの意図が働いているであろう。

⑤明・湛若水（一四六六〜一五六〇年）『格物通』

次に王陽明と並ぶ明代中期の思想家として知られる湛若水《たんじやくすい》の『格物通』にも、『孟子』のこの部分を書き改めた文が見える（巻五七「公好悪」）。

象言：「謀揜蓋殺舜於井中者，皆我功。故牛羊、倉廩皆与父母，干戈琴弤皆当与我。二嫂舜之二妃，当治我棲。」乃往舜宮，而舜已在牀鼓琴矣。象乃言：「我思兄之切，鬱陶而気不得伸。故来見爾。」象此時蓋有忸怩慙愧之色。

舜乃言曰：「我有臣庶之衆，汝其治之。」

象言わく、「揜い蓋いて舜を井中に殺さんと謀りし者は、皆な我が功。故に牛羊、倉廩は皆父母に与え、干戈、琴、弤は皆な当《まさ》に我に与うべし。二嫂は舜の二妃、当に我が棲《ねどこ》を治むべし」と。乃ち舜の宮に往く。而《しこう》して舜は已に牀に在りて琴を鼓せり。象は乃ち言わく、「我れ兄を思うこと切にして、鬱陶として気は伸ぶことを得ず、故に来りて見《まみ》ゆ爾《のみ》」と。象は此の時、蓋《けだ》し忸怩として慙愧の色有り。舜は乃ち言いて曰く、「我れに臣庶の衆有り、汝其れこれを治めよ」と。

これも孫奭の疏と大同小異だが、「鬱陶として気は伸びるを得ず」のように、原文の「鬱陶」と説明の「気は伸びるを得ず」を併記するなど工夫が見られる。

⑥明・張居正《ちょうきょせい》（一五二五～一五八二年）『四書集注直解』

張居正は神宗の万暦年間（一五七三～一六二〇年）初年の宰相だった人物で、『四書直解』は張居正が幼い万暦《ばんれき》帝のために、『四書』をわかりやすい白話で解説したものである。白話といっても、実際には平易な文言である。

象只道舜已斃井中，自謂得計，乃誇説：「今日謀蓋都君于井中，皆我之功。凡都君所有之物，我当与父母共之。若牛羊，若倉廩，皆以帰之父母。若干戈，若琴若弤，我自用之。二嫂娥皇、女英，則使治我寝臥之榻。」遂往入宮，欲分取所有。不意舜已先至其宮，在床鼓琴。象既見舜，無詞可解，乃仮意説：「弟因思兄之甚，気結而不得伸。故来見耳。」乃其真情発見，則不覚有忸怩之色焉。此時舜則不嗔怪，卻乃喜而謂之説：「凡茲百官，我一人不能独理。汝其代予治之。」

象は只だ舜は已に井中に斃《たお》れしと道《おも》い、自ら計を得たりと謂《おも》いて、乃ち誇《ほこ》りて説《いわ》く、「今日都君を井中に蓋うを謀りしは、皆な我が功。凡そ都君の所有物《あらゆる》、我れ当に父母とこれを共にすべし。牛羊の若《ごと》き、倉廩の若きは、皆な以てこれを父母に帰《あた》う。干戈の若き、琴の若き、弤の若きは、我れ自《みずか》らこれを用いん。二嫂の娥皇《がこう》、女英《じょえい》（二夫人の名前）は、則ち我が寝臥《しんが》の榻《とう》を治めしめん」と。遂に往きて宮に入り、有る所を分け取らんと欲す。意《はか》らざりき、舜已に先に其の宮に至り、床に在りて琴を鼓するとは。象既に舜を見て、解すべきの詞無し。乃ち仮りの意に説く、「弟は兄を思うことの甚しきに因りて、気結《むす》ぼれて伸びるを得ず。故に来りて見ゆ耳《のみ》」と。乃ち其の真情発見《あらわれ》て、則ち覚《おぼ》えず忸怩の色有り。此の時、舜は則ち嗔《いか》り怪《とが》めず、卻《かえ》って乃ち喜びてこれに謂いて説く、「凡そ茲《こ》の百官、我れ一人にては独《ひと》り理《おさ》めることあたわず。汝《なんじ》其れ予《われ》に代りてこれを治めよ」と。

この文章は、それまで「棲」「牀」であったのを、はじめて「寝臥之榻」（ベッド）と具体的に表現したほか、「只道」（ただ〜おもう）、「説」（言う）、「帰」（現代語の「給」と同じで、あたえる）など、口語的な語彙を使用しつつも、全体としてはなお文言の文体を保っており、いわば通俗的な漢文とでも称すべきもので、漢文としては緊張感に欠ける平板な文体になっている。いわゆる白話小説の中でも、『三国志演義』などは、この通俗漢文体で書かれている。

⑦明・鍾惺（一五七四〜一六二四年）編集・馮夢龍（一五七四〜一六四六年）鑑定『按鑑演義帝王御世盤古至唐虞伝』巻上

最後にこの箇所を白話でリライトした例を紹介しよう。明の万暦年間は、『三国志演義』や『水滸伝』などの白話小説が数多く出版された時期である。その中に盤古による天地開闢から堯、舜までの時代を扱った作品が、すなわちこの『按鑑演義帝王御世盤古至唐虞伝』である。鍾惺《しょうせい》は当時の有名な詩人、馮夢龍《ふうぼうりょう》は白話短編小説集『三言《さんげん》』などの編者であるが、これは仮託であると思える。訓読はできないので、現代語訳を附す。

象将井填完，対父母道：「都是我的妙計。如今没了舜，甚麼都君。且把他家私依我分派。帝堯与他的牛羊、倉廩，把与父母作養膳。干戈与七絃琴、弓弳，把与我。二位嫂嫂，使他代我敷床。」父母也不拗他道：「這便随你。」象好不快活，想着嫂子，吟吟的驀来舜房中。忽聴得琴声悠然，想道必是娥皇、女英二嫂，不曉得他的丈夫已作九泉下鬼，還在這里井井蓬蓬的彈絃弄琴。及進房裏，那裏是二嫂，便是那謀殺不死的冤家。象見了，頂門上掉了三魂，身子裏去了七魄。又転歩不得，好生没趣。乃仮装言道：「我諫父母不聴，定要下此毒手。我思君情切，鬱鬱在心。」舜不好説得，只道：「我那百官不識我無事，汝且去代我安頓他一安頓。」

象は井戸を埋めると、父母に、「みな私の妙計のおかげです。今や舜はいません、何が都君だ。さてやつの財産を私が分配しましょう。堯が彼にあたえた牛羊、倉庫は父母にあげて養老の手立てとしましょう。武器と七絃琴と弓は、私にください。二人の兄嫁は私のために布団を敷かせよう」と言った。父母もそれに逆らわず、「好きにしたらよい」と言った。象はうれしくなって、兄嫁のことを思い、鼻歌気分で(?)急いで舜の家に行ってみると、突然琴の音色が聞こえてきたので、てっきり娥皇、女英の二人の兄嫁が、夫が死んだのも知らないで、まだここでテンテンポロポロと琴を弾いているものと思ったが、家に入ってみると、二人の兄嫁ではなく、あの謀殺しても死なない仇ではないか。象はそれを見ると、頭のてっぺんから三魂が落ち、体から七魄が抜けた。といって帰るわけにもゆかず、まったく興ざめであるが、素知らぬふりをして、「私は両親を諫めましたが、どうしてもひどい仕打ちをしろと言われました。私はあなたのことを思って切なく、心は鬱々としていました」と言った。舜は何と言ってよいかわからず、ただ「私のあの百官たちは、私が無事だと知らないので、おまえ代りに行って安心させておくれ」と言った。

文体、語彙の違いは明らかであろう。「吟吟的」、「井井蓬蓬」などの擬態語、擬声語も白話ならではの特徴である。「頂門上掉了三魂，身子裏去了七魄」は、『水滸伝』(七十四回)などにも見える白話小説の常套文句である。また象が琴を弾いているのは兄嫁だと勘違いするなどの尾ひれがつき、また最後の舜の言葉も原文とは異なっている。これらはむろん小説ならではのフィクションではあるが、文体が変化したことが、フィクションの挿入を可能ならしめたと考えられる。

以上紀元前三、四世紀の人である孟子から十七世紀の小説までの変遷を見てきたが、最初の『孟子』と最後の白話小説の文体が著しく異なるものの、中間の司馬遷から湛若水、あるいは張居正まで、『史記』の内容が一部ほかと異なり、後世になるほど叙述が説明的で詳細かつ平易になるとはいえ、前後約千六百年間にわたって、文体としてはほぼ均一性を保っていると言えるであろう。『孟子』から『史記』（司馬遷が『孟子』を資料とした証拠はないが、それに類する古文献に基づいたと考えられる）、文言文から白話小説へと、文体が大きく変わった時に、内容も変化しているのも、あるいは偶然ではないかもしれない。

また司馬遷と趙岐は北方の出身であるのに対して、孫奭に仮託して疏を書いたのは福建の士人、湛若水は広東の出身で、ともに現在でも北方とは著しく異なる方言が話される南方人である。このように時空の変化、口語の変遷にさほど影響されず、人工的で均一な文体を保持したところに文言文、古文、すなわち漢文の最大の特徴があると言えるであろう。

そしてこの時空を超越した均一な文体は、中国国内だけにとどまらず、広く漢字文化圏全体にまで広まった。次にその例を見てみよう。

3　東アジア漢字・漢文文化圏の共通性——諸葛孔明に対する評論

中国の歴史上の人物で、中国だけでなく東アジア全体で、もっともその名がよく知られ、かつ人気の高い人物は、おそらく『三国志』の諸葛孔明《しょかつこうめい》であろう。以下の三篇は、その諸葛孔明に対する論評である。

①殺一不義而得天下，有所不為，而後天下忠臣、義士楽為之死。劉表之喪，先主在荊州。孔明欲襲殺其孤，先主不忍也。其後劉璋以好逆之，至蜀不数月，扼其吭，拊其背，而奪之国。此其与曹操異者幾希矣。曹劉之不敵，天下之所知也。言兵不若曹操之多，言地不若曹操之広，言戦不若曹操之能。而有以一勝之者，区区之忠信也。孔明遷劉璋，既已失天下義士之望，乃治兵振旅，為仁義之師，東嚮長駆，而欲天下嚮応，蓋亦難矣。

一の不義を殺して天下を得るも、為さざる所有り、而して後に天下の忠臣、義士はこれが為に死せんと楽《ねが》う。劉表の喪《し》ぬるとき、先主は荊州《けいしゅう》に在り。孔明は其の孤《みなしご》を襲い殺さんと欲するも、先主は忍びざるなり。其の後に劉《りゅう》璋《しよう》は好《よしみ》を以てこれを逆《むか》えるも、蜀に至りて数月ならずして、其の吭《のど》を扼《やく》し、其の背を拊《う》ち、而してこれが国を奪えり。此れ其れ曹操と異なる者幾《ほとん》ど希《ま》れ矣。曹と劉の敵せざるは、天下の知るところなり。兵を言えば曹操の多きに若《し》かず、地を言えば曹操の広きに若かず、戦を言えば曹操の能に若かず。而して以て一つこれに勝《まさ》る者有るは、区区《くく》たる忠信なり。孔明は劉璋を遷《うつ》し、既已《すで》に天下義士の望みを失う、乃ち兵を治め旅《いくさ》を振い、仁義の師と為し、東に嚮《むか》いて長駆し、而して天下の嚮応《きようおう》を欲するも、蓋し亦た難からん。

この文章は、蜀は、兵力、領土の広さ、戦争能力すべてにおいて曹操に劣り、唯一勝っているのは漢王朝への忠義という大義名分だけであるのに、諸葛亮は劉備が身を寄せた荊州の劉表が死んだ時、その遺児を殺すよう進言、劉備はさすがに忍びなかったが、蜀（四川）の劉璋が好意から劉備を受け入れてくれたにもかかわらず、彼を追放して蜀を奪ってしまった、そのような不義をしながら、天下の義士に訴えて、正義の軍を起こそうとしても無理だということで、諸葛亮に対する辛辣な批判である。

②自管仲以後，吾得諸葛武侯焉。其精忠大義，赫奕万世，才徳事業，固無間然。然使出于孟子之前，則必羞比焉。観其斥桓文，論管晏可見矣。而観後世諸儒之説，有疑孟子者矣，未有疑武侯者也。此其意之所指，吾不能無疑也。孟子之時也，争地殺人，殺人盈野，生民之憔悴極矣，邦国之干戈惨矣，乃礪兵耀武之秋也。及其談経国之術，則曰：「以不忍人之心，施不忍人之政，天下可運于掌矣。」則曰：「事半古之人，功必倍之，惟此時為然。」而武侯之所事者，乃異乎此矣。其勧後主以申韓之学，則其所道者，概之于純王之略，亦甚有径庭矣。

管仲《かんちゆう》より以後、吾れ諸葛武侯（武侯は追謚《おくりな》）を得たり。其の精忠と大義は、万世に赫奕《かがや》き、才徳と事業は、固《もと》より間然《かんぜん》とする無し。然れども使《も》し孟子の前に出れば、則《すなわ》ち必ず比べるを羞じん。其の桓（公）と文（公）を斥《しりぞ》け、管（仲）と晏《あん》（嬰《えい》）を論じるを観れば見《し》るべし。しかるに後世の諸儒の説を観るに、孟子を疑う者有るも、いまだ武侯を疑う者有らざるなり。此れ其の意の指す所、吾れは疑い無きことあたわざるなり。孟子の時や、地を争い人を殺し、人を殺すは野に盈《み》ち、生民の憔悴《しょうすい》は極《きわ》まれり、邦国の干戈《かんか》は惨《いたま》し、乃ち兵を礪《みが》き武を耀《かがや》かすべきの秋《とき》なり。其の経国の術を談ずるに及びては、則ち曰く、「人に忍ばざるの心を以て、人に忍ばざるの政を施せば、天下は掌《たなごころ》に運《めぐら》すべし」と。則ち曰く、「事は古の人の半ばにして、功は必ずこれに倍せん、惟《た》だ此の時を然りと為す」と。しかるに武侯の事とする所の者は、乃ち此れに異なれり。其の後主に勧むるに申（不害）、韓（非子）の学を以てするは、すなわち其の道とする所の者は、これを純王《じゅんおう》の略に概《すべ》るも、また甚だ径庭《けいてい》有り。

諸葛亮の忠義はなるほど立派だが、戦国時代の孟子が王道と仁義の政治を説いたのに対し、諸葛亮は管仲や晏嬰《あんえい》の覇道を目指し、申子《しんし》や韓非子《かんぴし》の法家主義を採用したのだから、孟子の前に出れば、きっと恥ずかしい思いをするだろう。

これも①とほぼ同じ観点から諸葛亮を批判した文章である。

③越之滅呉也，内而無種，則不足以彊国。外而無蠡，則不足以利兵。漢之取楚也，内而無何，則不足以守関。外而無信，則不足以制敵。譬如車之有両輪，缺一則無全車矣。故是数人者，各致其才，而才有所必専。各出其力，而力有所必尽，卒能有立於世。諸葛亮之不復中原，非謀之不善，忠之不竭也，乃勢不能也。何者，昭烈之臣，有能与孔明分其責者乎？孔明以一人之身，入則為種而為何，出則為蠡而為信，其躑躅不進，継之以死，即其勢也。

越の呉を滅ぼすや、内に（文《ぶん》）種《しょう》なければ、則ち以て国を彊《つよ》くするに足らず、外に（范《はん》）蠡《れい》なければ、則ち以て兵を利するに足らず。漢の楚を取るや、内に（蕭《しょう》）何《か》なければ、則ち関を守るに足らず、外に（韓《かん》）信《しん》なければ、則ち敵を制するに足らず。譬えば車の両輪有るが如く、一を缺《か》けば則ち車を全うする無し。故に是《こ》の数人なる者は、各のおの其の才を致すに、才は必ず専《もっぱ》らなる所有り。各のおの其の力を出すに、力は必ず尽くす所有りて、卒《つい》に能く世に立つ有り。諸葛亮の中原を復せざるは、謀の善からず、忠の竭《つ》くさざるに非ざるなり、乃ち勢い能わざるなり。何となれば、昭烈（劉備）の臣に、能く孔明と其の責を分くる者有るか？孔明は一人の身を以て、入りては則ち（文）種と為り（蕭）何と為り、出でては則ち（范）蠡と為り（韓）信と為る。其の躑躅《たたず》みて進まず、これに継ぐに死を以てするは、即ち其の勢なり。

こちらは①、②と打って変わって諸葛亮に対する同情論である。戦国時代に呉を滅ぼした越の句践《こうせん》、漢王朝を創立した高祖《こうそ》、劉邦《りゆうほう》には、それぞれ内政には文種《ぶんしよう》と蕭何《しようか》、外交（攻）には范蠡《はんれい》と韓信《かんしん》という有能な臣下がいて、内外分担して大業を成し遂げた。ところが蜀には人材が乏しく、諸葛亮が内外ともに一人でやらねばならなかったので、うまくいかなかったのもやむを得ない、というのである。

以上三篇、どれもきちんとした漢文で書かれているが、①は中国、北宋の蘇軾（一〇三七〜一一〇一年）「諸葛亮論」、②は日本の江戸時代の伊藤東涯《いとうとうがい》（一六七〇〜一七三六年）「管仲諸葛孔明論」（『紹述先生文集』巻七）、③は朝鮮の李天輔（一六九八〜一七六一年）「武侯論」（『晋庵集』巻七）である。うち唐宋八大家の一人である蘇軾の「諸葛亮論」は、明の茅坤《ぼうこん》『唐宋八家文鈔』（巻百三十）などにも収められた名文であるが、他の二篇も漢文として遜色があるわけではない。伊藤東涯と李天輔はどちらも中国語はできなかったが、それでも中国の文人と同じような立派な漢文を書くことができた。それは漢文が中国語の口語とは異なる、時空を超越した人工的で均一な文体であったからである。漢文は東アジア漢字文化圏共通の文体であると言えるであろう。

しかも共通するのは文体の同一性だけではない。伊藤東涯と李天輔は中国から見れば、もとより外国人あるいは域外の人間であるが、二人とも決して外部からの視点、あるいは自国に拠った立場から諸葛亮を論評しているのではない。両者が比較の対象としたのは、伊藤が孟子、李は文種と范蠡、蕭何と韓信、みな中国の歴史上の人物であった。そして諸葛亮の批判にせよ、同情にせよ、両者が拠って立つ根底は、儒教を中心とする中国的な普遍的価値観であった。その意味で、蘇軾とこの域外の二人の間には価値観の相違も国境も存在しない。あるのはただ共通の基盤に立ったうえでの個人的意見の相違だけである。漢文が東アジア共通の文体だという本当の意味は、単に文体の同質性だけではなく、このような価値観の共有があることを忘れてはならない。伊藤東涯と李天輔は、諸葛亮ではなく、自国の人物や歴史的事件を論ずる場合にも、漢文で書くかぎりは、同じ価値観、同じ論法に拠って書いたであろう。

そういう意味では、東アジアにおける中国的な普遍価値観は、ヨーロッパ世界のキリスト教と比較することが、あるいはできるかもしれない。近年、ヨーロッパ近世における「学問の共和国」（La République des Lettres）[*6]にならって、特に日本と韓国において「東アジア文芸共和国」という概念が提唱されている。[*7]もし東アジアにおいても「文芸共和国」と称するに足るものが存在したとすれば、それはまさに上記のような同一の文体と同一の価値観を、国境を越えて共有した知識人の営みを指すはずである。

4　東アジア漢字・漢文文化圏の異質性

しかしながらいわゆる「東アジア文芸共和国」が成立するかどうかには、なお疑問がある。まず東アジア共通の文体としての漢文を読みかつ書く能力、もしくは必要のあった人間は、中国においてさえ全体のごく一部に過ぎず、ベトナム、朝鮮、日本などではさらに極少数で、大多数の人々にとって、それはまったく別世界の出来事であった。ただこの点は、ヨーロッパの「学問の共和国」においても程度の差こそあれ同じであろう。

より重要なのは、漢文は文章としては共通するものの、その読み方は各国においてまったく異なっていたことである。ベトナム、朝鮮、日本の漢字音は中国の特定の地域、時代の漢字音に由来するとはいえ、すでに早期からそれぞれ大きく変化し、耳で聞いては相互に理解できないものになっている。さらに日本では早くから訓読という独自の方法で、また朝鮮でも古くは訓読が行われ、近世になっても朝鮮漢字音で直読するものの、そこに朝鮮語の助辞などを加える懸吐方式（「吐」は助辞のこと）で読まれ、これらは本国以外の人々にはまったく理解できない読法であった。これはかつてヨーロッパの共通語であったラテン語との大きな相違である。

さらに東アジアにおける過去の文化の流れは、中国から近隣諸国への一方通行であったことを指摘せねばならない。先の例で言えば、伊藤東涯と李天輔は、おそらく蘇軾の「諸葛亮論」を読んでいたであろう。蘇軾は時代的に後の人である伊藤東涯と李天輔の文章を読むことはむろんできなかったが、では伊藤東涯と李天輔の同時代、あるいはその後の中国人が両者の文章を読む機会があったかと言えば、それはなかったのである。たとえあったとしても、中国の知識人が、外国人が書いた漢文という物珍しさ以上の興味を感じることは稀であったろう。さらに朝鮮と日本との関係において、伊藤東涯の文章を読んだ朝鮮人、李天輔の文章を読んだ日本人がいたかというと、これもまず絶無であったと言わざるをえない。なぜなら日朝ともに、中国の文化を受け入れることには熱心であったが、隣国の文化には冷淡であったからである。最後に、では日本、朝鮮それぞれの国内ではどうであったろうか。日本で伊藤東涯の文章を読んだ人、朝鮮で李天輔の文章を読んだ人はもちろんいたであろうが、おそらくどちらも蘇軾の文章を読んだ人の数に遠く及ばないであろう。漢文の典型と模範は中国にあるので、日朝そしてベトナムでも、漢文を学ぶ場合、手本は中国の作品であって、自国の作品ではなかったからである。

以上、要するに東アジアの過去における文化の光源は中国にあり、近隣諸国はいかに中国の文化を学び、消化するかに熱心であって、それは中国以外の近隣諸国への関心、もしくは日本の和文文化を唯一の例外として、自国の文化に対する関心をも凌駕していたのである。いわゆる「東アジア文芸共和国」とは、その間隙を縫ってかろうじて存在した稀な交流、具体的には日本に来た朝鮮通信使、北京に行った朝鮮の燕行使、もしくは北京で出会った朝鮮とベトナムなどの使節の筆談による交流という、きわめて限定的範囲で成立するにすぎない。この点は、ヨーロッパ各国の間で活発な相互交流が見られた「学問の共和国」とは大きな違いである。

5　東アジア漢字・漢文文化圏の現状と未来

漢文的世界の現状を見ると、まず中国では文言文による古典の影響は、時とともに薄れているとはいえ、依然として自国の重要な文化伝統と見なされているであろう。しかし韓国や日本では事情は大きく異なる。西洋流の近代国家定立による一国文学史の中で、韓国、日本ともに、自国の国文学は仮名文学、ハングル文学が中心となり、それぞれの漢文学はそこから排除され、国文学でも中国文学でもない、宙ぶらりんの一種の無国籍文学となった。それは先に述べた国境を越えた漢文の元来の在り方の裏返しであるとも言えよう。漢字をすでに廃止したベトナム、北朝鮮においても事情はおそらく同じであろう。

しかし近年、このような状況に変化が起こりつつある。まず日本、韓国では自国の漢文学を再認識しようとする動きが顕著である。日本において古代以来、漢文で書かれた文献は膨大な数があり、朝鮮では過去の文献に占める漢文の割合は、日本以上に圧倒的多数である。自国の漢文学を再評価し、従来の仮名、ハングルに偏った国文学観を是正しようとするのは、当然の趨勢であろう。そしてもう一つの変化は、これまでの中国中心の視点を脱却して、東アジアの多様性と相互交流に着目する視座である。中国でも域外文学という位置づけからではあるが、近隣諸国の異なる文化への関心は高まりつつある。「東アジア文芸共和国」という発想も、そこから出てきたものであると言えよう。

しかし当たり前のことだが、我々は過去の事実を変えることはできない。東アジア諸国の相互交流の事実を発掘し、それを顕彰することは重要だが、それをもって、過去の文化伝播が中国からの一方交通であったことを否定することは不可能である。可能なのは、過去を教訓として未来を変えることであろう。

漢文はすでに死んだ文体であり、個人的に作る人は今後もいるであろうが、この文体が社会的に復活することは、もはやありえない。それにしたがって漢文の読解能力も時を追って低下するであろう。このことを前提として、今後、漢文文献に対処する道を探るとすれば、およそ次の三通りが考えられる。

一つは、漢文文献を過去の文化遺産として保存し、一部の研究者、愛好者の関心に委ね、実質上は死蔵して、忘却に任せることである。二つ目は、自国の漢文遺産を自国文学の中に取り込んで普及をはかり、自国文学と関係する範囲でのみ、中国やその他の地域の漢文に関心を示す、いわば自国中心主義である。現在の韓国では、自国の漢文文献を精力的にハングルに翻訳して、一般に公開しているが、これは漢文がすでに死文化した状況での一つの方法であろう。中国の域外漢籍、域外漢文という考えも自国中心的で、目下の中国の国策と歩調を合わせているようにも見える。第三の道は、東アジア各地の漢文を客観的に再認識し、それらを比較検討して、新たな視点を模索することである。先の例でいえば、蘇軾、伊藤東涯、李天輔の文章、さらにベトナムに同類の作品があれば、それらを読み比べ、その諸葛亮評価の共通点と相違点を東アジアの国々全体で共有することである。同じような例は、おそらく無数にあるだろう。それは、自国の漢文を再認識し、かつ東アジア全体に関心を置くという近年の二つの新しい潮流の論理的帰着点でもある。どの道を選択するか、それは現在の我々の手に委ねられているであろう。

注

1 『国語大辞典』(小学館)には、『本朝麗澤』(二〇一〇年)の具平親王の例を挙げる。

2 『邦訳日葡辞書』(岩波書店、一九八〇年)八八頁。「原文に *boa nota, estillo* とあり、当時の日本に行われた通俗な当て字や変体漢文に対して、正確な漢字・漢語・漢文の用法によった中国の純粋なものを指しているようである」との注記がある。なお「漢詩」は記載がない。

3 川本邦衛編『詳解ベトナム語辞典』(大修館書店、二〇一一年)に、「漢文、漢文学」とある。

4 このような「於」の用法が仏教文献に多いことについては、董志翹・蔡鏡浩編『中古虚字語法例釈』(吉林教育出版社、一九九四年)の「于(於)」の項目参照。

5 『朱子語類』巻十九に、「孟子疏は乃ち邵武の士人の仮作にて、蔡季通は其の人を識る」とある。蔡季通は朱子の友人の蔡元定(一一三五～一一九八年)、字は季通。『四庫全書総目』巻三十五「孟子正義」も仮託とする。

6 H.ボーツ・F.ヴァケ著、池端次郎・田村滋男訳『学問の共和国』(知泉館、二〇一五年)参照。

7 高橋博巳『東アジアの文芸共和国—通信使・北学派・蒹葭堂』(新典社、二〇〇九年)、정민(鄭珉)『18세기 한중지식인의 문예공화국(十八世紀韓中知識人の文芸共和国)』(文学トンネ、ソウル、二〇一四年)。

参考文献

・吉川幸次郎「漢文の話」『世界歴史事典』平凡社、一九五一年、『吉川幸次郎全集』2、筑摩書房、一九六八年。
・西田太一郎、小川環樹『漢文入門』岩波書店、一九五七年。
・太田辰夫『中国語歴史文法』江南書院、一九五八年(朋友書店、一九八一年)。
・牛島徳次、香坂順一、藤堂明保『中国文化叢書』1「言語」、大修館書店、一九六七年。
・香坂順一『中国語学の基礎知識』(「中国語研究学習双書」1)光生館、一九八一年。
・太田辰夫『古典中国語文法』改訂版、汲古書院、一九八四年(初版、一九六四年)。

・大西克也、宮本徹『アジアと漢字文化』放送大学教育振興会、二〇〇九年。
・金文京『漢文と東アジア――訓読の文化圏』岩波新書、二〇一〇年。

02 仏典漢訳と仏教漢文

石井公成

1　はじめに

仏典漢訳と言えば、梵語（サンスクリット語）の経典を漢文に訳したもの[*1]というのが常識だ。だが、実際には梵語からの訳はあまり多くない。

たとえば、菩提薩埵《ぼだいさった》という言葉は、梵語の bodhisattva（仏の智恵である菩提を求める人、菩提を得ることが確定している人）を音写したものであり、その菩提薩埵を略したのが菩薩だと言われてきた。しかし、菩提薩埵という語は、六世紀前半の北魏や梁の漢訳経典に見えるのが早い例であり、多く用いられるようになるのは七世紀半ばの玄奘《げんじょう》（六〇二～六六四年）訳の頃からだ。つまり、それ以前は、菩薩という表記が略語でなく、正式な音写語として用いられていたのだ。

「梵語が西域あたりで訛り、その西域出身の僧侶が伝えた発音を音写したのか」と思うかもしれないが、これも違う。早い時期の経典で用いられていた言葉は、人工的に造られた文語である梵語ではなかったからだ。釈尊《しゃくそん》当時の経典は、インド中央のマガダ国やその周辺で用いられていた中期インド語で語られており、バラモン出身の弟子がそれを品格の高い文語である梵語に改めるよう釈尊に申し出たところ、釈尊は許さなかったという。

そうした経典が各地に広がっていくうちにその土地の方言に変わったのであって、インド西北のガンダーラ地域から中央アジアにかけては、経典はガンダーラ語（ガーンダーリー）と呼ばれる西北インド語で伝えられていた。しかも、ガンダーラ地域では教理の研究が盛んであって、法を分析したアビダルマ文献や大乗経典も作成されていた。菩薩というのは、そのガンダーラ語がさらに変化した西域での発音を音写したものなのだ。それが後になって経典が仏教混《こん》淆《こう》梵語と呼ばれる俗語まじりの梵語に改められたり、最初からそうした言葉で書かれるようになり、さらに後になって梵語に書き換えられたりしたのだ。梵語で作成される場合も増えていく。

このように、漢訳経典の元となった経典の原語はさまざまなのだが、以下ではそうしたインドの諸言語や方言も含め、広い意味で梵語と呼ぶことにする。

2　梵語の語法の直訳

漢訳経典には、翻訳ならではの語法が見られる。その一つが、「〜已（〜おわりて）」という言い方だ。これは、動詞の語幹に -tya、-tvā という接尾辞をつけて動作の完了を示す梵語の表現をそのまま訳したものだ。通常の漢文では、「已」は副詞であって動詞の前に来ることが多く、訓読では「すでに」と訓《よ》まれるが、漢訳では「作是念已、疾走而去（此の念を作し已りて、疾走して去る）」のように句末に添えて用いられる。

これと似ているのが、-tvāt（〜だから）など理由を示す言い方を訳した「〜故（〜の故に）」という語法だ。漢語の「故」は、「故〜（故に〜す）」といった形で句頭に来るのが通例だが、漢訳の場合は句末に来るのが普通であり、しかも、「布施是道場。不望報故（布施、是れ道場なり。報を望まざるが故に）。」のように、「〜故。」で文が完了している場合も多い。「故なり」と訓読すれば、それが明確になるが、文章の最後であっても、「故に」と訓んで終わらせるのが習慣となっている。

「開示悟入仏之知見（仏の知見を開示し悟入せしむ）」のように、「開示」や「悟入」といった動詞の二字熟語を重ねて用いるのも漢訳の特徴だ。梵文では、一つの目的語に対して動詞を三つも四つも重ねて用いることがあるが、この場合、複数の梵語の動詞を二字の漢字で訳すと、「開示」と記されている場合、「開示」でひとまとまりの語なのか、「開き、そして示す」という二段階の動作なのか分からないため、二字の漢語の動詞を重ねたのだ。

ちょっと見ると、梵語特有の表現の訳であることが分からない場合もある。たとえば、梵語には yat ～ tat ～（およそ～であるもの、それは～する）という関係代名詞の語法がある。玄奘などはこれを正確に訳そうとして、「諸～者～（諸の～する者は～）」と訳した。この場合、「諸」とあっても複数であることを強調しているのではない。

直訳調と感じられる代表例は、「令其～（其をして～せしむ）」という語法だろう。これは梵語の使役形を直訳したものだ。この「令其～」という形は古典漢文にも多少見られるが、漢訳経典では頻繁に出てくる。「其」は複数の人や物を指す場合もあるので注意が必要だ。

yathā（～のように、～の通りに）などの語を訳した「随～」も直訳例の一つだ。「随汝所欲（汝の欲する所に随い）」といった形で用いるが、「随って」と動詞の形で訳すより、「～のまま、～通りに」などと訳す方が自然な表現となる。

面白いのは、「約～」という表現だ。これは、adhikṛtya（～に関して）や -tas（～として）などの訳語であって、「約～説如此（～に約して説くこと此の如し）」などというように用いる。「～の観点から」「～の立場で」といった意味だ。この語法は、経典そのものよりも、中国における経典の注釈の中でよく用いられた。

上述した直訳風な表現は、中国成立の擬経（偽経）ではあまり用いられない。むろん、訳経めかそうとしてわざと用いる場合もあるが、擬経の方が訳経より通常の漢文に近く、読みやすいのが普通だ。

仏教経典は読誦のためのものであるため、読誦しやすさを考慮している。その例の一つは、四字句の多用であって、経典冒頭の慣用句である「如是我聞、一時仏在（是の如く我聞けり、一時、仏～に在しまして）」もその好例だ。実はこれは正確な訳ではない。梵語では、evam mayāśrutam ekasimn samaye（このように私によって聞かれたある時）となっていて、「如是我聞時、仏在～（此の如く我聞く一時、仏は～に在りて）」と訳すべきところを、四字句が連続するように「如是我聞、一時仏在（是の如く我聞けり。一時、仏～に在りて）」と改めたのだ。

先の「令其～」の表現にしても、「令其安住（其をして安住せしむ）」のように四字句にするために「其」を加えたと思われる場合が多い。「常見於仏（常に仏を見て）」の場合も、「於」は文法上は必要ないが、四字句にするために入れてある。

この「於」は、長い目的語を強調して示す場合などにも用いられる。たとえば、「於一切法、以智方便、而演説之（一切法を［ば］、智方便を以て、而も之を演説す）」は、普通であれば「以智方便、演説一切法（智方便を以て、一切法を演説す）」となるところだが、対象であることを示す「於」を付けて目的語である「一切法」を文頭にもってきて、「演説」だけで良いところを「而演説之」として四字句に仕立てたのだ。*2

3　梵語の発音の表記

梵語を漢字で音写する場合、音写であって意味を示す字でないことを示すため、新しい漢字が多数作られた。そのやり方の一つは、漢字に口へんを付けて発音表記用の字であることを示すことだ。たとえば、vaの音を表すために「縛」に「口」を付けて「嚩」の字を作ったのがその一例だ。こうした場合、敦煌の写本などでは、口へんは、字の左端に小さい○のような形で書かれることも多い。

jraとかtraのように子音が連続する場合が多い梵語を音写する場合、漢訳では二合字を用いた。たとえば、金剛と訳されるvajraの場合、嚩日羅二合と表記するのだ。すると、「日」の語頭の子音であるjと「羅」の語頭以外の発音分を結びつけることによってjraと発音することになる。原理としては伝統的な発音表記法である反切と同じだが、二合字の場合は、子音の連続を示すところが異なる。

いちいち「二合」と表記するのが面倒なら、この二つの漢字を一つにまとめた形の漢字を作ってしまえば、そうした発音をする新造漢字ということになる。実際、子音が連続するベトナム語のために作られた独自の漢字である字喃

（チュノム）は、このやり方に基づいて漢字を組み合わせることによって作成された。[*3]

こうした漢字音写は、当時の中国の漢字発音を示すばかりでなく、その原典となった言葉を推測する資料として使える。そうした音写語について研究していたケンブリッジ大学のジョン・ブラフ教授の要請によって編纂されたのが、平川彰編『仏教漢梵大辞典』（霊友会、一九九七年）だ。筆者は恩師である平川先生のご指示のもと、十年ほど編集事務のまとめ役を担当し、上述の「諸〜者」といった語法についても採録した。[*4]

ただ、この辞典は漢訳語と元となった梵語を対照させて示しただけであって、日本語や英語の説明がまったくない。このため、我々編集スタッフは、「この辞典を使いこなせるのは、この辞典が不要なくらい力がある人だけじゃないか」などと冗談を言ったものだ。

むろん、そんなことはなく、音写のし方や仏教漢文特有の表現と梵語の関係などが良く分かるため、仏教学、中国思想、中国語学などの研究者にとって、きわめて有益な辞典となっている。梵語を知らない人も、ここに示された梵語を、出典が記されている『漢訳対照梵和大辞典』（鈴木学術財団）などで引いて調べると、「この漢字は、これこれの時代にはこういう意味で用いられていたのか」ということが分かるため、ぜひ活用していただきたい。

なお、直訳すれば「正法」となり、実際、竺法護《じくほうご》（二三九〜三一六年）訳では「正法」と訳したsaddharma（sat-dharma、正しい教え）の語を、鳩摩羅什《くまらじゅう》（三五〇〜四〇九年）訳では奥深い印象を与える「妙法」という訳にした。こうした流麗な訳し方をすると、原文とニュアンスが異なるだけでなく、時には重要な意味の違いも生まれる。また、梵語の経典が掛詞を用い、二重・三重の意味を持たせている場合、漢訳は工夫した訳語を選んだり、諦めて一つの意味だけを示したりしている。近年では、梵文経典におけるこうした言葉遊び、それも経典の内容に関わる重要な例の漢訳に関する研究が盛んになっているが、これについてはまた別に論じることにする。

注

1　訳場の構成や翻訳の手順などについては、船山徹『仏典はどう漢訳されたのか―スートラが経典になるとき』(岩波書店、二〇一三年)、石井公成「仏典漢訳の諸相」(『日本語学』35-10、二〇一六年)。

2　虚辞の使用法が偽経判定の材料となることは、石井公成「『大乗起信論』の成立―文体の問題および『法集経』との類似を中心にして―」(井上克人編『『大乗起信論』と法蔵教学の実証的研究』科研費研究成果報告書、二〇〇四年)。

3　石井公成「ベトナム語の字喃(chữ nôm)と梵語音写用漢字」、『駒澤短期大学研究紀要』26、一九九八年。

4　原語を考慮したうえで仏教漢文に特有な語彙・語法を示すより厳密な辞典が必要であることは、辛嶋静志「『仏教漢語詞典』の構想」(『京都大学人文科学研究所創立75周年記念 中国宗教文献研究国際シンポジウム報告書』、二〇〇四年)。

03

吏文

水越 知

1 はじめに

「吏文」とは、字義通りには官吏の作成する役所の公文書であり、また公文書特有の文体をも意味する幅の広い概念であり、これに類する「吏牘《りとく》」の語もある。公文書は前近代中国の巨大な官僚機構のなかの、あらゆるレベルの役所で作成・処理された文書であり、上は皇帝に奉る奏議から下は県の発する票や牌《はい》まで膨大な量が存在した。ただし現存する公文書は寥寥たるもので、州県レベルの公文書はほぼ明清時代以降の文書に限られる。公文書は文学作品ではなく実用の文であり、文学的価値をもって研究されたことは皆無といってよい。ただし語彙や文体の歴史においては看過すべからざるものである。

吏文の存在と意義に関する研究は吉川幸次郎「元典章《げんてんしょう》に見えた漢文吏牘の文体」を嚆矢《こうし》とし、現在でも参照に値する。吉川は『元典章』の「吏牘体」が古文の文体と異なる以下の特徴を指摘した。すなわち吏文は基本的に古文の文法に背かないものの、(一)古文家のような芸術的緊張を目指さない、(二)芸術的緊張とは別の「吏牘」としての規格があり、それを意識した緊張を目指す、(三)二字の連語の堆積による四字句、もしくはその変形を基本とする、(四)口語的な語彙を含む特殊な語彙の頻用、(五)全体としては緊張度が低く、必要に応じて変転自在である、という特徴を挙げて整理した。[*1] とくに『元典章』刑部に見える関係者の供述には会話そのままのような部分があり、これが当時の口語をどの程度反映したものか、また「漢児言語」という共通言語を母体するのか議論が分かれるが、今は深く立ち入らない。[*2] ただ吏文がいくつかの要素を含むことは事実であり、まずそれを整理しておきたい。

吉川が分析した元代の「吏牘体」は主に下の役所から上の役所に対する案件の整理・報告である。裁判審理の報告は、最初の発信者となる役所から供述記録も含めた文書が上げられるが、この過程で三つの異なる要素が入り込む。**①案件の事実を記述する報告、②話し言葉による供述記録、③地方官の判決、および定型的報告**である。『元典章』の文書は各段階の報告と、中央の中書省などの最終判断が一つの文書にまとめられた結果だが、清代の公文書である「档《とう》案《あん》」史料ではそれぞれ別の原文書にさかのぼることができ、それは書き手や文体も異なるものである。つまり独特の文体が何に起源するかは措くとしても、すべてを「吏牘体」に包括するのではなく、各要素の特徴を考える方がよいだろう。ここでは吉川の「吏牘体」の分析を議論の基礎とし、主に清代の裁判関係の吏文について文体の違いを考えてみたい。

2　吏文の歴史的背景

吏文と呼ばれる文体が登場したのはいつなのか。吉川幸次郎は洪邁《こうまい》（一一二三～一二〇二年）「吏文可笑」（『容斎随筆《ようさいずいひつ》』巻十六）の一節を取り上げ、南宋時代には吏文と呼ばれる文体が胥吏《しょり》（科挙《かきょ》出身ではない下働きの役人）たちによって成熟しつつあり、それは北宋時代に淵源すると推測する。洪邁は定型の書式と杓子定規な文書行政の滑稽さを批判するが、引用された神への封号をめぐる制書（命令書）の一部は、

礼寺看詳、謂不依元降指揮於一年限内自陳、欲符下漢州、告示本神知委。

（礼寺看詳するに、謂《おも》えらく、元降の指揮に依り一年の限内に於いて自ら陳《の》べず、漢州に符下して、本神に告示し知委せしめんと欲す。）

とあり、確かに『宋会要《そうかいよう》』などに頻出する公文書の形式である。そのなかの「知委＝知らしめる」、「元降指揮（以前に下した命令）」は唐・宋代から見え、いずれも公文書の用語として発展してきたと考えられる。また『宋会要』でも二字句の堆積を基本とする構成が見られるように、士大夫の芸術的な文章とは一線を画す吏文の文体は以前から連綿と積み重ねられてきたと言えよう。

吏文は宋代の士大夫たちから軽侮されていた。朱熹《しゅき》（朱子・一一三〇〜一二〇〇年）は「秀才」たちが吏文に翻弄されているとし、「吏文はただそのままを述べるだけ、某事は如何か、処理は如何か、人に一読で分からせればいいのだ」[*3]と言い、文章としての価値は認めない。宋代の士大夫が残した奏状や箚子《さっし》では経史の典故や修辞に配慮するのに対し、実務報告の申状などではその傾向は希薄である。吏文の文体は読み手（上司か同等・部下か）によって使い分けられ、ルーティンの公文書は早くに「吏文化」したと見られる。

モンゴル治下の元代中国では旧来の士大夫層が、吏として吏文の書き手に参入した。科挙の停止により、士大夫層は吏員を経て官に昇進するべく吏文の習得が重要になった。この時期に登場した『吏学指南《りがくしなん》』は当時の吏文の語彙や吏としての心構えを伝える。士大夫の多くが「吏学」を学んだのはこの時代の特殊な事情であるが、『元典章』に見られる複雑な構造の公文書からは吏文の書式・文体が確立しつつあったことがうかがわれ、[*4]その後の明清時代の公文書のスタイルも規定していった。

その一方、宋代頃から「健訟《けんしょう》」という訴訟の多発が常態化し、役所の処理する文書は膨大な量に上った。[*5]訴訟に関する知識や技術は関心事となり、告訴状の書き方をはじめとする「訟学」が広まった。訴訟を生業とする人々も出現し、「訟師《しょうし》」と呼ばれることになる。元代の日用類書『事林広記《じりんこうき》』には告訴状の書き方や文例も採録されており、「長い話を短い文書で」書くことがよしとされた。[*6]日用類書の読者層は訟師に限られないため、知識階層一般に共有されていったと考えられる。

このように、増加する公文書を効率よく処理するために吏文という定型的な文体が生まれ、また官僚や胥吏だけでなく広範な知識階層もその文体を習得する必要が生じた。その大きな関心は訴訟に寄せられ、書き手もさまざまな工夫を凝らしていったのである。

３　告訴状の文体――訟師の書く吏文

清代の吏文は生の公文書「档案《とうあん》」から多くを知ることができる。档案は役所で処理した後ファイルされた案巻であるが、とくに地方衙門が残した地方档案はその大半が訴訟案件で、多くの告訴状や供述記録を含み、吏文の考察には好適である。ここでは清代重慶の『巴県档案《はけんとうあん》』を例にとる。档案の書き手はさまざまであり、また一件の訴訟では各段階で種々の文書が提出・発出されるため、すべてを例示することはできないが、（1）告訴状、（2）供述記録、（3）判語を中心に見ていきたい。[*7]

まず告訴状の文体から見てみよう。（史料の傍線は人名）

〈事例①〉『巴県档案（同治朝）』No.7271　同治三年（一八六五）三月六日、民婦・黄羅氏の告状

為套逼作賎喊叩訊究事。情氏前夫従征陣亡、去十月何銀貴向氏云称、黄興順係是委員乏嗣、娶氏為妾、冀延宗祧、殊興順套娶過門、係属流痞、与妻黄楊氏逼氏作賎、氏不允従、興順・楊氏逐日凌辱、百般毒殴、氏憑街隣理剖、興順愈悪、激氏剪髪逩案、喊叩作主、賞訊厳究、伏乞大老爺台前施行。

〈事例②〉『巴県档案（同治朝）』No.6962　同治八年（一八七〇）三月二八日、耆民・陳言中の首状

盗売毀逃首懇另拘事。情民子陳孔朝前抱彭庚更名陳文吉作子、即為民孫。殊逆孫人長性変、罔受約束、屢誡不悛、去年民子照約給資本銀十両、穀八石另爨。今民子故、詎逆仍不習正、胆敢盗売民穀三石、掣銀十両、民媳清理、逆顛持刀尋兇、又将孔朝霊位扯毀。民即投団、議将文吉綑送、逆乃畏咎私逃顛架覇逐難甘誣控民第三子陳孔元在案。沐准未票、似此逆孫、畳次不法、今又干名犯義、滅倫已極、但希図藉控、便祇逃匿、勢必醸成重件貽累、首懇査

銷伊詞免喊、另拘究逐、伏乞大老爺台前施行。

〈事例①〉の告訴状では、寡婦の黄羅氏が何銀貴の勧めで黄興順の妾となったが、興順が無頼の徒であり、正妻の楊氏とともに虐待を繰り返すことが訴えられている。〈事例②〉の告訴状では、陳言中の息子・孔朝が養子に迎えた陳文吉が、孔朝の死後に穀物の盗売などの不行状を重ね、養母を刀で脅したり、亡くなった孔朝の霊位を壊したりしたことを団練（清代後期の治安組織）に訴えた。ところが文吉は逃亡し、陳言中の三子・陳孔元（文吉にとっては義理の叔父にあたる）を誣告《ぶこく》した。陳言中は文吉を「逆孫」と呼び、儒教倫理に反した者として地方官に訴えたのである。

文書の標題の「為〇〇事」という書き方は告訴状に限らず公文書全般に共通する。告訴状の場合、前半の四字は告訴内容を凝縮したもので、後半の四字は通常、知県の公正な裁きを願う句である。二字ずつで意味を成す場合もあれば、端的な一字を四つ重ねた場合もある。例えば〈事例①〉の標題「為套逼作賎喊叩訊究事」は、前半の「套逼作賎（騙して売春を強要する）」と後半の「喊叩訊究（審訊をお願いする）」に分かれる。

文体は〈事例②〉の「冀延宗祧（祖先の祭祀を続けられるよう願う）」「罔受約束（言いつけや決まりを守らない）」のように二字句を基本にした構成であり、そのリズムはきわめて単調である。また訴訟案件という性質もあるが、独特の語彙や口語的な表現を多く含む。例えば「毒殴」は「ひどく殴る」ことであるが、档案や『大清律例《たいしんりつれい》』のほかにはあまり見えない法律用語である。また素行不良の孫を「逆」と呼び、「滅倫已極（倫理を破ることは極まっている）」などと劇的な表現をする。あるいは「係是」「係属」を「～である」の意味で用いるのは宋代以降の上奏文や法律関係の史料に見えるが、白話でも見られる口語的な表現である。そして全体に定型部分と法律用語、口語的表現を交えて四字句を繰り返す文章である。

清代には公文書作成が高度にシステム化され、告訴状は官代書（官の指定する代書人）の手で代書されて提出される決まりだった。ところが唐澤靖彦の分析では官代書が作成した告訴状はほとんどなく、せいぜい持ち込まれた原稿を官の規定に沿って成型した程度だったという。[*8] 識字率の低かった当時、庶民に代わって告訴状を書いたのはほとんどが訟師だった。

清代の訴訟ではマス目の入った規定の用紙「状式紙」が用いられ、字数超過は厳禁であった。わずか二百字程度のなかで、いかに内容を要領よくまとめ、しかも知県（知事）の関心を引くような文章を書けるが訟師らの力量となる。では訟師たちはどのように独特の文体を学習したのか。一つは訟師たちを輩出する階層が、科挙受験の傍らで地方社会の知識階層として生きる生員たちだったことによる。夫馬進らが指摘するように、告訴状の作文技術習得は明清時代の科挙档案の標準文体とされた八股文《はっこぶん》作成の学習と重ね合されていた。[9] 訟師たちのマニュアルであった「訟師秘本」の一つ『新刻法筆驚天雷《しんこくほうひつきょうてんらい》』には「格言」として、

凡作状訴之法、立主語・冒語之方、猶作文之破題・破承而題承之。

（凡そ状訴を作るの法、主語・冒語を立つるの方は、なお作文の破題、破承してこれを題承するがごとし。）

とあり、以下では順を追って作文技術が示される。そこでは「十段錦」という告訴状作成法が存在した。十段錦は訟師秘本や日用類書のなかに見えるが、およそ以下のようなものである。[10]

第一段「硃語《しゅご》」：事の顛末を的確に示す。
第二段「縁由」：事の起こりを事実に基づいて書く。
第三段「期由」：事の推移について時間を明確にしながら書く。
第四段「計由」：被告がいかなる経緯で悪事に至ったのかを書く。
第五段「成敗」：犯罪の結果、責罰は逃れがたいことを書く。
第六段「得失」：詐欺によって得た財物があれば、先にそれを書く。
第七段「証由」：証拠、証人の存在を書く。
第八段「截語」：全体の総括的なコメントを書く。
第九段「結局」：刑罰を求めることを書く。

第十段「事釈」：最後に全体を凝縮した語で締めくくる。

これに加えて第二段では「繁多なるべからず、簡略なるべからず」、第五段では「一状の主宰」、第八段では「務めて句句律に合し、字字精奇、言語壮麗なるべし」などの作文技術が述べられる。そして第十段では「二字或いは四字をもって之を収む」とし、「剪害《せんがい》」「安民」「敦俗」「正倫」「含冤」などは知県の情に訴える語として「量情これを用いるを妙と為す」と述べる。また告訴状で使う用語として「貪官蘖民《げつみん》」「売良為娼」などの定型句「硃語」が列挙される。檔案の告訴状を見ればこれらのマニュアルに沿って文章が作成されたことが分かる。

訟師は特別な階層ではなく、知識階層の一端を担う人々である。地方官を含めた司法に関わる人間はこの種の技法をよく知った、いわば手の内を知った者同士であった。陳腐な文章の繰り返しも互いの了解のなかにあったと言えるだろう。

4　供述記録の文体——口語体の吏文

次に吉川幸次郎がとくに注目した口語体の吏文についてみてみよう。『元典章』刑部の供述部分と同じく清代でも供述は口語で記録された。知県の法廷で審訊《しんじん》が開かれると、原告・被告など関係者の供述記録は担当の胥吏が作成した。[*11]

先の〈事例①〉〈事例②〉の原告の供述を挙げて告訴状と比較してみよう。

〈事例①〉因去年十月間、憑謀〔媒〕再醮与黄興順為妾、素好没嫌。到今年二月間、黄興順前妻黄楊氏逼勒小婦人為娼未允。不料興順聴従他妻子楊氏唆使、屡次嫌賎、無奈纔来把他喊控案下。（下略）

〈事例②〉陳孔元是児子、陳孔朝是長子。昔年長子承抱彭庚為子、更名陳文吉係小的孫子。不料文吉人長胆変、不聴約束、屢戒不聴。去年小的憑団族剖明、給他資本銀十両、又給食谷八石、令他各爨。那時文吉乗他父親没故、在外遊蕩、不務正業、私行盗売小的谷子三石。在小的妻子手上掣去銀十両、向他清理、顛横逞兇、黨投団族綑送、文吉畏罪私逃、来轅反将小的三子孔元呈控。小的無奈把他巡獲、随即邀集族団陳宗遠・陳吉新・蘭吉堂們、把他送

案。（下略）

〈事例①〉〈事例②〉とも告訴状と供述記録とは、実際には同じ内容のことを述べている。しかし文体を比較すると、基本的に口語体で記録されるため語彙も異なる。原告の自称は告訴状では「氏」「民」であったが、供述では「小婦人」「小的」となり、売春を意味する「作賎」が供状では「為娼」とより直接的表現で言い換えられる。文体としては文語のままの部分もあり、訟師秘本の「硃語」のような陳腐な四字句も見える。つまり純粋な口語文ではないのである。唐澤靖彦は清代中期の法律学者で幕友《ばくゆう》（地方官が私的に招聘した行政の相談役）[*12]としても活躍した王又槐《おうゆうかい》（生卒年不詳）の『辦案要略《べんあんようりゃく》』「叙供」の記載をもとに、供述記録の文体について考察した。『辦案要略』では「前後層次（出来事の順序）」、「起承転合（筋道だった展開）」、「埋伏照応（後で出てくることは予め示し、当事者間での矛盾のないようにする）」、「点題過脈（核心部分を明確な言葉で導き、案件の処理を明確にする）」、「消納補幹（重要性の低い事がらを要約、不明確な部分を補完する）」、「運筆布局（文章技術、組み立て）」の六つの作文技術が示される。[*13]供状は最初から関係者の言葉を作為なく記録したわけではなかった。

あえて供述記録を口語体にしたのは文書のなかに庶民が話した体裁を与えるためだとされる。[*14]方言や俗語で話されたはずの供述は胥吏の手で「標準的」な口語体に書きとめられ、さらに幕友たちが筋道だった文章に整えた人工的な口語体であった。清代の供述記録は「もっとも話し言葉に近い書面語」であったとするのは的を射ている。[*15]

5　判語――地方官の吏文

最後に地方官が出した判決文＝判語について見てみたい。告訴状に対する知県のコメント＝「批」や審訊に際して出された判決＝「諭（堂諭）」は、ほとんどがごく簡潔で実務的な文に止まる。無数にあった批や諭のうち、一部が「判《はん》牘《とく》」や「判語」として書物にまとめられた。裁判記録としては不完全ではあるが、これも地方官が残した吏文の実例である。裁判の進行過程で重大案件は中央の刑部で審理が行われ、そこで出された判決が判例集の形で「刑案」として残る。[*16]

歴代の判語のなかでも南宋時代の『名公書判清明集《めいこうしょはんせいめいしゅう》』は有名だが、例えば胡石壁「妄訴田業《みだりにとちをうったえる》」（巻四）は以下の文章で始まる。

> 訴訟之興、初非美事。荒廃本業、破壊家財、胥吏誅求、卒徒斥辱、道塗奔走、犴獄拘囚。与宗族訟、則傷宗族之恩、与郷党訟、則損郷党之誼。
>
> （訴訟の興こるは、初めより美事に非ず。本業を荒廃せしめ、家財を破壊し、胥吏は誅求し、卒徒は斥辱し、道塗に奔走し、犴《かん》獄《ごく》に拘囚さる。宗族と訟すれば、すなわち宗族の恩を傷つけ、郷党と訟すれば、すなわち郷党の誼を損なう。）

冒頭部の四字句や対偶表現の多用は吏文に共通するが、口語ではなく、時に典故ある語彙が選ばれる。訴訟内容の記述は一部の法律用語の使用は除き、すべて古文の文体であり、供述に相当する箇所も文語体である。これは明清時代の判語でも基本的に同じである。明代には駢儷《べんれい》文で書かれた判語集『参審批駁四語活套《さんしんひばくしごかっとう》』や『新纂四六合律判語《しんさんしろくごうりつはんご》』などが編纂されている。これらの判語は典故を盛んに用いた美文だが、実用ではなく科挙受験の教材だったと考えられる。壮年期まで幕友として生計を立てつつ科挙受験を続けた汪輝祖《おうきそ》（一七三一〜一八〇七年）は少年時代に駢儷文を学び、後に公文書作成に重宝されたと述べており、[*17]駢儷文で書くのが体裁として望まれていたのである。

実際に作文に携わったのも幕友たちであった。王又槐『辦案要略』「作看」によれば、看語＝判決の素案の作成も幕友の仕事であり、供述記録と同様の作文術があった。そこでは、

> 字句要有文体、不可作村夫鄙俚口気、亦不可過於文飾。
>
> （字句は文体有るを要す、村夫の鄙俚《ひり》の口気を作《な》すべからず、また文飾に過ぐるべからず。）

と述べており、判決文には供述記録とは異なり口語を排除しながら、凝った文章にしないよう注意していたのである。これは上司に報告した際に論駁《ろんばく》されて、突き返されるのを恐れていたためである。上司への報告は清代には詳文と呼ばれたが、地方官たちは上申文書の駁回を避けたがっており、官箴《かんしん》書でもたびたび触れられている。清代前期に地方

官として治績を挙げた黄六鴻《こうろくこう》（生卒年不詳）『福恵全書《ふくけいぜんしょ》』では「惟だ旧例を遵照するのみ」（巻四）として極度に保守的な態度である。

地方官の判語はごく無難な文体で、しかも多くを幕友たちが作成しており、際立った文体上の特徴はない。しかしどこからも異論がないように、またある種の風格をも示すよう計算された「お役所的」な文体という意味では、まさしく吏文の一端をなすものだと言える。

6　おわりに

中国の文書行政を支えた「吏文」は、行政機構の業務の肥大化にともない、その重要性を増していった。宋代以降、科挙試験が定着すると、吏文は二つの方向で発展を遂げていく。一つは科挙出身のエリート官僚と実務を担う大量の胥吏の出現である。エリート官僚たちは吏文を軽侮しつつも、行政報告などで定型の吏文を書かざるを得なかった。もう一つは文書行政が胥吏たちに依存していき、地方行政の主たる部分を占める訴訟関係文書は訟師や幕友らに担われていったことである。吏文はそれぞれの立場で作文技術が高められ、語彙も専門化していった。同時に彼らの立場は流動的であったため、知識が固定化するのではなく、広く知識階層が共有していたのである。

裁判の文書のなかでも、皇帝の決裁を要する死刑案件に関しては刑部など中央官庁が審理・提案した「題本」という文書がある。何段階もの官庁の報告を引用し、整理された口語体の供述記録を主たる材料に作成した、吏文の一つの頂点だと言ってよい。死刑案件という重大事案とはいえ、一介の庶民の言葉が口語体で皇帝の目に触れたのである。名もなき知識人として生きた地方官や幕友たちが営々と残した文章は、今我々にその声を伝えている。

注

1　吉川幸次郎「元典章に見えた漢文吏牘の文体」、『校定本元典章刑部』第一冊附録、京都大学人文科学研究所、一九六四年。

2 元代の北京を中心に北方民族がブロークンな漢語として用いた「漢児言語」という共通言語を想定し、その文章語が「蒙文直訳体」・「吏牘体」とする議論がある一方、モンゴル語の文章からの漢訳とする見解もある。論者によって「吏牘体」の指す範囲が異なるようにも見えるが、ここでの詳論は避ける。これらの論点を整理した舩田善之「モンゴル語直訳体の漢語への影響―モンゴル帝国の言語政策と漢語世界―」(『歴史学研究』875、二〇一一年)がある。

3 『朱子語類』巻一〇八、論治道。

4 岩井茂樹「元代の行政訴訟と裁判文書―『元典章』附鈔案牘「都省通例」を素材として」、『東方学報』京都85、二〇一〇年。

5 宋代の「健訟」に関する研究は多いが、小川快之『伝統中国の法と秩序―地域社会の視点から』(汲古書院、二〇〇九年)、青木敦「珥筆の民」(『宋代民事法の世界』慶應義塾大学出版会、二〇一四年、二七～六三頁)を挙げる。

6 「元代の社会と文化」研究班「『事林広記』刑法類・公理類訳注」、『東方学報』京都74、二〇〇二年、二八九～二九〇頁。

7 清代档案の告訴状・供述記録の作文技術については唐澤靖彦「話すことと書くことのはざまで―清代裁判文書における供述書のテクスト性―」(『中国　社会と文化』10、一九九五年)、「清代における訴状とその作成者」(『中国　社会と文化』13、一九九八年)、「清代告訴状のナラティヴ―歴史学におけるテクスト分析」(『中国　社会と文化』16、二〇〇一年)の研究がある。

8 唐澤靖彦前掲「清代における訴状とその作成者」、三一二頁。また明代の日用類書に載る告訴状の書き方の記事を分析した大澤正昭「明代日用類書の告訴状指南―「土豪」を告訴する―」(『唐宋変革研究通訊』7、二〇一六年)、同氏「商人たちの告訴状―明代日用類書の事例から」(『上智史学』62、二〇一七年)がある。

9 夫馬進「訟師秘本の世界」(『明末清初の社会と文化』、京都大学人文科学研究所、一九九六年、二〇五～二〇八頁)、尤陳俊『法律知識的文字伝播―明清日用類書与社会日常生活』(上海人民出版社、二〇一三年、九〇～九六頁)。

10 『新鍥蕭曹遺筆』(名古屋市蓬左文庫所蔵、万暦二十三年刊本)巻一「做状十段錦玄意」や『新刻法筆驚天雷』(楊一凡主編『歴代珍稀司法文献』第十一冊、社会科学文献出版社、二〇一二年所収)巻下「法門十段錦定式直解」などにある。龔汝富『明清訟学研究』(商務印書館、二〇〇八年、二〇六～二〇九頁)参照。日用類書の記載例は尤陳俊前掲書、九八～一〇三頁に列挙される。

11 清代の裁判の流れは滋賀秀三『清代の法と裁判』(創文社、一九八四年)、寺田浩明『中国法制史』(東京大学出版会、二〇一八年)を参照。

12 幕友の地位や役割は宮崎市定「清代の胥吏と幕友―特に雍正朝を中心として」(『宮崎市定全集』14、岩波書店、一九九一年)、高浣月『清代刑名幕友研究』(中国政法大学出版社、二〇〇〇年)参照。

13 唐澤靖彦前掲「話すことと書くことのはざまで」、二一五～二二〇頁。

14　唐澤靖彦前掲「話すことと書くことのはざまで」、二二〇～二二六頁。ただし『巴県档案』では生員らの供述も口語を交えて記録される。

15　奥村佳代子「清代雍正期檔案資料の供述書―雍正四年（一七二六）允禩允禟案件における「供」の言葉―」（内田慶市編『周縁アプローチによる東西言語文化接触の研究とアーカイヴスの構築』関西大学東西学術研究所、二〇一七年、八一頁）。

16　滋賀秀三前掲書、一四九～一五二頁。

17　汪輝祖『病榻夢痕録』巻上、乾隆五年。

04

書簡文

永田知之

1　はじめに

ここで扱う「書簡文」とは、手紙の文章を指す。文章と一口にいっても、用途などは多岐にわたる。だが書簡文はその中でも、前近代の人々が遠方へ情報を伝える際には、欠くべからざる手段であった。口頭による伝達は記憶に頼るので情報量が限られるし、伝達者が意識すると否とを問わず、内容の改変が生じないという保証を欠くからである。また非識字者も、他者の朗読や代筆で、手紙を通信に役立てていたはずだ。ましてや、意を凝らした詩文は著せなくても、文字を一通り解する者が、書簡と全く無縁ということは考え難かった。

このことは、書簡の定型性と大きく関わる。もちろん、書き手の個性を存分に表出させた手紙も、古くから少なくはない。だが「拝啓」に始まり、時候の挨拶、用件・結びを置いた後、「敬具」で終え、後付を配する様式が今も用いられていることを思えば、定型性の強さは納得できよう。このような決まった様式の使用は、前近代までさかのぼるが、より古くは中国のそれに由来する。中国でも書簡文は、広範な人々と関わる文体であり続けた。したがってさほど文筆に習熟せずとも手紙を簡便に書けるよう定型が形作られて、それが日本にも伝わり、長い年月の間に変容しながら、現代にも名残を留めている――そう考えるのが適切であろう。

今に伝わる最も早い日本の書簡は、中国語の古典文（漢文）で書かれている。文体・表現や形式など、それらは多くを中国の書簡等から学んでいる。この小文では、個人の書簡が残り始めた奈良時代に、日本人が手紙の書き方をどう習得したか、その点について少しく考えたい。

2　奈良時代までの書簡

まず、奈良時代以前の日本について、現存する書簡の一部を見ておく。「日出ずる処の天子、書を日没する処の天子に致す、恙無《つつがな》きや」とは隋《ずい》の煬帝《ようだい》（在位六〇四～六一八年）に送った日本の国書に見える文章とされる。中国の史書『隋書』巻八十一「倭国伝」での引用はこれだけだが、文章の後に「云云」とあるので、実際はより長かったに相違ない。この記述に拠れば、隋の大業三年（六〇七）の時点で（聖徳太子が主導したとされる）当時の政権は、対等の「天子」を称して煬帝の不興を買ったが、国書の体を成す文書を作成できたといえる。

これを、君主の間で交わされた書簡と見なせないわけではない。確かに「無恙」（恙無きや）は、手紙で常用される表現である。ただ国家間の信書を個人の手紙と等しく扱うことは、さすがに難しかろう。また受領者は中国人だから、当時の日本国内で漢文の書信が普及していた状況をうかがう資料とはなし難い。

奈良時代まで下ると、日本人が漢文で通信していた状況が明らかになる。当時の書状は、東大寺正倉院（奈良市）に比較的多く残されている。天平宝字《てんぴょうほうじ》二年（七五八）に書かれたと見られる書信を、次に挙げておく。改行や文字の大小は、原物のそれに従う。

　誠恐々謹啓。
　今朝漸腹張、終及下痢。雖
加救治、猶無止息。若有
小安者、便即欲参上。須

臾之間、更無留連。伏乞
好申目尊、而勿令責延日
之罪。仍録怠之状。誠惶誠恐
謹啓。

九月十八日後家川麻呂謹　上

侍者

石麻呂 道守 二柱尊

（正倉院文書　続修第四十九巻六）[*1]

「今朝から次第に腹が張り、遂には下痢になってしまいました。療治を施してみたものの、やはり治まりません。もし小康を得れば、すぐに参上するつもりです。少しの間も、全くぐずぐずいたしません。どうぞ目尊《さかんのみこと》によろしく申し上げて、日延べの罪をお咎めになりませんように。よって欠勤の書状をしたためます」と現代語訳できる本文の後に、執筆者（後家川麻呂《のちいえのかわまろ》）の名が記される。彼は、国家事業としての仏典の書写を担当した官庁「東大寺写経所」に勤務する写経生《しゃきょうしょう》だった。後付に見える石麻呂《いわまろ》と道守《みちもり》は彼の上役、本文にいう「目尊」は造東大寺司主典《ぞうとうだいじしさかん》・写経所別当の安《あ》都雄足《とのおたり》を指す。つまり勤めを休む旨を、石麻呂らからより高位の上司に伝えてほしいと頼んでいるわけである。ここに挙げた「欠勤届」は、複数の先行研究で論及されてきた。[*2]

この書状だが、中国語古典文の規範に適《かな》う。「誠恐々」や「誠惶誠恐」と「謹啓」を併せた頭語・結語、日付と署名の後に置いた下付「謹　上」、宛名に続けた敬称「二柱尊」など、また脇付「侍者」のような表現や改行の箇所など今日の手紙に通じる形式も散見する。こういった書状は、他にも正倉院に多く伝わる。[*3]

ただ当該の書状は、官庁の上役に宛てられており、国書には遠く及ばないが、なお公的な性格を帯びる。これよりも古く、かつ私的といえよう日本人の書信が伝わる。次に引く大伴旅人《おおとものたびと》（六六五〜七三一年）の文章が、それである。

禍故重畳、凶問累集、永懐崩心之悲、独流断腸之泣。但依両君大助、傾命纔継耳筆不尽言、古今所嘆。

不幸が重なり、訃報が続きます。いつまでも心くずおれる悲しみを抱えつつ、ひとりはらわたがちぎれるほどの涙を流しています。ただお二方の多大な支えのお蔭をもって、終わるべき命をどうにかつなぐばかりです（述べたいことを文字に書き尽くせないのは、古今を通じて憾みに思われるところです）。

（『万葉集』巻五「報凶問歌《ほうきょうもんか》」）*4

神亀《じんき》五年（七二八）、歌人として名高い作者が任地の大宰府（現福岡県太宰府市）で著した文章の全体を挙げた。具体的には、度重なる親族の死に感じて彼が詠んだ和歌に付す前文である。「両君」（お二方）を都にいる、旅人の知人と見なして、この前文を手紙と取る説が十八世紀末以来、今に至るまで広く肯定されている。これを含めて、実質は贈答の歌や詩に冠する手紙と考えられる文章は、『万葉集』に十四例、同時期の漢詩集『懐風藻《かいふうそう》』に二例を見出せる。その中には、釈道慈《しゃくどうじ》（？〜七四四年）「五言初春在竹渓山寺於長王宅宴追致辞一首（幷序）」（『懐風藻』*5）のように「序」と題する文章も含まれる。しかし（受信者に申し上げますという意味の常套語である）「啓」の字を用いたり、詩歌を贈られる個人を対象としたりすることから、それらも手紙と考えて差し支えない。*6

後家川麻呂の書状には四字の、大伴旅人の前文にはそれに加えて六字の句と対偶が複数用いられる。『万葉集』や『懐風藻』に含まれる、他の書簡も長短の差こそあれ、同じ構造を持つ。これは中国で三世紀頃に形成され、十一世紀半ばまで美文の主流を占めた四六駢儷文《しろくべんれいぶん》（駢文）の様式に等しい。

なるほど、唐《とう》における留学（七〇二〜七一八年）が長い道慈は、中国人と書信を交わす機会を持ったはずだ。だが大伴旅人や後家川麻呂たちの場合、同じ奈良時代でもそのような実地の経験に恵まれたとも思えない。しかるに、簡便ながら漢文の規格に則る手紙を著す能力を、彼らはすでに身につけていた。次節では、その要因について考える。

3　奈良時代における書簡の文例集

漢文の書簡を著す方法を日本人が日本で習得する場合、文献を通じた学習という手段が、まず考えられる。漢籍、特に文集には、しばしば書簡が収められる。また、やはり小文では論じないが、能書家（例えば王羲之《おうぎし》）の書跡（模本）に含まれる尺牘《せきとく》も手本となりえたはずだ。しかし、書簡を著す際、見習うのに相応しい手紙の実例を文集などから探し出すのは、手間のかかる作業であろう。用途に応じて整理された文例があれば、その手間は大いに省ける。実は中国人が夙にこの種の文例集を編んでいたことが、諸種の文献に記される。

ただし唐代（六一八～九〇七年）以前の文例集は、ほぼすべてが散佚し、長く存在も忘れられていた。一九〇〇年、中国北西部の敦煌《とんこう》（現甘粛《かんしゅく》省敦煌市）郊外にある石窟寺院の莫高窟《ばっこうくつ》から大量の写本等が見つかる。これら仏典を主とする文献の中に、断片ばかりで正確な数は判然としないが、約百点の文例集としての要素を含む簡便な礼法の指南書——往々にして書名に「書儀《しょぎ》」の語を含む——も存在した。

中国に伝わる書儀の紹介は他日を期することにして、ここでは日本との関わりを中心に述べておく。九世紀末の日本に存在した漢籍のリストである藤原佐世《ふじわらのすけよ》（八四七～八九八年）『日本国見在書目録《にっぽんこくげんざいしょもくろく》』「十八　儀注家」には『大唐書儀』（二種）を含めて、『新儀《しんぎ》』三十巻など十一種の書籍が見られる。*7 同じ項にあるので、「書儀」とは題さずとも文例集と思しい。『新儀』については、梁《りょう》の鮑泉《ほうせん》（?～五五一年）に同名（三十巻）の著作があった。*8 また天平二年（七三〇）の「写書雑物充帳」（正倉院文書続修第十六巻裏三）には「新儀一帙十巻」とある。*9 巻数が異なるので、同名異書とも思われるが、『新儀』という書儀が日本に伝来した可能性も捨てきれない。これらは文献上の記録だが、現物が今日の日本に残った例もある。

喚知故飲書

今有一片枯魚、数升濁酒。諸賢並集、唯少明公。故遣走邀、即希従就。停盃引望、幸勿遅〻。

答

使至辱書、許客席末。自非厚眷、誰復肯然。即事束帯、行不俟駕。清言冀近、此不多云。（『杜家立成雑書要略《とかりっせいざっしょようりゃく》』七）*10

友人を呼んで酒を飲もうとする手紙

いま干し魚一枚、濁り酒数升があります。諸氏はみなお集まりですが、あなたのみお見えではありません。そこで使いをお迎えにやりますので、すぐに(使いに)ついておいでください。盃(を持つ手)を止めて首を長くしてお待ちしておりますので、どうか遅くなりませんように。

返事

お使いが来られてお手紙を頂戴し、客として末席に列なることをお許しいただけるとのこと。(あなたの)手厚いお心遣いがなければ、誰が他にこのようなことをしてくださいましょうか。すぐに身なりを整えて、乗り物などは待たずに伺います。(皆様の)結構なお言葉を身近に聞くことを願って、ここには多くを記しません。

『杜家立成雑書要略』は、漢文の書簡三十六種から成る文例集である。ここに挙げたとおり、各文例は往信と返書から成る。中国人の著作だろうが、本国には現物も記録も残らない。

正倉院に伝わる光明《こうみょう》皇后(七〇一～七六〇年)真筆の巻子が、唯一のまとまった写本である。*[11] 書名に「書儀」の語は含まないが、書簡の文例集という点は疑いえない。これと関わって、興味深い資料がある。

三元肇啓、万福惟新。伏惟第下膺斯吉辰、宜無彊。ム乙預在朝例、不獲参賀。謹遣ム人賷状奉賀、不任悦慶之至。謹啓不宣。年來流、元正在慶。三初多祉、万域同賀。加承投書、更欣無彊。但守職分境、賀新異処。而景慶所湊、理何有阻。仍附一行、敬報何具。二月喚寮友追

散位大初位下桑原村主安万呂*[12]

正月の訪れで、万事の喜びが新たとなる折。拝察するにあなた様にはこのよき日を迎えて、幸い限りなきことと存じます。私は朝廷の官に列なり、お祝いに伺えません。謹んで某人に書状を持って行きお祝い申し上げさせますが、慶賀の思いに堪えません。謹啓不備。時は流れて、新年の喜びに在る折。正月には幸多く、全ての土地で祝意を同じくします。さらに来信を頂戴し、また幸い限りなきことを喜んでおります。ただお勤めによって遠く離れ、新年を祝うにも居場所を異にしています。しかし慶賀の思いを寄せ合うのに、道理として何か(互いを)隔

てるものなどありましょうか。よって短信を付し、謹んでご返事申し上げます、不一。
正倉院より流出し、古くは「尺牘案」（手紙の文案）と称された文書だが（天理図書館現蔵、七四〇年頃の書写）、「二月の応酬書牘と、二月の文の題目六字とを続け書けるは、尺牘案にはあらで、試字なるべし。しかも、正倉院御蔵なる杜家立成と同じく、書儀を写せるは、珍らしといふべし」[13]という見解が正しいだろう。「謹啓不宣」までが年始の挨拶状、その後はそれへの返書の文例と思しい。試字《しじ》（写経生の採用試験[14]）の課題で、新年を言祝ぐ書牘《しょとく》（手紙）の文例を書写し、字数の規定からか、続く二月の書状は題目の一部しか記さなかったらしい。そこで思い合わされるのは、『杜家立成雑書要略』に含まれる文例の表題である。

二十六「歳日喚知故飲酒」
二十七「仮日無事喚知故飲書」
二十八「正月七日知故相喚飲書」
二十九「寒食日喚知故飲書」
三十「成親喚知故書」

前掲の七「喚知故飲書」以外にも、「歳日」（元日）、「仮日無事」（休日で暇）、「正月七日」（節句の一）、「寒食《かんしょく》」（冬至から百五日目）、「成親」（婚礼）を理由に、「知故《ちこ》」（友人）を「喚《よ》」ぶ書簡の文例が少なくない。先に挙げた試字の末尾には、「二月喚寮友追」とあった（「寮友《りょうゆう》」は同僚）。友人と同じく身分に大差のない相手に用件を伝え、かつ正月・二月と時節の順に配列された、『杜家立成雑書要略』とは別の文例集が日本に存在したことを、我々はここから類推できる。
加えて、次のような敦煌文献が存在する。

賀正冬啓　名啓　元正啓祚、万物惟新。伏惟大夫公膺時納祐、罄無不宜。厶卑守有限、不獲随例拝賀如父母即云、不獲称慶庭闈。下情不勝慶躍之至。……
（P.三六八八・杜《と》友晋《ゆうしん》『新定《しんてい》書《しょ》儀《ぎ》鏡《きょう》』[15]）

某人が申し上げます。新年の訪れで、何事も新たとなる折。拝察するにあなた様は天運・福徳を受け、全て順調でないことはないと存じます。私は下位に在ってままならず、定めのとおりにお祝いに伺えませんが（もし父母であれば、「お部屋で慶びを述べられません」という）、心中では躍り上がるほどの喜びに堪えません。……

八世紀前半の書儀（パリの国家図書館が所蔵）から、一部を挙げた。「名」とある箇所には、実際の書簡では発信人の名前が書かれることになる。小字は、「不獲随例拝賀」以下の文言が基本だが、受信者が「父母」ならば「不獲称慶庭闈」（訳文は括弧内に示した）と記せばよいという指示である。祝意を呈しつつ、年始の挨拶に行けないことを弁明する点は、先に挙げた試字の文章に等しい。表現についても「万物惟新」（試字では「万福惟新」）、「伏惟」、「不獲随例拝賀」（同じく「不獲参賀」）、「不勝慶躍之至」（同じく「不任悦慶之至」）と似通う語句が見られる。前掲の試字で写された文例も中国のそれに基づくことは、両者の比較からも明らかになる。*[16]

書儀の影響を多少なりとも受けた奈良時代の書信（楽書・手習いを含む）は、正倉院だけでも百七十件が伝わるという研究がある（注3）。また皇后が『杜家立成雑書要略』を書き写し、写経生を志す最下層の官人（桑原安万呂《くわはらのやすまろ》が試字での署名に冠した「大初位《だいそい》」は従九位より下）が書簡の文例を筆写していた事実は、かなり象徴的ではないか。当時の文筆に親しむ者にとって、文例集は身近な存在であり、それを通して彼らが書簡の作成法を習得したことを、本節で挙げた事例は示唆するであろう。

4　おわりに

平安時代の文献に「書儀」の語は散見するが、書簡の手本について注目すべきは、むしろ日本人が自ら編んだ文例集の出現である。藤原明衡《ふじわらのあきひら》（九九一頃～一〇六六年）『雲州《うんしゅう》往来』（編者が出雲守を務めた経験を持つ）*[17]などは、往来の呼称が示すとおり、『杜家立成雑書要略』と同じく往信と返信を一組にして文例を掲げる。敦煌で出土した書儀にも同様の写本が多くあるので、中国人による文例集の影響を受けたようだ。

だが編者にちなんで『明衡《めいごう》往来』ともいう同書と中国の文例集とでは、相異なる点もある。書簡の差出人に係る固有名詞が見られることは、その顕著な例だろう。中には、明衡自身を示すらしい「勘解由次官藤原」の文言も見える。[18]発信者や受信者の名は挙げないが、『高山寺本古往来』[19]でも手紙の本文に人名が現れる。この点は、これらの文例集が実際の書簡を原型に近い形で利用したことを窺わせる。[20]

いったい手紙の文言に関わる喧しい議論は、身分の差に起因する。「賀正冬啓」において、小字で身内に送る際の文例が別に示されることは、前節ですでに見た（注15）。相手が目上ならば（さらに敬って）こう書く、という指示は、敦煌の書儀に数多く見られる。つまり、そこには、より細かい編集の跡が存在する。現に時候の挨拶、祝辞・弔文の雛型を扱う書儀だと、個別の人名は皆無に近い。

しかし、その一方で公用文の書儀には、人名が頻出しており、実作を文例に充てた例はなくもない。実作を起点にしながら、文例集として形を整えていくという過程は、ごく自然であろう。日本でも『和泉往来』[21]など、実際の書簡に編集を施したか、文例を創作した文献も割と早くに現れる。『明衡往来』等と共にその内容は、日中双方で書簡文例集が類似する経路をたどって形作られたことを想像させる。

この後、和文の要素を含むか、それが主体の文例集が量産される。また、同時に「書札礼《しょさつれい》」と称する日本独自の書簡での礼法が形成されていく。文例集はやがて「往来物」という名の下で初等教育の教科書としての機能を持つようになるが、これらは小文の範囲外のことである。

注

1　宮内庁正倉院事務所編集『正倉院古文書影印集成六　続修　巻二六～五〇』八木書店、一九九三年、三二〇頁。
2　例えば古瀬奈津子「手紙のやりとり」（栄原永遠男編『文字と古代日本四　神仏と文字』吉川弘文館、二〇〇五年）がある。
3　丸山裕美子「書儀の受容について―正倉院文書にみる「書儀の世界」―（改訂）」（同研究代表『平成一五年度～平成一七年度科学研究費補助金（基盤研究（C））研究成果報告書』二〇〇六年）一六～二五、三五～三八頁参照。
4　佐竹昭廣等校注『万葉集』1、岩波書店、一九九九年、四四四頁。

5　小島憲之校注『懐風藻　文華秀麗集　本朝文粋』岩波書店、一九六四年、一六七頁。
6　第二節の私的な書信に関する記述については、永田知之「詩序と書簡の間—唐代以前の贈答詩と古代日本文学との比較を通して」（『日本中国学会報』69、二〇一七年）を参照されたい。
7　「四十　総集家」にも『文儀集』一巻、『大唐新集書儀』一巻が著録される。矢島玄亮『日本国見在書目録—集証と研究—』（汲古書院、一九八四年、九七～九八、二三四頁）参照。
8　『隋書』巻三十三「経籍志二・史・儀注」による。ただし『梁書』巻三十「鮑泉伝」には「新儀四十巻」とある。
9　宮内庁正倉院事務所編『正倉院古文書影印集成七　続修　裏一～二五』八木書店、一九九二年、一五七頁。
10　日中文化交流史研究会『杜家立成雑書要略　注釈と研究』翰林書房、一九九四年、四八～五一頁。
11　『国家珍宝帳』（光明皇太后が東大寺に寄進した聖武上皇の遺品を挙げる目録）に「頭陀寺碑文幷杜家立成一巻……皇太后御書」とある。正倉院事務所編『正倉院宝物三　北倉Ⅲ』（毎日新聞社、一九九五年、一三頁）。同書一九五～二一八頁に『杜家立成雑書要略』全体のカラー写真が掲載されている。
12　国立歴史民俗博物館編『正倉院文章拾遺』国立歴史民俗博物館、一九九二年、一二五、一九九～二〇〇、二三三頁。「宜無彊」、「年来流」の句に一字ずつ脱落があるらしい。
13　佐佐木信綱編輯『竹柏園蔵書志』巌松堂書店、一九三九年、五六九頁。
14　東野治之「『訪書余録』所載の写経生試字」（『日本古代史料学』岩波書店、二〇〇五年、初出一九八九年）参照。
15　上海古籍出版社等編『法国国家図書館蔵敦煌西域文献』26、上海古籍出版社、二〇〇二年、三一四頁。
16　山田英雄「書儀について」（『日本古代史攷』岩波書店、一九八七年、初出一九六八年）。日本での書儀を扱うこの論文から、小文も多くを学んだ。その一六二頁でもより遅い書儀に見えるほぼ同じ文例との間で同様の比較が試みられる。
17　三保忠夫・三保サト子編『雲州往来　享禄本　本文』（和泉書院、一九九七年）に拠る。
18　三保忠夫「藤原明衡」『藤原明衡と雲州往来』笠間書院、二〇〇六年、初出一九八六年、二六～二七頁。
19　高山寺典籍文書綜合調査団編『高山寺本古往来・表白集』（東京大学出版会、一九七二年）参照。「高山寺本古往来」は仮称で、年代も不明だが、十二世紀の著作か。
20　真下三郎「書簡文例集—発生と展開—」、『甲南国文』24、一九七七年、四頁。
21　作成された年代は未詳だが、十世紀後半から十一世紀末の間の著作とされる。京都大学文学部国語学国文学研究室編、遠藤嘉基翻字・補注・解説『和泉往来　高野山西南院蔵』（臨川書店、一九八一年）参照。

05 白話文

大木 康

1 白話とは

白話文《はくわぶん》とは、中国語における書面語《しょめんご》（書き言葉）の一種である。白話に対するのが文言《ぶんげん》であり、文言と白話は日本語でいう文語と口語にほぼ相当しよう。文語が完全な文字言語であるのに対し（文言もその最初期においては、当時の口語にもとづくとされるが）、白話は口頭語にもとづく、あるいは口頭語を模した書面語である。白話は口語であると説明されることもあるが、文言と比較して口語的であっても、本当の口頭語との間にはなおも隔たりがある。これは日本語の場合を考えても同様であるが、口頭で話す言葉そのものには、例えば「あの、その」といった夾雑物《きょうざつぶつ》が入ったり、語順が顛倒《てんとう》したりもするが、書面語としての白話は、話されたままの言葉に、読んで理解しやすいように整理が加えられて文字に記された言葉である。

『水滸伝《すいこでん》』『西遊記』など、白話で書かれた小説作品が多くあらわれたのは、明代後半のことであるが、白話の資料そのものは、明代にはじまったわけではない。誰かがしゃべったことをそのまま記そうとした言語が白話だとすれば、すでに『論語』も、孔子の語録であって、話し言葉を反映しているといえなくはない。例えば衛霊公《えいれいこう》篇の「子曰、辞達而已矣（子曰《いわ》く、辞は達するのみ）」などを見ても、意味としては「辞達」で足りるのかもしれないが、そこに「而已矣」三文字の語気を加えることによって、孔子がしゃべったままの言葉を再現しようとする意図がなかったとはいえまい。

太田辰夫『中国歴代口語文』（江南書院、一九五七年。新訂版は、朋友書店、一九九八年）では、老舎《ろうしゃ》の「離婚」からさかのぼって、最も古い例を『世説新語《せせつしんご》』においており、例えば雅量篇の沈充《しんじゅう》のことば、「傖父欲食餅不。姓何等。可共語。（おやじさん、餅を食いたくないかい。姓はなんというんだい。いっしょに話そうや）」などを、当時の口語の例として挙げている。そこから時代を下って、「目連変文《もくれんへんぶん》」「博異志」「祖堂集《そどうしゅう》」「三朝北盟会編《さんちょうほくめいかいへん》」「朱子語類《しゅしごるい》」「大唐三蔵取経詩話《だいとうさんぞうしゅきょうしわ》」「漢宮秋《かんきゅうしゅう》」「孝経直解」「老乞大《ろうきつだい》」「金瓶梅詞話《きんぺいばいしわ》」「紅楼夢《こうろうむ》」「品花宝鑑《ひんかほうかん》」「児女英雄伝《じじょえいゆうでん》」を経て「離婚」に至っている。

徐時儀『漢語白話史（第二版）』（北京大学出版社、二〇一五年）では、歴代の白話の資料として、「漢訳仏典」「敦煌《とんこう》吐魯番《トゥルファン》文献」「禅儒語録」「詩詞歌曲」「戯曲」「散文」「筆記」「小説」「方言」などを挙げている。

後でも触れるように近代において白話を提唱した胡適《こてき》は『白話文学史』（一九二八年刊行）を著すが、その「引子」で、

> われわれは、知らなければならない。千八百年前、すでに白話で書物を書く人がいたことを。一千年前には、もう多くの詩人が白話によって詩や詞を作ったことを。八九百年前には、もう白話で講学した人があったことを。七八百年前には、白話で小説を書いた人があったことを。六百年前には、白話の戯曲があったことを。『水滸伝』『三国志演義』『西遊記』『金瓶梅』は三四百年前の作品であることを。そして『儒林外史』『紅楼夢』は百四五十年前の作品であることを。

と述べている。

唐宋以後しきりに編まれるようになる禅宗の僧侶の語録、また禅宗の語録から影響を受けたと考えられる朱子の語録、『朱子語類』は、師家の言葉を文言に翻訳して記録するのではなく、しゃべったそのままの形で記録しようとするためのものである。だが、人がしゃべったそのままの言葉を文字に定着させることは、実はそれほど容易なことではなかった。白話の表記法の発達は、禅の語録、あるいは『朱子語類』などによって、次第に磨かれてゆき、その結果

が、明代の白話小説に至ったといえるだろう。

ここで中国語の白話文の実例を一つ挙げてみることにしたい。清代に曹雪芹《そうせつきん》（一七一五？〜一七六三？年）によって書かれた『紅楼夢』第二十三回の一節。晩春の一日、主人公の賈宝玉《かほうぎょく》は大観園で『西廂記《せいそうき》』を読んでいる。折から落花が地面に散り敷いており、それをどうしたものかと思っていると、そこへ林黛玉《りんたいぎょく》がやってくる。

宝玉正踟躕間、只聴背後有人説道「你在這裡做什麽？」宝玉一回頭、却是黛玉来了、肩上擔著花鋤、花鋤上掛著紗囊、手內拿著花帚。宝玉笑道「来的正好。你把這些花瓣児都掃起来、擱在那水裡去罷。我纔擱了好些在那裡了。」

（宝玉が躊躇しておりますと、後ろから声が聞こえてきます。

「ここで何をしてらっしゃるの。」

宝玉が振り返って見ると、黛玉が来ていて、肩には花鋤をかつぎ、花鋤には絹の袋を掛け、手には花箒をもっています。宝玉は笑って、

「ちょうどよいところに来られました。この花びらを掃き集めて、水のなかに投げ入れてやってくださいよ。わたしも少しばかりあそこに投げ入れたところです。」）

ここで「只聴」「説道」「你在這裡做什麽」「却是」「来了」「擔著」「掛著」「拿著」「笑道」「来的正好」「你把這些花瓣児都掃起来」「擱在那水裡去」「我纔擱了好些在那裡了」などは、いずれも白話の語彙であり、言い回しである。これらの語句は、みな現代中国語（漢語）の辞書の中で拾うことができるであろう。『紅楼夢』の文章は現代中国語の知識によって読める、というよりむしろ、現代中国語の知識がなければ読めないのである。

日本人は、古くから中国語の文献をいわゆる漢文訓読の方法によって読んできた。しかし、それは文言の文章の場合には通用したが、白話の文章には漢文訓読法はあまり有効ではなく、白話の文章を読むためには、やはり中国語そのものを学ぶ必要がある。現在のいわゆる中国語は、これから述べる官話の系統を引く言葉だからである。ただし、同じく白話といっても、文言に近い白話（例えば『三国志演義』の文章）もあれば、より話し言葉に近い白話（例えば『水滸

伝』の文章）もある。

さて、中国における言語は、どこかある一地域を考えた場合、方言・(官話《かんわ》・白話)・文言といったピラミッド状の階層をなしている。このうち文言・白話は文字言語であり、官話と方言は基本的には口頭言語である。ピラミッドの基底にあるのは方言の世界で、方言を話す人が最も多いことを示す。そのなかから少数の官話・白話・文言を身につけた人が出てくる。下から方言・(官話・白話)・文言と重なっている図式は、中国人にとっての言語習得過程をも表している。人はだれでも、生まれて最初に習うのは、方言である。そして、そこから先、一生方言しか話さない、つまり文字言語の段階に至らない人もいれば、教育によって文字を学び、官話・白話・文言を獲得して行く人もいる。ただ、官話・白話・文言を身につけることは、ただちに方言を捨てることを意味するわけではなく、文言によって詩文を書く能力を持っている人でも、同郷人との会話は方言で行なっていたのである。

この言語のピラミッドはまた社会の階層に対応していた。かつて中国にあって人口の大多数を占めた農民の多くは、生涯方言世界におり、科挙《かきょ》によって官僚を目指すもの、また商人として各地を渡り歩くものが、第二、第三の言語である官話・文言・白話をあやつったのである。中国全土の言語状況は、こうしたピラミッドが、平面上にたくさん並んでいる状態である。中国には各地に方言があるが、その違いは大きく、A地方の方言とB地方の方言では、会話することも困難なほどである。そこで、みんなが話せる標準語が必要になる。それが官話である。官話と称するのは、さまざまな地域出身の同僚と話しをしたり、地方官として全国各地を渡り歩いたりした官僚にとって、共通の言葉が必要だったからである。官話は北方の話し言葉を基礎とした。そして、この共通の話し言葉である官話を文字に定着させたのが、白話なのである。共通の話し言葉を文字に定着させた白話で書かれているがゆえに、『水滸伝』を全国の人が読むことができた。逆に馮夢龍《ふうぼうりょう》（一五七四～一六四六年）の『山歌』は、蘇州《そしゅう》方言で書かれているので、蘇州の人以外には、その理解が容易ではなかった。

さて、各地の方言同士では言葉が通じないところから、共通語としての官話が生まれ、それを文字に定着させたものが白話であると述べた。しかしながら、中国の長い歴史を通じて、共通語としての官話が一貫して行なわれた一つの言語であったとは考えられない。例えば敦煌変文《とんこうへんぶん》に見られる白話は、やはり北方の口頭言語にもとづくものであろうし、元代の戯曲、『孝経直解《こうきょうちょくかい》』、白話碑などの白話資料に見られる白話もまた、北方の言葉であろう。だが、明清時代の多くの戯曲小説の白話は、明初に都が置かれた南京の言葉を標準とする下江官話にもとづいているし、清代の『紅楼夢』は北京の言葉によっているとされる。このように、一言で官話、白話といっても、厳密にいえば、時代により、また地域によって、微妙に異なったさまざまな官話、白話が存在したのである。

2　白話と方言

胡適は「文学改良芻議《ぶんがくかいりょうすうぎ》」の「八　俗語俗字を避けざれ」のなかで次のように述べている。

元の時代に至り、中国の北部は異民族（遼、金、元）の下にあってすでに三百年あまり。この三百年の間に、中国には一種の誰にでもわかりやすく遠くまで広がって行く（通俗遠行）文学が生まれた。文章では『水滸伝』『西遊記』『三国志演義』の類であり、戯曲については数えられないほどである。今の眼から見れば、中国文学は元代が最も盛んであったといえ、伝世不朽の名作は元代が最も多かったことは、疑いもない。この当時、中国文学は最も言文が一致していたのであって、白話はほとんど文学の言語になっていたのである。

胡適は文言と白話の言語のイメージを、ヨーロッパにおけるラテン語と英語、フランス語、イタリア語などとの関係から発想しているようである。かつてはラテン語が唯一の共通言語であったが、後にフランス語など、かつての「俚語」が「国語」として成熟し、文学の言語となったという図式である。[*1] ここでは、近代的な国民国家、統一国家としての中国、その基本としての「国語」をいかにして確立するかの戦略的な発想としてこれらの分析もあったこともあって、ある意味ほんとうの口頭言語である方言がすっぽりその視野から抜け落ちていることは指摘しておいてよいかもしれない。胡適は「俗語」を称揚しながら、その「俗語」とは「官話」のことであって、決して方言のことではなかった。なぜなら、もし各地の方言を認めてしまったら、肝心の国民国家としての中国の統一が失なわれかねないからである。胡適は国民国家建設のために、分裂の要因となりかねない方言の存在を意図的に無視したともいえる。

白話文は官話を表記したものといったが、白話と方言の関係も微妙である。例えば、蘇州で編纂出版された馮夢龍の短篇白話小説「三言」などにも、時折方言語彙が混じるとの指摘がある。これは、前に見たように、蘇州人であれば、一種のバイリンガルになっているので、共通語である白話で文章を書いているつもりでも、そこに方言語彙が混じるという現象が起こるのである。例えば、「三言」のうちで馮夢龍自身が書いた作品であることが明らかな『警世通言《けいせいつうげん》』巻十八「老門生三世報恩」の中に、

到天順六年、鮮于同五十七歳、鬢髪都蒼然了、兀自擠在後生家隊裏、談文講藝、娓娓不倦。那些後生見了他、或以為怪物、望而避之、或以為笑具、就而戯之。

（天順六年になると、鮮于同は五十七歳になり、髪も白くなってしまったが、相変わらず若者たちに立ち交じって、飽きもせずに文章を語っていた。若者たちは彼を見て、変な奴だと思って、遠くから望んで避けるものもあれば、笑いものにしてからかうものもあった。）

とあるが、ここに見える「後生（家）」は、若者を意味する呉語であり、同じ馮夢龍の編んだ蘇州方言の歌謡集『山歌』で、「小年紀後生弗識羞（年端のいかない若者は羞を知らない）」（巻一「看」）などとある「後生」と同じである。

3　白話文藝の興隆

白話の文学は近世になって盛んになるが、それについては、いわば庶民の興起、庶民の発見ということが背景にあるようである。それは一つには、上の思想を、わかりやすい言葉で下に伝えるという意味での白話の提唱であり、もう一つは、そもそも知識人による庶民そのものの価値の発見である。

白話の小説を教化のために用いるという考え方、例えば馮夢龍の編んだ短篇白話小説集「三言」のうち、「古今小説

序」で、

だいたい唐人は言葉を選び、文章に凝っている。宋人は俗に通じ、一般人の耳に入るのにちょうどよい。天下には文章に凝るものは少なく、一般人の耳の方が多い。それで、小説には言葉を選ぶもののためになることは少なく、俗に通じるもののためになることが多い。いま試みに、説話人が舞台で上演するのを見ると、喜んだり驚いたり、悲しんだり涕いたり、歌ったり舞ったりすることができる。さらに刀を取ろうとし、さらに下拝しようとし、さらに首を斬ろうとし、さらにお金を与えようとする。弱虫も勇に、淫なる者も貞に、薄なる者も敦に、おろかな者には冷汗をかかせる。毎日『孝経』『論語』を読んでいたとしても、これほど速くかつ深く、人を感動させることはできないのである。ああ、俗に通ずるのでなくて、このようなことができるだろうか。

といって、白話で書かれた小説が人々に与える影響力の大きさは、儒教の経典である『孝経』『論語』以上なのだ、として、誰にでもわかりやすく、そのために与えられる感動も深い、と白話の価値を認めている。これは、より具体的な教化の対象としての民衆の発見といえよう。一方で、民衆そのものに価値を見いだす考え方は、例えば次の袁宏道《えんこうどう》（一五六八～一六一〇年）の「叙小修詩」（『錦帆集』巻二）。

そもそも天下の物は、それ一つしかないとなると、無いわけにいかない。無いわけにはいかないとなると、いくら除こうとしてもできない。同じようなものは、なくてもかまわない。なくてもかまわないとなると、いくらとっておこうとしてもできない。その理屈で、今の詩は後世に伝わらないと私は思う。もし万が一後世に伝わるものがあるとすれば、それは今街中で女子供が歌っている劈破玉《へきはぎょく》、打草竿《だそうかん》の類かもしれない。それは知識も見識もない真人が作ったものであるから、真の声が多いのである。これらの歌謡は、漢魏詩のひそみにならおうとするのではなく、盛唐詩のまねをするのでもなく、性にしたがって自然に発露されたものである。それでよく人の喜怒哀楽や嗜好情欲に通じることができるのであって、そこが好ましいのである。

「街中で女子供が歌っている擘破玉、打草竿」といった俗曲の類を、後世に伝わる「真詩」なりとしているのである。

こうした俗曲は、文字通り俗語で歌われていたものであろう。

なお、同様の「民衆の発見」は、明代の思想史においても、並行的に行なわれていたことが観察される。例えば、王陽明（一四七二〜一五二八年）の『伝習録《でんしゅうろく》』巻下。

ある日、王汝止が外に出かけて戻ってきた。先生がたずねた。「出かけて何を見てきたのか。」答えていった。「町中の人がみな聖人であるのを見ました。」先生がいわれた。「おまえは町中の人が聖人であるのを見たが、町中の人はおまえという聖人がいるのを見たのだ。」

この「町中の人がみな聖人である（満街人都是聖人）」の発言は、「君子」ばかりでなく、すべての人が聖人たりうる可能性を持つものとして、従来の「士」と「庶」の階級差を否定する発言である。こうした思想上の考え方は、文学上の「民衆の発見」、民衆の言語としての白話の評価と表裏一体をなす考え方である。清末民国に至ると、白話は、革命や反封建などの思想と結びついていくが、その下地ともいえるであろう。

4　階級を超える白話

とはいっても、白話は必ずしも庶民とばかり結びついたものというわけでもない。例えば、宰相であった張居正《ちょうきょせい》（一五二五〜一五八二年）が、わずか十歳で即位した明の万暦帝《ばんれきてい》の教育にあたった折に編んだとされる『帝鑑図説《ていかんずせつ》』は、歴代の帝王のすぐれた事跡を示した絵入りの教科書である。はじめに文言の原文があり、その後の「解」は、文言の本文を白話でわかりやすく言い換えた解説である。例えば、「夜分講経」では、原文のままあげると、

漢史紀、光武数引公卿郎将、講論経理、夜分乃寐。（下略）

（『漢史紀』に、光武はしばしば公卿、郎将を引きて、経理を講論し、夜分に乃《すなわ》ち寐《い》ぬ。）

【解】東漢史上記、光武皇帝退朝之後、常常引公卿及郎将之有経学者、与之講論経書中的義理、至於夜半、方去歇息。（下略）

（『東漢史』に記す、光武皇帝は退朝の後、いつも公卿及び郎将で経学を知る者を引き連れ、彼らと経書中の義理を講論し、夜半に至って、ようやく休んだ。）

といったもので、この「解」の部分は、本文を白話でわかりやすく言い換えたものである。張居正にはまた、経書の内容を白話で講義した記録も残っている。例えば『四書経筵直解《ししょけいえんちょくかい》』の『論語』の部分を見ると、これも原文で示すならば、

有朋自遠方来、不亦楽乎。

（朋有り遠方より来る、また楽しからずや。）

朋是朋友、楽是歓楽。夫学既有得、人自信従、将見那同類的朋友皆自遠方而来、以求吾之教誨。夫然則吾徳不孤、斯道有伝、得英才而教育之、自然情意宣暢、可楽莫大乎此也。所以説不亦楽乎。

（朋は朋友、楽は歓楽。そもそも学んで得るところが有れば、人は自ずと信じ従い、同類の朋友がみな遠方より来て、私の教誨を求めるのを見るであろう。さてそうなれば私の徳は孤立せず、この道も伝わり、英才を得てこれを教育し、自然に情意がのびやかになり、これより大きな楽しみはない。だから「また楽しからずや」という。）

といった具合に『論語』の原文を白話によって敷衍《ふえん》して説明している。張居正における万暦帝は、幼少であったという事情もあるが、こうした書物が刊行されていたことを見ると、白話が広い場面で行なわれていたことが知られる。白話は決していわゆる庶民ばかりのものではなく、士大夫読書人にとっても身近なものだったのである。

さらに例えば明初永楽帝《えいらく》の時代に編纂され、科挙の試験のよりどころとされた国家公認の四書解釈集である『四書大全』のなかにも、『朱子語類』からの引用はいうにおよばず、それ以外にも多くの学者の説が白話で記されている。国家教学の中心ともいえる朱子学の文献に多く白話が用いられているのである。

さらに明の太祖朱元璋《しゆげんしよう》自身の編纂と題する『逆臣録《ぎやくしんろく》』という書物がある。これは、明の開国後まもなくひきおこされた大事件、胡藍案のうち藍玉案に関わった人々の供述を集めた書物で、供述は明らかに口語で記されている。供述

書は白話で記すことによって、しゃべったままに相違ないことを示したかったのである。*2

庶民ならざる人々によって用いられた白話、張居正の場合や『四書大全』『逆臣録』などを通して考えられることは、文言と白話は必ずしも階級の違いに還元できる問題ではなく、それが用いられる「場」の違いを反映するのではないかということである。あるいは、表と裏の使い分けともいえるかもしれない。ただ、こうした士大夫による白話資料がより多く残るのも、明代以降のことであることはたしかであるが。

注

1 中国近代における白話については、村田雄二郎「「文白」の彼方に――近代中国における国語問題」(『思想』一九九五年第七号)ほかがある。

2 唐沢靖彦「話すことと書くことのはざまで――清代裁判文書における供述書のテクスト性」(『中国――社会と文化』9、一九九四年)。

06 日本の変体漢文

瀬間正之

1　用語の問題

変体漢文とは、規範的漢文がなんらかの理由でくずれ、変則的もしくは破格となった漢文文体のことであるが、[*1]『日本語学研究事典』では、「変体漢文」「和化漢文」ともに、立項されているものの「記録体」の項を引く指示があるのみであり、「記録体」の項には「変体漢文・和化漢文・和臭漢文・準漢文・亜漢文・擬漢文体とも言い、鎌倉幕府の記録である『吾妻鏡《あづまかがみ》』がこの文章様式としては代表的な作品であるために、吾妻鏡（東鑑）体とも言う」（佐藤武義担当）と説明している。同じく佐藤武義担当の「上代の文章」の項も「記録体」の語を使用している。[*2]

呼称の歴史を紐解けば、佐々木信綱は、正格の漢文に対して「俗文（国文文脈の漢文）」と呼び、[*3] 久松潜一は、『日本書紀』や『常陸《ひたち》風土記』の文章を純漢文とするのに対して、『古事記』や『播磨《はりま》風土記』の文章を「漢文のくずれた性質を有するために未だ純漢文とは言ひ難い文章」とした。[*4] 倉野憲司は、それを純漢文体に対して、「準漢文体」と呼び、[*5] 吉澤義則は、「東鑑体《あずまかがみたい》」の語を用いた。[*6]

「変体漢文」の語は、橋本進吉が、漢文・「変体の漢文」・和歌及和文の三分類に区分したことに由来するようである。[*7] これに対して、徳光久也は、漢文体・真仮名《まがな》漢文体・「和化漢文体」・宣命《せんみょう》文体・真仮名文体の五分類を立て、「橋本博士の変体の漢文というものは、和化漢文体に相当する。変体の漢文こそ、漢文様式に国語的表現を加味したものではないか。[*8]」とした。

「変体漢文体」の語は、管見の限りでは、西宮一民が初出かと思われる。上代の文体について、漢文体・和文体・「変体漢文体」の三文体併存説を立て、変体漢文体を、基本的には〈漢文体〉に拠りながら、まま〈和文体〉が混入する文体とした。[*9] その後、沖森卓也は、「変格和文」の語を用い、[*10] 毛利正守は「倭文体」という新たな術語で、[*11] これを捉えた。

以上のように、用語はさまざまであり、これについて筆者も幾度か提言を試みた。[*12] しかし、なかなか統一的な用語には落ち着くことはないのが現状である。なお、呼称の問題を含む研究史については毛利正守が丁寧にまとめている。[*13]

2　変体漢文の実態

峰岸明は、変体漢文について、漢文の作成を指向しつつも、中国古典の文章には存しない用字・用語・文法を含むものと、国語文の作成を指向し、漢文様式によって日本語の文章を表記したもので、文体上、純漢文とは異なる独自の特徴を有するものとに大別している。[*14] また、金文京も、①書き手が規範的漢文を書くつもりが、漢文の語法に習熟しておらず、誤解によって変則的、破格となった未熟漢文、②その誤りの中に書き手の母国語の語法や語彙が無意識に反映する和習《わしゅう》（臭）漢文、③無意識であったものを意識的に用い、自国の語法、語彙によって漢文を変形させたものがあり、変体漢文の主体は③であるとしている。[*15]

すなわち、変体漢文には、『日本書紀』のように漢文を指向しつつ倭習を含むものと、『古事記』のように自国語の発想が先にあり、それを漢文的に記したものとに大別される。国語の文章の発達史を考える上では後者が研究対象として用いられてきたのに対して、前者は、『日本書紀』・『豊後国《ぶんごのくに》風土記』・『肥前国《ひぜんのくに》風土記』・『常陸国風土記』・『出雲国《いずものくに》風土記』各郡の後半部・『古事記』序文がそれに当たるが、部分的に倭習の箇所が指摘されるものの、むしろ漢文体として捉えられてきた。久松潜一も、『日本書紀』や『常陸風土記』の文章は純漢文とし、峰岸明も同様に律令・『日本書紀』・『懐風藻《かいふうそう》』・詔勅《しょうちょく》・官符《かんぷ》を純漢文としているように、[*16] これらの文章はむしろ漢文学での研究対象として見られていた。変体漢文の研究と言えば『古事記』『播磨国風土記』から、いわゆる記録体『将門《しょうもん》記《き》』『吾妻鏡』公家日記に連なる方向性が中心であった。八世紀以降の研究は蓄積されているので、ここでは七世紀以前の実態について紹介したい。

現存する国内文字資料は、すでに稲荷山鉄剣《てっけん》にも変格要素が含まれている。鉄剣銘の「上祖」は遠《とお》つ祖《おや》の意で用いられており、この用法は中国では初唐以前の例を見つけることは困難であり、当時の漢文としては異例であるが、八世紀成立の文献資料でも『日本書紀』神代下・第九段・第一の一書「中臣上祖《とほつおや》天兒屋命」など計五例と『播磨国風土記』餝磨《しかま》郡「室首寶等上祖」など計四例が見える。『日本書紀』では「遠祖・始祖」が圧倒的で、「上祖」はこの例を含む一文に過ぎない。『播磨国風土記』では「祖・遠祖・始祖・上祖」の四種の表記があるが、「上祖」は餝磨郡に限定される。この語の先例は高句麗「広《こう》開《かい》土大王碑文」に「自上祖先王以来」とあり、高句麗はもちろん、おそらく百済《くだら》・新羅《しらぎ》にもこうした用法が知られており、半島系渡来人の筆、あるいはこれに学んだものと考えるべきかも知れない。

七世紀木簡には、「稲取人」（屋代木簡）・「参向不得」（観音寺木簡）など文の一部に国語の語順を含んだものが目立つ。これらは訓読すれば、漢文の語順「取稲人」「不得参向」と同じになることは言うまでもない。正倉院文書にも、字順に拘泥しない例が多々ある。先例となる百済木簡にも百済語の語順で漢字を配列したものも見られ、七世紀において、すでに変体漢文が日常化していたことが知られる。脳裏に浮かべた訓読文から文を起こした結果であると見られる。*17

注

1 金文京『漢文と東アジア―訓読の文化圏』岩波新書、二〇一〇年、一九二頁。

2 『日本語学研究事典』明治書院、二〇〇七年、五〇四頁・四八六頁・四八〇頁。

3 佐々木信綱『南京遺文』附巻、一九二一年、複製→八木書店、一九八七年。

4 久松潜一「祝詞文の形象と表現意識」、『国語と国文学』7-4、一九三〇年。

5 倉野憲司『古事記論攷』立命館出版部、一九四四年。

6 吉澤義則『國語史概説』立命館大學出版部、一九三一年・國語科學講座五『日本文章史』明治書院、一九三四年。

7 橋本進吉『国語学概論』岩波書店、一九四六年。

8 徳光久也『上代日本文章史』南雲堂桜楓社、一九六四年。

9 西宮一民『日本上代の文章と表記』風間書房、一九七〇年。

10 沖森卓也『日本古代の表記と文体』吉川弘文館、二〇〇〇年。

11 毛利正守「和文体以前の「倭文体」をめぐって」（『萬葉』185、二〇〇三年）・「古事記の書記と文体」（『古事記年報』46、二〇〇四年）・「倭文体の位置づけをめぐって―漢字文化圏の書記を視野に入れて―」（『萬葉』202、二〇一〇年）・「上代の作品にみる表記と文体―萬葉集及び古事記・日本書紀を中心に―」（『古事記年報』52、二〇一〇年）・「上代日本の書記の在りよう」（『萬葉集研究』34、二〇一三年）。

12 瀬間正之「シンポジウム『文字文化を問い直す―新出出

土資料から見る百済・新羅・倭―』を終えて―」(『上代文学』106、二〇一一年)・「書評 乾善彦『日本語書記用文体の成立基盤』」(『萬葉』225、二〇一八年)。

13 毛利正守「「変体漢文」の研究史と「倭《やまと》文体」」『日本語の研究』10-1、二〇一四年。

14 峰岸明『平安時代古記録の國語學的研究』(東京大学出版会、一九八六年)・『変体漢文』(東京堂出版、一九八六年)。

15 注1同、一九二頁

16 注4同。

17 瀬間正之「文字言語から観た中央と地方―大宝令以前―」(『文学・語学』212、二〇一五年)・「高句麗・百済・新羅・倭における漢字文化受容」(『古代文学と隣接諸学4 古代の文字文化』竹林舎、二〇一七年)。

07 朝鮮の漢文・変体漢文

沈 慶昊

1 朝鮮の漢文の種類

朝鮮半島では、三国時代に入り高句麗《こうくり》・百済《くだら》・新羅《しらぎ》で漢文学が徐々に発達した。四一四年に作られた高句麗の「国岡上広開土境平安好太王碑」の碑文は、全千七百七十五字中の百五十字余りが判読不能であるものの、漢文の文言語法の定格をほぼ守っている。八世紀以降には文言語法の漢文を中心に、韻文や散文が大いに発達した。新羅時代の塔碑である「新羅国故両朝国師教諡朗空大師白月栖雲之塔碑銘」は、四句一転韻の詞をつけている。

しかし、朝鮮では早くから漢文と朝鮮語の構文構造の違いを克服すべく口訣《こうけつ》と吏読《りとう》（吏吐）を活用した。口訣とは、漢文をそのままの語順で読むが、漢文の句の区切りに、朝鮮語の関係詞、助辞や動詞語尾を漢字で書き入れたもので、わずか二三十字の漢字の借用で十分である。いっぽう吏読は、漢字の土着化のため関係詞や動詞・副詞などの特殊語に至るまで朝鮮語を漢字の音訓を借りて表す表記法で、朝鮮時代末期まで公文書や証書、訴状などに広く使われた。

朝鮮後期に官文書作成のマニュアルとして広く流通した『儒胥必知《じゅしょひっち》』によると、当時通行の漢文文体は大きく三種類に分かれる。

ⓐ文章学をする者の著す序・記・跋・雑著などに使われた「文章体」（通常の古文）
ⓑ科挙の試験を準備する者が学んだ、詩・賦・表・策・疑・義などの「功令体」（科挙用の文体）
ⓒ文書作成や業務処理のために覚えた「吏胥《りしょ》体」（吏読文）

『儒胥必知』では、科挙に通り官となった者が王に代わって作成する文書や、外交の場で使われる文書は除外されている。こうした文章は「大小文字」（士大夫が正式の漢文で書いたさまざまな文体の文章）と呼ばれた。このほか僧侶が使用する仏教式漢文も別途存在していた。仏教式漢文は、四言句を整頓したものや、連読する複合語述語が一般の漢文よりも多く、主語と述語の間に音調を整える機能を果たす「而」を用いたり、疑問詞と疑問助詞が無く「爲～爲～」の形で疑問文を作ったりすることもある。こうした文体的特徴は漢訳仏典と共通する。したがって朝鮮の漢文文体は、全五種に大別できる。

ただ、大小文字・文章体・功令体・仏教漢文の四つは、基本的に正格漢文の語法を守っていた。一四七八年（朝鮮成宗九年）、王命により徐居正《じょきょせい》・姜希孟《きょうきもう》等が編纂した『正編東文選』は、新羅時代から朝鮮（李朝）初期まで約五百人の作者の詩文四千三百二篇を、文体別に分類して収める。その文体は大小文字・文章体・功令体を網羅し、四十九種の文体に分類する。

ところが、『儒胥必知』で述べた吏胥体は、動詞の前に短い目的語や長い目的語節を置き、そこに吏読の朝鮮語漢字表記をつけて文章成分の機能を明瞭に標示するので、文言語法の漢文とは語順が違う。[*1]『儒胥必知』には、「上《じょう》言《げん》」・「撃錚原情《げきそうげんじょう》」・「所志《しょし》」・「単子《たんし》」・「告目《こくもく》」・「明文《めいぶん》」、その他、合わせて六十一種の文書様式を収録している。朝鮮時代に入っても、吏読を混ぜた漢文や朝鮮式語彙と語法を一緒に使用する朝鮮式漢文が使用された。これはいわゆる変格漢文の一種と見なせるものであり、一般に吏読式漢文、吏読文と呼ばれている。

朝鮮の言語と文章		
	文言語法（古文）の漢文	唐宋古文、秦漢古文（擬古文）、小品
		科文（科詩・科賦・疑義）
		仏教漢文
	韓国式（吏読式）の漢文	状啓等公文書、告目・立案など行政文書、分財記・所志など生活文書
	ハングル表記文と口語（韓国語）	諺解、ハングル書札、ハングル小説

2　吏読式漢文

吏読式漢文の早い例として、慶州《けいしゅう》仏国寺の釈迦塔内で発見された遼の太平十八年（高麗靖宗四年、一〇三八）の紀年をもつ紙片の「仏国寺西石塔重修形止記」がある。その中に、「西辺石塔亦傾墮如加賜乙」という一文があるが、傍線部の「亦」は朝鮮語の主格助詞〝이（i）〟を、「如加賜乙」はおそらく〝다더시늘（dadeosineul）〟と読んで、「～のようである」という意味で、全体として「西辺の石塔が傾き墮《おち》るようである」という意味になる。[*2]

高麗時代の前期、吏読式漢文は金石文や古文書で広く使用されたと思われる。現在、六十種余りのこの時期の吏読式漢文資料が伝わっている。その後、朝鮮時代初期の『大明律直解《だいみんりつちょっかい》』は、洪武二十二年（一三八九）の『大明律』を、吏読式漢文で翻訳したもので、一三九五年に書籍院において木活字で刊行された。一三九五年の原刊本は伝わらず、十六世紀以降の重刊本のみ伝わる。[*3] 律文と直解を対照すれば、以下の通りである。[*4]

【律文】 凡妻毆夫者，杖一百。夫願離者聽。（およそ妻が夫を殴する者は、杖一百。夫離を願う者は聴《ゆる》す。巻二十「妻妾毆夫」）

【直解】 凡 妻亦 夫乙 犯打爲在乙良 杖一百爲乎矣 本夫亦 自願棄別爲在乙良 許聽。（下線部分が朝鮮語の漢字表記）

○凡 妻이 夫을 犯打ᄒᆞ견이란 杖一百ᄒᆞ온되 本夫이 自願棄別ᄒᆞ견이란 許聽。（傍線部をハングルに改めたもの）

【日本語訳】 およそ妻が、夫を 犯打すれば、杖一百にするが、本夫が自願棄別（自ら棄別を願う）すれば、許聴《ゆる》す。（傍線部分が朝鮮語の表記に相当する）

3 中国の吏文体

一方、高麗中期以降の元の干渉期には、元の法令が継受され、その吏文体が受容された。この吏文は、元の法令集で使われた文体で、四言句を主とし、吏語という特殊語彙を使用した。朝鮮時代の公文書には、中国の吏文体に倣って四言中心の語句を連結しつつ、特殊な法律用語や慣用語を多用したものもある。すなわち、『経国大《けいこくたい》典《てん》』巻三「礼典」は、告身式などに使う純漢文体の書式を吏文とし、実際に吏科と承蔭《しょういん》出身の奉贈爵牒《ほうぞうしゃくちょう》などの文書にも吏文体が使われた。世祖三年（一四五七）以降は、東西両班の五品以下の告身《こくしん》（任命状）にも吏読の代わりに吏文を用いた。例えば、朝鮮の国王が臣下に官職・官爵・資格・諡号《しごう》・土地・奴婢《ぬひ》などを賜う際に発給する教旨には「某爲某階某職者」（某《なにがし》を某階某職と為す者）のように、語末に命令の語気を示す「〜者」を用いる。これは、モンゴル語の直訳体で「〜者」を使用したことからの影響のようである。

4 吏読式漢文による文芸作品

裁判の自白文書である供招《きょうしょう》は、必ず吏読式漢文で作成された。ところが、朝鮮後期には、吏読式漢文による裁判文書の形式を借りた文芸作品が登場する。十九世紀の筆写本『要覧』（韓国国立中央図書館所蔵）所載の「鼠大盗供辞」（鼠の大泥棒の自白書）がその代表的な例である。[*5] 傍線部が吏読表現、（ ）内はそのハングル転写と日本語訳。

白等（숣등／申し上げますが），鼯山狀辭据，生栗偸食辭緣．推考教是臥乎在亦（이시누온견이여／なさることなので），矣身（의몸／私自身）雖出鼠種，自少穎悟，智謀多端．前矣（전의／前に）我国家与賊相戦，而我国将為窘迫是白去乙（이숣거늘／でございましたので），矣徒（의ᄂᆡ／私ども）等潜入彼辺弓箭之庫，咬絶弓弦，遂得勝戦．其功不少是如（이다／だといって），論功一等，名等六甲之上，至今称号是白在果（이숣견과／でありましたが），当初論功賞賜時，最功重，矣身乙良（의몸으란／私については），家舎田民賜級不足，身無蔵処，業無所食，以穴爲家，以子爲奴。或偸食於人家之飯，或盗喫於官府之物物（갓갓／色々なもの），連命為白如乎節段（ᄒᆞ숣다온지위쭌／しておりますうちに），老病鈍体，運身不得，長臥穴閣，専頼子息，以保余年為白沙余良（ᄒᆞ숣산나마／しているだけでなく）．適音（마츰／ちょうど）今年段（짠／は），雨暘不時 農事不登，尤甚兇荒是白乎旀（이숣오며／でございまして），家患連綿，疾病荐臻，長子児孫段（짠／は），因病致死，次女児今段（짠／は），陷穽圧死，末子児同無妹独子。以矣身（의몸／私自身）亦子女死去之後，心神錯乱，罔知所措，坐死待日［坐待死日の誤りか］乙仍于（을지즈루／のために），暫不離側是白去乙（이숣거늘／でございますが）．前矣（전의／前に）楸木亭良中（아히／にて），会飲団欒之時，矣身（의몸／私自身）泥酔之間，鼯山茂火（더부러／とともに），其家夏節段（짠／は），娶妻爲九，家内率畜為有如可（ᄒᆞ잇다가／していたところ），待秋成拾栗蔵置後，還出其八，只畜盲目一妻白臥乎所（ᄒᆞ숣누온바／おりましたので）．奸詐不義之狀，直言責説為白去乎向入（ᄒᆞ숣거온앗드러／いたしましたことを思い）常常懐嫌切歯為白如可（ᄒᆞ숣다가／していましたが），忠孝双全矣徒（의ᄂᆡ／私ども）父子乙（을／を）謀害設計，生栗偸取様以（양으로／ように），虚張石数，誣餙呈狀事爲白良置（ᄒᆞ숣아두／いたしましても），不少生栗五石乙（을／を），九十程途良中（아히／にて），一夜之間，尽数偸来爲白乎

所（ᄒᆞᅀᆞᆸ온바／いたしますのは）, 万万無理, 加于（더욱이／さらに）誣訴判然為白乎旀（ᄒᆞᅀᆞᆸ오며／ございまして）. 假使矣身（의몸／私自身）迫於飢寒, 偸食的実為白喩良置（ᄒᆞᄉᆞᆸ디라두／だとしても）, 元非国穀, 又無現贓事良中（아ᄒᆡ／にて）, 奸訴鼯山呈狀㖅不喩（ᄲᅮᆫ안디／だけでなく）, 取実不正, 元動身病, 幾至死域矣身乙（의몸을／の体を）, 如此凍天黒日囚禁, 至文［為の誤りか］悶望為白良尔（ᄒᆞᅀᆞᆸ아곰／でありますからには）, 相考後, 分揀教事（이샨일／されること）。

これは生栗を盗み食いしたかどで訴えられた鼠が、自分は国家の功臣であるのに、恩賞が十分でなく、生活は苦しいが、生栗を盗んだというのは濡れ衣であると訴えた一種の遊戯文学である。冒頭の「鼯山狀辞据，生栗偸食辞縁」（鼯山《ござん》の狀辞に据るに、生栗を偸食《とうしょく》した辞縁）のように、朝鮮語の語順で書かれ、句末に朝鮮語の助辞や関係詞が漢字表記されている。

5　吏読式漢文の文集での改変

朝鮮では公文書に吏読式漢文を多く使用したので、壬辰倭乱の際に、黒田長政《くろだながまさ》は黄海道の両班《ヤンバン》と人民に通諭する榜文《ぼうぶん》を吏読を混ぜて書かせた。李廷馣《りていあん》（一五四一～一六〇〇年）は、それは恐らく朝鮮の衙前《がぜん》（下級吏員）が作成したものかも知れないと言っている。[*6] 彼は、吏読が本来混在していた榜文を自分の日記に掲載したが、その際吏読部分を除去した。

朝鮮時代の古文家の中には、吏読式公用文字に習熟して公職生活でも活用した例がある。金邁淳《きんまいじゅん》（一七七六～一八四〇年）は、地方官を歴任する間に作成した公文書を集め、『公移占録《こういせんろく》』を別途残した。『公移占録』は奎章閣《けいしょうかく》などに蔵されているが、日本の東洋文庫には『臺山公移《だいさんこうい》占録《せんろく》』という題名で伝わっている。

しかし、朝鮮の士大夫たちは主に正格の漢文を駆使し、吏読式漢文を作るのをはばかっていた。士大夫が吏読文を読むのが困難になったのは、漢文散文のうち正格漢文が公私とも大きく発達したことに最大の理由があるとはいえ、吏読の表記の体系が確立していなかったこともその理由の一つであったと考える。正祖は一七九五年に湖南の暗行御史《あんこうぎょし》の李羲甲《りぎこう》の書啓に対する判（判下、判付）でも、士大夫たちに吏文を読むようにと呼びかける一方、吏文製述の規式を定める有旨を附註した。[*7]

朝鮮時代に活動した文人・知識人らの文集に、吏読式漢文文体は見当たらない。朝鮮時代には先人や先輩の文集を編纂する際、吏読式の文書から吏読を取り除くだけでなく、文章自体を改変することが多かった。ただ、ときおり文集に吏読式の漢文の痕跡の残っている例がある。例えば、李滉《りこう》の文集に収録された五十一篇の「乞致仕状」のうち、三十三篇には吏読が一つ以上残っており、十八篇は吏読が削除されている。この状啓《じょうけい》は語順が朝鮮語の語法に合う文章が含まれており、吏読を除いた漢字の句節は供述内容だけを順に並べた単調な文体である。李滉の状啓五十一篇中、五篇は『明宗実録』にも収録されているが、『実録』では吏読を取り除いたうえで修正し、正統漢文に近づけている。[*8] 一つの実例を挙げて『明宗実録』の収録文と対照すれば、以下のとおりである（傍線部が吏読表現）。

『退溪先生文集』巻八「辞状啓辞」

臣矣段，多年重病以節，大司成除授後，必于経渉二朔為白良置，其間仕進，不過数日。因犯風寒，心熱上気証暴発，痰壅腹腸，日益沉困。不得已三次呈辞，従願得遞，即時軍職付授，天恩罔極為白置。

『明宗実録』巻二十四、十三年（一五五八）十二月八日

臣以多年重病，前為大司成時，雖経渉二朔，其間仕進，不過数日，因犯風寒，上気証暴発。不得已，三次呈辞。従願得遞，即授軍職，天恩罔極。

（臣は多年の重病を以て、前に大司成たりし時、二朔《にさく》を経渉するといえども、其の間の仕進は、数日に過ぎず。風寒を犯すに因《よ》り、上気証暴発す。已《や》むを得ず、三次辞を呈す。願いに従い遞《てい》を得、即《すなわ》ち軍職を授けられれば、天恩極りなし。）

朝鮮後期の李柬《りかん》（一六七七～一七二七年）の『巍巌《ぎがん》集』に載せられた公牒には、吏読がそのまま付されている。一七二五年に作成された「論報懐徳軍政状」を見ると、吏読を使用したのはもちろん、「各様」・「逃故未頉」などの韓国式の漢文語句を使っている。[*9] 鄭文孚《ていぶんふ》（一五六五～一六二四年）の『農圃《のうほ》集』の十篇の状啓は吏読文がそのまま載せられた。朝鮮時代の文集には状啓や公移など公用文書を正格漢文に変えて提示したケースが多い。それらは刪削《さんさく》と潤色を経た結果なので、この点は朝鮮の漢文文集を見る際に注意しなければならない。

注

1 『儒胥必知』「凡例」。「凡文字之體，各自不同．爲文章之學者，尙文章之體．爲功令之學者，習功令之體．爲吏胥之學者，講吏胥之體．所謂文章之學者，序記跋雜著等體也．所謂功令之學者，詩賦表策疑義等體也．所謂吏胥之學者，非獨文簿而已．上言所志議送等體，皆是吏胥之不可不知者．又非獨吏胥之所可知也．凡爲吏治者，亦不可不知者．然此等文字，於儒胥最近，故名之曰儒胥必知。」

2 崔鉛植「〈仏国寺西石塔重修形止記〉의 再構成을 通한 仏国寺石塔 重修 関連内容의 再検討」（『震檀学報』105、二〇〇八年）参照。崔論文では該当箇所の訳は「기울어 쓸어졌으므로（傾き倒れたので）」となっている。

3 朝鮮総督府中枢院調査科『校正大明律直解』（朝鮮総督府中枢院、一九三六年）、法制処『大明律直解』（一九六四年）、高麗大学校中央図書館図書影印十六号『大明律直解』（保景文化社、一九八六年）。

4 安秉禧「大明律直解 吏讀의 研究」（『奎章閣』九、ソウル大学校奎章閣、一九八五年）、朴喜淑『大明律直解의 吏讀研究』（明知大学校博士学位論文、一九八四年）、韓相仁『大明律直解 吏讀의 語學的 研究』（忠南大学校 博士学位論文、一九九三年）、박철주〔パク・チョルス〕『大明律直解의 國語學的 研究』（一志社、二〇〇六年）。

5 이대형（イ・デヒョン）等訳『19世紀読書人의 雑学要覧』（宝古社、二〇一二年）、「崔致遠伝」・「朴応教直諌録」・「南漢日記」・「婢苗今所志」・「奴狗同原情」・「枝頭鵲諌治等状」・「加魔恠年一百六十五」・「栗木里接鼯山所志」・「鼠大盗供辞」・「捕盗監考苗今年一万」・「農牛等状」・「任自剛山松上言」・「餞東君序」・「解李順弼順貞兄弟之訟」・「慶文父豈戦亡上言」・「李花実伝」などで構成される。「崔致遠伝」・「朴應教直諌錄」・「南漢日記」・「李花実伝」を除いてはすべて吏読式漢文の文体である。

6 『四留斎集』巻八、年譜「行年日記」上、壬辰六月初四日。

7 正祖「判湖南暗行御史李義甲書啓［附註 吏文製述定式教］」（乙卯）、『弘斎全書』巻四七「判」。

8 藤本幸夫「朝鮮漢文—吏読文からの昇華—」、『語文』34、大阪大学国文学研究室、一九七八年。

9 『巍巖遺稿』巻十六 公牒「論報懐徳軍政狀」、「論報懐徳田政狀」。

08 朝鮮の吏読文

朴 成鎬

1 はじめに

吏読《りとう》（吏道、吏吐、吏刀、吏套などとも表記されるが、本章では吏読とする）とは、朝鮮半島で漢字が使用されるようになった後、朝鮮語固有の語彙や助詞、語尾などを漢字で表記しようと考案された文体のことである。本章での吏読文とは、朝鮮語の助詞や語尾などの漢字表記だけでなく、これらの表記方式が適用された文章を意味する。

吏読文に使用された固有の語彙は、主に名詞、動詞、副詞などで、朝鮮語の膠着《こうちゃく》語的な特性のために語尾の表記が発達した。これまで確認された古代木簡や文献記録などを通じて、吏読文が三国時代（高句麗《こうくり》、百済《くだら》、新羅《しらぎ》）から使用された事実を確認することができる。高麗時代と朝鮮王朝時代には、公私の文書に日常的に吏読文が使用された。本章では現在、実物によって立証できる高麗と朝鮮王朝時代の吏読文の事例をもとに、その歴史的変遷の様相、機能、位相について概説する。

2 高麗時代の吏読文

吏読文が使用された高麗前期の代表的な資料としては、太祖二十二年（九三九）の「都《と》評省帖《ひょうしょうちょう》」と顕宗二十二年（一〇三一）の「浄兜寺《じょうとじ》五層石塔造成形止記」が挙げられる。「都評省帖」は、鳴鳳寺（慶尚北道醴泉《れいせん》郡所在）の境内にある塔碑の背面に刻まれている高麗の都評省が発給した公文書である。この文書は、朝鮮語の語順によって書かれた吏読文である。「浄兜寺五層石塔造成形止記」（**【資料1】**）は、慶尚北道漆谷《しっこく》の廃寺地にあった五層石塔を一九〇五年、京釜《けいふ》線鉄道を建設する過程で解体した時、塔の中から発見された。顕宗二十一年（一〇三一）に浄兜寺の境内に五層石塔を造成した来歴と施主者名簿などが、二千字余り紙に詳しく記録されている。この文書もやはり朝鮮語の語順を反映しており、特に助詞や語尾の表記が注目される。

【資料1】「淨兜寺五層石塔造成形止記」

太平十一年歳次辛未正月四日、高麗國尙州界知京山府事任、若木郡內巽方在、淨兜寺五層石塔造成形止記。

郡百姓光賢亦、天禧三年己未十月日、…（中略）…

（7）恒居娛樂、三界迷魂四生惡業、承茲造塔、惣得生天之願以、石塔伍層乙、成是白乎、願

（8）表爲遣、成是不得爲乎、天禧二年歳次壬戌五月初七日、身病以、遷世爲去在乙、同生兄

（9）副戶長稟柔亦、公山新房依止修善僧覺由、本貫壽城郡乙、繼願成畢爲等、…（中略）…

（49）右如隨願爲在乎事亦在、…（下略）…

（行数を示す数字と句読、下線は筆者が私に加えた。下線部分が朝鮮語の漢字表記。）

高麗後期の代表的な資料としては神宗一年（一一九八）の「長城《ちょうじょう》監務《かんむ》官貼《かんちょう》」、高宗十七年（一二三〇）頃の「修禪《しゅうぜん》社形止案《しゃけいしあん》」、元宗三年（一二六二）の〈尙書都官貼〉、忠烈王七年（一二八一）の〈修禅社王命文書〉、恭愍《きょうびん》王三年（一三五四）の海南尹《いん》氏宗家所蔵〈伝家古蹟帖〉、禑《う》王十一年（一三八五）の張戩《ちょうせん》「所志」（請願文書）などがある。

このうち海南尹氏宗家に伝来された〈傳家古蹟帖〉（【資料2】）には、尹丹鶴が父から奴婢《ぬひ》を贈与された事実について、公証を受けるために提出した請願文書、証人の陳述文書、官庁の公証文書が収録されている。次の【資料2】は、その中、尹丹鶴が官庁に提出した請願文書である。このように、個人が官庁に提出した請願文書は高麗末期から朝鮮時代すべての時期にわたって多くの量が伝来しており、吏読文の使用実態や変化の様相を考察するのに役立つ。

【資料2】一三五四年の尹丹鶴所志（請願文書）

（1）　學生尹　（丹鶴：花押）

（2）　右謹言所志矣段、父直長同正尹光琠教是、

（3）■父祖傳來婢大阿只矣身乙、許與傳持爲白有臥乎、

（4）粘連、相考監踏印、立案

（5）　成給向教事、望白內臥乎事是亦在、謹言、

（6）監務官　處分、

（7）　至正十四年十月　日、所志、

3　朝鮮時代の吏読文

朝鮮初期には公私文書だけでなく、法典にも吏読文を使用した。現在、実物は伝わらないが、朝鮮太祖代に成立した『経済六典《けいざいろくてん》』には吏読文が使用されたため、この法典を方言六典または吏読元六典と称したりもした（『世宗実録』四十八巻、世宗十二年［一四三〇］四月十一日；『世宗実録』五十二巻、世宗十三年［一四三一］五月十三日）。

中国で明が登場した後に行われた『大明律《だいみんりつ》』についての翻訳にも吏読文が使用された。その結果が、こんにちの『大明律直解《ちょっかい》』と呼ばれる朝鮮初期の刊行本だ。次の**【資料3】**のように『大明律直解』では『大明律』の条文の下に吏読文を提示している。

【資料3】『大明律直解』巻一、名例律、十悪

謀危社稷→社稷乙、危亡爲只爲、作謀爲行臥乎事、

謀毀宗廟山陵及宮闕→宗廟山陵宮闕等乙、毀亡爲只爲、作謀爲行臥乎事、

朝鮮前期には吏読文の有用性とは別に、吏読文の使用に対する制限措置が取られもした。世祖と燕山君《えんざんくん》の時代には、官僚を任命する文書と王に報告する文書には吏読文を使えないようにした事実が確認される（『世祖実録』八巻、世祖三年［一四五七］七月十三日；『燕山君日記』五十六巻、燕山君十年［一五〇四］十二月十六日）。これは吏読文の使用を排除して、中国式漢文だけで文書を作成することを意味する。

実際に世祖三年（一四五七）の任命文書に対する吏読の使用禁止措置は、当時作成された文書によって証明される。朝鮮初期の朝謝文書（高麗末と朝鮮初に存在した任命文書）や賜牌（王命に基づいて奴婢、土地などを下賜する際に交付した文書）を通じて、一四五七年以降は該当文書に吏読が使用されていない事実を知ることができる。

世宗代に朝鮮固有の文字であるハングルが創製されて以来、書籍についての諺解《げんかい》（ハングル翻訳）が作成され、国家的に重大な事案は漢文とともに、諺文（ハングル）で作成され配布された。しかし、これとは別に、吏読文は相変わらず各種の公私文書に使われ続けた。

十九世紀に刊行された『儒胥必知《じゅしょひっち》』は朝鮮人の文書作成の必要に応じて編纂された坊刻本《ぼうこくぼん》として、当時の民間で使用された吏読文の実状をよく見せてくれる。王や官庁に提出した文書の書式だけでなく、個人間の各種の売買に使用された文書の書式など多様な実用書式が収録され

ている。個別文書の書式には吏読文が多く例示され、本の末尾部分には「吏読彙編」という一種の吏読語彙目録が別途に編成されていて、当時吏読文が広く用いられていたことを知ることができる。

4　吏読の消滅

三国時代から朝鮮後期まで持続的に使用された吏読文は高宗の時、国文および国・漢文混用政策が施行されることにより、次第に歴史の中に消え、従来の吏読文に代わり、ハングルが使われるようになった。

高宗三十二年（一八九五）には国家の法律や命令はすべて国文で作成することを基本とし、漢文を添付、またはハングルと漢字を混用するようにとの勅令第八十六号（公文式）が頒布された（『高宗実録』三十三巻、高宗三十二年［一八九五］五月八日）。

これ以降、各種の公文書には吏読文が使用されなくなった。ただし、民間では一八九五年以降、大韓帝国期にも請願文書や売買文書などに依然として吏読文を使用した事例を見ることができる。結局、吏読文は民間では二十世紀初まで習慣的に使われたが、政府や官庁においては、十九世紀末に、国文や国漢文で文書を作成する政策によって、公式的に終焉を告げた。

5　おわりに

高麗や朝鮮の官僚や識者は、幼い頃から中国の古文を学習し、漢文だけで歴史を記録し、詩や散文を創作することができた。と同時に吏読文を使用する伝統も維持、発展させた。

朝鮮王朝の世宗の時代に、崔万理《さいばんり》などのハングル創製に反対した臣下は、吏読は卑俗な言語だが、中国の文字をそのまま使っており、文章を理解したり、学問に役立つと主張した（『世宗実録』百三巻、世宗二十六年［一四四四］二月二十日）。反面、鄭麟趾《ていりんし》は『訓民正音《くんみんせいおん》』の序文で、官庁や民間で今まで吏読文をずっと使用してきたが、他国の文字を借用したものであるため、完全には意味が疎通しないとした（『世宗実録』百十三巻、世宗二十八年［一四四六］九月二十九日）。吏読文の実用性については共感しながらも、完全には意思疎通ができないとして、崔萬理とは意見を異にした。

吏読文はその実用性にもかかわらず、文章としての地位はやや低く認識された。そのため吏読文で作成した原文書を書き写す過程で、意図的に純漢文の形に変形する場合も多い。例えば、中央官庁の記録である『承《しょう》政《せい》院《いん》日《にっ》記《き》』や『備辺司登録《びへんしとうろく》』などには、他の官庁で吏読文で作成して送ってきた文書の内容を移して書く際、漢文の文章で再編集する慣行があった。また、ある人物の死後に文集を編纂する時も、吏読文が使用された文章は漢文に書き直される場合が多かった。

各種の文書に吏読文が使用された理由は、朝鮮語と漢文の間で発生する意味解釈の曖昧さを防止するためであった。しかし、朝鮮社会が徐々に儒教化し、中国に対する尊崇意識が強化され、文章も中国式漢文をより上位と考え、吏読文の利便性にもかかわらず、実用文書にのみ限定して使用する手段程度と考えていたようだ。

朝鮮王朝時代を通じて形成されたこうした吏読文に対する認識とは別に、現在の韓国では、古代から朝鮮王朝時代に至るまで、吏読文が持続的に発達し、ハングルという独自の表音文字が創製された後にも、吏読文がそれによって絶えることなく、依然として使用され続けたという事実が注目されている。

参考文献

・南豊鉉『吏読研究』太学社、二〇〇〇年。
・盧明鎬他『韓国古代中世古文書研究』ソウル大学校出版部、二〇〇一年。
・朴盛鍾『朝鮮前期吏読研究』亦樂、二〇一六年。
・朴成鎬『高麗末朝鮮初王命文書研究』韓国学術情報、二〇一七年。
・沈永煥、朴成鎬、魯仁煥共著『変化와 定着 麗末鮮初의 朝謝文書』民俗苑、二〇一一年。

09 琉球の漢文

高津 孝

1 琉球の歴史

日本の九州南端と台湾の間に、道のように連なった島々を南西諸島という。南西諸島では、十二世紀頃に按司《あじ》と呼ばれる地方豪族が各地に出現し、その後、琉球諸島の中心である沖縄本島に三山（山南、中山、山北）と呼ばれる大きな権力が成立する。一四二九年には中山王尚《ちゅうざんおうしょう》巴志《はし》（一三七二～一四三九年）によって、三山は統一され、琉球本島に統一政権が成立する。その後、琉球は明との朝貢体制と明の海禁政策を背景に、東アジアの中継貿易国として、中国、日本、東南アジア諸国と盛んな貿易を行い、同時に、南の宮古《みやこ》列島、八重山《やえやま》列島、北の奄美《あまみ》群島を支配下に加え、南西諸島のほとんどを支配する島嶼《とうしょ》国家となる。一方、日本では十七世紀初、徳川幕府によって統一政権が生まれ、一六〇九年、幕府の許可を得た薩摩《さつま》の島津《しまづ》氏が琉球に侵攻する。幕府から琉球統治を委任された薩摩藩は、奄美群島を割譲し薩摩藩領とし、琉球に毎年の貢納を義務づけた。また、幕府は幕藩体制の諸規則を琉球に課し、江戸への使節派遣も行わせ、主従関係を実体化した。幕府、薩摩藩の琉球支配は、琉球が中国との冊封《さくほう》、朝貢関係を有することを前提としていた。こうした薩摩の琉球侵攻以降を近世琉球と呼ぶ。一八六八年、日本に明治政府が成立する。明治政府は伝統的国際秩序において日本と清朝との両属関係にあった琉球を、日本に帰属させる決定を行い、一八七九年琉球は沖縄県として日本に所属することになる。

2 四つの士族

近世琉球には社会階層を異にする四つの士族が存在した。首里《しゅり》士族、那覇《なは》士族、泊《とまり》士族、久米村《くめむら》士族である。首里は琉球王国の首都であり、琉球の政治文化の中心として栄えた都市である。王子、按司、地頭の上級士、王府に仕える中下層の官吏階層である下級士が居住した。階層的には異なるが文化的にまとめて首里士族と呼ぶ。那覇は、中国、日本などと結ぶ交易港である那覇港を中心に発展し、交易に関連した役人層が居住した。薩摩藩の在番《ざいばん》奉行が居住していたこともあり、大和《やまと》の文化にも精通する人材が求められた。泊村は、那覇港の補完的役割を持っていた泊港を中心に発展した地区である。久米村は、現在の那覇市の久米一帯の地域で、十五世紀前後から福建《ふっけん》系の中国人が居住する地域であり、自らは「唐営《とうえい》(栄)」と称していた。彼らはその出身、技能を活用して、中国との貿易に従事する職能集団として、琉球社会の中で大きな位置を占《し》めてきた。

3　漢文と琉球語

琉球の言語は、非常に古い時代に原日本語から分化し、本土方言との差は大きいが、基本的統語法、語順は同一である。したがって、先秦、漢代の中国語を基盤として成立した漢文とは統語法、語順を異にし、琉球人の漢文習得は、日本本土と同じ困難さを伴っていた。したがって、一般の琉球知識人も訓読という日本本土で発達した方法を利用して漢文を理解していた。

首里士族の楊文鳳《ようぶんぽう》(一七四七?~一八〇六年)が薩摩の石《いし》塚《づか》崔高《さいこう》の質問に答えた『琉館筆譚』(一八〇三年)という資料が残されている。その中で、石塚崔高の質問「学校では子弟に書物の読み方を教えるのに、中国音で読むのですか」に対し、楊文鳳は、首里の学校では日本の訓読記号に従って、文章を転倒して読むこと、しかし、久米村の学校では中国語で教育しているが、訓読も行われていること、国王の命令や民間の手紙類は日本と変わらないこと、中国への外交文書は中国の書法によっていることを回答している。久米村の学校は明倫堂で、康熙五十七年(一七一八)に設置された久米村士族専用の学校である。「首里の学校」とは、首里の国学(嘉慶三年[一七九八]設置)を指す。久米村の教育方針が中国語、日本語併存であるのに対して、その他の地域では日本式の訓読法が一般に行われていたことを言う。

4　漢文の学習

琉球士族の教養のあり方を示す著名な資料として「阿《あ》嘉《か》直識《ちょくしき》遺言書」という資料が存在する。これは、十八世紀後半の那覇の知識人が息子のために書いた遺言書で、当時の那覇士族にとって立身出世のための教養が何であったのかについて知ることができる。遺言書は阿嘉直識（一七二一～八四年）が五十八歳の時に、当時六歳の息子にむけて書かれたものである。

阿嘉直識は、士族として学ぶべきことのヒエラルキーを、（一）漢学・和学・書札の法式・文書書付の類、（二）古実方・仕付方・謡の稽古、（三）活花・茶道・示現流、と述べている。那覇士族は、薩摩との交易に関係し、薩摩より派遣された在番奉行の接待役を務めねばならなかったことから、大和の武士階層と共通する教養を有することが強くもとめられたのである。遺言書前段第六条は、漢学の具体的内容を記述する。

一　漢書の講談は、十五歳より二十五歳まで、諸事の稽古方かけて、六論・小学・四書精を出して相学び、成るべくは、古文・詩経まで、あら〱にても、断絶なく相学ぶべく候。

「六論」は、『六論衍義《りくゆえんぎ》』を指す。『六論衍義』は、明の太《たい》祖《そ》洪武帝の六論（六条の教え）を清の范鋐《はんこう》が白話で解説した書物である。『六論衍義』には、琉球の程順則《ていじゆんそく》（一六六三～一七三四年）によって刊行された琉球版が存在する。享保四年（一七一九）、琉球を支配していた薩摩藩の藩主島《しま》津《づ》吉貴《よしたか》（一六七五～一七四七年）より、徳川幕府に『六論衍義』（康熙四七年刊本）が献上される。その後、幕府の命により、荻生徂徠《おぎゆうそらい》（一六六六～一七二八年）が訓点を施した『六論衍義』（享保六年［一七二一］）、室鳩巣《むろきゆうそう》（一六五八～一七三四年）による日本語訳の『六論衍義大意』（享保七年［一七二二］）が刊行され、江戸時代日本で広く普及した。「小学」は、南宋・朱熹《しゆき》撰『小学』六篇で、江戸時代日本では、明・陳選の注を加えた『小学句読』が広く行われた。「四書」は琉球ではとりわけ文之《ぶんし》点『四書集註《しつちゆう》』（薩摩の文之玄昌［一五五五～一六二〇年］による訓読本）が尊重された。「古文」は、『古文真宝《こぶんしんぽう》』を指すと考えられる。『古文真宝』は、前集に漢から宋代までの詩を収録し、後集に戦国末から宋代までの古文を収録する。初学者用のテキストとして、江戸時代には広く行われた。儒教の古典のうち、古代の歌謡を集めた最古の詩集『詩経』と合わせ、基本的な詩歌、散文の学習を目的としたものであろう。

5　久米村士族

久米村士族は、琉球王国の外交官として高度の漢文能力を身につける必要があった。彼らの先祖は、中国福建の出身であったが、世代が下るにつれて土着化し、中国語の能力を失ったため、中国語は改めて学習する必要があった。「琉球官話」と呼ばれる一群の書籍は彼らが中国語を学ぶためのテキストである。久米村には明倫堂という学校が一七一八年に作られ、中国との朝貢関係に付随する種々の業務、外交交渉を遂行する高度の能力を有する人材が育成された。そこでは、『四書集註』に基づき、その注をさらに詳細に敷衍した科挙の受験参考書『四書備旨《びし》』『四書体註』が学ばれた。久米村士族は那覇での外交業務に従事し、さらに福州に設置された琉球館に派遣され、そこで中国の文人を先生として詩文の学習に励んだ。また、琉球王府によって選抜され、北京の国子監《こくしかん》（清朝の最高学府）に派遣される官生《かんしょう》もいた。

6　琉球の漢文著作

琉球を代表する漢文著作を以下、紹介する。

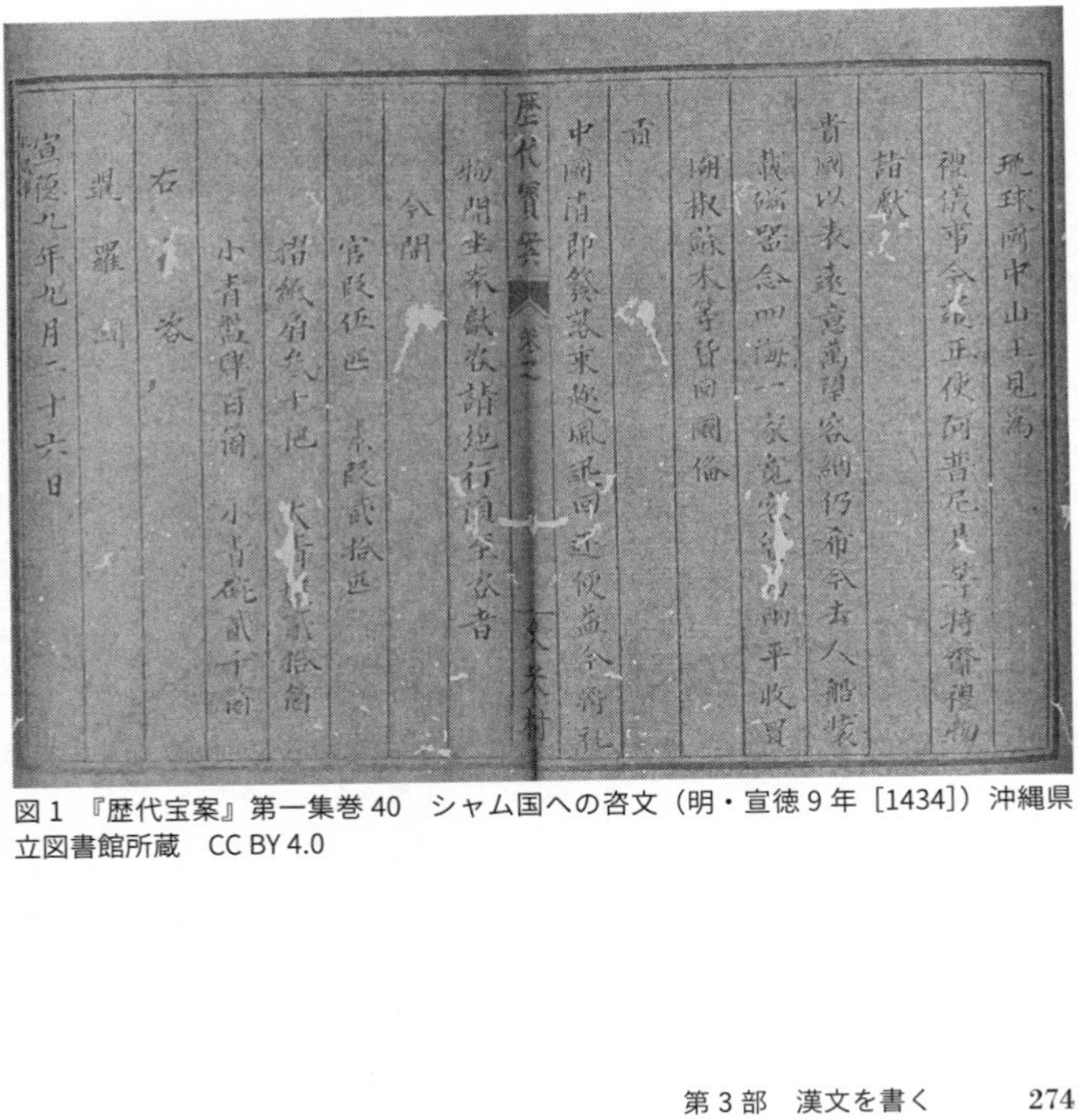

図1　『歴代宝案』第一集巻40　シャム国への咨文（明・宣徳9年［1434］）沖縄県立図書館所蔵　CC BY 4.0

『歴代宝案』【図1】は、琉球王国と諸外国との間で取り交わされた外交文書および外交文案を集成したものである。明朝の永楽二十二年（一四二四）から清朝の同治六年（一八六七）までの四百四十四年間にわたる文書を含む。明・清両王朝との外交文書が大部分を占めるが、朝鮮および暹羅（シャム）、満剌加（マラッカ）、爪哇（ジャワ)、安南(アンナン)など東南アジア関係のものも含む。第一集は、康熙三十六年(一六九七)摂政、三司官《さんしかん》の命により、久米村の天妃宮《てんぴぐう》に保存されていた旧案(外交文書の集積)を久米村士族の蔡鐸《さいたく》(一六四四～一七二四年)らが再編集したものである。第一集四十九巻、第二集二百巻、第三集十三巻。

『中山世譜《ちゆうざんせいふ》』は、琉球王朝によって編纂された琉球の編年体史書である。「中山」は琉球を意味する。一七〇一年に蔡鐸によって編纂された蔡鐸本『中山世譜』は、先代の尚質《しょうしつ》王(在位一六四八～六八年)が、首里士族の羽地朝《はねじちょう》秀《しゅう》(向象賢《しょうぞうけん》)に命じ和文で編纂させた『中山世鑑《ちゆうざんせいかん》』を、漢文に翻訳させ、それ以降の記事を付加したものである。正巻は五巻で、序文の書かれた一七〇一年以降、一七二二年(尚貞王、尚純王、尚益王の末年)まで書き継がれている。蔡温《さいおん》(一六八二～一七六一年)によって編纂された蔡温本『中山世譜』は、尚敬《しょうけい》王(在位一七一三～五一年)の代に編纂された蔡鐸本『中山世譜』の重修本である。

『中山詩文集』は、久米村士族の程順則によって編纂された、琉球人の詩文を集めた総集である。康熙六十年(一七二一)序を有する福州刊本がある。巻頭の「奉送翰林汪先生還朝序」から「林副使徳政歌」までの詩文は、康熙二十二年(一六八三)に琉球を訪れた冊封使の汪楫《おうしゅう》(正使、一六三六～一六八九年)、林麟焻(副使)と中山王尚貞(在位一六六九～一七〇九年)、中山王世子尚純、摂政王弟尚弘毅などとの交流のもとに成立した詩文で、全体として琉球に関連した琉球人の詩文を集めたものとなっている。程順則は、琉球の政治家、学者である。久米村程氏の七世で、名護《なご》親方と呼ばれた。一七〇六年に進貢正議大夫として北京に行き、帰国時に福州で『六諭衍義』『指南広義』を出版して持ち帰った。詩集に『雪堂燕遊草《せつどうえんゆうそう》』があり、『中山詩文集』に含まれている。

参考文献

・高津孝「琉球における漢籍受容と漢文の学習」、福島金治編『生活と文化の歴史学 9 学芸と文芸』竹林舎、二〇一六年。
・高津孝「琉球における書物受容と教養」、島村幸一編『琉球 交叉する歴史と文化』勉誠出版、二〇一四年。
・高津孝、陳捷編『琉球王国漢文文献集成』全三十六冊、復旦大学出版社、二〇一三年。
・高津孝『博物学と書物の東アジア―薩摩、琉球と海域交流―』榕樹書林、二〇一〇年。

第4部　近隣地域における漢文学の諸相

01
朝鮮の郷歌・郷札

伊藤英人

1　古代朝鮮半島の言語と漢字の受容

紀元前二世紀から三国時代にわたる時期に朝鮮半島で話されていた諸言語については、研究者によってさまざまな見解があるが、先学の諸研究からほぼ確実と考えられるのは以下の通りである。

㊀紀元前二世紀以降、朝鮮半島北部では中国語が使用された。中国系住民による朝鮮半島における中国語使用は三国時代以降まで続いたと考えられる。㊁朝鮮半島南部では後の朝鮮語に繋がる韓系言語が使用されていた。三国時代の新羅《しらぎ》、伽耶《かや》の言語および百済《くだら》地域の民衆の言語が韓系言語であった。このうち、慶州《けいしゅう》盆地の韓系言語が新羅による統一以降、半島全域に広がった。㊂高句麗《こうくり》の言語は韓系言語とは異なる言語であった。㊃百済の王族の言語は民衆の言語とは異なる言語であったが、高句麗語とは異なっていた。㊄三国時代以前には日本語と類似した言語が朝鮮半島に存在し、地名その他にその痕跡を残した。㊅咸鏡道《かんきょうどう》、江原道《こうげんどう》を中心とする東海岸には濊《わい》、済州島《さいしゅうとう》には州胡《しゅうこ》と呼ばれる集団が居住し、韓語、百済王族語、高句麗語とは異なる言語を使用していた。

㊀については揚雄《ようゆう》（前五三年〜一八年）『方言』に同時代資料としての中国語「朝鮮方言」二十七語を記録しているのみならず、楽浪郡《らくろうぐん》遺跡等からの多くの漢字資料の出土からこれを疑う余地はない。㊁㊂㊃の言語の違いを示す例とし

て「城邑《じょうゆう》」を意味する語の例を資料成書、地名変改の年代とともに示せば次の通りである。

	三世紀（『魏書』東夷伝）	八世紀（『三国史記』）
韓語	*peri（卑離）	
新羅語		*per（伐）
百済民衆語		*puri（夫里）
百済王族語		*kɨ·（己）
高句麗語	*koro（溝漊）	*kor（忽）

百済王族語の*kɨ·が古代日本語に借用され、「水城」「奥つ城」の「城キ（乙類）」となったことは広く知られる。新羅語形*perは現代朝鮮語の「sə-ur 都・ソウル」「ko-ur 郡」の第二音節に、百済民衆語形*puriは上代日本語に借用された「郡 コホリ（コは乙類）」の「ホリ」にその痕跡を残す。㊂と㊄について、高句麗語を日本語の同系言語と看做す立場（ベックウィズ二〇〇四）、㊄㊅について濊語を日本語の同系言語と見なす立場など[*1]がある。いずれにせよ、韓系言語以外の諸言語は新羅による統一以後、消滅してしまったと考えられる。今日の朝鮮民族は、渤海《ぼっかい》遺民を受け入れ、済州島を版図に加えた高麗前期に成立したと見るのが妥当である。

三一三年に楽浪郡が高句麗によって滅ぼされてから朝鮮半島は現地諸王権の支配下に入るが、現地王権が漢字を自ら使用し始めるのは約百年を経た五世紀の高句麗においてであった。五世紀後半には漢字を中国語とは異なる語順に配列した変則漢文資料が高句麗によって石碑に刻まれるようになる。高句麗を通して漢字を取り入れた新羅では変則漢文の使用がさらに大胆に進められ、三国時代には変則漢文に新羅語の要素を差し挟んだ「漢字による新羅語表記」の萌芽が見られるようになる。本章で述べる郷札《きょうさつ》による郷歌《きょうか》は、そうした新羅における漢字による自言語表記の延長線上に位置づけられるものである。

2 「借字表記法」による朝鮮語表記

後述するように、新羅郷歌とされる郷歌十四首は十三世紀に記録されたものであり、新羅時代の同時代言語資料であると見なすことはできない。このため金石文や出土木簡資料等から知り得る、新羅語表記の同時代資料について先に見ておく必要がある。上述のごとく、高句麗、百済資料には固有名詞の音仮名的表記を除けば、朝鮮半島現地語要素を表記した例は認められず、変則漢文のみが観察される。新羅資料には次のような新羅語部分を表記した漢字による資料が存在するが、これらは「吏読《りとう》」と称される。

㊀辛亥年二月廿六日南山新城作節如法以作後三年崩破者罪教事為聞教令誓事之

㊁…経中入用思白不雖紙一二斤／牒垂賜教在之／後事者命尽／使内

㊂然後中若楮皮脱那脱皮練那紙作伯士那経写筆師那経心匠那仏菩薩像筆師走使人那菩薩戒授令旀　斎食旀

㊀は五九一年と推定される「南山新城碑《なんざんしんじょうひ》」、㊁は七世紀前半と考えられる「月城垓字木簡《げつじょうがいじもつかん》」、㊂は七五五年「新羅華厳経写経造成記《しらぎけごんきょうしやきょうぞうせいき》」からの例である。先行研究によればそれぞれ、㊀「南山新城を作るときに如法《にょほう》で作る。三年以内に崩れるようなことがあれば罪せられる」、㊁「経に必要と思われる紙を、白くなくてもよいから一二斤《きん》買えという牒《ちょう》を垂れ賜えという命があった。後のことは命令の意を察して処理せよ」、㊂「然る後にあるいは楮皮脱《ちょひだつ》や脱皮練《だつひれん》や紙作《しさく》伯士《はくし》や経写筆師《きょうしゃひつし》や経心匠《きょうしんしょう》や仏菩薩像筆師の走使人《そうしじん》などに菩薩戒を授けさせ斎《とき》に食べさせ」といった意に解されている。*2

「如法以」の「以」は(ɯ) ro (〜で)、「経中」「然後中」の「中」はakɯi (〜に)、㊂の「那」は(i) na (〜や) という新羅語の助詞を表記したものと解され、また「使内」は十九世紀まで使用された吏読ではpʌriと読み、「処理する」の意味に用いられている。「旀」も連結語尾-mie (〜し) を表す文字として後代使用されつづけた。

こうした吏読文は、ある内容を自言語で表記しようとする「出力」のための方法であるが、漢文を自言語で訓読するための借字表記法が「口訣《くけつ》」である。一九七三年に高麗時代の漢文訓読資料が発見されて以来、片仮名とよく似た略体口訣字と返り点を漢文に付した資料が次々と発見され、高麗時代の訓読語の様相が明らかになってきた。また二〇〇〇年代には新羅写経を含む角筆《かくひつ》による漢文訓読文献が発見され、漢文訓読の諸相が明らかになってきている。訓読を韓国では「釈読」と呼び、朝鮮語で訓み下されるこうしたテキストを釈読口訣資料と称する。後述するように「郷札」は吏読よりも釈読口訣とより多くの特徴を共有している。

3　「郷歌」と「郷札」とは

郷歌《きょうか》は新羅時代の詩歌十四首、高麗時代の詩歌十二首を総称した名称で、郷歌を表記した借字表記法を郷札《きょうさつ》と呼ぶ。「郷札」の名称は『大華厳経首座円通両重大師均如伝《だいけごんしょうしゅそえんつうりょうじゅうだいしきんにょでん》』の崔行帰《さいこうき》による序文に「郷札似梵書連布，彼土難諳」（郷札は梵書［サンスクリット］の連布するに似て、彼土［中国］では諳《し》り難し）とある「郷札」に由来する。

新羅郷歌十四首を伝える資料は『三国遺事《さんごくいじ》』である。高麗時代の僧、一然《いちねん》（一二〇六～一二八九年）の編纂にかかわるが、一一四五年に編纂された正史『三国史記《さんごくしき》』に記載されなかった逸話を含む事跡が記されている。郷歌十四首も『三国史記』が「詞俚不載（言葉が田舎びているので載せない）」として打ち捨てた朝鮮語による詩歌である。十三世紀の七〇～八〇年代の成書と考えられる。半世紀以上続くモンゴルの侵略・支配が完成を遂げ、高麗は征東（元寇《げんこう》）の先鋒を担わされるという時期に書かれた『遺事』が、壇《だん》（檀）君《くん》神話を含む民族主義的な色調を帯びるのはゆえなしとしない。朝鮮語詩歌十四首は、新羅時代を遥かに隔てた時期に記録されたとは言え、新羅詩歌の姿を伝える唯一の言語資料である。収録された新羅郷歌を作歌年代順に示せば、次の通りである。

作品名	作者	年代	
薯童謡《しょどうよう》	薯童	真平王代	五七九～六三二年
彗星歌《すいせいか》	融天師	真平王代	五七九～六三二年
風謡《ふうよう》	民衆歌	善徳王代	六三二～六四七年

願往生歌《がんおうじようか》	広徳～その妻	文武王代	六六一～六八一年
慕竹旨郎歌《ぼちくしろうか》	得烏《とくう》	孝昭王代	六九二～七〇二年
献花歌《けんかか》	牽牛老人《けんぎゆうろうじん》	聖徳王代	七〇二～七三七年
怨歌《えんか》	信忠	孝成王元年	七三七年
兜率歌《とそつか》	月明師《がつみようし》	景徳王代	七四三～七六五年
祭亡妹歌《さいぼうまいか》	月明師	景徳王代	七四三～七六五年
讃耆婆郎歌《さんぎばろうか》	忠談師《ちゆうだんし》	景徳王代	七四三～七六五年
安民歌	忠談師	景徳王代	七四三～七六五年
祷千手観音歌《とうせんじゆかんのんか》	希明《きめい》	景徳王代	七四三～七六五年
遇賊歌《ぐうぞくか》	永才《えいさい》	元聖王代	七八五～七九八年
処容歌《しようようか》	処容《しようよう》	憲康王五年	八九七年

高麗郷歌十二首中、十一首は、高麗初期の華厳宗の高僧、均如《きんによ》（九二三～九七三年）の伝記である『大華厳経首座円通両重大師均如伝』（一〇七五年赫連挺《かくれんてい》撰述）に記された、均如自身の作による郷歌である普賢十願歌《ふげんじゆうがんか》十一首がそれに当たる。郷歌には翰林学士崔行帰による漢訳が付されているが、原文直訳ではなく、郷歌語形復元のための有用性は限定的である。語形、作歌年代は新羅郷歌より新しいが、記載年代は約二百年『三国遺事』に先んじている。なお、均如は自ら釈読口訣を記した人物でもあり、歴史言語学的な資料性は新羅郷歌よりも確実である。残りの一首は一一二〇年に高麗叡宗《えいそう》が作った「悼二将歌」で『平山申氏壮節公遺事《へいざんしんしそうせつこういじ》』に載せられている。

郷歌は「詞脳歌《しのうか》」とも呼ばれる。「郷」は中国語（漢文）に対する地方俗語の意味で、朝鮮語を「方言」と呼んでいた新羅の言語観を反映する名称である。八八八年、真聖王は大矩《だいく》和尚らに命じて郷歌を蒐集し『三代目《さんだいもく》』という郷歌集を編纂させた。『三代目』は今日に伝わらないが、漢字表記による現地語の詩歌集が編まれたという点で日本の『万葉集』に、王権による官撰歌集であるという点で『古今集』に似るが、日本の和歌と郷歌の位相は以下の諸点で根本的に異なる。

㈠現存する八世紀以前の和歌は『万葉集』のみで四千数百首、郷歌は十三首（処容歌一首のみ九世紀）である。㈡『万葉集』のみならず記紀歌謡は音仮名による完全音声表記があり、これにより語幹を含む語形および歌の韻律を知ることができるが、郷歌はそうでない。出土資料においても日本では近年、七世紀の万葉仮名和歌木簡が発見されているが、新羅郷歌は十三世紀の『三国遺事』以外に発見されていない。㈢万葉集歌は伝承されたが、朝鮮時代まで伝承されたのは処容歌一首のみである。㈣『万葉集』、記紀歌謡の研究は近世以前から盛んに行われたが、郷歌研究は近代になるまで行われなかった。

何よりも「和歌」と「郷歌」という名付けが両者の位相の差異を端的に物語っている。日本には平安時代には「和漢」という対等な文学意識が芽生えたが、朝鮮半島で「国漢《こっかん》」という概念が導入されたのは近代以降のことである。「中国圧」の強弱が両者の性格を異にさせた主要因であったと考えるほかない。

以下では新羅郷歌とその解読について述べることにする。

4　郷歌の解読とは

郷歌は全体としては現在未解読である。郷歌の研究は日本人朝鮮語学者小倉進平『郷歌及び吏読の研究』（一九二九年）に始まり、梁柱東《りょうちゅうとう》『朝鮮古歌研究』（一九四二年）等、朝鮮人学者によって戦前に一定の蓄積を見せ、金完鎮《きんかんちん》『郷歌解読法研究』（一九八〇年）によって集大成された。その後、上述の釈読口訣の発見による研究の深化により、主に文法形式に関して新たな知見が加えられ続けている。

郷歌は韓国の国文学史の最初を飾る「国語詩歌」として国語教育で言及されるものであり、その意味では現在も「享受」されている詩歌であると言える。享受のされかた、つまり解読の結果は、十五世紀語のハングル表記によって示される。これは日本の国語教科書で、万葉集歌が万葉仮名表記でなく、後代に成立した表音文字（日本の場合、仮名文字と漢字の混用）で記され、現代日本語の音韻に合わせて読まれるのと軌を一にした現象であり、一般的な古典受容の在り方としてそれ自体何ら異とするに足らない。しかし、言語学的には新羅語の音価による語形再建が目的とされることは言うまでもない。

以下、実際にいくつかの新羅郷歌の原文と解釈を示し、言語学的な問題を見ていくことにする。

5　新羅郷歌の実際

新羅郷歌には、四句からなる「薯童謡」「風謡」「献花歌」「兜率歌」、八句からなる「慕竹旨郎歌」「怨歌」「処容歌」、十句からなる「彗星歌」「願往生歌」「祭亡妹歌」「讃耆婆郎歌」「安民歌」「祷千手観音歌」「遇賊歌」がある。以下、諸家の解読の比較的一致する「薯童謡」と「祭亡妹歌」および他歌諸句の例を示し、その言語学的問題を他の新羅郷歌、吏読、釈読口訣を引きつつ見てみる。郷歌の解読は金完鎮[*3]による。日本語訳は同書現代語訳の直訳による。

薯童謡（巻二　紀異第二　五七九～六三二年）

善化公主主隠／他密只嫁良置古／薯童房乙／夜矣夘乙抱遣去如

善化公主 nirimɯn ／ nʌm kuzɯk ərə tuko ／薯童 pangʌr ／ pamai arhʌr anko kata

善化公主さまは／他人に秘密に交わっておいて／薯童の部屋へと／夜に卵を抱いて行く

祭亡妹歌（巻五　感通第七　七四二～七六五年）

生死路隠／此矣有阿米次肹伊遣／吾隠去内如辞叱都／毛如云遣去尼叱古／於内秋察早隠風未／此矣彼矣浮良落尸

葉如／一等隠枝良出古／去奴隠処毛冬乎丁／阿也　弥陀刹良逢乎吾／道修良待是古如

生死 kirhɯn ／ ingəi isiamai məmuskuriko ／ nanʌn kanʌta marsto ／ motta nirɯko kanʌnisko ／ ənɯ kʌzʌr irɯn pʌrʌmai ／ ingəi tiəngəi ptuɯrətir nipkʌt ／ hʌtʌn kacira nako ／ kanonkot motʌrontiə ／ aia 弥陀刹 a maspoor na ／道taska kituɯrikota

生死の道は／ここにあっては躊躇って／私は行く、という言葉も／言い切れずになぜ行くのですか／ある秋の早い風に／あちこちに舞い落ちる木の葉のように／一つの枝に生えながら／行くところは知られない／ああ、弥陀《みだ》刹《さつ》で逢うであろう私／道を修めて待っていよう

「薯童謡」は作歌年代が最古の郷歌であるが、『遺事』の記述を信じるならば、西暦六〇〇年より以前に、百済王族によって作られた歌ということになる。新羅の善化公主の美しさを伝え聞いた薯童は慶州に行き、この歌を流行らせて善化公主を流離させ、これと結ばれて百済第二十九代武王《ぶおう》（六〇〇～六四〇年）として即位したとする。話自体は完全なフィクションである。「祭亡妹歌」は景徳王代の高僧月明《がつみょう》が亡妹の供養を行った際に詠んだ歌である。すると風が巻き起こり、紙銭《しせん》を西の方に飛ばしたという。『遺事』は歌に続けて郷歌について「往往能感動天地鬼神者非一」（往往にして能《よ》く天地鬼神を感動する者一ならず）と述べ、「古今集序」と同じく中国の文学観に立っていることが見て取れる。

「薯童謡」は最古の郷歌とされるが、釈読口訣研究の進んだ現在では、少なくとも八世紀半ば以降の表記法によるものであることが知られている。「主隠　さまは」「密只　密に」「嫁良　娶って」「夜矣　夜に」「置古　置いて」「薯童房乙　薯童房を」「抱遣　抱いて」「去如　行く」のように語幹部分が訓読みされる漢字で、テニヲハを万葉仮名に相当する音借字、訓借字で表記するこうした表記を「訓主音従」の原則といい、すべての郷歌に共通するが、例えば、現代語の「를《ルル》／을《ウル》 rɯr/ɯr　～を（～に）」に相当する格助詞を「乙」で表記する例は、新羅時代の同時代資料には一つも見られず、九四一年の紀年を持つ「醴泉寺《れいせんじ》鳴鳳寺《めいほうじ》慈寂禅師《じじゃくぜんじ》凌雲塔碑陰銘《りょううんとうひいんき》」に、「契乙用成造令賜之　契をもって作成させた」と見えるのが初出である。一方、「隠　n/ɯn ～は、～した」「只　-ki/-k　副詞形成語尾」「古　-ko　～して」「矣 ɯi　～に」「如　-ta　終止形語尾」は、高麗時代の釈読口訣に頻出する。「遣　-ko ～して」は高麗以降十九世紀までの吏読に頻出する借字表記である。

問題となるのは「良」である。「良」およびその略体字は後代の借字表記では、現代語の「에《エ》 əi ～に」「아《ア》/어《オ》 a/ə ～して」に用いられる。従来、新羅時代のこの用字は発見されていなかった。しかし、七四〇年代の新羅写経である奈良市東大寺図書館蔵『大方広仏花厳経《だいほうこうぶつけごんきょう》』写経の角筆口訣が二〇〇九年から二〇一一年にかけて調査され、「～に(処格助詞)」、「～よ(呼格助詞)」「～して(接続語尾)」の用法を持つ「良」の略体字が存在することが確認された。[*4] 南《なん》豊鉉《ほうげん》は、景徳王代の郷歌が多いことと合わせ、八世紀中頃には郷札表記が完成していたと見ている。[*5]

「祭亡妹歌」はまさにその景徳王代の郷歌である。第二句「次肹伊遣」の解釈は諸家によってさまざまに異なるが、他の部分はほぼ諸家の解読が一致する稀な歌である。第五句「於内秋察早隠風未」は現代語に直せば「어느《オヌ》 가을《カウル》 이《イ》른《ルン》 바람에《パラメ》」に相当する郷札表記だが、「秋察」は「秋 가을《カウル》」の古語 kʌzʌrh の訓読みの語幹「秋」と zʌrh を表記したと考えられる「察」で表記している。また「風未」の「未」は、現代語でいえば「바람에《パラメ》」の「ㅁ에《メ》」に相当する音節を「未」で表記している。こうした表記を「末音添記」と呼ぶが、このように末音節を表記するものの他に次のような音節末子音を表記するものも多い。郷札表記、十五世紀語形、現代語形の順に示す。「心音 mʌzʌm 마음《マウム》」「憂音 sirɯm 시름《シルム》」「道尸 kirh 길《キル》」。「音 -m」「尸 -rh」等が、語末子音の添記である。「秋」は「秋察尸」のようにも表記され、この場合「察 zʌr ＋尸 rh」という二重の末音添記がなされている。

「浮良落尸葉」は「pturətir nip 떨어질《トロジル》 잎《イプ》 舞い落ちる葉」と解読される。「良」は上述の「아《ア》/어《オ》 a/ə ～して」、「浮」「落」「葉」は訓による語幹表記だが、ここで問題になるのは「尸」である。「尸」の音価については後述するが、郷札のみならず釈読口訣において「尸」は -rh の他に現代語の未然連体形「ㄹ《ル》/을《ウル》 -(ɯ) rq」に例外なく使用される。朝鮮語の連体形では「既に実現した～」を表す既然連体形「ㄴ《ン》/은《ウン》」と「(これから)～する・～であろう・～するような」を表すこの未然連体形の文法対立が存在するが、この区別は郷札、釈読口訣で「尸」と「隠」で表記されて以来、現代語に至るまでその対立を保持してきたと見なされる。ここでも「尸」は「ある秋の(まだ)早い風にあちこち舞い落ちるような」という非アクチュアルな、叙想法的世界における動作を述べるのに用いられている。

釈読口訣研究および近年の吏読研究により解読がほぼ確定してきた文法要素については朴鎮浩《ぼくちんこう》[*6]が詳しく述べている。

6　未解決のさまざまな問題

未然連体形「尸」について、それが漢代以前の上古音に由来することを最初に指摘したのは兪昌均《ゆしょうきん》・橋本万太郎（一九七三年）であった。「尸」は「屍《シ》」と「履《リ》」に共通する諧声符に使用されるように、中国語上古音においては *sl- のような流音と摩擦音を含む複子音で始まる音を持っていたと考えられる。十五世紀語の未然連体形は -rq という声門閉鎖音を伴っており、このことは現代語で「할《ハル》 것《ッコッ》」のように未然連体形に後続する平音が濃音化する事実に化石的に残されている。-rq はさらに *-rs にさかのぼると考えられている。[*7]「尸」は流音性と摩擦音性を残した漢代以前の音相を留めつつ -rs や -rh を示す漢字として郷札に用いられた。こうした字音は三一三年の楽浪郡滅亡以前に朝鮮半島にもたらされていたと考えられる。

一方で、「〜を」を表す「乙」は日本漢字音「オツ、イツ」が示すように本来 -t に終わる字音である。音節末の -t が -r に変わるのは中国語音韻史上、唐代後半の、しかも西北方言においてである。しかし、朝鮮半島の金石資料等には -t > -r の変化を示唆する資料が早くから見える。五二四年の蔚珍鳳坪新羅碑《うるちんほうへいしらぎひ》には村落を示すと思しき「伐」字が見られ、上述のようにこれが *peri > *per の変化に従った語形であるならば、音節末の -t の流音化は早くも六世紀には朝鮮半島で生じていたと看做すことを可能にする。郷札研究はこうした漢字音史研究からも更なる解明を俟《ま》つ沃野である。

「尸 -rs」は「連体形 -r」に「〜の -s」が付いた形式である。「〜の」を示す -s は、現代語「바닷가《パダッカ》」（海辺）などの綴りにその痕跡を残す。日本語と現代朝鮮語の連体形の用法上の最大の差は、日本語が「逃げるが勝ち」「泳ぐにはまだ早い」のように、連体形が動名詞的に用いられて直後に助詞を取り得るのに対し、現代朝鮮語はそうでない点である。「尸」は「〜する＋の」であり、連体形に直接さまざまな助詞が付いたこうした用法は、郷札、釈読口訣に数多く見ら

れる。[*8] 連体形の動名詞的用法はアルタイ諸語と共通する要素であり、郷札研究は、日韓両言語の類型論的、系統論的研究に豊富な題材を提供するものとして多くの研究者の注目を集めている。

注

1 河野六郎「三国志に記された東アジアの言語および民族に関する基礎的研究」（平成二・三・四年度科学研究費補助金一般研究（B）研究成果報告書、東洋文庫、一九九三年）。（伊藤英人「古代朝鮮半島諸言語に関する河野六郎説の整理と濊倭同系の可能性」、長田俊樹編『日本語の「起源」論の歴史と展望』三省堂、二〇二〇年）。

2 河野六郎「古事記に於ける漢字使用」（『古事記大成（言語文字編）』平凡社、一九五七年）、南豊鉉『吏読研究』（太学社、二〇〇〇年）、市大樹『飛鳥の木簡』（中公新書、二〇一二年）参照。

3 金完鎮『郷歌解読法研究』서울大学校出版部、一九八〇年。

4 南豊鉉「韓国の借字表記法の発達と日本の訓点の起源について」（藤本幸夫編『日韓漢文訓読研究』勉誠出版、二〇一四年）、박용식『삼국유사』에 수록된 향가에 나타난 언어의 시대적 특징 고찰（『三国遺事』に収録された郷歌に現れた言語の時代的特徴考察）（『口訣研究』14、二〇〇五年、口訣学会）参照。

5 南前掲書。

6 朴鎮浩「郷歌解読과 国語文法」、『国語学』51、国語学会、二〇〇八年。

7 南豊鉉『吏読研究』（太学社、二〇〇〇年）参照。

8 伊藤英人「古代・前期中世朝鮮語における名詞化」、『東京外国語大学論集』85、東京外国語大学、二〇一二年。

参考文献

・小倉進平『小倉進平著作集　一　郷歌及び吏読の研究』京都大学文学部国語国文学研究室、一九七四年。
・韓国国史編纂委員会韓国史데이타베이스（データベース）『三国遺事』奎章閣本一五一二年、国宝三〇六—二号画像、db.history.go.kr.（最終閲覧日：二〇一八年九月二日）。
・河野六郎『河野六郎著作集』三、平凡社、一九八〇年。
・南豊鉉『吏読研究』太学社、二〇〇四年。
・Beckwith, C. (2004) *Koguryŏ: The Language of Japan's Continental Relatives: An introduction to the Historical-Comparative Study of the Japanese-Koguryŏic Languages, with a Preliminary Description of Archaic Northeastern Middle Chinese*. Leiden: Brill.

02 朝鮮の時調

漢訳時調について

野崎充彦

1　はじめに
——謡曲「白楽天」にみえる漢文化圏の桎梏《しっこく》

尾形光琳《おがたこうりん》の「白楽天《はくらくてん》屏風図」でも知られる謡曲「白楽天」は、日本の「智慧を計れ」との命を受けた白楽天がはるばる海を渡って筑紫の松浦潟につき、そこで出会った不思議な漁翁と歌をめぐる問答をかわすという設定。白楽天が目前の景色を「青苔衣を帯びて巌の肩に掛かり、白雲帯に似て山の腰を圍《めぐ》る」と詠うや、すかさず翁は「苔《こけ》衣《ごろも》、著たる巌はさもなくて、衣著《きぬき》ぬ山の帯をするかな」と応酬する。やがて翁は自らが住吉の神であることを明かすと「手風神風《てかぜかみかぜ》」を吹かせて白楽天の乗る唐船を漢土に追い返し、「げに有難や、神と君が代の動かぬ国ぞ久しき」と寿《ことほ》いで幕が下りる。

住吉の神が唐の大詩人白楽天を圧倒したあげくに、「神風」で追い返すといったくだりには強烈な国粋主義が漂うが、それはあくまで政治思想的なもので、文学世界ではそう簡単ではない。なぜなら、ここに見られる両者の詩歌は漢詩とそれに基づく邦訳にすぎず、「天竺の霊文を唐土の詩賦とし、唐土の詩賦をもってわが朝の歌とす」というように、その「従属性」は覆うべくもないからである。それは巨大な漢文学を摂取しつつ自国文学の発展に奮闘せざるを得なかった漢文化圏国家の宿命であったが、むろん、朝鮮もその例外ではない。しかし漢文学と自国文学との「力関係」は日朝のあいだには大きな隔たりがあり、そのことを端的に示すのが漢訳時調である。

2　朝鮮詩歌史における時調

朝鮮詩歌史を概観しておこう。古代歌謡の代表は郷歌《ヒャンガ》で、これは万葉仮名のように漢字の音訓を借用した郷札《ヒャンチャル》で表記されたが、残存するのはわずか二十六首のみ。その他の民間歌謡に、百済《くだら》の「井邑詞《せいゆうし》」や高麗俗謡の「思《し》母曲《ぼきょく》」「カシリ」などがあり、思慕の情を咏んで抒情に富む。十三世紀の高麗では士大夫によって「翰林別曲《かんりんべっきょく》」が生まれる。これは中国の詞の高麗化ともいうべきものだが、作品世界が狭く広がりのないまま姿を消した。朝鮮詩歌の口語・歌唱・抒情・短形への志向は時調《シジョ》によって開花・定着する。

東窓이 밝았느냐 노고지리 우지진다
　東の窓は白めりや　雲雀《ひばり》の囀《さえず》る
소 치는 아희놈은 상기 아니 일어느냐
　牛飼いの童は　いまだ起きざるや
재 너머 사래 긴 밭을 언제 갈려 하느니
　峠越えの畝長き畑　いつ耕さん（一二九三）[*1]

これは領議政をつとめた南九萬《なんきゅうまん》（一六二九～一七一一年）の作で、数ある時調のなかでもよく知られたものだが、今これによってその音数律を見れば次のようになる。

初章　三・四・四・四
中章　三・四・四・四
終章　三・五・四・三

つまり、時調とは初・中・終の三章からなり、各章は四前後の音節を持つ語彙を四句ずつ並べ、総数四十五程度の文字から構成される定型詩歌を指す。これを平時調（または短時調）といい、もっとも典型的でかつ作品数も多い（平時調よりさらに音節数の多い形式もある）[*2]。いいかえれば、時調は漢詩のような押韻ではなく、音数律から生まれ出る内在的なリズム感を生命とするのである。

3　漢訳時調の登場

時調のような固有語詩歌の漢訳は高麗時代の李斉賢《りせいけん》（一二八七～一三六七年）や閔思平《びんしへい》（一二九五～一三五九年）による高麗俗謡の漢訳である小楽府《しょうがふ》から始まった。それはハングルのような民族文字の普及が遅れた朝鮮では詩歌の漢訳こそが最も確実な記録方法だったからである。小楽府とは反対に漢詩の時調訳も登場した。

昔人이 已乗黄鶴去하니　此地에 空余黄鶴楼이로다
黄鶴이 一不復返하니　白雲千載에 空悠々이라
晴川에 歴々漢陽樹요　芳草는 萋萋鸚鵡洲이로다
日暮郷関이 何処是오　煙波江에 使人愁를 하소라
（二二四一）

字面を見ただけでも分かるように、盛唐の詩人崔顥《さいこう》の「黄鶴楼」であるが、翻訳というには憚られるほど原詩をそのまま写したに過ぎないものである。このことから時調は漢詩を諳んじるために利用されたとか、時調そのものが漢詩から派生したとする説が唱えられたこともあった。

烏江에　月黒하고　騅馬도　아니　간다
　烏江に月暗く騅馬も行かず
虞兮　虞兮　너를　어이　하리
　虞や虞や汝をいかにせん
두어라　天亡我　非戰罪니　恨할　줄　있으랴
　ままよ　天　我を滅ぼすも
　戦いの罪に非ざれば
　恨むことあらんや（二八九八）

よく知られた項羽《こうう》の「垓下《がいか》の歌」を踏まえたものだが、「黄鶴楼」ほど直訳体ではないにしても、芬々たる漢臭には変わりない。この手の漢臭時調は枚挙にいとまないが、やがてステレオタイプを排し、朝鮮的情緒を湛えた作品世界が登場してくる。だが、そこでも漢訳時調の試みは継続されたのだった。

4　漢訳時調集の出現

朝鮮時代も半ばを過ぎると個人の手になる漢訳時調集が続々と編まれた。その代表的なものと所収歌数を示せば次の通りである。[*3]

李民宬《りみんせい》（一五七〇～一六二九年）「聞人唱俚歌韻而詩之」十二首
南九萬（一六二九～一七一一年）「翻方曲」十一種
李基休《りききゅう》（一六五〇～一七一〇年）「短歌十九章」
李衡祥《りこうしょう》（一六五三～一七三三年）
　　「今俗行用歌曲」五十一首
　　「浩皤謳」十六首、「歌辞二闋」
黄胤錫《こういんせき》（一七二九年～九一年）「古歌新翻十四章」
洪良浩《こうりょうこう》（一七二四～一八〇二年）「青丘短曲」四十首
申緯《しんい》（一七六九～一八四五年）「小楽府」四十首
権用正《ごんようせい》（一八〇一～？）「東謳」三十首

実は時調なる名称は「一般の時調の長短を排せしは、長安《ソウル》より来たる李世春」という申光洙《しんこうしゅ》（一七一二～七五年）の『関西楽府』での用例が文献上の初出とされ、それまでは短歌・詩余・新翻・長短歌・新調などさまざまな呼称が併用されていた。このことは時調が当初から定型詩歌としての座を得ていたのではなく、長い時間をかけつつ名実ともにその文学史的な位置を獲得していったことを意味しよう。相次ぐ漢訳時調集の出現もそれと表裏一体の現象と思われる。

5　漢訳時調の意義

さて、時調をわざわざ漢訳する意義はどこにあるのだろうか？　先にも述べたように、まず第一に漢訳の記録性の高さがあげられるが、それはハングル創製以前も以後も変わらなかった。

十年을　経営해야　草廬三間　지어내니
　十年経営して　草廬三間を設く
나 半間은　달　半間에　清風　한간　맡겨　두고
　我は半間　月に半間に
　清風に半間　まかせおき
江山은　드릴　데　없으니　둘러　두고　보리라
　江山は捧ぐるところ無きに捨て置かん

これは従来、宋純《そうじゅん》（一四九三〜八二年）[*4]の作として中学や高校の教科書にも掲載されて広く知られ、これと類似した金長生《きんちょうせい》（一五四八〜一六三一年）[*5]の次の作は、

十年을　経営해야　草廬한間　지어내니
　十年経営して　草廬一間を設く
半間은　清風이오　半間은　明月이라
　半間は清風に　半間は目月に
江山을　드릴　데　없으니　둘러　두고　보내라
　江山は捧ぐるところ無きに捨て置かん

その模倣と考えられていた（生没年の先後による）。ところが、李衡祥の「浩皤謳」には次のような漢訳があり、

十年経営久　十年　経営を久しくし
草屋一間設　草屋一間を設く
半間清風在　半間は清風に在りて
又半間明月　又た半間は明月に
江山無置処　江山は置く処なく
屏簇左右列　屏簇《へいそう》として左右に列せん

これらを比較するに、語彙の異同や配列からみて原時調は金長生の作と考えるのが正しいとされる。[*6]むろん、この場合でもたまたま李衡祥が金長生の「模倣作」を漢訳した可能性もあるが、あくまで漢訳の記録性を重んじるのである。なぜなら、時調作品の多くは作者不詳で、しばしば著名な人物に仮託されているが、事実かどうかは疑わしいことが少なくない。そこで、「当代」により近かった士大夫の鑑識眼に依拠するのがより確実だというわけである。

時調漢訳の第二の意義として素材の拡充があるだろう。

내 언제 無信하여 님을 언제 속였관데
　　妾がいつ無信《ふじつ》で　いつ欺いたとて
月沈三更에 온 뜻이 전혀 없네
　　月沈む三更に　尋ね来る意もなし
秋風에 지는 닙 소리야 낸들 어이 하리오
　　秋風に散る葉音をいかにせん
（八一七）

我来豈無信　我来《これま》で豈に信無からんや
月沈夜三更　月も沈みし　夜の三更に
秋風自落葉　秋風に自《おのず》から落つる葉よ
非我悩君情　我の君の情に悩みしに非ず
李民宬「聞人唱俚歌韻而詩之」

伝説の妓女黄真伊《ファンジニ》の作とその漢訳である。[*7]漢詩にも閨怨詩というジャンルがあって出征した夫を待ちわびる妻の嘆きなどが詠われる。日本でも「嘆きつつ　ひとり寝る夜の明くる間は　いかに久しきものとかは知る」（右大将道綱の母）など同工異曲の歌が多いことは周知のとおり。だが、朝鮮士大夫にとって赤裸々な情愛は表現の埒外であり、そこで妓女の作品を援用したわけだが、彼女たちは三綱行実的な倫理世界の外にいた、性的アジールの住人にほかならなったからである。

6　おわりに——自作時調の漢訳が意味するもの

東方明否　東方　明けるや否や
鸕鶿已鳴　鸕鶿《ひばり》　已に鳴く
飯牛児胡為眠在房　飯牛の児　胡為《なんす》れぞ眠りて房に在るや[*8]
山外有田壟畝闊　山外に田あり　壟畝《うね》闊《ひろ》し
今猶不起何時耕　今猶お起きずんば　何時《いつ》耕《たがや》さん

先にあげた南九萬の時調を作者自ら漢訳したものだが、最後にその意味を考えておきたい。菅原道真《すがわらのみちざね》の手になると伝わる『新撰万葉集』には和歌とその漢訳詩がずらりと並ぶ。それらと時調の漢訳を比較して気づくのは、『新撰』の漢訳詩は一律に七言絶句で、中国古典の典拠を踏まえた語句に満ち溢れているのに対し、[*9]漢訳時調は七言絶句のみならず、五言や七言古詩その他の詩形を意のままに用い、しかも詩語はおよそ平易で日常語に近い。言い換えれば、『新撰』はお手本に忠実たらんと規範遵守に汲々とするあまり、漢詩を模倣した和歌のさらなる漢訳という「番茶の出がらを煎じ直す」[10]ようなマンネリズムが目に付くのとは対照的に、漢訳時調はいかにも「自然体」だということである。

そこには時調に対するいくぶんの軽視もあったかも知れない。だが、それよりもほとんど血肉化するほど長きにわたる漢文化との苦闘の末に朝鮮士大夫が手にした、典拠の拘束から自由な漢文力とハングル詩歌との出会いがもたらしたのが漢訳時調であり、それこそは「朝鮮漢詩」と呼ぶべきものだろう。自作時調の漢訳は両者の隔たりが確実に縮まっていたことを如実に示すものではないか。私にはそう思えてならないのである。

注

1　作品番号は『韓国時調大事典』（亜細亜文化社、一九九二年、ソウル）のもの。なお、ハングル表記は便宜上、現代ハングル表記に改めた。原文については本書を参照されたい。

2　時調の形式には平時調のほかに、それを拡大したオッ時調、さらに長文化して散文に接近し、世俗的で諧謔味に溢れた辞説時調へと展開。近代では自由律的な技法も試みられ、現代まで命脈をつないでいるが、それについて、野崎充彦「時調―朝鮮的叙情のかたち」（『韓国語教育論講座』第四巻、くろしお出版、二〇〇八年）参照。

3　以下の時調漢訳集名と収録歌数は、조해숙著『朝鮮後期時調漢訳と時調史』（宝庫社、二〇〇五年、ソウル）巻末の付録に依った。

4　号は俛仰亭。大司憲や右参賛などを歴任し、政界から退いたのちは管弦と詩歌を友として多くの文人と交わった。漢詩と時調に秀で、江湖歌道の先駆者として名高い。

5　号は沙溪。倭乱や胡乱、仁祖反正といった戦乱と政争を巧みに生き抜いて政界に隠然たる勢力を築きながら、李栗谷や成渾らの学統をついで礼学に優れ、朝鮮礼学の泰斗と仰がれた。

6　조해숙。前出六二、六三頁。「時調やその漢訳詩も同書から」引用した。『韓国時調大事典』は宋純の時調を金長生の作として収録している（作品番号は二五七〇）。

7　この時調は李民宬のほか、南九萬や申緯も漢訳を試みている。조해숙前出七五、七六、一五八頁。

8　조해숙。前出五九、二〇三頁では「……飯牛兒胡　飯牛の兒らは　為眠在房　眠りを為して房に在り……」のように解するが、それでは胡の字が浮いてしまう。南九万の「翻方曲」（『薬泉集』第一所収　韓国文集叢刊131）では「飯牛兒胡爲眠在房」とまとめて標点を切っており、それによって訓読を施した。

9　『新撰万葉集注釈』新撰万葉集注釈研究会、和泉書院、二〇〇六年。

10　川口久雄『平安朝漢文学史の研究』中巻、明治書院、一九五九年、二八九頁。

03 朝鮮の東詩

沈 慶昊

1 古風と大古風

近世朝鮮では、民間で習作用として流行した長篇無韻の古風という詩と、科挙の小科進士試の初試で課される科詩を合わせて東詩《とうし》と呼んだ。朝鮮後期になると、民間では押韻せず、平仄《ひょうそく》も合わせず、文字数のみを合わせて四句またはそれ以上の漢詩が作られ、それが古風と言われた。うち七言長篇は大古風と呼ばれた。

具仕会《ぐしかい》氏が二〇〇五年に公開した羅州《らしゅう》（全羅南道）居住の平沢林《へいたくりん》氏の筆写本『東詩』に、「秦始皇」・「漢高祖」・「楚覇王」・「蘇秦」・「張良」・「諸葛武侯」といった歴史的人物を題材とする長編と、朝鮮後期の放浪詩人の金笠《きんりゅう》（김삿갓 キム・サッカッ、一八〇七～一八六三年）による十八聯詩など、七首の大古風が載っている。うち、「秦始皇」には「古風」という注記がある。この大古風は押韻をしていない。またできる限り同じ文字や同じ韻を使わないようにしたが、そうした規定があるわけではなかった。句法の面から見ると、各句は二―二―三字の形式を守りつつ、科詩のごとく長編の叙述構造を備えていた。詩題の一字をある一聯の最後の字として使うのが普通であったらしいが、必ずしも守られたわけではない。金笠の作と知られるものの、実際には作者未詳の「論鄭嘉山忠節死（鄭嘉山《ていかざん》の忠節の死を論ず）」、「嘆金益淳罪通于天（金益淳の罪天に通ずを嘆く）」の場合は、「死」を第八聯の末字に、「淳」を第十二聯の末字に、それぞれ使っている。大古風は、文人官僚の文集に収められることもなく、文人たちの評論の対象にもならなかった。士大夫で学問や政治に影響力を持っていた者たちには、大古風は低劣なものと考えられていたようである。

2 科詩

いっぽう科詩は、行詩・科体詩・功令詩・程詩などとも呼ばれた。科詩の課本には「東詩」のタイトルをもつ例が多い。朝鮮後期の科詩は七言長篇で、古詩の変形である。しかし、唐や高麗時代の科挙で課された十韻排律の試帖詩でもなく、一般に言う長篇古詩とも異なる。

この形式は、李朝初期の卞季良《べんきりょう》（一三六九～一四三〇年）が大提学であった頃に定めたものと言われているが、事実ではなかろう。当時は進士試で十韻排律を課していたからである。また、十七世紀中葉の試券（科挙の答案用紙）には、斉言句でなく長短句を使うこともあった。それに、尹善道《いんぜんどう》が一六一二年の増広進士試の覆試で提出した「冒雪訪孤山（雪を冒して孤山を訪れる）詩」・「秉筆俟玉音（筆を乗《と》りて玉音を俟《ま》つ）賦」の試券を見ると、当時の科詩は、七言を中心としつつも一部五言を交えた「君不見体」二十五聯であった。[*1] 詩題から「訪」を落点（筆で点を打って選ぶこと）して去声漾韻で押韻し、「訪」字を第十二聯の末字に使っている。また去声敬韻の「行」と上声養韻の「杖」・「長」・「榜」・「仰」との通押である。同じ韻属でなくとも隣韻に属すれば通押することができ、また上声と去声も通押することができたのである。ただ十八世紀中葉に、姜栢《きょうはく》（一六九〇～一七七七年）という人物が科詩の形式を説明するため作成した「行詩格」詩が「御製詩程」として知られることからすると、朝鮮後期の粛宗代や英祖代に科詩の形式が定まったのではないかと推測される。この時期に至り、用韻と平仄配置の能力が知的評価の尺度と見なされた結果、従来の近体詩や古詩とは異なる複雑な別格が作り出されることになったと思われる。

3　朝鮮時代の科挙

朝鮮時代の科挙は文科と武科に分けられる。文科の場合、仕官に直接関係する科挙試験を大科《たいか》といった。その下に小科《しょうか》があり、小科では儒家経典（四書三経）[*2]の語句を題材として論述する生員試《せいいんし》と、作詩用韻の能力を検証する進士試《しんし》の二種類があった。進士試の試験科目は、原則として賦一篇と古詩・銘《めい》・箴《しん》のうち一篇であったが、実際には賦一篇と詩一篇で試験することが多かった。

小科の進士試は初試《しょし》と覆試《ふくし》に分かれる。初試はソウル及び各地方から合計七百人を選び、覆試はこの七百人をソウルに集めて百人に絞った。朝鮮後期の進士初試と覆試では、科詩と科賦の名で呼ばれる科目で評価を行っていた。科挙は正規試験である式年試のほかにも、進士試初試の一種として陞補《しょうほ》試、合製、公都会といった試験が随時行われた。こうした試験でも科詩と科賦の試験をした。

4　科詩の形式

朝鮮時代の科詩として後代よく「東詩」と呼ばれていた詩形式は、七言十七韻〜十九韻を正格とした。平水韻の百六韻を基準とし、七言一句を「一隻」、二隻を「一句」といった。つまり「一句」は通常の二句（二聯）のことである。したがって科詩は、十八韻のばあい三十六隻が基本で、「十八句」（十八聯）の古詩となる。朝鮮の文人たちはその形式が歌行に由来すると考え、科詩を行詩とも呼んだ。[*3] 科詩は試巻に書写する際に毎行「三句」（三韻）ずつ配分する。対偶は排律の三分の一に満たない範囲で使用し、押韻は平声韻や仄声韻の両方を使用できた。対《つい》と黏《ねん》の方式も一般的な近体詩とは違っている。科詩では「三句（三聯）」が一つの単位をなし、六つの段落で構成されることから、「三句六股」という。「三句六股」においては、特に「第二句」（第二聯）と「第五句」（第五聯）は対偶法を守ることが原則とされた。丁若鏞《ていじゃくよう》（一七六二〜一八三六年）の証言によると、こうした形式は一七三〇年頃に定型化したようである。[*4]

科詩で課される詩題は考試官が定めるのが通例であったが、時には国王が指定することもあった。詩題はたいてい歴史上のもので、事実を挙げて関連人物の心境を推測するものや、事件を再構成してその義理を論ずるものが多かった。取材源として、四書三経・『少微通鑑《しょうびつがん》』・諸子書・名詩文はもちろん『歴代名臣奏議』、詩話・筆記雑録が多く用いられるほか、演義小説や類書から語彙や語句を選ぶこともあった。[*5]

近代韓国において、京城帝大で講義を担当した鄭万朝《ていばんちょう》（一八五八〜一九三六年）の『科挙及科詩』（ソウル大学奎章《けいしょう》閣《かく》所蔵筆写本）に基づいて実際の作品を分析すると、朝鮮後期の科試の形式は次のようにまとめることができる。

（a）経・史の文言、古人の詩句、成語などから取った言葉を題目とする。試巻に詩題を記載する際には「（題目）詩」と記す。

（b）詩題の一字に落点して韻字とし、その文字が属する韻目によって一韻到底する。ただし韻目はその声調と同列の平・上・去声韻（入声は除外）を選ぶことも可能で、これを「通押」（ふつうの意味の「通押」とは異なる）という。これは一篇の詩で平・上・去声の韻を換韻できることを意味するのではない。また声調の選択は、正祖御命による『奎章全韻《けいしょうぜんいん》』（一七九六）以降、入声韻も可能となった。*6 たとえば詩題の「忠」の字を落点した場合、答案の詩では「忠」の属する平声東韻の他、同列の上声董韻、去声送韻でも押韻することができ、『奎章全韻』以降は、東・董・送韻に加え、入声屋韻でも押韻できるようになった。これを「通押」というので、実際の詩で四声通押できるわけではない。

（c）たいてい第四聯の末に、題目で落点した字が用いられている。

（d）一句の字数は必ず七言であり、二句一聯で構成される。

（e）「十八句」（十八聯）が普通であるが、『大典会通《たいてんかいつう》』では十七聯ないし十八聯と規定された。実際には十九聯から二十二聯までのものもある。

（f）一篇は七段で構成する。第一段は初句、初句받침（パッチム、承句）、入題。第二段は鋪頭、鋪頭받침（パッチム、承句）、鋪頭느림（ヌリム、延句）。第三段は初項、初項받침（パッチム、承句）、初項느림（ヌリム、延句）。第四段は二項、二項받침（パッチム、承句）、回題、第五段は三項、三項받침（パッチム、承句）、三項느림（ヌリム、延句）、第六段は四項、四項받침（パッチム、承句）、四項느림（ヌリム、延句）で構成され、七段は結聯である。

（g）平声の韻を使用する場合、初句・鋪頭・初項・二項・三項・四項・結聯とそれぞれの承句［パッチム］は平平仄仄仄平平―仄仄平平平仄平（韻）にし、入題・延句［ヌリム］・回題の部分は平平平仄仄平平―仄仄平平平仄平（韻）にしなければならない。

（h）したがって、内句の最初の二文字は必ず平声となり、外句の最初の二文字は必ず仄声になる。

表 朝鮮後期における十九句科詩の平仄
（○平声、●仄声、◎平声韻、［ ］は「十八句」の俗称）

初句［詩首］	初句パッチム［項聯］	入題［入題］
○○●●●○○ ●●○○○●◎	○○●●●○○ ●●○○○●◎	○○○●●○○ ●●○○○●◎
鋪頭	**鋪頭パッチム［包敍］**	**鋪頭ヌリム［鋪頭延長］**
○○●●●○○ ●●○○○●◎	○○●●●○○ ●●○○○●◎	○○○●●○○ ●●○○○●◎

初項 ○○●●●○○ ●●○○○●◎	二項［再項］ ○○●●●○○ ●●○○○●◎	三項［*回題對］ ○○●●●○○ ●●○○○●◎	四項［*自由用句］ ○○●●●○○ ●●○○○●◎	結聯［*落句］ ○○●●●○○ ●●○○○●◎
初項パッチム［初項對］ ○○●●●○○ ●●○○○●◎	二項パッチム［二項對］ ○○●●●○○ ●●○○○●◎	三項パッチム［*回下］ ○○●●●○○ ●●○○○●◎	四項パッチム［*對］ ○○●●●○○ ●●○○○●◎	
初項ヌリム［初項延長］ ○○○●●○○ ●●○○○●◎	回題［回題］ ○○○●●○○ ●●○○○●◎	三項ヌリム［*回下對］ ○○○●●○○ ●●○○○●◎	四項ヌリム［*］ ○○○●●○○ ●●○○○●◎	

朝鮮後期の文人の中には、自らの文集に東詩つまり科詩を収める者もいた。李縡《りさい》（一六五七～一七三〇年）の「代李太白魂誦伝竹枝詞」や申光洙《しんこうしゅ》（一七一二～一七七五年）の「登岳陽楼歎関山戎馬」は科場で実際に作成したもので、民間にも広く知られていた。申光洙の「登岳陽楼歎関山戎馬」は西道唱で歌唱されている。十八世紀になると、東詩が科挙制度から分離し、文芸として受け継がれた。例えば蔡得淳《さいとくじゅん》の「白羽扇」は詩題を『三国志演義』から取ったもので、科場の外で享受された。盧競《ろきょう》、趙秀《ちょうしゅう》三《さん》、柳光億《りゅうこうおく》といった不遇の読書人が、自身の能力を科試において発揮した。無名の放浪詩人、金笠の形象が作られたのもこうした背景のもとにおいてである。現在、金笠の作と伝わる科試、つまり東詩が二百三十首ほど採録されている。金笠の正体と見られる実在の人物、金炳淵《きんへいえん》や金鑾《きんらん》は、科場で「売文」をし、あるいは日ごろ郷村の子弟たちに科挙の勉強を教える「舌耕《ぜっこう》」をする流浪の科客であった可能性が高い。*7

注

1 尹善道「冒雪訪孤山」、『孤山遺稿』巻之六上、別集、詩。

2 朝鮮の科挙のうち、文科の講経では「四書」と『易経』、『書経』、『詩経』の三経が用いられた。

3 兪漢雋『自著』續集、冊一、［雜錄］、「送成近序」。「行詩非古也．其始也原於歌行而自爲一法，平仄高低有定位，鋪項回入有恒式．其法無所用，用之鄕漢城進士之試，故京外士大夫子弟求爲進士者，咸戮力焉，能者往往至於奪造化．秋風一曲・竹枝詞・關山戎馬，或聲之於樂府而流傳也．」

4 丁若鏞「上海左書」、『與猶堂全書』第一集、文集、第十八巻。「寄示陞補試卷，讀之誠差強．然科詩近成六股別格，每用三句爲一段，唯中間一句用對語，此體在古無聞，自五六十年來始出，如申石北「岳陽樓」詩亦然，後來遂成法制，今晩生少年，認之爲天成地定，不敢毫髪違越。卞春亭刱造之初，何嘗如是？　此大病痛，須力矯力挽，庶回古意。然俗儒所稱古詩，毎用側字起頭，又多用〝之〟・〝於〟・〝而〟・〝也〟字以爲古，此尤陋悪，不堪視也。欲矯陋習，先須擇題，題面有古色，自可得佳作也。」

5　金東錫「朝鮮時代試券研究」（韓国学中央研究院韓国学大学院古文献管理学専攻博士学位論文、二〇一三年）、李相旭「朝鮮科文研究」（延世大学校大学院国語国文学科博士論文、二〇一六年六月）。

6　朝鮮の韻書は、『三韻通攷』、『三韻声彙』など、一頁に平・上・去声を縦に重ねて配置する「三重韻」式であったが、『奎章全韻』になって平・上・去・入声を一頁に示す「四重韻」式になった。

7　沈慶昊『金笠漢詩』抒情詩学、二〇一八年。

（参考）姜栢「行詩格」（李家源『朝鮮文学史』中、ソウル太学社、一九九七年、九一九頁）

1　飛者走者皆天**機**，依微影子月露假，尖峰秋隼忽搏兎，或以奇兵或正**師**。隱映精神鉛墨**施**。飛下平林雙翮**垂**。

2　洪流發源蓋自此，千尋勢若立極地，低回兩龍欲轉身，木固其根方茂**枝**。萬夫聲如扛鼎**時**。變化其端誰復**知**。

3　銅仙赤腳捧金盤，庖丁利刀道髖解，玄冬樞柄漸向東，屹立雲霄承露**滋**。扁鵲神方隨疾**醫**。脩竹春陰層節**奇**。

4　將鉗猛虎暗伏弩，身登實地涑水翁，尋龍千里等堪輿，欲釣游魚潛引**絲**。手迴狂瀾韓退**之**。到頭明堂祇在**茲**。

5　春江一棹遇順風，千層塔上力更加，回頭三步五步坐，無限煙波隨處**宜**。九仞山頭功莫**虧**。箇箇名區身不**移**。

6　悠然逝魚更掉尾，含情冶女復回眸，飄然一笻忽遠擧，或詠于淵或躍地。倚醉蘇仙重洗**觶**。淡水佳山皆可**期**。

7　詩於到此可謂工，指示迷程維此**詩**。（平声支韻、6第二句「地」のみ去声）

04 句題詩とは何か

佐藤道生

1 平安後期は漢文学の衰退期か

中国学の第一人者として長きにわたって活躍された故神田喜一郎氏に「日本の漢文学」(『墨林間話』岩波書店、一九七七年)と題する論文がある。『講座日本文学史』第十六巻(岩波書店、一九五九年)中の一篇で、初出から六十年を経ているにも拘わらず、その鑑識眼は古びることなく、依然として研究者の指針となり得ている。ここで神田氏は、日本の漢文学には国文学として捉えるべき面と中国文学の一支流として捉えるべき面とがあるが、自分は後者の、中国文学の基準によって日本の漢文学を評価する立場を取ると前置きして論を進めている。その第四節「平安朝の漢文学」で神田氏は、菅原道真《すがわらのみちざね》を始めとする平安前期の詩人たちが唐の白居易《はくきょい》をよく学んだことによって漢文学は隆盛に向かったが、後期に入ると、「せっかく白居易の詩に導かれて、自由に自己の思想や感情を表現するように向きかけてきた新傾向も、まったく挫折してしまい、一種のマンネリズムに陥って、時代の降るとともに、ますます低下していったと見るより仕方がない」と述べて、平安後期を漢文学の衰退期と位置づけている。[*1] 氏が平安後期を「ほとんど白居易一色に塗りつぶされてしまった」と評したのは、恐らく『本朝無題詩』を一読された印象ではないかと思う。日本の漢文学を中国文学の支流と見なす立場からすれば、たしかに『本朝無題詩』所収詩にある種の不満を感じるのはやむを得ないことである。しかし、平安中期の村上朝以降、日本の漢詩が中国文学の支流から抜け出ようとして、方向転換の舵を大きく切っていたことを思えば、その評価は別の意味でなるほどと肯《うなず》かれるのである。当時の日本には、近体詩に日本独自のルールを加えて、中国文学の流れから大きく外れた漢詩が存在していた。それが本章で取り上げる「句題詩」である。[*2]

2　今体詩としての規則

詩は本来、時・処を選ばずに作られるものである。しかし、現存する平安時代の詩を見る限り、必ずしもそうではなかったことが分かる。当時の詩は宮中や貴族の邸宅などで開かれる詩宴の場で作られることが多く、しかも出席者たちは主催者の定めた詩題にしたがって詩を作ることを常とした。これは古代の日本人が中国初唐に顕著に見られる君臣唱和の形式を規範として賦詩のあり方を学んだ結果であろう。詩は言志の手段としてよりも、むしろ社交の道具として機能していたのである。詩題（当時は題目と言った）は早くから漢字五文字に定まる傾向にあり、これを特に「句題」と呼んだ。句題は当然のことながら、出席者全員が共有できる季節感や年中行事に関わる内容のものが求められた。詩宴に先立って、主催者から詩題の撰定を任された者を題者《だいじゃ》と言い、題者は中国の詩人の五言詩から一句を採って詩題とした。また、時代が下るにつれ、古句に準《なずら》えて題者が詩題を新たに作るようになった。句題詩の実例を見ることにしよう。

承暦三年（一〇七九）九月二十七日、従三位侍従　源《みなもとの》季宗《すえむね》の邸宅で詩宴が開催された。このとき賦された詩二十三首を『中右記部類紙背《ちゅうゆうきぶるいしはい》漢詩集』に見ることができる。題者の惟宗孝言《これむねののりとき》が出した詩題は「菊花為上薬」、晩秋の時節に相応しい句題である。恐らく季宗邸の庭園には九月のこととて菊の花が咲き誇り、出席者は当日その美しい景色を眼前に楽しむことができたであろう。次に掲げるのはその中の藤原知房《ふじわらのともふさ》（一〇四六〜一一一二年）の作である。知房は醍醐源氏、従四位上越中守源良宗の男で、後に正四位下右馬頭藤原兼実《かねざね》の猶子となり、正四位下美濃守に至った。天永三年二月十八日、その卒去の報に接した藤原宗忠は知房を評して「心性甚だ直《すなほ》にして、頗る文章有り」と日記に記した（『中右記』同日条）。すぐれた詩人であったことが知られる。彼は後に『本朝無題詩』作者三十名に選ばれてもいる。

菊花為上薬　　菊花は上薬為《た》り

1 菊為上薬媚砂場　　菊は上薬為り 砂場に媚びたり
2 百草衰中花独芳　　百草衰ふる中 花独り芳し
3 絳雪争名秋岸雪　　絳雪 名を争ふ 秋岸の雪
4 玄霜譲験暁籬霜　　玄霜 験《しるし》を譲る 暁籬の霜
5 恒娥夜々応偸艶　　恒娥 夜々 応に艶《いろ》を偸むべし
6 方士年々欲採粧　　方士 年々 粧《よそひ》を採らむと欲す

7玉蕊金葩堪養命　玉蕊金葩命を養ふに堪へたり
8遐齢料識及無疆　遐齢料《はか》り識りぬ無疆に及ばむことを

菊の花は上等の仙薬である。

上薬たる菊の花が砂地に美しく咲いている。多くの草花が枯れ衰える中で、菊の花だけが芳しく香っている。上薬の絳雪は、秋の岸辺に雪が積もっているかのように咲く菊の花と延命効果の評判を争う。上薬の玄霜は、明け方のまがきに霜が置いたかのように咲く菊の花に比べれば、延命効果の点で劣っている。不死の上薬を求める恒娥は、色の美しい菊の花を夜な夜な盗みに来るだろう。皇帝の命令を承けて不死の上薬を探す方士は、粧いを凝らした菊の花を毎年摘みに来ようとする。玉のような菊の蕊《しべ》、黄金のような菊の花びらには、寿命を延ばすに十分な効能がある。そうか、(ここに咲き誇る)菊の花を服用すれば限りない長寿が得られるのだな。

句題詩はこの例のように、七言律詩で賦されることが一般的であった。七言律詩であれば、唐代に定まった押韻や平仄《ひょうそく》などに関する今体詩の規則を守らなければならない。知房の詩に就いてその点を確認すると、まず韻字は下平声第十陽韻の場・芳・霜・粧・疆を用いて、全く問題がない。次に平仄を図示しよう(○は平声、●は仄声、◎は押韻字を表す)。

1 ●○●●●○◎
2 ○●○○○●◎
3 ●●○○○●●
4 ○○●●●○◎
5 ○○●●○○●
6 ○●○○●●◎
7 ●●○○○●●
8 ○○●●●○◎

「二四不同」(句中の第二字の平仄と第四字の平仄とを違える)、「二六対」(第二字の平仄と第六字の平仄とを同じくする)、「下三連を避く」(下三字に連続して同じ平仄を用いない)といった今体詩の条件を満たし、また粘法《ねんぽう》(偶数句の第二字・第四字・第六字の平仄と次の句の第二字・第四字・第六字の平仄とをそれぞれ同じくする)をも遵守しており、平仄についても全く問題がない。もう一点、頷聯・頸聯を対句にすることも、見てのとおり守られている。このように知房の詩は正しく今体詩と認めてよいものだが、平安時代の句題詩の場合、これに加えて本邦独自に形成された表現上の規則を守ることが求められた。詩に解釈を施しながら、句題詩の構成方法を見ることにしよう。

3　本邦独自の規則

詩題の「菊花為上薬」は中国の詩句には見当たらない。題者がその場に合わせて新たに作り出した句題であろう。「上薬」とは上等の仙薬の意。『抱朴子《ほうぼくし》』内篇巻十一、仙薬に「抱朴子曰、神農四経曰、上薬令人身安命延、昇天神、遨遊上下、使役萬霊、体生毛羽、行厨立至。（抱朴子曰はく、神農四経に曰はく、上薬は人をして身安く命延び、昇りて天神となり、上下に遨遊し、萬霊を使役し、体に毛羽を生じ、行厨を立ちどころに至らしむ、と）」とある。枯れにくい菊の花を上等の仙薬と見なしたのである。句題はこの例からも分かるように、二つの事物から構成される。事物は当時の言葉で言えば「実字」（＝名詞）で表される。この場合、突き詰めれば二つの実字「菊」と「薬」との組み合わせである。句題にどのような実字が好んで用いられるかというと、題者が詩題を撰定するに当たって最も参考としたのは「朗詠題」の文字であったと思われる。「朗詠題」とは『和漢朗詠集』に立てられた項目のことで、そこには季節感・年中行事に関わる主題が過不足なく集成されている。この例でも「菊」は巻上の秋部にそのままの文字の朗詠題が、「薬」は巻下の雑部に「仙家」という関連する朗詠題が見出される。句題と朗詠題との間に密接な関係のあることは明らかである。詩の解釈に入ろう。

まず首聯（第一句・第二句）では、句題の五文字を用いて題意を表現しなければならない。また、その五文字はこの聯以外に用いてはならない。知房の詩では「菊」「為」「上」「薬」の四文字が上句に、「花」字が下句に配置されている。詩題をそのまま用いることに因んで、この首聯を当時「題目」と呼んだ。上句の「媚砂場」は中国詩にあまり見かけない表現だが、同題の他の作者の詩に「菊花多少媚沙場」（源基綱《もとつな》）、「況為上薬媚沙場」（藤原有佐《ありすけ》）、「菊為上薬媚砂場」（菅原在良《ありよし》）などと詠まれ、また『本朝無題詩』巻二、藤原敦基《あつもと》の「賦月前残菊」詩にも「天浄月明足四望、数茎残菊媚沙場」と詠まれており、菊の花が美しく咲く表現として本邦の詩には定着していたようだ。

次の頷聯（第三句・第四句）、頸聯（第五句・第六句）では、句題の五文字を用いずに題意を表現しなければならない。これを「破題」と呼んだ。破題の方法は、詩題の文字を別の語に置き換えることを基本とする。とりわけ詩題中の実字を詠み落としてはならない。頷聯では「絳雪」と「玄霜」との対が詩題の「上薬」を、「争名」と「譲験」とが「為」を、「秋岸雪」と「暁籬霜」とが「菊花」を言い換えている。「秋岸雪」は白菊を雪に喩え、「暁籬霜」は霜に喩えたのである。「絳雪」「玄霜」はどちらも実在の上薬の名称で、『太平御覧《たいへいぎょらん》』巻十二、雪に「漢武内伝曰、西王母曰、仙之上薬有玄霜絳雪。（漢武内伝に曰はく、西王母曰はく、仙の上薬に玄霜・絳雪有り）」とある。この聯で知房は、上薬を菊の花と比較すれば、絳雪は互角、玄霜はやや劣ると言って破題したのである。

句題詩では頷聯あるいは頸聯のどちらかで中国の人物にまつわる故事を用いて破題することが望ましいとされている。その場合、「破題」と言わずに「本文」（故事の意）と呼んだ。この詩では頸聯がそれに当たる。上句では、「恒娥夜々」が詩題の「上薬」を、「応兪」が「為」を、「艶」が「菊花」を言い換えている。「恒娥夜々」がどうして「上薬」を言い換えたことになるかというと、そこには恒娥《こうが》（羿《げい》の妻）の上薬にまつわる故事が踏まえられている。『文選《もんぜん》』巻二十一所収、郭璞《かくはく》の「遊仙詩七首其六」の「姮娥揚妙音（姮娥 妙音を揚ぐ）」の句に李善《りぜん》が「淮南子曰、羿請不死之薬於西王母、常娥竊而奔月。許愼曰、常娥、羿妻也。逃月中。蓋虚上夫人、是也。（淮南子に曰はく、羿、不死の薬を西王母に請ふ。常娥竊みて月に奔る、と。許愼曰はく、常娥は、羿の妻なり。月中に逃る。蓋し虚上夫人、是れなり）」と註しているように、羿が西王母《せいおうぼ》からもらった不死の薬を、妻の恒娥が盗み、月に奔《はし》って仙人となったという故事が存在した。知房は、あの恒娥ならば艶めかしく咲く菊花を上薬だと思って盗みに来るだろう、と破題したのである。

下句では、「方士年々」が詩題の「上薬」に、「欲採」が「為」に、「粧」が「菊花」に相当している。「方士年々」は白居易の新楽府「海漫漫」（『白氏文集』巻三・〇一二八）の一聯「秦皇漢武信此語、方士年年采薬去。（秦皇漢武 此の語を信じて、方士をして年年に薬を采りに去《つか》はす）」に拠った表現で、秦の始皇帝や漢の武帝が方士に命じて不死の上薬を探させた故事を踏まえている。方士ならば粧いを凝らした菊の花を上薬だと思って摘みに来るだろう、と破題したのである。故事を用いた破題表現が勝れていたからであろう、この一聯は後に『新撰朗詠集』菊（二五六）に収められることになった（後述）。以上の説明から明らかなように、頷聯・頸聯では上句下句それぞれで題意を完結させなければならない。句題は一首の中で都合四回繰り返し破題されるのである。

　首聯に始まって頸聯に至るまで、詩の作者は題意を表現することにのみ心を砕いてきたが、尾聯（第七句・第八句）に至ってようやく自らの思いを述べることが許される。それ故この尾聯を「述懐」と呼んだ。ただし、その述懐も詩題に関連づけて行なわなければならない。

　この詩の場合、作者は菊の花に延命の効能があることを述べて、詩宴に集うた人々（特に主催者の源季宗）のよわいを永遠なれと予祝したのである。「玉蕊」「金葩」はともに菊の花を指す。「養命」は『文選』巻五十三所収、嵆康《けいこう》の「養生論」に「神農曰、上薬養命、中薬養性者。（神農曰はく、上薬は命を養ひ、中薬は性を養ふ者なり）」とあるように、上薬によって寿命を延ばす意である。

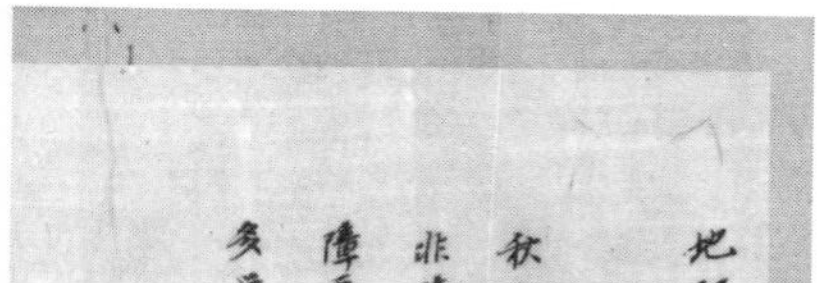

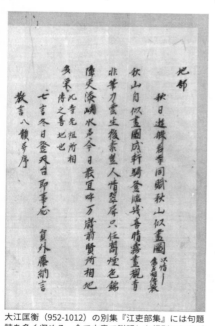

大江匡衡（952-1012）の別集『江吏部集』には句題詩を多く収める。全て本章で説明した規則にしたがって作られている。書影は佐藤架蔵本。詩題は「秋山似画図（秋山は画図に似たり）」。

4　句題詩の評価基準

前節の説明によって、平安時代の一般的な作詩方法を理解してもらえたかと思う。この首聯＝題目、頷聯＝破題、頸聯＝本文、尾聯＝述懐と規定する句題詩の構成方法は、私見によれば、村上朝（九四六～九六七年）に活躍した菅原文時《すがわらのふみとき》（八九八～九八一年）によって考案されたものである。それ以後、文時の儒者としての権威も与って次第に広まり、一条朝（九八六～一〇一一年）頃までには詩歌を愛好する貴族たちの間に普く浸透していたのである。この作詩方法の定着は、漢詩文の世界を一変させる画期的な出来事であった。というのは、それまで詩を作ることは、漢学の素養のある少数の貴族にのみ許された言わば特殊技能であった。ところが、構成上の規定が形作られたことによって、漢学の専門教育を受けていない一般の貴族であっても、詩作が可能となったのである。一見難しく感じられる構成方法も、頷聯・頸聯で句題の文字に対応させて詩句を作ることに習熟すれば、比較的容易に一首を為すことができる。こうして句題詩は貴族社会に広く受け入れられ、詩の本流として位置づけられるようになったのである。[*3] 近年公刊されたいくつかの国文学史の記述を見ると、依然として平安後期を漢文学の衰退期とする論調のものが多い。しかし、平安中期から鎌倉期にかけての古記録を少しでも読んでみれば、宮中や貴族の邸宅・別業で詩宴が頻繁に開催されていた事実を知ることができる。そこに隆盛のさまを垣間見ることはできても、衰退の徴候をうかがうことはできない。

最後に、句題詩の評価基準（何を以て優れた句題詩と見なすか）について触れておこう。句題詩は、右の挙例からもうかがわれるように、各聯の独立性が高い点に大きな特徴がある。尾聯を除く三聯は各聯で句題の題意を完結させている。その中で詩の作者が最も腐心したのは言うまでもなく頷聯・頸聯の破題表現であった。また詩の読者の側に立っても、最大の関心事は破題の巧拙にあったであろう。試みに『和漢朗詠集』『新撰朗詠集』『類聚句題抄』といった平安中期以降に成立した秀句選を繙いてみると、句題詩からの摘句が極めて多く、それらの一首中の部位は頷聯・頸聯に集中している。知房の詩句が『新撰朗詠集』に採られていることを先に指摘したが、その一聯はたしかに頸聯なのである。これによって、当時秀句と呼ばれるものが破題の巧拙・優劣を基準として選抜されていたことをうかがい知ることができよう。

菅原文時以前の句題詩、例えば菅原道真や島田忠臣《しまだのただおみ》の作を見ると、各聯で題意を完結させている例はほとんど見られない。題意は一首全体で満たすものであるという暗黙の了解があったように思われる。ところが、文時以後、一聯完結の原則が成り立つと、詩は一首単位ではなく、一聯単位で評価される傾向が強まったに相違ない。この傾向は必然的に秀句選（摘句の撰集）を生み出す文学的環境を調えたことであろう。国文学史の上では、平安中期一条朝以降、秀句選が盛んに編纂されるようになったことを指摘することができる。現存する秀句選としては、前掲の『和漢朗詠集』『新撰朗詠集』『類聚句題抄』が代表的なものだが、『本朝書籍目録』にはこれ以外に平安後期成立のものとして『本朝秀句』（藤原明衡《あきひら》撰）、『続本朝秀句』（藤原敦光《あつみつ》撰）、『日本佳句』（撰者未詳）、『本朝佳句』（撰者未詳）、『続本朝佳句』（撰者未詳）、『拾遺佳句』（藤原周光《ちかみつ》撰）、『一句抄』（釈蓮禅《れんぜん》撰）などが著録されている。平安中期以降、秀句選が陸続と編纂された背景には、（破題に重きを置く詩体である）句題詩の盛行という現象がこれに深く関わって存在していたと思われるのである。

注

1　神田氏は平安時代を前期・後期に分けて叙述している。氏の言う後期とは菅原道真が没して以降を指しているようである。

2　何故中国文学の流れから外れた漢詩が生まれたのか。それは遣唐使の廃止以後、中国の学問を正式に学ぶ機会がなくなったことが大きく影響している。句題詩については、佐藤道生『句題詩論考　王朝漢詩とは何ぞや』（勉誠出版、二〇一六年）を併せて参照されたい。

3　当時の日本ではもちろん、句題に依らない詩も作られはしたが、あくまでも詩の正体は句題詩であり、それ以外の詩を無題詩と呼んで区別していた。

05 和漢聯句

大谷雅夫

1　和漢聯句と中国の聯句

和漢聯句《わかんれんぐ》とは、遅くとも鎌倉時代には始まり、室町時代から江戸時代初期にかけては、代々の天皇を中心に、皇族、公家、そして禅僧、儒者、連歌師ら、時の最高の知識人たちが集い遊んだ文芸である。連歌に比べて享受の範囲は狭かったが、和漢にわたる広範な教養を要する難しさがあるだけに、かえって、極めて熱心に人々に楽しまれたものであった。

連歌は、ふつう十数名の作者が、五七五の長句と七七の短句とを付け合う。和漢聯句は、その中に五言の漢詩句をまじえる。そして、和句と漢句とがほぼ拮抗する数になるようにして百句（百韻）を連ねて完成とする。和句を発句《ほっく》とするもの（和漢聯句）と、漢句を発句とするもの（漢和《かんな》聯句）との区別があるが、両者を総称して和漢聯句とも言う。

連歌も和漢聯句も、前句《まえく》からの連想によって句を付けてゆくものだが、その際の最も重要な約束事は、それが前句のさらに前句（打越《うちこし》という）に似た表現、内容となってはならないことである。付句《つけく》は前句に付きつつ、打越からは離れなければならない。打越に戻ることを、輪廻《りんね》と称して強い禁忌とする。なによりも、変化が尊ばれる。百句全体にまとまった意味、内容、主題がありえないことは言うまでもない。和漢聯句の題として示されるのは、それが行われた年月日（まれに場所も）、そして和漢聯句か漢和聯句かの別のみである。次節に例をあげる「和漢聯句永正七年九月尽」のごとくである。

形の上で似る中国の聯句は、たとえば「城南聯句」「薔薇花聯句」のような題をもつ。その題によって示される一貫した主題が必ず存在する。どれほど長大な作品であろうとも、句ごとにその主題が詠《うた》われる。韓愈と孟郊の「城南聯句」なら、全三百六句のほぼすべての句が長安城の南郊に関わる表現となる。あたかも宋代の儒学において、万物を一貫する一理の存在が信じられたように、一句一句に「城南」という一つの主題が託される。一方、和漢聯句には何ら主題はなく、句ごとの変化の妙が楽しまれる。江戸時代の儒学において、時処位《じしょい》や権《けん》や勢《せい》など、時と場合、情勢による臨機応変の対処の重要さが説かれたことが、それに似ていよう。

聯句と和漢聯句とは、中国と日本と、おのおのの儒学思想が異なる如く、文芸としての基本的性格を異にしたのである。

2 乱世の和漢聯句

ここに、洛北、比叡山下の曼殊院《まんしゆいん》門跡に伝存する和漢聯句百韻をひろい読みする。諸国に戦乱が繰りかえされていた後柏原《ごかしわばら》天皇の御代、宮中ではこのような和漢聯句が楽しまれていた。永正七年（一五一〇）九月三十日、すなわち、暦の上で秋が終わる日の作である。「雨降る。晩に及びて晴る」（『実隆公記《さねたかこうき》』）。雨の一日であった。

1　神無月《かみなづき》時雨《しぐれ》にけふの秋もなし　（後柏原天皇）

2　有春霜葉紅（春有り霜葉紅《さうえふくれなゐ》なり）
前内大臣（三条西《さんじようにし》実隆《さねたか》）

3　曬翎沙際雁（翎《つばさ》を曬《さら》す沙際《ささい》の雁《かり》）
中務卿宮（伏見宮貞敦《ふしみのみやさだあつ》親王）

発句には、その季節、その場の景物を詠みこむ。それが座の文芸における重要な約束の一つであった。秋から冬にかけてよく見られる「時雨」は、降っては止みを繰りかえす雨のことだが、連歌では冬の季語とされる。初冬十月の「神無月」を思わせるようなその冷たい「時雨」が降るので、九月三十日、あと一日残るはずの「けふの秋も」、すでに「なし」と詠うのである。

第二句（脇句《わきく》）は、その「秋もなし」を、いきなり「春有り」と逆転して驚かせる。そして、「時雨」の染める「霜葉」が、まるで春の花のように紅の色だから、ここには春があるのだと謎解きをするのである。杜牧《とぼく》「山行」の「霜葉《さうえふ》は二月《じげつ》の花よりも紅《くれなゐ》なり」の名句による表現である。「霜葉紅」の「紅」が押韻字。以下、偶数句に漢句を付ける場合は、必ず同じ東韻に属する文字で韻を踏むことになる。三句目は、前句の「霜葉」に、山が紅く染まるころに飛来する「雁《かり》」を付ける。長旅の疲れをいやし、水辺に翼をさらす落雁である。

以上の三句は秋の句である。和漢聯句では、春と秋の句は三句以上五句まで、夏と冬は一句以上三句までを続けるのが約束である。それは連歌の定めと同じであった。

29　けふも又夕《またゆふべ》の月に山こえて　兵（兵部卿田向重治《たむけしげはる》）

30　菊《きく》をとる身も露《つゆ》のふること　（後柏原天皇）

31　秋蝶白衣使（秋の蝶《てふ》は白衣《はくい》の使ひ）　為（文章博士五条為学《ごじょうためざね》）

32　浦鷺碧継翁（浦《うら》の鷺《さぎ》は碧継《へきけい》の翁《おきな》）　宗（相国寺宗山等貴《しゅうざんとうき》）

さて、句は展開して、29は、今日もまた夕月の光を頼りに山越えをするという秋の旅を詠う。30は、その「山こえて」から、謡曲「菊慈童《きくじどう》」の、魏文帝の勅命を受けた臣が、酈県山《れっけんざん》の薬水を求めて「山より山の奥までも」と進み入った場面を思いだし、そこに現れた菊慈童が、菊の「滴《したたり》や露の身の。不老不死の薬となつて七百歳」の不老長寿を保つ人だったという「ふること」（故事）を、露が降《ふ》るの意を掛けて付けたのである。そして31は、その「菊」に花を繞り飛ぶ「秋蝶」を付ける。陶淵明《とうえんめい》が九月九日に庭の菊花を摘んでいた時、白衣の使いが酒をもたらしたという別の故事（「続晋陽秋」『芸文類聚《げいもんるいじゅう》』）をも連想して、秋の蝶が白衣の使いとなって飛来したと詠う。さらに32は、鏡湖の水辺にいた「碧継《へきけい》」「篁棲《くわうせい》」という二人の老人がともに鷺となって飛び去ったという奇譚（「樹萱録」『韻府群玉《いんぷぐんぎょく》』）によって、白《しろ》・碧《あお》の色対を含む、31との均整のとれた対句を作る。奇数句の漢句にさらに漢句を付ける場合、その二句を対句に構成するのが和漢聯句の重要な約束事の一つであった。

3　漢句の故事、和句の恋

後半部に続けよう。

50　下《しも》の品《しな》とはなに生《うまれ》けむ　甘（甘露寺元長《かんろじもとなが》）

51　化亀憐庾信（亀《かめ》に化《か》して庾信《ゆしん》を憐れむ）　為（五条為学）

52　吐鳳記楊雄（鳳《おほとり》を吐《は》きて楊雄《やうゆう》を記《しる》す）　三（三条西公条《きんえだ》）

53　玄不玄何道（玄《げん》は玄ならず何《なに》の道ぞ）　前（三条西実隆）

54　白蔵白彼濃（白《はく》は白を蔵《ざう》す彼《か》れ濃《こまや》かなり）　宗（宗山等貴）

55　雪さへや梅のひと木に匂《にほ》らん　（後柏原天皇）

50は、卑《いや》しい身分にどうして生まれたのかという嘆き。51は、その「生《うまれ》」を輪廻転生《りんねてんせい》の意に取りなし、仏法を謗《そし》った罰により亀の身となる苦を受けた梁末北周の詩人庾信（『法苑珠林《ほうおんじゅりん》』）を憐れむことを言う。そして52は、漢の楊雄が『太玄経《たいげんきょう》』を著した時、口から吐き出した鳳凰がその書の上に集まる夢を見たという故事（『西京雑記《せいけいざつき》』）によって51との対句を作る。さらに53は『太玄経』の「玄」から、『老子』第一章の「道の道とすべきは常の道に非《あら》ず」や「玄の又《また》の玄、衆妙の門なり」の語を連想し、楊雄の「玄」は「玄」に非ずとそれを批判する意か。『太玄経』は、「屋下《をくか》に屋を架《か》す」（『事文類聚《じぶんるいじゅう》』文章部）などと貶められることの多い書物であった。さらにそれと対句になる54は、玄《くろ》に白《しろ》を対照し、内にまで白を秘めるかのような濃やかな白色を言う。そして55の御製句は、「白は白を蔵す」を、白雪が白梅の花の上にふり積もることの意に取りなして、雪までも梅花の香りに匂うと、二組続いた息づまるように精緻な対句から、清らかな初春の景に句境を一転する。

　和漢聯句には、恋の句も、もちろん含まれなければならない。

70　夫《か》の才腹《さいはら》を支《ささ》へて充《み》つ……

70　夫才支腹充（夫《か》の才腹《さいはら》を支《ささ》へて充《み》つ）　為（五条為学）

71　ことのはに出《いで》ぬも深き程《ほど》をみよ　甘（甘露寺元長）

72　うらみなきには涙《なみだ》やはせく　姉（姉小路済継《あねがこうじなりつぐ》）

73　中々《なかなか》に思ふよしこそくるしけれ　肖（肖柏《しょうはく》）

74　よそ人《びと》にして又もあはゞや　前（三条西実隆）

75　友皆雲聚散（友は皆な雲のごとく聚散《しゅうさん》す）　（後柏原天皇）

「満腹の才」を詠う70に、71は、言葉には出さない胸中の深い思いを察して欲しいと付ける。そして72は、黙って涙をこらえているのは逢えぬ怨みのせいだと、73は、なまじ、あなたを思うからこそ苦しいのだと、さらに、74は、知らぬ人としてもう一度お逢いしたいものと、恋の句を三句続ける。恋の句は二句以上五句以内の範囲で連続するのが決まりである。詩には男女の恋情を詠うことがまれなので、和漢聯句では、どうしても和句の方で恋を詠うことが多くなる。一方、詩は男どうしの友情を語ることを得意とする。75の漢句は、前句の「又もあはゞや」を受けて、雲のように集散する友どちを描くのである。

97　世《よ》は春の花にすもりの山がくれ　（後柏原天皇）

98　心欲託帰鴻（心帰鴻《きこう》に託《たく》せんと欲す）　前（三条西実隆）

99　さすらふる南の海の霞《かす》む日に　肖（肖柏）

100　郷杳認西東（郷杳《きやうはる》かなれども西東《せいとう》を認《みと》む）　中（貞敦親王）

97は花の春を楽しむ世の人々をよそに、巣に残される雛さながらの寂しい山住みを詠い、98は、前句の「春の花」から「春霞《はるがすみ》たつを見すててゆく雁《かり》は花なき里《さと》に住《す》みやならへる」（伊勢「帰雁をよめる」『古今集』）などを連想して、北の故郷に帰る雁にわが心を託したいと、「山がくれ」の人の望郷の思いを付ける。そして99の和句は、その人を、たとえば白楽天《はくらくてん》や蘇東坡《そとうば》のように南の海辺に流謫された人物と見なし、さらに百句目の挙句《あげく》では、その人物が、故郷の山河は遥かに霞に隔てられて見えないものの、どちらの方角かは知られると心を慰めることを述べて結ぶ。おそらく、その「認西東」は、蘇東坡の七言絶句「虔州八境図八首」第六の転結句、「山水人《ひと》を照《てら》して向背《かうはい》に迷ふ、只《た》だ孤塔を尋《たづ》ねて西東を認《みと》む」による語であろう。「此ノ塔ハ、根本ドチムキデアルト云事ヲ以テ、西東ヲ認テ知ゾ」（『四河入海《しがにつかい》』）。

戦乱ひき続き、臣が君を、子が父を弑逆する禍事の繰りかえされる時代であった。この年の八月には摂津を大地震が襲った。朝廷は衰微をきわめ、後柏原天皇は、践祚以来十年、即位の礼すら挙行できないでいた。しかし、そのような乱世においても、風流韻事が地をはらったわけではない。都にも鄙にも、文化はしたたかに存した。和漢聯句は、その文化の最も高い峰の一つとして、ここに屹立していたのである。

［付言］右は、科学研究費基盤研究（B）「近世前期和漢聯句の基礎的研究」（代表・長谷川千尋）による研究成果の一端である。この百韻は、令和元年四月五月六月の研究例会において会読した。調査と解釈を担当したのは、高岡祐太・河瀬真弥・川上光・宮武衛。その発表と討議に基づきつつ、大谷の責任のもとに執筆した。

06 狂詩

合山林太郎

1 狂詩とは

狂詩《きょうし》[*1]は、中国古典詩を母胎として、とくに江戸・明治時代の日本において発達した、諷刺、滑稽、教訓などを趣旨とする文芸である。外形的には漢詩と同じように、五言詩、七言詩などのかたちを取るが（韻《いん》・平仄《ひょうそく》などを守ったものも相当数存在する）、訓読という漢詩の日本語の文芸としての性質を最大限に拡張し、通常の漢詩には用いられない和文あるいは俗語の語彙も取り入れながら、日常生活の情景や名物の描写など、さまざまな事物・場面を詠んでいる。

なお、狂詩単独では、その性質を総合的に説明することは難しく、通常は隣接する類似の文芸形式と一括で説明されることが多い。たとえば、『日本古典文学大辞典』（岩波書店、一九八四年）では「狂詩狂文」という項目が（日野龍夫解説）、また、『岩波講座日本文学史』第十巻（岩波書店、一九九六年）では、「戯作漢文」という項目が立てられている（宮崎修多氏執筆）。

通常、文学ジャンルとしての狂詩は、明和四年（一七六七）の大田南畝《おおたなんぽ》（一七四九〜一八二三年）が陳奮翰《ちんぷんかん》の名で発表した『寝惚先生文集初編《ねぼけせんせいぶんしゅうしょへん》』【図1】の刊行に始まるとされる。本書の影響のもと、その後、陸続と狂詩狂文集が刊行された。網羅的な目録である斎田作楽《さいたさくら》の『狂詩書目』（青裳堂書店、一九九九年）には、この書以降、明治末まで、刊本だけで百三十種近い狂詩集の存在が指摘

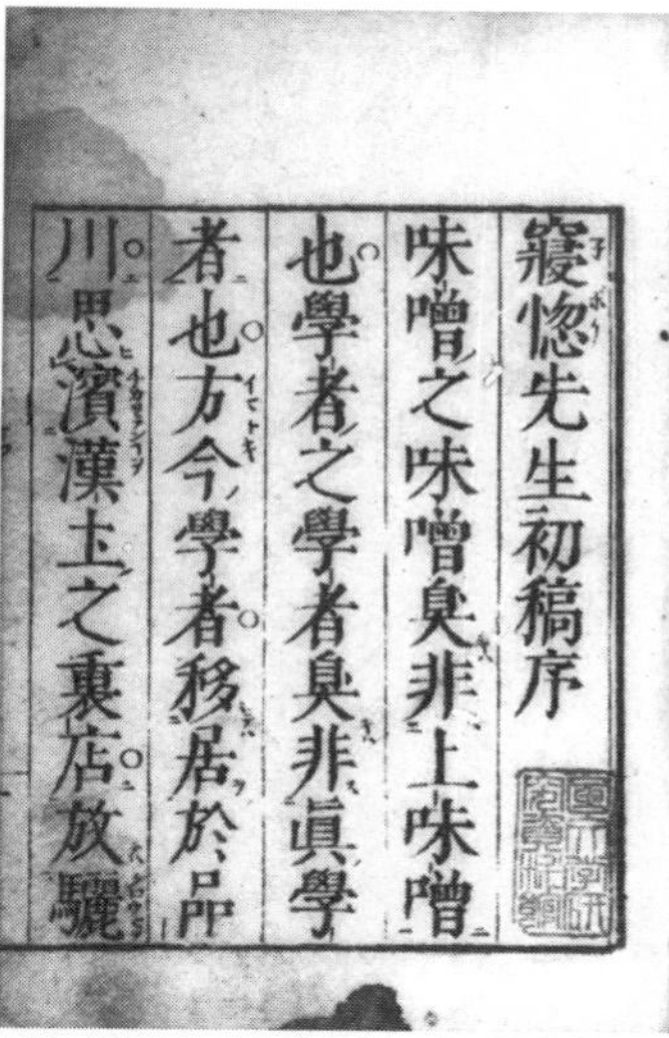
寢惚先生初稿序
味噌之味噌臭非上味噌
也學者之學者臭非眞學
者也方今學者移居於昂
川思濱漢土之裏店放驪

図１『寝惚先生文集初編』序（国文学研究資料館蔵）

されている。[*2]

2　狂詩の源流及びその歴史

狂詩の源流については、さまざまな議論がなされている。中国においては、唐代から、打油詩や釘鉸詩などの名で呼ばれる、民間で愛好された、謎かけにも似た戯詩《ぎし》の流れがあり、また、小説・戯曲などには、白話語彙の混じった詩などが掲げられている。その直接的な影響関係は確認されていないが、特殊な戯詩として、狂詩を考える上で重要な存在である。

日本では、古くから、とくに卑近な話題と、漢詩や漢文とが交わりやすかったと言えよう。『本朝文粋《ほんちょうもんずい》』（十一世紀半ば頃成立）には、男性の生殖器を題材とした漢文「鉄槌伝」などが収録されており、『江談抄《ごうだんしょう》』（十二世紀初頭成立）には、当時の社会や生活の様相を、機智とともに描いた、特異な聯句が載っている（巻六末尾）。中世の五山をはじめとする禅僧の頓悟《とんご》の詩や偈頌《げじゅ》などには、戯れの色調を帯びたものが多く、臨済宗の僧侶文之玄昌《ぶんしげんしょう》（一五五五～一六二〇年）の『南浦文集』は、放埒な詩（「戯作一拍之歌、嘲小作之人云」など）が見られることで、とくに有名である。

江戸時代以降も、戯詩や破格の詩の系譜は続く。林羅《はやしら》山《ざん》（一五八三～一六五七年）や林鵞峰《がほう》（一六一八～一六八〇年）ら、初期の林家の人々は、遊戯性の強い漢詩文の制作を楽しんでおり、たとえば、日本の地名・人名を随意に用いた作品が多く確認できる。十七世紀に流行した、『野郎《やろう》虫《むし》』（万治三年［一六六〇］）などの役者評判記には、役者名などを詠み込む、あるいは、同じ韻字を繰り返し用いるなど、著しく通常の規格をはずれた詩が収録されている。遊女評判記についても同様の詩がある。[*3]

このように和語化した漢詩への関心や愛好が継続する一方で、十八世紀前半以降においては、詩風が変化し、盛唐詩風の格調の高い表現が流行すると同時に、作詩の技量という点でも一段の進歩が見られた。このことも狂詩というジャンルの発生にあたっては、大きな意味があったとされる。

具体的に言えば、荻生徂徠《おぎゅうそらい》（一六六六～一七二八年）の一派（江戸の古文辞派《こぶんじは》）が勢力をもつようになると、彼らの強い言語への関心から、漢詩文の語法や句法についての人々の知識が向上した。このような正格の漢詩への志向が、逆に、和趣を帯びた漢詩を、遊びの文学として認識・発展させる土壌となった。

また、徂徠一派は、また、初盛唐《しょせいとう》の辺塞詩《へんさいし》や閨怨詩《けいえんし》などが多く収録される詞華集『唐詩選《とうしせん》』を好み、和刻本や注解書などを盛んに出版した。『唐詩選』所収の詩は、人々の共通の知識となり、これが契機となって、それをパロディーにして楽しむ意識も醸成された。

なお、より広い漢文戯作という視点で考えるならば、十八世紀の初期洒落本には、『異楚六帖《いそろくじょう》』（宝暦七年［一七五七］刊）や『唐詩笑《とうししょう》』（宝暦九年［一七五九］刊）などのように、中国古典詩の句について、ことさらに意味をたがえて理解し、面白みを出すなどという趣向を持つ作品（枉解《おうかい》物）がある。漢文を遊びの文芸に転化するなどの点において、これらの漢文戯作群も、後の狂詩文集に大きな影響を与えている。

以上のようなさまざまな潮流を受けつつ、明和四年（一七六七）の『寝惚先生文集初編』の刊行を迎える。本書は、南畝が十九歳の時の作品集であり、機知に富んだ言葉遣いによって、巧みに世相を穿《うが》ちつつ、貧窮の中で生活することを嘆くなどしており、以降の狂詩に、内容・スタイルの両面で大きな影響をあたえた。

時を同じくして、京都では銅脈山人《どうみゃくさんじん》こと畠中観斎《はたなかかんさい》（一七五二〜一八〇一年）が、諷刺性に富み、人間性を描き出す作品を作っていた。彼の処女狂詩集は、明和六年（一七六九）の『太平楽府《たいへいがふ》』であるが、その代表作「婢女《ひじょ》行《こう》」は、『太平楽府』刊行前から、江戸にまで伝わり、評判となっていたと言われる。これは、二十八韻の長編詩であり、田舎から奉公に来た若い女性が、都会に風俗に慣れ、ぜいたくを覚え、金欲しさに売春に従事するようになる様を描写し、堕落を戒める教訓の言葉を添えたものである。なお、銅脈は南畝よりも三歳若く、この時期の狂詩が、青年文学としての性格を持っていたことが分かる。

この後、銅脈は、明和八年（一七七一）に伊勢神宮へのお蔭参りを題材とする狂詩文集『勢多唐巴詩《せたのからはし(とうばし)》』を、安永二年（一七七三）に、幼学書である『蒙求《もうぎゅう》』の形式を真似て、狂文によって当時の有名人物などについて評論する『吹寄蒙求《ふきよせもうぎゅう》』を、安永七年（一七七八）に狂詩集『太《たい》平遺響《へいいきょう》』を発表した。一方、南畝は、四方山人《よもさんじん》の号で天明三年（一七八三）以降、『通詩選《つうしせん》』（『唐詩選』を踏まえる）、

『通詩選笑知《しょうち》』（『唐詩選』の注解書である『唐詩選掌故《しょうこ》』を踏まえる）、『狂詩諺解《げんかい》（『通詩選諺解』）』（『唐詩選諺解』を踏まえる）を刊行している。いずれも、『唐詩選』所収の詩をもじって、より卑近な内容をうがったものである。[*4]

江戸時代後期には、安穴先生《あんけつせんせい》こと中島棕隠《なかじまそういん》（一七七九〜一八五五年）や半可山人《はんかさんじん》こと植木玉崖《うえきぎょくがい》（一七八一〜一八三九年）が活躍した。明治時代には、成島柳北《なるしまりゅうほく》（一八三七〜一八八四年）や真木痴嚢《まきちのう》（一八五三〜一九二五年）らが個性的な作品を作り、新聞には狂詩欄が設けられ、また狂詩雑誌が発刊されるなど、その隆盛を保った。

3　狂詩を鑑賞する

それでは、狂詩とはどのような内容を持つものであったろうか。作品とともに具体的に見てゆこう。

まず、一つの分かりやすい例として、パロディーとしての面白さを追求したものを挙げることできる。たとえば、南畝の「祝儀歌《しゅうぎのうた》」（『通詩選笑知』）は、李白《りはく》が詠った鏡（一説に水鏡）に自らの姿を映して、その老衰を嘆いた「秋浦歌《しゅうほのうた》」を逐語的にもじりながら、江戸時代、幼児に行っていた髪置《かみおき》の儀式を描写している。

髪置は、年祝いの一つであり、子どもが三歳になり、それまで剃っていた髪を伸ばし始める際に行われたものである（袴着《はかまぎ》、紐落《ひもおとし》［帯解《おびとき》］などとともに、今日も行われている七五三の源流をなす）。通常、十一月十五日に行われ、晴れ着を着せて神社などに詣でた。また、長い白髪に似せた綿のかつら（白髪綿《しらがわた》）をかぶらせ、子供の長寿と健康を祈った。以下、詩を見てゆこう。

白髪三千丈、縁肩似子長。不知親類裏、何処得衣裳。（「祝儀歌」）

（白髪三千丈、肩に縁《よ》つて　子の似《ごと》く長し、知らず　親類の裏《うち》、何《いづ》れの処《ところ》にか衣裳を得たる。）

（髪置において付ける白髪は長く、子の背丈ほどある。宮参りするときのあの立派な衣装は、一体親類の誰にお金を無心して買ったものだろう。[*5]）

この詩が踏まえている「秋浦歌」は、「白髪三千丈、縁愁似箇長。不知明鏡裏、何処得秋霜（白髪三千丈、愁ひに縁りて　箇《かく》の似く長し。知らず　明鏡の裏、何れの処にか秋霜を得たる）」という内容であり、詩を構成する二十字のうち、変更されたのは、六字（傍線箇所、題を含めるならば八字）に過ぎない。また、変更された場合でも、詩題の「秋浦（しゅうほ）」と「祝儀（しゅうぎ）」から明らかなように、可能な場合には、語の音そのものも似せている。このように、今日の替え歌などと同じように、元の作品を意識させながら、ギャップのある内容で読者を笑いに誘っているのである。

もっとも、こうしたもじりを主体とする作品は、狂詩の一部を占めるに過ぎず、多くは、和語を交えた変体の詩句によって、世相を映し、また自らの鬱憤を漏らすという内容である。たとえば、銅脈「至講釈席（講釈の席に至る）」（『太平楽府』巻二）は、授業中の居眠りをユーモラスに描いている。

皆依三八日、挨拶銘銘伝。講席野郎少、見台坊主連。
先生多叩口、弟子半分眠。開眼視書物、忽驚一面涎。

（皆《み》な依る　三八の日、挨拶　銘々《めいめい》　伝ふ。講席　野郎　少《まれ》に、見台　坊主　連《つら》なる。先生　多く口を叩き、弟子　半分は眠る。開眼　書物を視れば、忽ち驚く　一面の涎《よだれ》。）

（毎月、三と八のつく日に講釈が行われ、門人が集まり、それぞれに挨拶をする。会場にはちょんまげは少なく、坊主頭ばかりが書見台に並ぶ。先生はよくしゃべるが、聴講している弟子の半分は熟睡。起きて教科書を見ると、よだれが一面に垂れている。[*6]）

これは、銅脈と由縁の深かった京都東部の聖護院《しょうごいん》村における儒者らの講義の様子を描いたものであり、出席者に僧侶が多いのは、このあたりが寺の多い地域であったためである。詩中の「野郎」「坊主」「叩口」「半分」などはいずれも日本語化した漢語であり、滑稽な趣きを作品に与えている。

自身の胸中を述べたものとしては、貧苦の中で生きることを嘆いた南畝の「貧鈍行《ひんどんこう》」（『寝惚先生文集初編』巻一）がある。

為貧為鈍奈世何、食也不食吾口過。君不聞地獄沙汰金次第、于挊追付貧乏多。

（貧と為れば　鈍と為る　世を奈何《いかん》せん、食《く》うや食はずの吾が口過《くちすぎ》、君　聞かずや　地獄沙汰金次第、挊《かせ》ぐに追ひ付く貧乏多《おほ》し。）

（人は貧乏になれば頭まで愚鈍になるが、どうすることもできない。自分の生活は食うや食わずやのその日暮らし。あなたは聞いたことがあるだろう。地獄の沙汰も金次第、金さえあれば何事も思うがままであると言う。しかし、いくら働いても貧乏から抜け出ることができないのだ。[*7]）

詩は、金で世の中が回っており、それがない者にとっては生きるのが難しいと嘆いているのであるが、表現の点でも南畝の才気が感じられ、杜甫《とほ》の「貧交行《ひんこうこう》」を踏まえながら、「貧すれば鈍する（貧乏すると、苦労が多くなるため、愚鈍になる）」、「地獄の沙汰も金（銭）次第（この世は、カネの力で万事が決まる）」などのよく使われる諺が詩中にちりばめられている。結句は「稼ぐに追いつく貧乏なし（一生懸命働ければ必ず報いられる）」を転じたもの。

言葉遊びの要素は、多くの狂詩に取り入れられているが、次のような愚仏《ぐぶつ》の「犬咬合《いぬのかみあひ》」【図2】（『続太平楽府』巻三、文政三年［一八二〇］序）のような、突き抜けた面白さを持っているものもある。

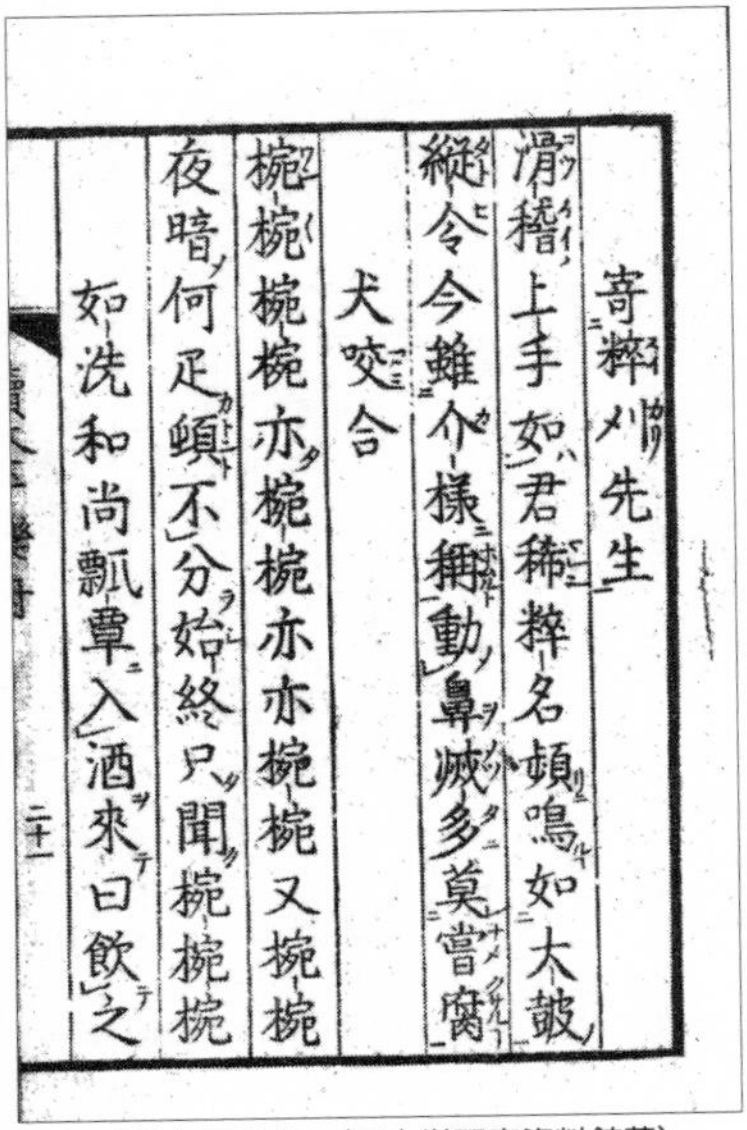

図２　『続太平楽府』（国文学研究資料館蔵）

椀椀椀椀亦椀椀、亦亦椀椀又椀椀。夜暗何疋頓不分、
始終只聞椀椀椀。

（椀椀椀椀《わんわんわんわん》　亦《ま》た椀椀《わんわん》、亦《ま》た亦《ま》た椀椀《わんわん》　又《ま》た椀椀《わんわん》。夜暗《よるくら》くして　何疋《なんびき》か　頓《とん》と分らず、始終《しじゅう》　只《た》だ聞《き》く　椀椀椀《わんわんわん》。）*8

訳は不要だろう。犬の鳴き声の擬声《ぎせい》である「わんわん」という語が、詩の大半を占《し》めるが、このことは、狂詩という文芸の本質が、日本語の音と密接に関係していることを示している。

このほかにも、辻《つじ》ばなしの名人である彦八（銅脈「悼彦八」『太平楽府』）など、人々のよく知る人物を取り上げたもの、江戸の有名な商店の名を連作の形で詠ったもの（方外道人《ほうがいどうじん》『江戸名物詩初編』、天保七年［一八三六］刊）など、さまざまな内容の作品がある。多種多様なおかしみを狂詩という文芸は表現し得たと言える。

注

1　狂詩についての先行研究は数多く尽くすことはできないが、本書で参考としたものは、以下のとおりである。
①青木正児「京都を中心として見たる狂詩」（『青木正児全集』第二巻、春秋社、一九七〇年、初出一九一八年）、②

潁原退蔵「狂詩概説」(『潁原退蔵著作集』第十五巻、中央公論社、一九七九年、初出一九二五年、一九三五年)、③石崎又造『近世日本に於ける支那俗語文学史』(弘文堂書房、一九四〇年)、④山岸徳平校注『五山文学集・江戸漢詩集(日本古典文学大系89)』(岩波書店、一九六六)、⑤中野三敏「狂文論」「漢文戯作の展開」(『戯作研究』中央公論社、一九八一年、初出一九七〇年、一九七七年)、⑥『通詩選笑知・通詩選・通詩選諺解(太平文庫11)』(日野龍夫・鈴木俊幸解題、太平書屋、一九八二年、改訂増補版[二〇一〇年]あり)、⑦宮崎修多「国風・詠物・狂詩—古文辞以前における遊戯的漢詩文の側面」(『語文研究』56、一九八三年十二月)、⑧中野三敏・日野龍夫・揖斐高校注『寝惚先生文集・狂歌才蔵集・四方のあか(新日本古典文学大系84)』(岩波書店、一九九三年)、⑨宮崎修多「戯作漢文」(『岩波講座日本文学史』第十巻、岩波書店、一九九六年)、⑩浜田啓介・中野三敏校注『異素六帖・古今俄選・粋宇瑠璃・田舎芝居(新日本古典文学大系82)』(岩波書店、一九九八年)、⑪揖斐高「寐惚先生の誕生—大田南畝の文学的出発」(『江戸詩歌論』岩波書店、同、初出一九八七年)、⑫斎田作楽『狂詩書目(日本書誌学大系81)』(青裳堂書店、一九九九年)、⑬日野龍夫校注解説『太平楽府他—江戸狂詩の世界—』(平凡社〈東洋文庫〉、二〇〇〇年)、⑭斎田作楽編『銅脈先生全集』(全二巻、太平書屋、二〇〇八・九年)。また、雑誌『太平詩文』(斎田作楽氏主宰)には、狂詩関係の論考が多い。

なお、狂詩については、海外でも、英語圏において、Pollack, David. *Kyoshi: Japanese "Wild Poetry"*. The Jurnal of Asian Studies, Vol.38, No.3. May, 1979. が、中国語圏において、厳明「日本狂詩論」(『域外漢籍研究集刊』5、二〇〇九年)などの論考が発表されている。今後は国際的な視野から、その位置づけについてさらなる検討が必要であろう。

2 下限は、明治四十三年(一九一〇)である。なお、昭和期の狂詩集も二点記録されている。

3 中世の禅僧一休には、破格の詩が多いが、彼の奇行や頓智についての話を集めた『一休ばなし』(寛文八年[一六六八]刊)では、「題鉢敲(鉢敲《はちたたき》に題す)」など、和様の題の詩や偈頌に近い詩などが、「狂詩」という語によって説明されており、この語が、この頃相当程度使われていたと分かる。

4 『通詩選笑知』及び『狂詩諺解』については、和文の注解が付されており、これをも含め、一つの作品となっている。

5 訓読及び訳は、『寝惚先生文集・狂歌才蔵集・四方のあか(新日本古典文学大系84)』(前掲)を参照した。

6 訓読及び訳は、『太平楽府他—江戸狂詩の世界—』(前掲)を参照した。

7 注6に同じ。

8 訓読及び訳は、『五山文学集・江戸漢詩集(日本古典文学大系89)』(前掲)を参照した。

07 ベトナムの字喃詩

川口健一

1　はじめに

字喃（チュノム）とは、口語ベトナム語を表記するために考案されたベトナム文字のことで、起源はかなり古い時代にさかのぼるとされるが定説はない。

字喃による詩は十三世紀に出現したとされるが、現存する作品はない。今日知られる最古の字喃詩集は十五世紀の人物阮廌（グエン・チャイ）による『国音詩集』とされる。

字喃詩には、個人やグループによる詩集と長編物語の二種類がある。特に後者は、十八～十九世紀に勢いをみせる。

ここでは十五～十九世紀にベトナムで作られた代表的な字喃詩集と長編物語を取り上げ、概説を試みる。

2　字喃詩集

字喃による詩集はベトナム文学史においては、国音詩集あるいは国語詩集と呼ばれる。以下、三点の字喃詩集を取り上げる。

（1）『国音詩集』（阮廌、十五世紀）

本文冒頭で挙げたように、ベトナムにおける最古の字喃詩集とされる。この詩集は阮朝嗣徳年間（一八四七～八三年）の一八六八年に編纂された阮廌の遺稿集『抑斎集』（『抑斎遺集』書名の版もあるが、内容は同一。抑斎［ウック・チャイ］は阮廌の号）の巻七に収められている【図1】。

文人政治家阮廌（一三八〇～一四四二年）は黎朝（一四二八～一五二七年）創立期の功臣であり、彼の起草による「平呉大誥」（漢文）は当時大越（ベトナム）を支配していた中国明朝からの独立を謳う宣言書として知られる。しかし、朝廷内の不穏を厭い、一四三〇年代末には職を辞したようである。『国音詩集』の字喃詩の多くは、隠遁生活の時期に作られたとされる。一四四二年に黎朝第二代太宗帝の死をめぐる冤罪事件に遭い、阮廌は一族誅殺の刑を受けた。冤罪が解かれ、名誉回復がなされたのは後の聖宗帝によってであった。

『国音詩集』には全二百五十四首の字喃詩が部門立て構成で収められている。六言・七言の混合詩が多数を占《し》めるが、唐詩形式の七言律詩もみられる。内容は自らの心情を吐露する作が大半で、他に四季・花鳥風月などの自然を詠んだものも含まれている。

しかし、先にも書いたように、この『国音詩集』は阮朝期の十九世紀後半に初めて印行されたもので、部門立ての構成など明らかに後世の人の手になることが認められ、果たして、そもそもこの詩集に収録された字喃詩が阮廌自身の作によるものなのかどうかをめぐる疑問が残されている。

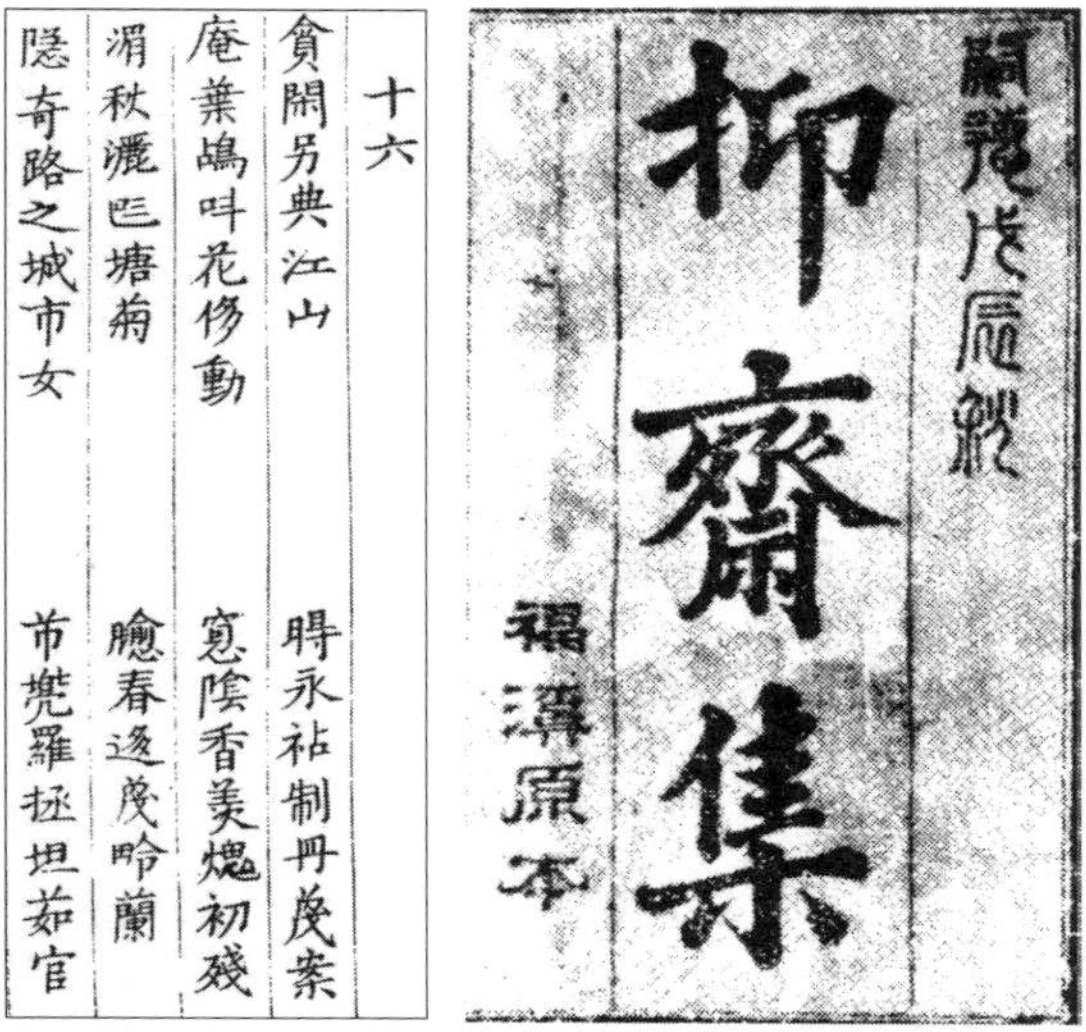

図１　『国音詩集』（右：『抑齋集』表紙、左：『抑齋集』巻七、「言志詩」21 首中 16 番目の詩）＊1

（2）『洪徳国音詩集』（合作詩集、十五世紀）

この字喃詩集は、黎朝第五代聖宗帝（在位：一四六〇～九七年）と朝臣たちが詠んだ合作詩集である。黎聖宗治下の年号は、光順（一四六〇～六九年）と洪徳（一四七〇～九七年）の二つに分かれる。文人皇帝聖宗が旺盛な文学活動を行うのは洪徳年間のことである。この詩集の編纂も後世の人の手になるが、編者は未詳である。詩集には全三百二十八首が収められ、五部門の構成をとる。それらは、天地門（四季、五更など）、人道門（ベトナム・中国の歴史上の人物など）、風景門（自然、寺社など）、品物門（雪月風花、琴棋詩酒、草木など）、閑吟諸品（その他の詩篇）となっている。詩は七言律詩の形式が多いが、六言詩もみられる。

　しかし、この字喃詩集のそれぞれの詩には作者が全く記されていないため、聖宗の作が何首か知られるのみで、その他の作者については不明である。また、この詩集は後世に何度か筆写が繰り返されたため、今日に伝わる版には後世の詩人阮秉謙（グエン・ビン・キエム、一四九一～一五八七年）などさまざまな詩人の詩も混入しているようである。阮秉謙には漢詩集の他に、字喃による『白雲国語詩集』がある。

　十五世紀後半は黎聖宗の統治下、国力の最盛期を迎え、字喃文学も大きく開花した時期である。聖宗は詩作を好み、一四九四年には側近の臣下を集めて「騒壇二十八宿」なる文学同好会を結成する。これは聖宗帝を騒壇正元帥（座長）に戴き、二十八人の会員から成る文学運動組織で、この会の成立は十五世紀宮廷文学の頂点を成すものである。

　このような文学機運のなかで生まれた多くの字喃詩が、後世の人の手を経て『洪徳国音詩集』となり、今日に伝わることになった。しかし、先にも書いたように、この字喃詩集には聖宗帝洪徳期のものの他にさまざまな時代、時期の字喃詩が含まれているようで、慎重な扱いが必要である。

（3）『春香詩集』（胡春香、印行年？）

　胡春香（ホー・スアン・フォン）は女性詩人。十八世紀後半、貧しい学者の妾の子として北部に生まれたとされるが、不詳。具体的史料がほとんど残されていないため、胡春香の人物像については謎のままである。

　今日、阮朝保大帝庚午年（一九三〇年）印行の『春香詩集』（六十七首収録）【図2】の他に、印行年不明の『春香国音詩選』（三十首あまり

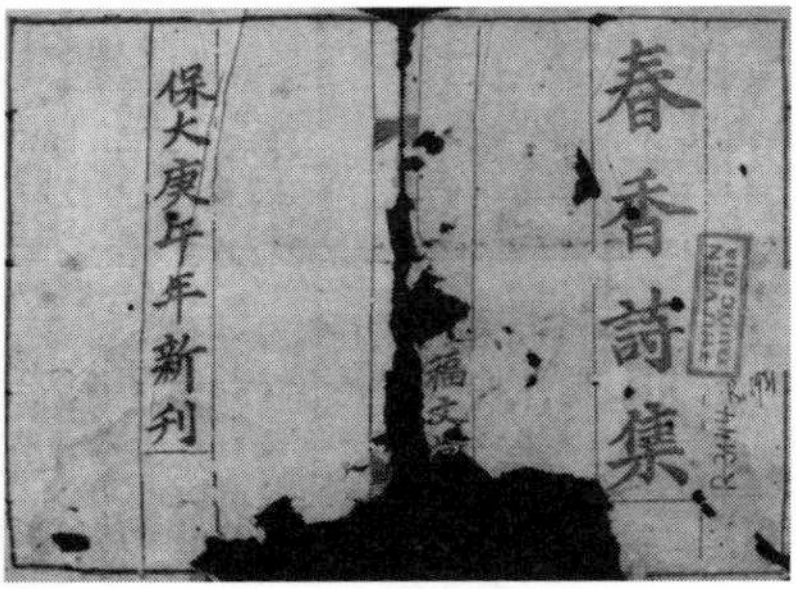

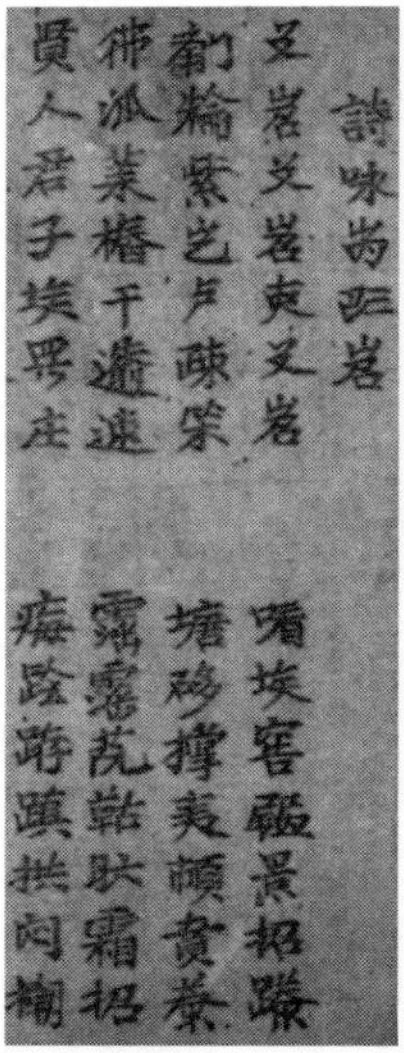

図2『春香詩集』右：表紙とその裏、左：本文*2

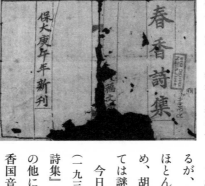

収録）が伝わるが、編者は共に不明である。

詩は七言定型詩（絶句と律詩）の形式をとる。内容は、自然を生き生きと読んだものや、女性の不運な境遇を詠んだものなどさまざまである。また、日常の題材（食べ物、寺社、ブランコなど）を詠んだ詩の多くが字句の裏側に卑俗な意味を含んでいる点が特徴である。それは民間の笑い話の伝統を継承するものとされる。

現代ベトナムにおいては、胡春香は封建社会における女性の苦境を訴え、女性の権利擁護のためにつくした人道主義的文学潮流の代表的詩人の一人との評価がなされている。

3　字喃詩による長編物語

ベトナムでは主に、十八～十九世紀に字喃詩による長編物語が多数生まれる。物語形式は、六・八体（六言と八言の句を押韻しつつ交互に繰り返す形式）あるいは双七・六・八体（七言二句に続けて六言と八言を押韻しつつ繰り返す形式）に従うが、六・八体によるものが多い。『金雲翹新伝』【図3】と『陸雲仙』【図4】がよく知られた代表的な作品である。

（1）『金雲翹新伝』（阮攸、十九世紀初め）

この作品は、文人官吏阮攸（グエン・ズー、一七六五～一八二〇年）によって世に出た。ベトナムでは単に『翹伝』、あるいは「新伝」を略して『金雲翹』の名で親しまれている。（以下、『翹伝』を用いる）

阮攸は役人として黎朝（後期：一五三三～一七八九年）に

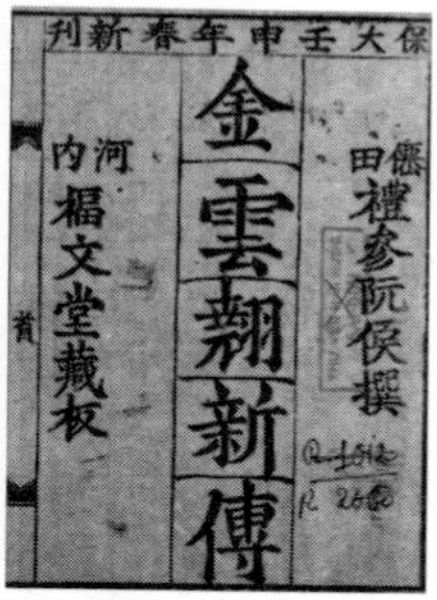

図3 『金雲翹新伝』（上：表紙、下：冒頭の一葉。六・八体の字喃詩による物語が 3254 行（句）続く）＊3

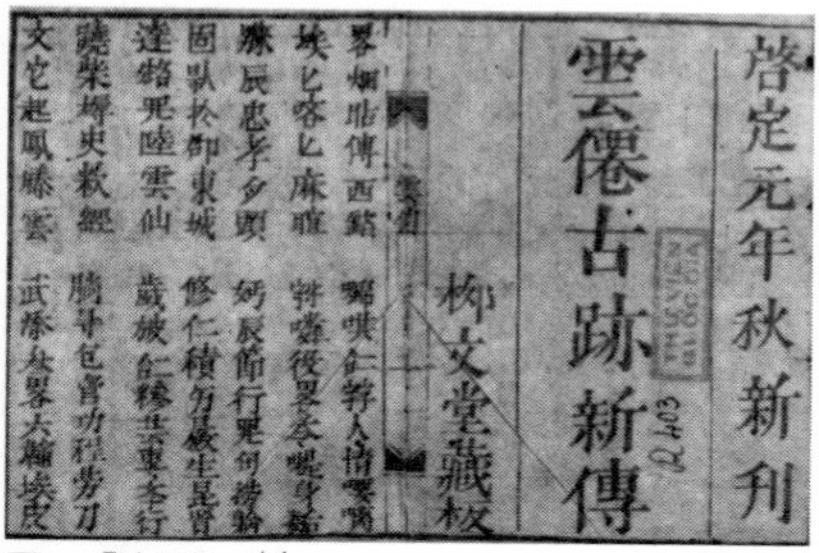

図4 『陸雲仙』＊4

仕えたが、黎朝滅亡後、一時期隠遁生活を送る。その後、新たな王朝阮朝に出仕し、正使として中国にも赴く。二度目の中国派遣を前に病を得て亡くなる。

『翹伝』は六・八体三二五四行（句）に及ぶ長編物語である。物語は、薄幸の佳人王翠翹の数奇な運命と彼女を取り巻く諸人物の人間模様を描く。佳人薄命、才命相妬がテーマで、因果応報や儒教倫理が物語を支える思想としてある。

実は、この作品は阮攸の創作ではなく、別に原作が存在する。それは中国明朝末に青心才人なる作家の書いた通俗小説『金雲翹伝』であり、阮攸は自分の仏教的世界観を込めてこの小説を字喃詩文体で訳したのである。しかし、阮攸の『翹伝』は内容の深さ、言語形式のもつ格調の高さ、そして詩の言葉によるイメージの豊饒さにおいて原作をはるかに凌ぐ傑作となっている。

ちなみに、青心才人の『金雲翹伝』は江戸時代に日本にも舶来しており、近江の文人西田維則《にしだこれのり》により『通俗金翹伝』の名で翻訳されている。さらに、曲亭馬琴《きょくていばきん》は原作をもとに『風俗金魚伝』なる翻案物を書いている。

（2）『陸雲仙』（阮廷炤、十九世紀）

『陸雲仙』は、六・八体二千八十八行の字喃詩物語である。作者阮廷炤（グエン・ディン・チエウ、一八二二～八八年）はベトナムの嘉定（今日のホーチミン市）生まれの南部人で、『陸雲仙』は特にベトナム南部で人気が高いようである。

阮廷炤は科挙《かきょ》の地方試験（郷試）に合格した後、フエで中央試験（会試）を待っている時に母の訃報を得て、帰郷の途中、嘆き悲しんだあまり、光りを失ったと伝えられる。

一八五九年フランスが嘉定城を占領すると、彼は妻の故郷カン・ズオック（嘉定南部に接する地方）に帰る。この時期に創作された多くの愛国的詩文のなかで代表的なものが「カン・ズオック戦没兵祭文」である。

『陸雲仙』の創作時期については不明である。この物語は、主人公陸雲仙が幾多の艱難辛苦に遭遇しながらも科挙試験に及第し、役人になって国のために手柄を立て、最後は佳人喬月娥に再会を果たし、めでたく結ばれるという内容である。この物語にも、儒教倫理に基づく勧善懲悪と仏教的因果応報の思想が読み取れる。

この物語には『翹伝』にみられるような格調の高さや詩的イメージの広がりはないが、代わりに、文字通り話し言葉（字喃）で語られる文体にベトナム民族の素朴で豊かな感情の表出を感じ取ることができる。

現代ベトナムでは、「グエン・ディン・チエウ（阮廷炤）はさまざまなジャンル、体裁の創作を行っている。独創的な芸術の成功は、チュノム（字喃）による詩物語とチュノムの祭文である」との評価がなされている（『文学辞典』第二巻、ハノイ、一九八四年）。

ベトナムの字喃文学は、ベトナム独特の文芸形式である六・八体および双七・六・八体による長編物語を主流とする。『翹伝』は、中国の原作『金雲翹伝』の通俗性を乗り越えた芸術性と文学的価値を示す傑作としてベトナム文学史に確たる位置を占める。

字喃詩はベトナム民族の生活感情を表出することにおいて漢詩に優るが、唐詩の形式から必ずしも自由になることができなかった点において一定の限界があるように思われる。

字喃は文字構成が複雑なために統一的な規範が制定されるには至らなかった。ベトナム語表現の可能性を深め広げたのは、二十世紀中葉に漢字と字喃に取って代わった表記文字ローマ字（ベトナム語でクオック・グー（国語）と呼ぶ）であった。

注

1 【現代語訳】閑を求めて江山に身を避け／ひとり日を送り机に向かい書を楽しむ／木陰の庵に鳥鳴き花揺れ／日陰の窓辺に香の煙たち消える／秋雨三つの小道の菊に注ぎ／春風蘭の香りを運ぶ／城市に隠棲の場なく／いずこも官人の地である（出典：*Nguyen Trai et son recueil de poemes en Langue nationale*, editions du centre national de la recherche scientifique, Paris, 1987）。

2 【現代語訳】三つ峠山を詠む詩／峠峠さらに峠／巧みに描いた高く険しい景色／深紅の門 家々はまばら／緑鮮やかな石道 ほのかに苔むす／松の枝はゆらゆら風に吹かれ／草むらはしっとり露に濡れている／賢人君子登らぬ者がいようか／膝痛み足疲れても登らんとする（出典：『春香詩集』ベトナム国家図書館［ハノイ］蔵）。

3 出典『金雲翹新伝』、ベトナム国家図書館（ハノイ）蔵。

4 『雲僊古跡新傳』表紙と物語冒頭部分。主人公陸雲仙の苦難と栄光の物語が六・八体字喃詩により二千八十八行続く。九行（句）目に「陸雲仙」の名が見える。この物語はベトナムでは『陸雲仙』の名で親しまれている（出典：ベトナム国家図書館［ハノイ］蔵）。

第5部　漢字文化圏の交流——通訳・外国語教育・書籍往来

01 華夷訳語
付『元朝秘史』

栗林 均

1 はじめに

「華夷訳語《かいやくご》」は「華」（漢族）と「夷」（周辺民族）のことばの翻訳がその字義であるが、書名としては明朝と清朝の時代に周辺諸国との通信や使節の接受に携わる官吏の外国語学習のために編纂された漢語と外国語との対訳語彙集、および文例集を指す。洪武二十二年（一三八九）に漢語とモンゴル語の対訳語彙と文例集が「華夷訳語」として公刊され、その後これに倣って他の周辺民族の言語についても同様な対訳語彙・文例集が「華夷訳語」の名を冠して編纂された。このように「華夷訳語」には、時代的にも内容的にも異なる種類のものが存在する。

2 「華夷訳語」の種類

石田幹之助は「女真語研究の新資料」（『桑原博士還暦記念東洋史論叢』一九三一年、一二七一～一三二三頁[*1]）において、「華夷訳語」に三種類あることを指摘し、それらを編纂された年代順に「甲種」「乙種」「丙種」と呼んだ。馮蒸《フェンチェン》は「『華夷訳語』調査記」（『文物』二、総二九七号、一九八一年、五七～六八頁）の中で、より新しい時代の「華夷訳語」が存在することを報告して、それを「丁種」とした。石田と馮によりつつ、それぞれの「華夷訳語」の概略を述べると次のよう

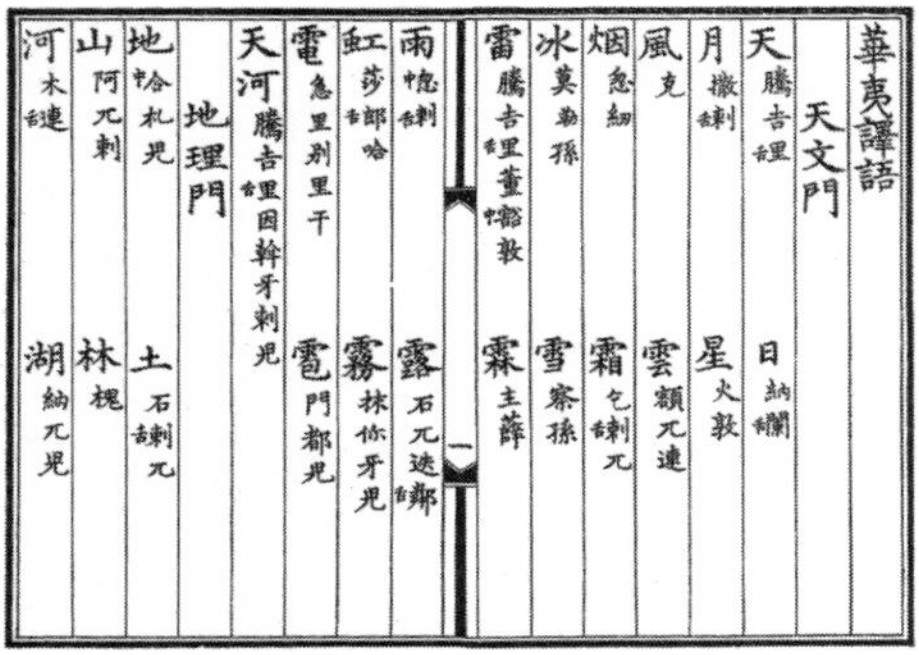

図 1　甲種本「華夷訳語」対訳語彙

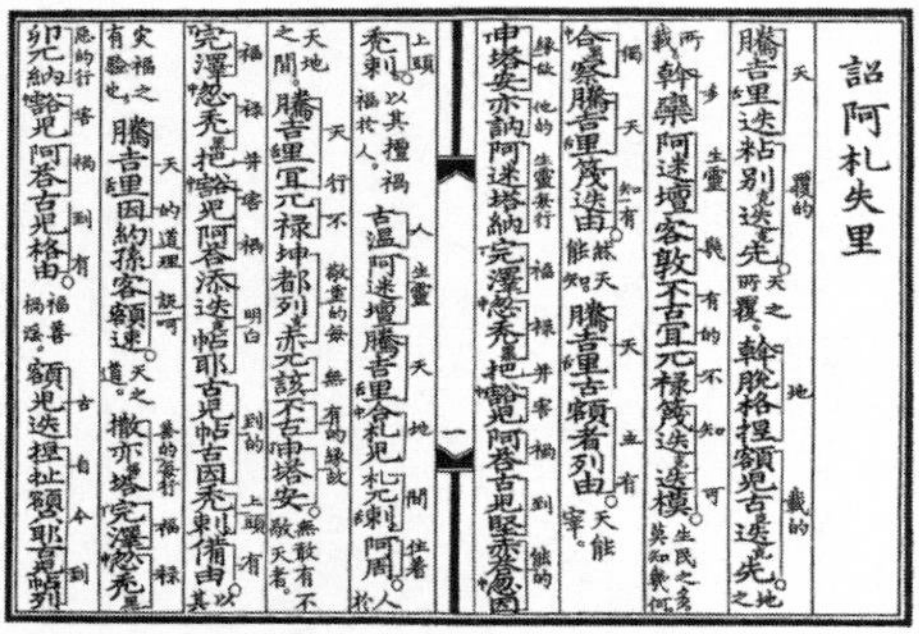

図 2　甲種本「華夷訳語」文例

になる。

甲種本：明の洪武十五年（一三八二）、翰林院侍講火源潔《かげんきつ》、同編修馬沙亦黒《ましゃいく》等が太祖の勅を奉じて編纂し、洪武二十二年（一三八九）に翰林学士劉三吾《りゅうさんご》の序を附して木版本で刊行された「華夷訳語」。漢語とモンゴル語との対訳語彙集一巻、および文例集二巻の全三巻からなる。[2] モンゴル語はすべて漢字をもって表記されており、モンゴル文字の表記はない。【図 1・2】モンゴル語を漢字で表記する方式、および文例の体裁は精緻かつ独特なもので、同時代に編纂された『元朝秘史《げんちょうひし》』と共通する点が多い（後述）。

乙種本：明の永楽五年（一四〇七）、中国周辺からもたらされる外国語の文書を翻訳するために設置された四夷《しい》館において編纂された「華夷訳語」。四夷館の設立時には、韃靼（モンゴル）、女真、西番（チベット）、西天（サンスクリット）、回回（ペルシャ）、百夷（タイ）、高昌（ウイグル）、緬甸（ビルマ）の八館が置かれ、その後、タイ語系の八百館と暹羅《せんら》館が増設された。最初に編纂された部分に対して、後に「續添」「續増」「新増」として増補された部分があり、異本も多い。「雑字」と呼ばれる漢語と外国語との対訳語彙集と、外国から中国の朝廷に寄せられた表文《ひょうぶん》（上奏文）の漢語と外国語との対訳を集めた「来文」から成る。「雑字」では、漢語に対して外国語の発音を漢字で表記するとともに、その言語の文字による表記も付されている。「来文」では正文である漢文と外国語の文字で書かれた翻訳文を文書ごとに

対照させている。【図3・4】

丙種本：明代に外国使臣の接待をつかさどった会同館で館員の外国語学習のために編纂された「華夷訳語」。朝鮮、琉球、日本、安南（ベトナム）、占城（チャム）、暹羅、韃靼、畏兀児（ウイグル）、西番、回回、満剌加（マライ）、女直、百夷等の言語のものがある。漢語と外国語との対訳語彙集のみで、文例はない。また、対訳語彙の外国語は漢字表記のみで、その言語の文字による表記はない。

丁種本：清の乾隆十三年（一七四八）に設立された会同四訳館において編纂された「華夷訳語」。馮蒸（一九八一年）は、耿馬《こうま》訳語、鎮康《ちんこう》訳語、猛卯《もうう》訳語、潞江《ろこう》訳語、南甸《なんてん》訳語、琉球語、西番《せいばん》訳語等々四十二種類を挙げている。漢語と外国語との対訳語彙集のみで、文例はない。外国語の訳語を漢字で表記するとともに、その言語の文字でも表記している。

なお、モンゴル語と満洲語は漢語とともに清朝の「公用語」であったことから、これらの言語の「訳語」はない。

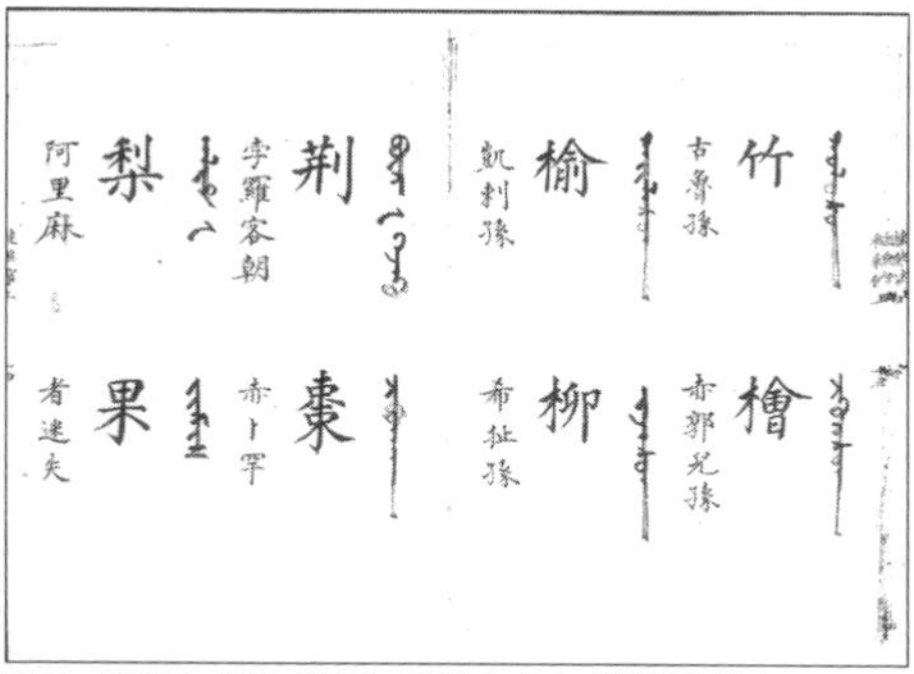

図3　乙種本「華夷訳語」東洋文庫本「韃靼館雑字」

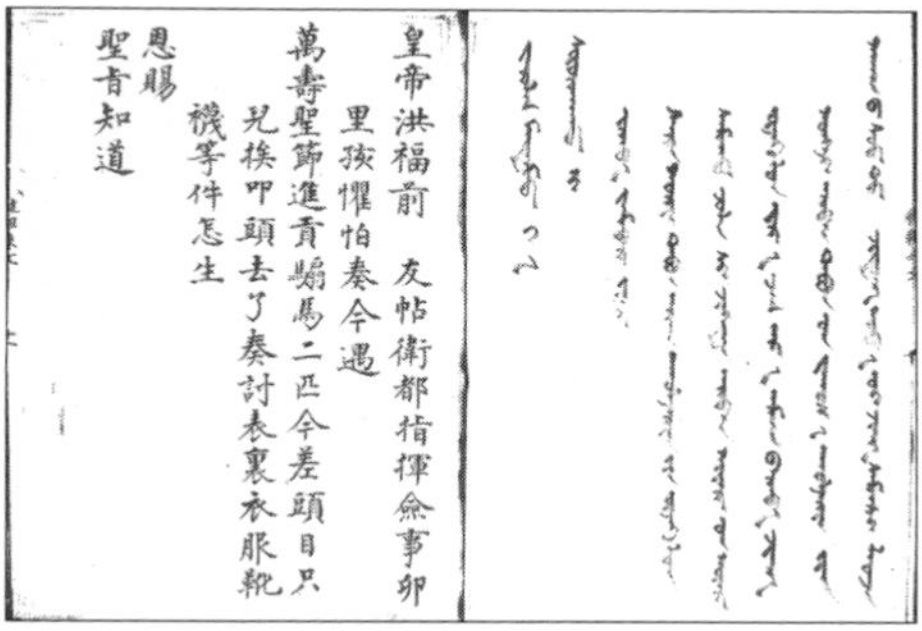
図4　乙種本「華夷訳語」東洋文庫本「韃靼館来文」

3　「華夷訳語」の特徴

甲種から丁種まで四種類の「華夷訳語」を通して見た特徴をまとめると次のようになる。

まず、「華夷訳語」の構成を見ると、甲種本と乙種本は、漢語と外国語との対訳語彙集（「雑字」）と文例集（「来文」）からなっているのに対し、丙種本と丁種本は対訳語彙集だけで、文例集は存在しない。つまり、文例集を含むのは甲種本と乙種本だけであるが、対訳語彙集は四種類の「華夷訳語」すべてに共通に存在している。

対訳語彙集の語彙の配列方式を見ると、すべての「華夷訳語」で、語彙は「天文」「地理」「時令」「花木」「鳥獣」といった意味部門によって分類されている。そこに配列されている項目は、漢語とそれに対する外国語の単語の対訳からなるが、外国語の単語は漢字でその発音が表記されている。漢字によって外国語が表記されている点は四種類の「華夷訳語」に共通であるが、乙種本と丁種本ではそれに加えて外国語の文字による表記も付されている。

甲種本「華夷訳語」は、第一巻が漢語とモンゴル語との対訳語彙集であり、そこには十七の部門に分類された八百四十四の項目が含まれている。各部門の名称と、項目の数は次の通りである（かっこ内の数字が項目の数）。

天文門（十九）　地理門（三十八）　時令門（二十四）　花木門（三十八）　鳥獣門（百十六）
宮室門（十七）　器用門（七十一）　衣服門（二十六）　飲食門（二十八）　珎寳門（十三）
人物門（八十六）　人事門（百四十）　聲色門（十七）　數目門（三十五）　身體門（七十六）
方隅門（十七）　通用門（八十三）

甲種本「華夷訳語」は漢語とモンゴル語との対訳であるが、これと乙種本の「韃靼館雑字」（モンゴル語語彙集）を比較すると、部門の数と名称、およびそこに含まれる項目もそれらの配列順もすべて同じであり、甲種本の語彙がそのまま継承されている。*3 乙種本が甲種本と異なるのは、漢字表記が簡略化されていて「小字《しょうじ》」を用いない点と、モンゴル文字による表記が加わっている点である。なお、一部の異本では、「續増」「新増」として新たな増補語彙が数百項目追加されている。ちなみに丙種本「華夷訳語」の「韃靼館訳語」では、分類部門は「天文門」の次に「人物門」が置かれている点を除けば甲種本と同じであるが、語彙項目は甲種本の基本語彙に百十五項目を加えて再編されている。

モンゴル語以外の言語について、乙種本と丙種本の「雑字」を見ると、言語によって分類部門に若干の増減や順序の違いがあるが、基本的には甲種本の分類を継承していると言うことができる。丁種本では、上の十七部門に加えて「経部門」「文史門」「香藥門」といった部門が加えられているものがある。乙種本、丙種本、丁種本に収録されている語彙項目も、甲種本の項目の多くを継承しながら、取捨選別あるいは増補が行われている。

甲種本と乙種本には、丙種本と丁種本にない対訳文例集が付されている。甲種本では、第二巻に詔勅五件、第三巻に表文七件が収められている。これらは、いずれも「華夷訳語」が刊行された洪武二十二年（一三八九）の近年に属するものである。文例では、モンゴル語の音を漢字で表記し、各単語の右側に傍線と漢語の逐語訳が付されている【図2】。一方、乙種本の「韃靼館訳語」の文例は、東洋文庫本三十件、ベルリン国立図書館本三十件、北京図書館本四十件[*4]で、のべ百件を数える（うち東洋文庫本とベルリン本で十四件が重複している）。乙種本の文例は、甲種本と共通のものはなく、ほとんどが永楽三年（一四〇五）から永楽十年（一四一二）頃までの上奏文で、一部勅諭が含まれている。いずれも正文である漢文とモンゴル文字で書かれた文章が文書ごとに対照する形で配置されている【図4】。モンゴル語以外の言語の文例集も、漢文と民族文字で書かれた文書を同様な体裁で配置している。

こうしてみると、四種類の「華夷訳語」の根幹部分は、意味によって部門別に分類・配列された漢語と周辺外国語の対訳語彙集であり、対訳語彙としては漢語に対して漢字で発音を写した外国語の訳語を対照したもので、それらの分類部門と語彙項目は甲種本を基幹としていると言うことができる。

4　甲種本「華夷訳語」における漢字音訳方式の特徴

甲種本「華夷訳語」は、四種類の「華夷訳語」の中で最初に編纂され、その後の「華夷訳語」に対して直接的、間接的に範の役割を果たしてきた。甲種本は漢語とモンゴル語との対訳であり、モンゴル語は漢字によって発音が表記されている。漢字によるモンゴル語の表記は当時の漢字音でモンゴル語の発音を写したもので、これを「漢字音訳」と呼ぶ。甲種本「華夷訳語」におけるモンゴル語の漢字音訳方式は極めて精緻で、他に類を見ない種類のものである。甲種本の漢字音訳方式の中で最も特徴的と見なされるのは、「小字《しょうじ》」と呼ぶひと回り小さい一連の漢字を使って漢語音に存在しない音を表記していることである。

これらの「小字」は、行の左側に置かれる「中」「舌」「丁」と、先行する漢字の右下に置かれる「勒」「黒」「克」「惕」「卜」等の二種類がある。

小字「中」は、漢字の左側に付いて、モンゴル語の音節頭子音が喉子音qであることを表す。

例：合中(qa) 忽中(qu) 罕中(qan) 孩中(qai) 豁中(qo) 渾中(qun)、等。（カッコ内はモンゴル語のローマ字転写、以下同じ）

兄　阿合中(aqa)　鹿　不忽中(buqu)　羊　豁中紉(qonin) 等。

小字「舌」は、声母（音節頭子音）がlの漢字の左側に付いて、モンゴル語の巻舌子音rを表す。

例：剌舌(ra) 里舌(ri) 魯舌(ru/rü) 列舌(re) 羅舌(ro/rö) 来舌(rai)、等。

月　撒剌舌(sara)　枕　迭列舌(dere)　田　塔里舌顔(tariyan) 等。

小字「丁」は、韻母の末尾（音節末子音）にnをもつ漢字の左側に付いて、モンゴル語の音節末子音lを表す。

例：安丁(al) 因丁(il) 温丁(ul/ül) 延丁(el) 完丁(öl) 班丁(bal)、等。

尾　薛温丁(se'ül)　衣　迭延丁(de'el)　縁故　申丁荅安(šilda'an) 等。

小字「勒」「黒」「克」「惕」「卜」は、先行する漢字の右下に置かれ、それぞれモンゴル語の音節末子音「l」「γ」「g」「d」「b」を表すのに用いられている。例：

腰　別勒(bel)　脚　闊勒(köl)　寡婦　別勒必孫(belbisün)

時　察黒(čaγ)　泉　不剌黒(bulaγ)　花　扯扯克(čečeg)

軍　扯里舌克(čerig)　珠　速不惕(subud)　焼餅　兀惕籛克(üdmeg)

是　拙卜(jöb)　胷　額卜扯温(ebče'ün) 等。

この他、モンゴル語の音節末子音「r」と「s」に対しては、それぞれ漢字「児」と「思」が使われている。例：

湖　納兀児(na'ur)　房子　格児(ger)　鼻　合中巴児(qabar)

虎　巴児思(bars)　西瓜　阿児不思(arbus) 等。

「小字」の使用をはじめとして、こうした表記法から見てとれるのは、甲種本「華夷訳語」の漢字音訳は、当時のモンゴル語の音韻体系と音節構造を精緻に分析して、同じ音と音節を、同じ漢字で表わすという方式を貫いていることである。

ちなみに「小字」の使用は甲種本に特徴的な表記であり、他の「華夷訳語」には見られない。乙種本、丙種本の「韃靼館訳語」では、甲種本の小字のうち「中」「舌」「丁」は省略され、「勒」「黒」「克」「惕」「卜」等は、多くの場合、他の漢字と同じ大きさで書かれている。

甲種本「華夷訳語」の文例を見ると、第二巻は詔勅五件の漢文をモンゴル語に訳したもので、第三巻は地方から朝廷に送られたモンゴル語の表文七件である。文例のモンゴル語を漢字で表記する音訳方式は対訳語彙集と同じであるが、対訳語彙集では漢語とモンゴル語の訳語が一項目ずつ対照して並べられているのに対して、文例ではモンゴル語の文を構成するそれぞれの単語の右に傍線を付し、一回り小さい漢字で漢語の訳語が付されている。漢字でモンゴル語の発音を表記する「音訳」に対して、モンゴル語の傍に置かれて逐語的な意味を示す漢語の訳語を「傍訳」と呼ぶ。

【図2】

甲種本「華夷訳語」の第二巻では、モンゴル語の文の区切りごとに、詔勅の原文と考えられる漢文が割書き（一行を二行に割って書く）で挿入されている。第三巻の表文は、モンゴル語の「音訳」と漢語「傍訳」だけからなっている。「小字」に代表されるモンゴル語の緻密な漢字音訳方式と文例における「傍訳」の付し方、さらにモンゴル語の文章の後に挿入される割書きの漢文は、次に見るように『元朝秘史』と共通である。

5　甲種本「華夷訳語」と『元朝秘史』

『元朝秘史』は、チンギス・カーンの一代記を中心にその祖先から説き起こしてモンゴル帝国第二代皇帝オゴタイ・カーンの治世に至るまでの歴史を綴ったモンゴル語の著作である。モンゴル文字で書かれていたであろう原本は現代に伝わらず、現存するものは明朝洪武年間に漢字をもってモンゴル語を写した「漢字音訳本」である。『元朝秘史』と甲種本「華夷訳語」は同時代の文献という以上に、極めて緊密な関係にある。

『明太祖実録《みんたいそじつろく》』洪武十五年（一三八二）春正月丙戌《へいじゅつ》の条には、次のように「華夷訳語」編纂の経緯が記されている。

「翰林院侍講火源潔等に命じて華夷訳語を編纂させた。昔は、元々文字が無く、布告を発し命令を行うのに、ただ高昌（ウイグル）の文字を借りていた。そこで蒙古字（パスパ字）を作り天下の言葉として通用させた。ここに至って、火源潔と編修馬沙亦黒等に命じて、華言（漢語）によってその言葉を訳させた。およそ天文、地理、人事、物類、服飾、器用、すべて載せてないものは無い。また元秘史を取って参考とし、漢字を連ね分け、音声に合わせた。完成して詔によってこれを刊行した。それからは、使臣が漠北を往復して、その事情に通達した。」

引用のうち「漢字を連ね分け、音声に合わせた」というのは、「小字」を用いて漢字音に変更を加え、あるいは子音を分離する形でモンゴル語の音声に適合させた音訳方式を指していると考えられる。「合中(qa)」では、漢字「合」に小字「中」を連ねて、モンゴル語の「qa」の音節に合わせ、「別勒(bel)」では、漢字「別」と小字「勒」に分けて（反切方式で）モンゴル語の音節「bel」に合わせている。

「華夷訳語」と『元朝秘史』の漢字音訳方式は、極めて類似しており、多くの特徴を共有している。明太祖実録には、「華夷訳語」の編纂にあたっては、元秘史つまり『元朝秘史』を参考にしたと記されている。これが、「小字」の使用も含む「華夷訳語」音訳方式のことを述べていることは疑いないが、現代に伝わる『元朝秘史』がそのまま「華夷訳語」の漢字音訳方式の手本となったとするのは当たらない。『元朝秘史』の漢字音訳方式は、「華夷訳語」と比較してより洗練されていることと、『元朝秘史』は漢字音訳方式の改良を重ねながら、何回か書き換えられている証拠があることを考え合わせれば、「華夷訳語」の編纂の際に参考にしたのは、現代に伝わる『元朝秘史』ではなく、むしろその原型に当たるものだったと推定することができる。このように考えれば、「華夷訳語」は『元朝秘史』の原型の漢字音訳方式を反映しているとみなすことができる。その音訳方式に改良を重ね、書き換えることによって現代に伝わる

『元朝秘史』が成立したと考えられる。

『元朝秘史』の構成は、モンゴル語を漢字で表記した漢字音訳の本文、モンゴル語の各単語の右に付された漢語逐語訳（傍訳）、およびモンゴル語の文章を節ごとにまとめた割書きの漢語訳（総訳）[*5]から成っている【図5】。これは、「華夷訳語」第二巻の詔勅の文例の体裁に通じるものである【図2】。

「華夷訳語」と『元朝秘史』は明朝の翻訳官によってモンゴル語を学習するための教材として編纂された。「華夷訳語」は対訳語彙集と文例集という工具書の形を取っているが、『元朝秘史』はモンゴル語の歴史書で、四部叢刊本では全十二巻、約六百丁の大著である。これはモンゴル語で記された現存する最も古い史書であるだけでなく、最も内容豊かなモンゴル文学の古典と見なされている。モンゴル文字で書かれていたであろう原本は散佚したが、明代の翻訳官がモンゴル語を分析し、それに基づいて本文を漢字音訳し、単語と語尾に逐語訳を添え、節ごとに漢語訳を付して全巻を構成したモンゴル語の教本が『元朝秘史』として現代に伝わっているのである。

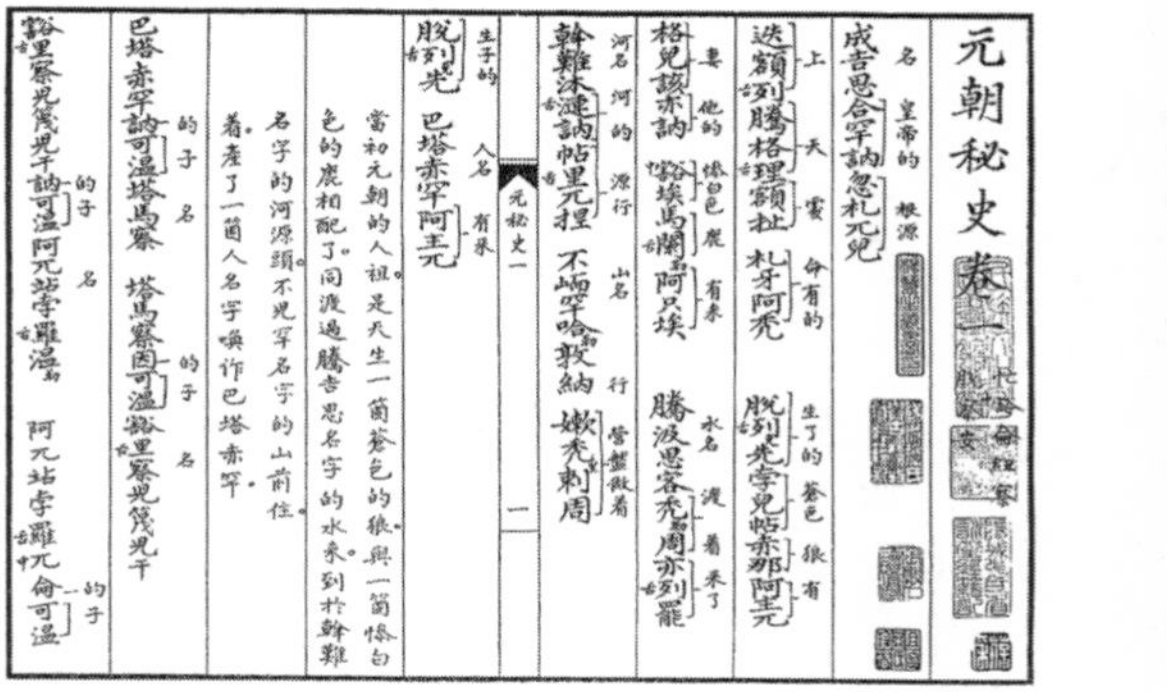
元朝秘史卷一

成吉思合罕訥忽札兀兒（名 皇帝的 根源）

迭額列騰格理額扯 札牙阿禿 脱列先孛兒帖赤那阿主兀（上 天 處 命有的 生了的 蒼色 狼 有）

格兒該亦訥 豁埃馬闌勒阿只埃 騰汲思客禿周亦列罷（妻 他的 慘白色 鹿 有來 水名 渡着 來了）

斡難沐漣訥帖里溫捏 不峏罕合勒敦納 嫩禿黑剌周（河名 河的 源行 山名 行 營盤做着）

元秘史一　一

脱列先 巴塔赤罕阿主兀（生了的 人名 有來）

當初元朝的人祖。是天生一箇蒼色的狼。與一箇慘白色的鹿相配了。同渡過騰吉思名字的水。來到於斡難名字的河源頭。不兒罕名字的山前住。着。產了一箇人名字喚作巴塔赤罕。

巴塔赤罕訥可溫塔馬察 塔馬察因可溫豁里察兒篾兒干（的子 名 的子 名）

豁里察兒篾兒干訥可溫阿兀站孛羅溫勒 阿兀站孛囉溫勒訥可溫（的子 名 的子）

図5　四部叢刊本『元朝秘史』

注

1　『東亜文化史叢考』（東洋文庫、一九七三）三〜六九頁に再録。

2　独立した丁付けをもつ部分を一巻とした。

3　乙種本には、最後に「終了」という項目が追加されている。

4　「高昌館課」の題が付されている。内容はモンゴル語の文書である。

5　総訳は四部叢刊本で割書きされている。十五巻本では割書きされていない。

参考文献

文献目録

・遠藤光暁・竹越孝・更科慎一・馮蒸編「華夷訳語関係文献目録」福島貴弘・遠藤光暁編『華夷訳語論文集』大東文化大学語学教育研究所、二〇〇七年、一九七～二三〇頁。

甲種本の研究

・栗林均『華夷訳語（甲種本）の研究』松香堂書店、二〇一九年（「涵芬樓祕笈」第四集所収の影印を含む）。

乙種本の研究

・西田龍雄『西番館譯語の研究 チベット言語学序説』松香堂、一九七〇年（華夷訳語研究叢書Ⅰ）。
・西田龍雄『緬甸館譯語の研究 ビルマ言語学序説』松香堂、一九七二年（華夷訳語研究叢書Ⅱ）。
・烏云高娃『明四夷館韃靼館及《華夷訳語》韃靼〝来文〟研究』中国社会科学出版社、二〇一四年。（甲種本の来文の研究も含む）。

丁種本の研究

・西田龍雄『多續譯語の研究 新言語トス語の構造と系統』松香堂、一九七三年（華夷譯語研究叢書Ⅵ）。
・西田龍雄『猓玀譯語の研究 ロロ語の構造と系統』松香堂、一九八〇年（華夷訳語研究叢書Ⅳ）。
・西田龍雄、孫宏開『白馬譯語の研究 白馬語の構造と系統』松香堂、一九九〇年（華夷譯語研究叢書Ⅶ）。
・孫伯君『《西番訳語》校録及匯編』社会科学文献出版社、二〇一〇年。
・松川節、三宅伸一郎『「華夷譯語（西番譯語四種猓玀譯語一種）」影印と研究』松香堂、二〇一五年。

資料

・『中華再造善本 明代編 經部 華夷譯語』国家図書館出版社、二〇一一年（「華夷訳語」洪武刊本の複製本）。
・『北京図書館古籍珍本叢刊 六 經部 華夷譯語・高昌館課・回回館雑字・譯語・百譯館譯語・暹羅館譯語・八館館考』書目文献出版社、刊行年不明（乙種本、丙種本の各種訳語が収録されている）。
・『故宮博物院藏乾隆年編華夷譯語』故宮出版社、二〇一九年（丁種本の四十二種類の訳語の影印が収録されている）。

図版出典

図1・2　孫毓修編「涵芬樓祕笈」（商務印書館影印本、一九一六～一九二一年）第四集所収「華夷訳語」より。
図3・4　東洋文庫所蔵「華夷訳語」の「韃靼館訳語」の写真版（東北大学附属図書館蔵）より。
図5　「四部叢刊」三編（商務印書館影印本、一九三五～一九三六年）所収「元朝秘史」より。

02 西洋における中国語翻訳と語学研究

内田慶市

1　近代における東西言語文化接触

東西の言語文化交流の歴史は古い。その具体的な事象として、たとえば、古くは、シルクロードを通しての西域との交流や仏教による天竺（インド）との交流があるが、十六世紀以降はとくに「西学東漸《せいがくとうぜん》」と呼ばれる西洋との交流の一大潮流が巻き起こった。それは西洋のキリスト教布教が大きな目的であったが、キリスト教のみならず多くの西洋近代科学文明が伝えられたのである。

さて、こうした文化交流（あるいは文化交渉）において不可欠なのが、「もの」「ひと」「ことば」である。「もの」に関して言えば、たとえば、シルクロードによって西域からもたらされた「もの」としては、次のような記述が容易に見いだされる。

葡萄：

〟大宛在匈奴西南，在漢正西，去漢可万里，有葡萄酒，多善馬。〝（『史記』）

〟張騫使西域，得其種而還，中国始有。〝（『通志略』）

安石榴（ざくろ）：

〝張騫使西域，得安石国榴種以帰，故名安石榴。〟（『博物志』）

獅子（ライオン）：

〝烏戈有桃拔、師子、犀牛〟（『漢書』）

酥（ヨーグルト）：

〝酥，酪也〟（《玉篇》）

〝酥，酪属，牛羊乳為之〟（『韻會』）

「西学東漸」の潮流の中で、ヨーロッパの宣教師によってもたらされた「もの」についても、マッテオ・リッチ（利瑪竇）は以下のように、キリスト像、マリア像、バイブル、十字架、時計、世界地図、ピアノなどを持ち込んでいる。

萬曆二十八年。瑪竇偕龐迪我等八人。齎貢物。詣燕京進……謹以原攜本国土物，所有天主図像一幅，天主母図像二幅，天主経一本，珍珠鑲嵌十字架一座，報時自鳴鐘二架，万国図誌一冊，西琴一張等物，敬献御前。此雖不足為珍，然自極西貢至，差覚異耳，且稍寓野人芹曝之私。（黄伯祿『正教奉褒』）

このほかにも、プリズム、西洋の書籍（イソップやバイブル）なども伝えられた。

他在南昌也和在肇慶時一様，把西洋的奇珍物品陳列出来，供人参觀。還屢次把這些東西借給幾個重要人物拿回去仔細賞鑒，比方那人称宝石的三稜玻璃，那畫得極精美的聖母抱耶穌油画像，封面裝釘有花紋邊上鍍金的西洋書籍，這就叫他們知道我們西洋地方也講文理，因為他們心目中以為我們沒有讀他們的書，卻能做一個有学問的人，這是一件極難相信的事。（斐化行『利瑪竇司鐸和当代中国社会』商務印書館、一九三七年、二〇八頁）

これらのうち、聖像画に関しては次のような面白い記述が見られる。

当皇帝看到耶穌受難十字架時，他驚奇地站在那裡高声説道：〝這才是活神仙。〟儘管這是中国人的一句陳詞老調，他卻無意之中說出了真相。這個名詞在中国至今仍用於耶穌受難十字架，而從那時起，神父們就被称為給皇帝帶来了活神仙的人。皇帝似乎従驚奇変得害怕看見這些雕像，他不敢和這些雕像目光相対，便把聖母像送給了他的母親。而她是篤奉她那沒有生命的仏像的，看到活生生的神的形象也感到不安。她害怕這些雕像的逼真的神態，於是下令把它們放到她的庫蔵裡，在那裡太監們偶爾給一些官員們観看一下。

（『利瑪竇中国札記』四〇二頁）

つまり、聖像画を見た神宗《しんそう》皇帝と慈聖《じせい》皇太后は、それがまるで「生き仏〝活神仙〟」のようであると怖がって、それを倉庫に隠してしまったというのである。

この皇帝もびっくりの聖像画とは、中国画の伝統にはなかった「遠近法」（パースペクティブ・透視図法）で画《か》かれたものであった。それを当時の中国人は以下のように「凹凸画」などと称していたのである。

利瑪竇西洋欧羅巴国人也。面皙，虬鬚，深目而睛黄如貓，通中国語，来南京居正陽門西営中。自言其国以崇奉天主為道，天主者，制匠天地萬物者也。所画天主，乃一小児，一婦人抱之，曰天母。画以銅板為幀，而塗五采於上，其貌如生，身與臂手儼然隠起幀上，臉之凹凸処，正視与生人不殊。人問画何以致詞，答曰：中国画但画陽，不画陰，故看之人面躯正平，無凹凸相。吾国画兼陰与陽写之，故面有高下，而手臂皆輪円耳。凡人之面，正迎陽，則皆明而白，若側立，則向明一辺者白，其不向明一辺者，眼耳鼻口凹処皆有暗相。吾国之写像者解此法，用之故能使画像与生人亡異也。

（顧起元『客座贅語』〔一六一七年序〕巻六）

2　異文化接触と「翻訳」

ところで、異文化接触において、「ひと」、「もの」、「ことば」の中でも特に重要なものが「ことば」である。異文化交渉によって新しい事物が伝えられれば、そこには必ずそれに対応した「ことば」が必要になる。そもそも「ことば」の存在する理由は、荀子《じゅんし》や墨子《ぼくし》の言うように「ほかと区別するため」にある。

名也者，所以期累実也。（荀子）

以名挙実，以辞抒意。（墨子）

つまり、「A」という事物が伝えられれば、それに対応した「a」というその民族の言語の語彙が必要となるわけで、これがいわゆる「翻訳」という営みである。「葡萄」という「モノ」が西域からもたらされれば「葡萄」という「ことば」が必要となるのである。

さて、一般には「翻訳」とは「ほかの言語の語彙を自分たちの言語に置き換えること」とされる。たとえば、"God"に対して「神」「上帝」、あるいは"Dog"に対しては「犬」あるいは「狗」という具合である。

しかしながら、"Dog" = 「犬」(日本語) = 「狗」(中国語)という関係が成立しているのは、それらの形式(音と形)が等しいからでないことは明らかであり、一体、これらの三者の間の「等値」とは何なのかが問題となってくる。

この「翻訳とは何か」という問題は、実は、「言語とは何か」あるいは「言語観」と大きく関わっている。

「言語とは何か」については、は古今東西さまざまな考え方が存在するが、きわめて一般的には、次のように考えられている。

語言是人類最重要的交際工具，人們利用語言進行交際，交流思想，達到互相了解。

(《語言漫語》于根元等編、上海教育出版社、一九八一年、三五頁)

すなわち、「言語とは、ひとの重要なコミュニケーションの道具であり、思想を交流し合い、お互いに理解し合うための道具である」というのである。

もちろん、これは一つの言語観であるが、少なくとも私はこうした「言語道具説」の立場には立っていない。

私の言語観とは、第一に、言語とは、「人の表現」の一つであるということである。「人の表現」には、言語以外にも、絵画、映画、写真、音楽などさまざまあり、言語はそのうちの一つに過ぎないのである。

人の表現である以上、当然、人(話し手、書き手、表現者)の存在が不可欠であり、また絵画や映画などと言語の間には、当然ながら表現として「共通点」もあり、「相違点」も存在するが、【図1】の絵画で表現されているものは何かを考えてみる。

ここで表現されているものは、普通は「子供」「机」「本」であるが、しかしながら、もう一つ重要なものがここには表現されている。それはつまり、この絵を描く人の「目の位置」「視点」「心」であり、これは「表現したくなくとも表現されてしまう」という絵画の宿命である。まさに、「写真」は「写心」と言われるゆえんでもある。この「位置」「視点」「心」とは、別の言い方をすれば「主体的表現」というものであり、それに対して「子供」「机」「本」は「客体的表現」ということになる。

（A）　（B）

図１　三浦つとむ『日本語はどういう言語か』（講談社学術文庫、1976 年）より

一方、言語の場合は、この二つの表現が、品詞の違いと言うことで、別々に表現される。中国伝統の考え方では、これを「虚実」に分類している。

今天下雨（今日は雨が降る）。＝客体的表現＝実

今天也許下雨（今日は雨が降るかも知れない）。＝〝也許〟は主体的表現＝虚

ここでは詳しく論じることはしないが、いずれにしても、人の表現には二種類あるというのが私の基本的な表現観、言語観であり、こうした立場に立つとき、言語とは「それを使用する民族の歴史、思想、思惟《しい》方法を反映したもの」であるということになり、「翻訳」も単純な「語彙の置き換え」ということではなくなってくるのである。

〝Dog〟＝「犬」＝「狗」という時、そこでの「等価」とは、音声や文字の形式ではなく、「価値」であり、「意味」であるが、それは「超感性的」なものであり、それぞれの民族の「思惟」「文化」を集合、抽象したものである。つまり「翻訳」とはここにきて「言語」だけの問題ではなくて、「文化」の問題であり、「文化移入」「文化受容」の問題となってくるのである。

少しだけ具体的な例を示しておく。

図２　日本・中国の駅でみられる案内（撮影：筆者）

日本の鉄道のホームにはよく「黄色い線の内側でお待ち下さい」という表示が見られるが、これをそのまま中国語で〝請在黄線内等候〟と言ったらきわめて危険な状況が発生する。ここは〝請在黄線外等候〟と言わなければならないのだ【図２】。「昨晩は何時まで起きていましたか」は中国語では〝昨天晩上幾点睡覚的？〟つまり「何時に寝たんですか」としか言えないのだ。日英の間でも「無線ＬＡＮによるインターネット接続サービスのご利用は新大阪までとなっております。」（新幹線N700系「のぞみ」の車内放送）は英語では〝Wireless internet connection service will not be available after leaving Shin-Osaka.〟となるのである。

「左右」という実に簡単な語彙であっても、中国の「左青龍右白虎」すなわち、「玄武（北）―朱雀（南）―青龍（東）―白虎（西）」は中国の「坐《ざ》北朝南《ぼくちょうなん》」（「北を背にして南面する」）という思惟方式が理解できないと解釈できないのだ。

３　一つの翻訳観

さて、次に挙げたのは、それぞれある話の冒頭の部分である。

盤古初，鳥獣皆能言，一日豺与羊同澗飲水……

山海経載，獅子与人熊同争一小羊，……

禹疏九河之時，凡鳥獣魚鱉紛紛逃匿，適兎与亀同行，……

神農間，有豺食物骨骾在喉，不能出，……

斉人有一妻一妾而処室者，其妻老而妾少，……

峨嵋山下有故園，中有花匠種植樹木調理花草，甚属整斉，……

虞舜間天下太平，春間花木茂盛，人熊遊於郊外，……

昔大禹治水，泗淮騰湧，……

大禹未治水之先，飛禽走獸両不相和，……

次も同じくよく知られた寓話の中国語訳である。

愚夫癡愛

昔有愚夫家畜一猫，視如珍宝，常祝於月裡嫦娥曰，安得嫦娥将我家猫兒換去形骸，変一美人，是余之所願也。由是夜夜祈祷，嫦娥感其痴誠，姑将其猫暫変美人。愚夫見之，喜可知也。於是寵幸如夫妻焉，一夜同臥帳中，嫦娥以鼠放入房內，美人聞鼠気，疾起而擒之。嫦娥責之曰，吾既托爾為人，自当遵行人事，何以復行獣性。遂復仍変為猫。如世人貪狡之徒，雖則暫行正道，一時財帛触目，自然露出真形。俗云，青山易改，品性難移，正此謂也。

車夫求仏

一日車夫将車輪陷於小坑，不能起。車夫求救於阿彌陀仏。仏果降臨，問曰，你有何事相求。夫曰，我車落坑，求仏力援救。仏曰，汝当肩扛其車，而鞭其馬，自然騰出此坑。若汝垂手而待，我亦無能為矣。如世人急時求仏，亦当先盡其力乃可，任爾誦仏万声，不如自行勉力。

以上はいずれも、ロバート・トーム（Robert Thom, 1807-1846）による漢訳イソップ『意拾《いしゅう》喩言《ゆげん》』（一八四〇年）のものである。

「月の神のアフロディーテ＝ダイアナ」は「嫦娥《じょうが》」と訳され、「ヘラクレス」は「阿弥陀仏《あみだぶつ》」となる。まさに「中国人の衣装を身にまとったイソップ」であり、「相手側の文化に身を置く」という立場に立った翻訳観がそこには示されている。

このトームの翻訳観は、実はイエズス会の「適応主義」や、ロバート・モリソンの翻訳観とも相通ずるものである。たとえば、イエズス会の適応主義は、次のような「聖像画」にその典型を見ることができる【図3】。見事なまでの

図3　さまざまな「聖像画」

「中国化」「本土化」である。

4　欧米人の中国語研究

中国では学問体系としての「言語学」の成立は近代に入ってからのことである。しかし、そのことは決して古代中国人が「言語とは何か」ということを考えてこなかったということを意味しない。その実、中国人も古代より「言語とは何か」について深い考察を行っていた事実は確かに存在する。たとえば、上でも少し触れたが、すでに荀子は「正名篇」において、「言語の目的」、「言語の社会的規範性」「人の認識の発展過程と単語の関係」等々について現代の言語学に匹敵する水準の言語観をもっていたし、荀子のほかにも、墨子、公孫龍《こうそんりゅう》などが優れた言語観を示している。しかしながら、いわゆる学問体系としての言語学あるいは文法学ということになると、たとえば、体系的な文法研究は清末（一八九八年）の馬建忠《ばけんちゅう》による『馬氏文通《ばしぶんつう》』の登場を待つよりなく[*1]、それ以前の文法研究はあくまでも「経学」の「附庸《ふよう》」としてあり、「経文」に対する「注釈」（「訓詁学」）という形で個別的な語、しかも、「助字」の解釈に主眼が置かれるものであった。

これに対して、欧米とりわけヨーロッパではすでに古代ギリシャ、ローマ時代から言語学という学問分野が確立しており、十六世紀には宣教師を中心として中国語に対する言語学的研究が行われていた。彼らは、宣教師でありながら一方では優れた言語学者の資質を有し、中国語のさまざまな特徴、たとえば、単音節語であること、声母《せいぼ》と韻母《いんぼ》の関係、母音が優勢な言語であること、品詞転化、量詞の存在、動詞の具体性、さらには「官話」と「方言」の差異、書面語と口頭語の違い等々について正確な記述を行っている。中国語文法研究を例にしても、以下のように、十七世紀末以降多くの専門書が著されている。

（1）Anonymous, *Arte de la lengua Chio Chiu*（稿本）, 1620
（2）Martino Martini（衛匡国）, *Grammatica Sinica*［漢語語法］（稿本）, 1653
（3）Francisco Varo（万済国）, *Arte de la lengua Mandarina*［官話文典］(Canton), 1703
（4）T.S. Bayer（巴耶）, *Museum Sinicum*［中国雑纂］, 1730
（5）Prémare（馬若瑟）, *Notitia Linguae Sinicae*［漢語札記］, 1720?, 1831 at Malaccae by Morrison
（6）Fourmont（傅爾蒙）, *Linguae Sinarum Mandarinicae hieroglyphicae Grammatica* duplex［漢語文典］, 1742

以上は主としてカトリック宣教師によるものであるが、十九世紀以降はプロテスタント宣教師を中心として以下のような中国語教科書、文法書、中国語概論書が陸続と出版された。

（7）Joshua Marshman（馬士曼）, *Clavis Sinica*（*Elements of Chinese Grammar*）［中國言法］, 1814
（8）Robert Morrison（馬礼遜）, *A Grammar of the Chinese language*［通用漢言之法］, 1815
（9）Robert Morrison, *Dialogues and detached sentences in the Chinese language*, 1816
（10）Abel Rémusat（阿伯爾）, *Elemens de la Grammaire Chinoise*［漢文啓蒙］, 1822
（11）J.A.Gonçalves（公神甫）, *Arte China*［漢字文法］, 1829
（12）Stanislas Julien（儒蓮）, *Exercices pratiques d'analyse,de syntaxe et de lexigraphie chinoise*, 1842
（13）Gützlaff（郭實猟）, *Notices of Chinese Grammar*, 1842
（14）S. W. William（衛三畏）, *Easy lessons in Chinese or progressive exercises*, 1842
（15）W. H. Medhurs（麦都思）, *Chinese dialogues, questions, and familiar sentences*, 1844

(16) M.A.Bazin,（巴賛）, *Grammaire Mandarine*, 1856
(17) Joseph Edkins（艾約瑟）, *A Grammar of the Chinese Colloquial Language, commonly called the Mandarin Dialect*, 1857
(18) James Summers（薩默斯）, *Handbook of the Chinese Language*, 1863
(19) W. Lobscheid（羅存徳）, *Grammar of the Chinese Language*, 1864
(20) T. F. Wade（威妥瑪）, 語言自邇集, 1867
(21) Edkins, *Progressive lessons in the Chinese spoken language*, 1869
(22) T. P. Crawford（高第丕）, *Mandarin Grammar*［文学書官話］, 1869
(23) Paul Perny（童文献）, *Dialogues Chinois-Latins*, 1872
(24) Paul Perny, *Grammaire de la Langue Chinoise orale et écrite*, 1873
(25) Charles Rudy, 習読写説官話 *The Chinese mandarin Language*, 1874
(26) Kleczkowski, *Cours graduel et complet de Chinois parlé et écrit*, 1876
(27) Angelo Zottoli（晁徳莅）, *Cursus Litteraturæ sinicæ*,1879-1882
(28) J. S. McIlvaine（文壁）, *Grammatical Studies in the Colloquial Language of Northern China*, 1880
(29) Imbault-Huart（於雅楽）, *Manuel de la langue Chinoise Parlee*, 1885
(30) Imbault-Huart, *Cours éclectique graduel et practique de Langue Chinoise Parlée*, 1887-1889
(31) R. K. Douglas, *A Chinese manual*, 1889
(32) C. W. Mateer（狄考文）, 官話類編, 1892
(33) Chaunchey Goodrich（富善）, *How to learn Chinese language*, 1893
(34) L.Wieger（戴遂良）, 漢語漢文入門 *Rudiments de parler et de style chinois dialecte du* 河間府 1-6, 1895-

欧米人の中国語関係文献については、以上挙げたもののほか、私たちは次のような「雑文（Essay）」の類も取り上げておく必要がある。

（35）Stephen Weston, FAN-HY-CHEW: *A tale in Chinese and English: with notes, and a short grammar of the Chinese language*, 1814

（36）Thomas Myers, *An essay on the nature and structure of the Chinese language; with suggestions on its more extensive study*, 1825

（37）Robert Thom（羅伯聃）, 意拾喩言 *Aesop's Fables*, 1840

（38）Louis Bazin, *Memoire sur les principes generaux du chinois vulgaire*, 1845

（39）Thomas Taylor Meadows（密迪楽）, *Desultory notes on the government and people of China, and on the Chinese language*, 1847

（40）John Francis Davis（德庇時）, *Chinese miscellanies: a collection of essays and notes*, 1865

（41）Thomas Watters（瓦特斯）, *Essays on the Chinese language. Shanghai*, 1889

これらは、いわゆる中国語の専門書ではないが、たとえば、（35）は『警世通言《けいせいつうげん》』第十二巻「范希周《はんきしゅう》」の小説の英訳本であり、その中には広東《かんとん》語および北京音の注音を付した漢字の筆画、文法簡論、比較的詳細な語彙の注音と解釈が含まれている。たとえば、まず「中国語は単音節語である」ことを指摘した上で、一つの単語が、ある場合には名詞に、ある場合には形容詞あるいは動詞、さらにはほかの品詞に転化することがある(In the Chinese language, which is monosyllabic, without derivatives, and uncompounded, the same word is both substantive and adjective, and verb, and every part of speech）とし、中国語の形容詞、名詞、性（Genders）、数（Numbers）、格（Cases）、代名詞（Pronouns, Pronouns Possessive）、動詞、時態（Four Tenses:- Present, Imperfect, Perfect, Future）、単複（Sing-Plur）、比較級（Degrees of Comparison）などの説明も加えている。

（36）はケンブリッジ大学のThomas Myersによって書かれた短い文章であるが（全部で三二ページ）、そこにはモリソンやマーシュマン、ミルン、Barrowなどの成果を基礎に「官話」の文字、音節の特徴を描写し、さらには中国語の

「量詞」、形容詞、動詞、副詞、前置詞について幾つかの簡単な文法分析も行っているが、たとえば、以下の「量詞」の記述などは欧米の言語との「違い」を意識したものである。

> In the use of the numerals: - if they would express, “Three sips of wars have arrived;” they would say, “Soldier ship three *single* ones come have.” In expressing, for “Your house is good one,” they say, “Your one *door* house really is good:” “the book is on the table;” “Table upon laid the *volume* book is.” (15-17p)

(41) では「外来語 (Foreign Words in Chinese)」を、「西域」から来たもの、ギリシャやローマに由来するもの、スペイン語、ポルトガル語、ドイツ語、マレーシア語、ペルシャ語、トルコ語、満州語、蒙古《もうこ》語、チベット語などに由来するものに分類している。たとえば、英語起源の外来語として、“company” = ”公班衛《グンバイウェイ》“ あるいは ”公班牙《グンバンヤ》“ = ”公司《グンス》“、“insure” = ”燕梳《イエンシュ》“、“rifle” = ”來扶《ライフ》 (復、福) 槍《チャン》“、“telephone” = ”徳律風《ドリュフォン》“ などを挙げている。

また、中国語における外来語の「二音節化」傾向にも言及している。

> But the three characters in which the word was transcribed were tedious and awkward to write, and so it came that only one or two of them at most were retained in common business. (p.336)

この時期にすでにこのような研究が存在したことはまさに驚くべきことであるが、このような点からも近代欧米人の中国語研究の質の高さを私たちは確認できるのである。

ところで、中国小説の翻訳は最初、中国語教材の形を取って現れることも注目すべき点である。たとえば、バチカン図書館の Vaticano Estr.Oriente 13【図4】の Nouvelle chinoise は、おそらくは Francisco Varo (萬濟國) の手になる『玉嬌梨《ぎょくきょうり》』の最初の中国語テキストとイタリア語の訳注であるし、[*2] Edkins の Chinese Conversation には『琵琶記《びわき》』、『三国演義《さんごくえんぎ》』が、Samuel W.Williams の『拾級大成《しゅうきゅうたいせい》』にも『三国演義』や『聊斎志異《りょうさいしい》』が収められているし L.Wieger (戴遂良) の『*Rudiments de parler et de style chinois dialecte du* 河間府』にも『聊斎志異』から多くが採用されている。このほか、Angelo Zottoli (晁徳莅) の *Cursus Litteraturæ sinicæ* の全五巻には『聖諭広訓《せいゆこうくん》』、『家宝全集《かほうぜんしゅう》』、元雑劇各種、『今古奇観《きんこきかん》』『三国演義』『水滸伝《すいこでん》』『西廂記《せいそうき》』等々が収められている。

もちろん、教材として採用されたものは明確な翻訳の意思がなく、また直訳的、逐語訳で質的に翻訳とは見なさないという研究者も存在するが、多くの小説はこうした形で域外に広く伝播し、普及したのであり、教材も一種の早期翻訳の重要な形式であると筆者は考えている。つまり、語学教材という実用面から文学的審美へ転換する一つの過程である。

また、筆者は以上のような中国語資料を「周縁資料」あるいは「域外漢語資料」と呼んでいるが、では、欧米人の中国語研究資料は中国言語学研究に有効かどうか、そしてもし有効であるとすれば、それは何故かということが問題となる。

彼らの資料や研究が中国語研究に有効である理由は主に以下の数点を挙げることができる。

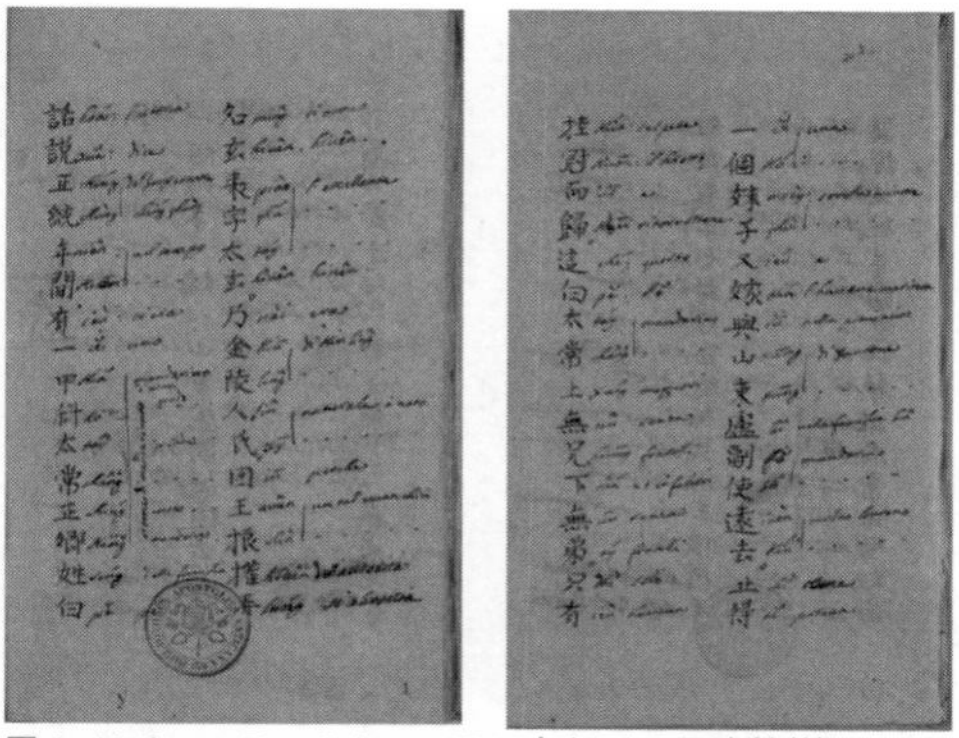

図4　Vaticano Estr. Oriente 13-1（バチカン図書館蔵）

（1）欧米では早くから言語学あるいは文法学が確立していたこと。

（2）彼らは外国人であるので、自分たちの言語と中国語の比較対照を通して、中国人ではごく当たり前の自明の現象も見逃さず、その特徴を客観的に描写することができたこと。

（3）彼らの文字は表音文字であり、漢字の音注にローマ字を使用したことで当時の音韻が（中国の伝統的な反切法に比べて）より科学的に記述できたこと。

（4）彼らの大部分は宣教師であり、その布教の範囲は広く、そのことによって「官話」と「郷談」（＝「方言」）の違いについても意識できたこと。

これらを一言で言えば、まさに「傍観者清」である。つまり「周縁からのアプローチ」の有効性はここにあると考えている。

5 「周縁」と「中心」

(1) 言語研究における「周縁」と「中心」——「個別」と「一般」あるいは「特殊」と「普遍」の関係

「周縁」と「中心」という関係は、また、言語学での「個別」と「一般」あるいは「特殊」と「普遍」という関係とも相通じるものがある。結論から言えば、両者はおのおの相対立するものではなく、相互に補完し合うものであり、「あれかこれか」の関係ではなく「あれもこれも」という関係にあるべきものである。

ところが、多くの言語学者は、個別言語学（たとえば中国語学、国語学、英語学など）を研究する者は、個別言語研究だけに止まり、他方、一般言語学者は、一般言語学が指導理論であり、一般言語学ですべての個別言語の諸問題を解決できるという一種のうぬぼれを持っている。

この言語研究における「個別」と「一般」あるいは「特殊」と「普遍」の関係については、つとに時枝誠記《ときえだもとき》（『国語学原論』一九四一年）が以下のように指摘している。

言語学が個別的言語を外にした一般的言語（その様なものは実は存在しないのであるが）を研究するものであるとは考へられないのと同時に、国語学はそれ自体言語の本質を明める処の言語の一般理論の学にまで高められねばならないのである。（序、四頁）

言語の本質が何であるかの問題は、国語学にとつて、最初の重要な課題とならなければならない。しかも、国語学の究極の課題は、国語の特殊相を通して、その背後に潜む言語の本質を把握しようとするのであるから、言語の本質の探究は、又国語学の結論ともなるべきものである。（同上、四～五頁）

国語学即ち日本語の科学的研究の使命とするところは、国語に於いて発見せられる総ての言語的事実を摘出し、記述し、進んで国語の特性を明らかにすることにあるが、同時に、国語の諸現象より言語一般に通ずる普遍的理論を抽象して以て言語学の体系樹立に参画し、言語の本質観の確立に寄与しなければならない。

（言語研究の態度、三頁）

すなわち、個別言語の研究は、その個別言語の特殊性を通して、その背後にある言語一般の本質を明らかにすべきものという立場である。誠に真っ当な考え方であるが、時枝の時代にあっても、次のように両者は対立したものとして存在し、しかも一般言語学が個別言語学の指導原理、予定された理論体系であったのである。

処が一方今日の言語学は、国語学に対して一般基礎理論を供給するものとして国語学に対立してゐるものと考へられてゐる。言語学は国語学にとつては予定せられた理論体系であり、指導原理である。これが一般に認められてゐる国語学に対する言語学の関係である。（同上、三～四頁）

また、このような関係が構築された原因として、以下のように述べている

言語学が我が国に輸入せられた時、それは国語学と極めて特殊な関係に於いて結ばれたのである。この関係は、明治維新以降泰西の学術が我が国に輸入された時、諸諸の学問界に共通に現れた現象として考へられるのであるが、常に対象への考察以前に、予め学の方法理論といふものが与へられ、対象はこの方法理論に従つて考察されてきた。国語学は、その独自の研究によつて言語学に寄与することを目標とせずに、言語学をその拠つて以て立つべき指導原理と考へたのである。（同上、五頁）

明治の国語学界に、この変則的な情勢を馴致するに至つたについては、次の二の理由が挙げられると思ふのである。第一の理由は、明治以前の我が国語学界の水準が、西洋のそれに比して極めて低かつたと考へられる。間に合わせでも、他人のものを借りて来て目前の事態を整備せねばならぬ情勢にあつたのである。（中略）次に第二の理由は、明治以前の国語研究が、未だ理論的体系にまで組織されてゐなかつたことである。（中略）明治の国語学が、泰西言語学の理論を足場に求めたことも亦止むを得ぬことであつたのである。（同上、六～七頁）

このことは、まさに日本の近代化の歩みの中での必然的な現象でもある。福沢諭吉は近代化を推し進めるために「脱亜論」を提唱したが、そうした状況にあって、夏目漱石は『三四郎』の中で、そのような近代化に対して「亡びるね」と三四郎と列車に同席した「かの男」に言わしめたのであるが、[*3] 時枝の思いは「かの男」そのものであるということができる。

いずれにせよ、時枝は、「特殊」と「普遍」の関係について、次のように結論付けているのである。

一般に言語學の理論及び方法は普遍的であり、国語学のそれは特殊的であるといふ風に考へられてゐるが、それは極めて皮相的にのみいひ得ることであつて、必ずしも正しい判断ではない。(中略) 普遍と特殊とは、両々相対立した形に於いて存在してゐるのではなく、一切の特殊的現象は、その中に同時に普遍相を持つといふことは、国語に於いてばかりでなく、一切の事物について云ひ得ることである。国語についての特殊的現象の探求は、同時に言語における普遍相の闡明ともなり得るのである。(同上、八〜九頁)

言語を研究する者は、個別言語を研究する者であろうと、あるいは一般言語学を研究する者であろうと、この時枝の「特殊」と「普遍」の関係をもう一度思い返すべきであろう。

以上述べてきた、「個別」と「一般」、「特殊」と「普遍」の関係は、それを「周縁」と「中心」と置き換えても同じことである。両者の関係はそのようであるべきだというのが筆者の基本的な立場である。

(2)「個別」＝「一般」あるいは「特殊性」＝「普遍性」——「虚実論」を例として

印欧語では一般的に文には必ず「主語」が存在し、また、「主語」は通常は動作主（仕手）である場合が多い。このことから彼らはア・プリオリ的に「文とは主語と述語から成る」と説明する。言語学の革命ともてはやされ一世を風靡したチョムスキーですら、きわめて当たり前のように S=NP+VP を前提として文の分析を始めている。

しかしながら、日本語や中国語では必ずしもそうではない。日本語では「主語廃止論」といった論も主張されているし、中国語でも以下のような文は印欧語の「主語—述語」という関係では説明ができないものである。

前辺来了一個人。(前から一人の人がやってきた)

台上坐着主席团。(舞台に主席団が座っている)

玻璃壊了。(ガラスが割れた)

房子焼了。(家が焼けた)

下雨了。(雨が降ってきた)

「存現文」とか「自然的被動」、「主題化文」とか言われるものであるが、印欧語の「主語」、「述語」の概念の範疇では収まりきらないものである。とすれば、この「文＝主語＋述語」という規則は個別言語のものであって、言語の本質、言語の一般性とは言いがたいものとなるはずである。このことについて、時枝は次のように述べている。

国語に存在しないものは、言語の一般性とはいひ得ないのである。国語に存しない様な一般性が、仮にあるとしたならば、それはやはりいづれかの言語の特殊性に過ぎないものである。(同上、九頁)

「主語」と「述語」のみならず、「動詞と目的語」の関係においても印欧語と中国語あるいは日本語とは異なっている。印欧語のそれは「矢」と「的」の関係にあるのに対して、中国語はきわめて複雑な関係を持っているのである。

このような「文＝主語＋述語」とする印欧語の文の見方に対して、中国では伝統的に語を虚実に二大別するという虚実論[*4]が存在し、その虚実論では、文とは以下のように説明される。

構文之道，不過実字虚字両端，実字其体骨，而虚字其性情也。(『助字弁略』序言)

構文之道，不外虚実両字，実字其体骨，虚字其神情也。(『馬氏文通』例言)

つまり中国人は文を「虚字」と「実字」から成るものとみるわけであるが、このような見方は日本の伊藤東涯《いとうとうがい》や皆川《みながわ》淇園《きえん》、荻生徂徠《おぎゅうそらい》といった江戸時代の漢学者や鈴木朖《すずきあきら》、富士谷成章《ふじたになりあきら》などの国学者の間にも見られるものである。とりわけ、鈴木朖は以下のように『言語四種論《げんぎょししゅろん》』において、語を「詞(物事を指し表して詞となる)」と「てにをは(其の詞につける心の声なり）」と二大別し、「詞」をさらに「体の詞」「形状の詞」「作用の詞」に分類した。

言語ニ四種ノ別アル事

詞ニ四種《クサ》ノ別トハ、一ツハ万ツノ名目ニテ、体ノ詞。又動カス詞ト云。一ツハテニヲハ。一ツハ形状《アリカタ》ノ詞。一ツハ作用《シワザ》ノ詞。此二ツヲ合セテ、世ニハ用ノ詞ト云。又働ク詞トモ、活用ノ詞トモ、活語トモ云。（二葉表）

前ノ三種《クサ》ノ詞ト、此テニヲハトヲ対《ムカ》ヘミルニ、三種ノ詞ハサス所アリ。テニヲハハサス所ナシ。三種ハ詞ニシテ、テニヲハハ声ナリ。三種ハ物事ヲサシアラハシテ詞トナリ、テニヲハハ其詞ニツケル心ノ声也。詞ハ玉ノ如ク、テニヲハハ緒ノゴトシ。詞ハ器物ノ如ク、テニヲハハ其ヲ使ヒ動カス手ノ如シ。（八葉表）

この鈴木朖の語の分類法は中国の虚実論を基盤としたものであり、これが最終的には時枝誠記の「詞辞論」に受け継がれていく。時枝においては、語は「詞（客体的表現）」と「辞（主体的表現）」に二大別され、文とは「詞が辞を包み込むもの」とした。従って、「主語」も「述語」も相対立する概念ではなく、実はいずれも「客体的表現」に過ぎず、それを包み込むものが「辞」つまり「主体的表現」であるとしたのである。[*5] この考えは「言語とは音楽や絵画などと同じく表現の一つで、対象―認識―表現という過程的構造をもつもの」であり、「言語とは人の主体的活動そのもの」とする言語観に基づくものであり、構造主義言語学などの「構成主義言語観」やスターリンに代表される「言語道具説」などとは一線を画すものである。

ところが欧米人の中国語研究を見ていると、以下のように中国伝統の虚実論をその中に巧みに取り入れている事実が明らかになってくる。

(1) *Prémare, Notitia Languae Sinicae* (translated into by Bridgman), Canton, 1847

The Chinese language, whether spoken or written, is composed of certain parts. These are called Parts of Speech. Each sentence or phrase, to be entire, requires a verb, without which it could have no meaning; and a noun, to designate who is the actor and what is done. It has prepositions, adverb, and also many other particles, which are used rather for perspicuity and embellishment, than because they are absolutely necessary to the sense. The Chinese grammarians divide the characters which constitute the language into two classes, called hu tsz 虛子（虛字＝筆者）, and shih tsz 實子（實字＝同上）, i.e.（literally）vacant or empty and solid characters.

The solid characters are those which are essential to language, and are subdivided into hwoh tsz 活子（活字＝同上）, and sz tsz 死字, living and dead characters, i.e. verbs and nouns.（27p）

⑵ Morrison, *Grammar of the Chinese Language*（通用漢言之法）, Serampore, 1815

The verb is by the Chinese called sang tsee 生字, 'a living word', in contradiction from the Noun, which they call see tsee 死字, 'a dead word'.（113p）

The verb is also denominated tung tsee 動字, 'a moving word', and the Noun tsing tsee 静字, 'a quiescent word'.（113p）

彼らは、「実字」を「solid characters」（Prémare）「full characters」（Edkins）、「虚字」を「vacant or empty characters」（Prémare）「empty characters」（Edkins）とし、さらには「実字」を「活字」＝「living characters」（Prémare）「living words」（Morrison）と「死字」＝「dead characters」（Prémare）「dead words」（Morrison）に分けているが、これらを見ると、彼らが如何に「中国人のものの見方・考え方」を自分たちの言語研究にも取り入れようとしたかが分かる。Edkinsの「虚字」に対する「In this sentence tu and liau mean nothing when viewed apart from context」（＝「不為義」）という説明などは、古代中国人の「虚字」の考え方を正当に受け継いだものである。[*6] それは彼らが中国語と真正面から取り組んだ証であると同時に、上に述べたように、イエズス会のキリスト教伝道における「適応主義」の継承であり、モリソンを始めとする「相手方の文化を尊重する」「相手方への文化に身を置く」という「翻訳観」の現れでもある。

しかしながら、彼らがこのような中国人の伝統的言語観とも言うべき虚実論を採用したのには、もう一つ、「受け入れるべくそれなりの素地」というものがあったと考えるべきである。それは欧米における「ポール・ロワイヤル文法」の存在である。

「ポール・ロワイヤル文法──一般理性文法」は十七〜八世紀の欧米におけるラテン語規範文法として高く評価され、十八〜九世紀の英語文法にも大きな影響を及ぼしたが、その最も肝心な部分は以下の数段である（なお日本語訳は南舘英孝訳［大修館書店、一九七二年］による）。

文法とは話す技法である。話すとは、人間が自分の考えを表すために発明した記号によって、それを表明することである。（五頁）

哲学者は誰でも、我々の精神に三つの作用があることを説く。すなわち、認識し、判断し、そして推論することである。（三四頁）

第三の作用は、第二の作用の延長であるにすぎぬことがわかる。（三五頁）

口をきくのは、認識した事物について下す諸々の判断を表現するためである。（三五頁）

事物に関して我々が下す判断は命題と呼ばれる。例えば、「地球は丸い」と言う場合である。このようにあらゆる命題は必然的に二つの辞項を包蔵する。一方は主部と呼ばれ、人が断言する対象であり、他方は述部と呼ばれ、断言する内容である。これらの二辞項を結ぶ連繋部がある。

さて、この二つの辞項は厳密には精神の第一の作用に属することが容易に理解される。これは我々が認識したことがらであり、我々の思考の対象であるからである。また、二辞項の連繋は第二の作用に属することも容易に理解される。それは我々の精神に固有の作用であり、我々の思考の仕方であると言える。（三五〜三六頁）

以上から、人間は自らの精神内で生起することを表わすために記号を必要としているが、また他方、語はごく一般的に次のように区別される必要がある、という結論になる。すなわち、その区別とは、一方は思考の対象を表わし、他方は我々の思考の形態と様式を表わすことである。（三六頁）

このように、「ポール・ロワイヤル文法」では、人の精神作用は大きく二つ（実際は三つであるが、第三の作用は第二の作用の延長上のもので、大きくは第二と第三の作用は一つにまとめられる）に分けられるという認識論に基づいて、語を「思考の対象」を表す語と「思考の形態と様式」を表す語の二つに大別した。そして、いわゆる文における「主部」「述部」というのは、共に第一の作用に属するものであり、いずれも「認識の対象」であって、それを連繫するもの、つまり「繫辞」こそが文全体を統括する「思考の形態と様式」であるとしたのである。「思考の対象」とは「客体的表現」であり、「思考の形態と様式」とは「主体的表現」(話し手の気持ちを表すことば)にほかならない。こうしてみると、この言語観は中国の「虚実論」や時枝誠記の「詞辞論」そのものであると言うことができる。まさに、これこそが「言語の普遍性」と言うべきものであり、「個別」が「一般」であり、「特殊性」が同時に「普遍性」であるという一つの典型的な例である。

注

1 後述のように『馬氏文通』以前にすでに畢華珍の『衍緒草堂筆記』(一八四〇年前後)があり、そこでは伝統的な虚実論に基づく体系的な文法論が示されており、ヨーロッパの中国語学者、たとえばバザンやエドキンズは彼の文法論を自著の中で紹介している。

2 陈艺璇，王燕：「中国小説西訳之嚆矢─梵蒂岡《玉嬌梨》手写本的発現」《明清小説研究》、二〇一九年三期。

3 姜尚中「夏目漱石　悩む力」(『NHK知るを楽しむ　私のこだわり人物伝』日本放送出版協会、二〇〇七年)参照。

4 本来は南宋の詞論に始まるものであるが、虚字とは「話し手の気持ちを表すもの(たとえば、「凡其句中所用虚字，皆以托精神而傳語気」『虚字説』)」、実字とは「実体(対象)を表すもの」である。古くは「虚字」を「辞」(「以名挙実，以辞抒意」『墨子』)あるいは「詞」(「詞，意内而言外也」『説文解字』)とも称した。詳しくは内田慶市「中国人は語をどのように分類してきたか」(『現代言語学批判』勁草書房、一九八一年)を参照。なお、『文心雕龍』などでも「貌」と「情」といった言葉で示されている。

5 時枝は主語と述語の関係について次のように述べている。

「文に於いて表出されてゐる主語は、述語に対立したものとして表出されてゐるのでなく、述語の中に隠されて居つたもの、包まれて居つたものが外に表出される様になつたものを解すべきである。」(同上書、三七一頁)

中国語においても、藤堂明保氏はかつて『中国文法の研究』(江南書院、一九五六年)の中で、「中国語では、主語は述語に付随した成分と考えられるわけである。してみると、広い意味で主語は述語を修飾しているものと言ってもよい」(一三九頁)と述べたことがある。

6　唐の孔穎達は『毛詩正義』で「辞」（つまり「虚字」）とは何かについて次のように述べている。
「漢有游女，不可求思，正義曰，以泳思，方思之等，皆不取思爲義，故辞也」（「周南・漢広」）
すなわち、『詩経』の「有游女，不可求思」における「思」という語について、孔穎達は「泳思」「方思」における「思」を含めてみな「不為義」であるために「辞」とするというのである。実は、上述の鈴木朖の「テニヲハ」についての「サス所ナシ」という考え方もこれに近いものであるということができる。

図版出典

図3（左から）　利瑪竇中西文化歴史研究所の絵葉書、『我主聖傳図』（一九三九年）、羅儒聖『誦念珠規程』（一六一九年）、Jerome Nadal《Adnotationes et meditationes in Evangelia》(1594-1595)。

03

朝鮮における通訳と語学教科書

竹越 孝

1 はじめに――事大と冊封

朝鮮半島における王朝の歴史は、そのまま中国大陸との交渉の歴史であると言ってよいであろう。周囲を海に囲まれた日本と異なり、中国大陸と陸続きである朝鮮半島では、いつの時代にあっても中国の政治的・軍事的脅威が切実な問題として存在していた。その脅威をやわらげるために取られたのが「事大《じだい》」という外交政策である。これは小国が大国に臣下として仕えることによって滅亡の危機に陥るのを避ける一方、大国の権威を利用して国内支配の維持を図るというものであり、東アジアにおいて中国を中心とする「冊封体制《さくほう》」の中に入ることを意味する。

「冊封」とは、中国の皇帝がその周辺諸国の君主に「冊」すなわち官爵を授ける辞令書と、「封」すなわち割譲した領土を与えて君臣関係を結ぶことであり、冊封を受けた国の君主は、王や侯といった中国の爵号を授かり中国の皇帝に忠誠を誓うかわりに、支配領域内では自治あるいは自立することを認められていた。冊封を受けた国には、中国に対する毎年の朝貢と、中国の年号および暦を使用することなどが義務付けられる。

2　高麗とモンゴル帝国

朝鮮半島と中国大陸との本格的な人的交流が始まるのは高麗（九一八～一三九二年）の末期からである。中国大陸に五代十国（九〇七～九六〇年）、宋（北宋九六〇～一一二七年、南宋一一二七～一二七九年）、遼（九〇七～一一二五年）、金（一一一五～一二三四年）、元（一二〇六～一三六八年）、明（一三六八～一六六二年）など諸民族の王朝が乱立し興亡を繰り広げる時代にあって、高麗王朝は独立を保つため常に外交政策に苦慮せざるを得なかったが、人的交流を一気に促進させる原因となったのは、皮肉にもモンゴル帝国の一部であった元の服属国となったことであった。

当時知られていた世界の約五分の四を支配下に置くという史上空前の大帝国を打ち立てたモンゴルは、北方中国の攻略と相前後して朝鮮半島に侵入した。高麗王高宗は一二三二年に都を開城《かいじょう》から江華島《こうかとう》に移し、約三十年間にわたって抗戦を試みたが、一二五九年には服属することに決し、モンゴル側の要求通り太子を世祖フビライのいる大都《だいと》（現在の北京）に送るとともに、再び開城に遷都することになった。これ以後、高麗の歴代国王は元の帝室の娘婿となることが義務付けられたが、それによって高麗の政権には常にモンゴルの意向が浸透し、強い政治的干渉や介入を受ける結果となった。二度にわたる日本遠征（いわゆる元寇《げんこう》）の協力を求められたのもその一例である。漢民族の王朝である明の建国まで、高麗は圧政に苦しめられるが、その一方で、多くの高麗人が政治・軍事・経済などの理由から朝鮮半島と中国大陸を往来するようになった。高麗から元に対しては毎年大量の物資や人間が貢物として送られるとともに、民間レベルでの商取引も活発に行われた。

3　外交・貿易と通訳

冊封体制にあっては、周辺諸国が朝貢を行うと、宗主国である中国の王朝から回賜品が与えられる。朝貢を受けることは、国の内外に向けて皇帝の人徳と政権の正統性を示すことになるため、中国の歴代王朝もそれを大いに歓迎した。冊封国の朝貢品に対して宗主国の回賜品は数倍の価値を持つのが原則であったため、朝貢は冊封国に莫大な利益をもたらすものであった。これが朝貢貿易である。

高麗の後を継いで建国された朝鮮王朝（一三九二〜一九一〇年）では、建国当初から明の冊封を受けて、毎年朝貢の使節を派遣するとともに、以前にも増して朝貢貿易を盛んに行った。外交にせよ貿易にせよ、二国間の人的交渉に介在するのは通訳である。

4　通文館と司訳院

朝鮮半島において、通訳ははじめ商人など民間人から採用されていたが、彼らによる不正が相次いだため、専門の通訳を養成する必要性が生じてきた。通訳の養成は一朝一夕でできることではないし、朝鮮半島の地理的環境に起因する通訳の重要性を考慮に入れるならば、政府が専用の機関を設けて組織的・体系的に外国語教育を行わなければならないのは当然である。そのために中国語をはじめとする近隣外国語の教育に携わる機関となったのが、高麗王朝の一二七六年に設置された通文館《つうぶんかん》であり、朝鮮王朝初期の一三九三年には、それが司訳院《しやくいん》と改称された。

通文館・司訳院の設置当初は中国語の通訳官を養成するだけでよかったが、その後中国語以外の外国語の通訳も必要とされるようになってきた。これは同じく中国から冊封を受けている周辺諸国との交流が盛んになってきたためで、こうした国家間における臣下同士の関係を「交隣《こうりん》」という。十五世紀以降、司訳院には中国語の「漢学」とともに、モンゴル語の「蒙学」、女真語の「女真学」（のち満洲語の「清学」）、日本語の「倭学」という各部門が設置され、この四学体制のもとで外国語教育活動が行われるようになる。

5　主な中国語教科書

外国語の体系的な教育のために必要なものは辞書と教科書である。通文館・司訳院が編纂に関与したと思われる中国語の教科書類のうち、現在一般に知られているものは次の七種である。教科書には漢字のみが記されたテキストと、ハングルによる漢字音注・朝鮮語訳の付された「諺解《げんかい》」と呼ばれるテキストがある。

（一）『老乞大』とその改訂・諺解本（十四世紀〜十八世紀）

編者未詳、オリジナルは十四世紀に通文館で編纂されたと思われる。高麗の商人が元の大都に交易に出かけ、戻ってくるまでの内容が対話形式で描かれている。後述するように、数度にわたって改訂版が出された他、諺解本も何種か残されている。一九九八年にそれまで知られていなかった最古のバージョンが発見され、大きな話題を呼んだ。

（二）『朴通事』とその改訂・諺解本（十四世紀〜十八世紀）

編者未詳、『老乞大《ろうきつだい》』とほぼ同時期に成立したものと思われる。原則として対話形式で構成されるが、一貫したストーリーはなく、すべて一話完結のスタイルをとる。中国の生活文化に関する話題が主体で、内容は非常にバラエティに富んでいる。これにも数種の改訂本と諺解本が現存している。

（三）『訓世評話』（一五一八年）

李辺（一三九一〜一四七三）編。中国と朝鮮半島に伝わる教訓的な故事四十五篇について、本来の古典中国語（文言）とその口語訳（白話）を対照させて示したもの。漢字本のみが残されており諺解本の存在は知られていない。

（四）『象院題語』（一六九九年）

編者未詳、朝貢の使節に随行する通訳官が知っておくべき中国事情を記した全四十篇の口語文からなる。内容は明王朝の政治社会制度や朝貢の次第が主だが、自国朝鮮の事情を記した部分もある。やはり漢字本のみが現存し諺解本は知られていない。

（五）『伍倫全備記』と『伍倫全備諺解』（一七二一年）

明・邱濬《きゅうしゅん》（一四二一～一四九五年）の著作である同名戯曲を改編して中国語の教科書としたもの。内容は春秋時代の将軍伍子胥《ごししょ》の子孫である伍倫全と伍倫備の生涯を描いたもので、儒教倫理的色彩が濃い。漢字本と諺解本の両様が存在する。

（六）『華音啓蒙』と『華音啓蒙諺解』（一八八三年）

李応憲（一八三八～？年）編。対話形式の教科書だが、内容は清代の北京を舞台とするものに特化しており、「千字文」、「百家姓」等を付録に持つ。漢字本と諺解本の両様が存在するが、諺解本では漢字音注のスタイルが大幅に簡略化されている。

（七）会話鈔本類（十九世紀）

書写本の形でのみ伝わるもので、現在のところ『你呢貴姓』、『学清』、『中華正音』、『華音撮要』、『騎着一匹』などの存在が知られている。内容は『華音啓蒙』に類似するが、交易の実用的な内容を多く含む。ほとんどは諺解付きのテキストである。

以上のうち、最も長い歴史を持ち、また最も広く流通したテキストが『老乞大』と『朴通事《ぼくつうじ》』である。以下ではこれらを素材として、朝鮮半島で編纂された中国語教科書のスタイルを見ていくことにする。

6　書名・成立年代・内容

『老乞大』という書名の由来については諸説あるが、北方中国の民を表すモンゴル語 Kitad の音訳「乞大」に、習熟しているという意味の「老」を冠した「中国通」というほどの意味と考えられている。『朴通事』の「通事」とは通訳のことであるから、『朴通事』は「朴という姓の通訳」の意味になるが、その意図するところは未詳である。一説には、「老乞大」は中国人の通訳、「朴通事」は高麗人の通訳を指すものであるという。

『老乞大』と『朴通事』の成立年代はほぼ同時期であると考えてよい。『朴通事』に高麗の名僧歩虚《ほきょ》（普愚）が大都の永寧寺で法会を開いたというエピソードがあることから、その成立は彼の入元（一三四六年）から元の滅亡（一三六八年）までの間と推定されている。

『老乞大』の内容は高麗の都に住む商人が中国の商人と連れ立って大都まで交易に行き、戻ってくるまでの話で、全体的には対中交易に関する初級会話書といった趣である。全編がほぼ対話のみで進行するが、後半には人としての生き方を説く処世訓や、放蕩の末落ちぶれる道楽息子の話が独白体で挿入されている。一方、『朴通事』はすべて一話完結のスタイルで、対話体のものもあれば独白体のものもある。内容は習俗・歳時・商業・娯楽など中国の生活文化を扱った話題が多く、物語の引用や文語的な文体を持つ部分も含まれるので、高級会話書兼生活指南書といった趣である。両書とも全百六話から構成され、これは中国の詩韻（平水韻）が百六韻であることを意識したものであろう。

7　現存のテキスト

司訳院では中国語の教科書類に対して改訂を加える作業を歴代行ってきたが、『老乞大』と『朴通事』に関しては大幅な改訂が少なくとも二回あり、第一次改訂は十五世紀末に、第二次改訂は十八世紀後半に行われたとされる。改訂はおおむね中国での王朝の交代に伴って行われているので、原本に最も近いものを「元本（旧本）系」、第一次改訂を経たものを「明本（新本）系」、第二次改訂を経たものを「清本系」と呼ぶ。改訂はまず漢字本について行われ、新しいテキストに基づいた諺解本が刊行されるという形を取るが、漢字部分には大きな変更を加えずに諺解の部分のみを改訂する場合もある。現在私たちが見ることのできる『老乞大』『朴通事』のテキストは以下の通りである。

『老乞大』・『朴通事』の現存テキスト

		元本（旧本）系	明本（新本）系	清本系
老乞大	漢字本	『旧本老乞大』（十四世紀末）	『老乞大』（一四八三年頃）	『老乞大新釈』（一七六一年） 『重刊老乞大』（一七九五年）
	諺解本	―	『翻訳老乞大』（一五一七年以前） 『老乞大諺解』（一六七〇年） 『老乞大諺解』（一七四五年重刊）	『老乞大新釈諺解』（一七六三年） 『重刊老乞大諺解』（一七九五年）
朴通事	漢字本	―	―	『朴通事新釈』（一七六五年）
	諺解本	―	『翻訳朴通事』（一五一七年以前） 『朴通事諺解』（一六七七年）	『朴通事新釈諺解』（一七六五年）

なお、このうち『老乞大』は中国語の教科書としてのみならず、他の外国語の教科書としても用いられた。その満洲語版である『清語老乞大』（一七〇三年）、モンゴル語版である『蒙語老乞大』（一七四一年）が現存しているほか、歴史記録によれば日本語版も編纂されたことが知られている（存否は不明）。おそらく、東アジア世界では最も長期間、最も広範囲にわたって流通したマルチリンガル教材と言えるものであろう。

8　諺解本の体裁

ハングル（諺文）の正式名称は「訓民正音《くんみんせいおん》」といい、世宗（在位一四一九〜一四五〇年）と当時の文臣官僚たちが討議の末に作り上げた表音文字である。一四四三年に制定され、その三年後に公布された。

ハングルはもともと朝鮮語を書き記すために作られた文字であるが、表音文字であるから他の言語の発音を表記する場合もあり、もちろん中国語の発音を表すことにも応用されている。ここでは崔世珍《さいせちん》（一四六七〜一五四三年）による最古の諺解本である『翻訳老乞大』『翻訳朴通事』によって、諺解本の一般的な体裁を見てみる。

諺解本では、まず漢字の本文が大きな文字で示され、一字ごとにハングルで二種類の漢字音を記すとともに、「○」の記号でフレーズを区切り、その後に朝鮮語訳を挿入する。漢字音注の部分には、当時学ぶ必要があった二種類の漢字音が記されており、右側に記されたものを「右側音」（右訳音）、左側に記されたものを「左側音」（左訳音）と呼ぶ習慣である。この二種類の発音の性質については諸説あるが、一般的には、左側音の方は文語的な漢字音、右側音の方は口語的な漢字音を記したものと考えられている。

9　声点

『翻訳老乞大』・『翻訳朴通事』の漢字音注にあるハングルの左側には所々に傍点がついており、これを「声点《しょうてん》」という。声点は本来朝鮮語のアクセントを表す記号であるが、諺解本の中にはこれを中国語の声調を表す手段として応用したものがある。声点が表す意味は左側音と右側音とで異なっている。

左側音に付された声点は漢字の「調類」、つまりその字が古典中国語においてどの声調に帰属するかを示している。古典中国語の声調には平声《ひょうしょう》・上声《じょうしょう》・去声《きょしょう》・入声《にっしょう》の四種類があるが、無点は平声、一点は去声と入声、二点は上声を表す。一点に去声と入声の二つが対応するのは一見奇妙に思えるが、このうち入声は促音（つまる音）を示すハングルで表されることで去声と区別される仕組みである。

右側音に付された声点は、その字がどのような音調で発音されるかを示したものである。声点と音調の対応関係は、無点が低く平ら、一点が高く平ら、二点が上昇調である。ごく大まかに捉えれば、無点は現代中国語の三声、一点は現代中国語の一声、二点は現代中国語の二声のような音調を表していると考えることができる。朝鮮語のアクセント体系を援用することによって中国語の声調を表す方法は崔世珍の創見である。なお、表される声調の種類が三つしかないのは、当時の朝鮮語がアクセントを三種類までしか区別しないためであって、必ずしも当時の中国語が三声調体系であったことを意味しない。

10　時代に応じた改訂

どの言語であれ、常に言葉は時間の経過とともに変化するので、語学教科書は時代に即したものでなければ意味がない。朝鮮の司訳院では中国語の教科書類、特に『老乞大』と『朴通事』に対して改訂を加える作業を歴代にわたって行ってきた。その改訂は中国語の語彙や文法からハングルによる音注・朝鮮語訳、さらには内容の一部にまで及んでいる。

司訳院では、同一内容のテキストを対象として、out-of-date なものを削り、up-to-date なものに置き換えるという作業を行ってきたわけであるから、現存のテキスト群を並べてみることにより、私たちは同じ内容で各時代の言語を比較できることになる。

11　『老乞大』四種の対照

例えば、『老乞大』の冒頭部分について、四つのテキスト、すなわち元本系の『旧本老乞大』、明本系の『翻訳老乞大』、そして清本系の『老乞大新釈』及び『重刊老乞大』を並べてみると次のようになる。

【旧本】伴当、恁従那裏来？　――俺従高麗王京来。
【翻訳】大哥、你従那裏来？　――我従高麗王京来。
【新釈】阿哥、你打那裏来？　――我従朝鮮王京来。
【重刊】大哥、你従那裏来？　――我従朝鮮王京来。
【旧本】如今那裏去？　――俺往大都去。
【翻訳】如今那裏去？　――我往北京去。
【新釈】這回児那裏去？　――我往北京去。

【重刊】如今那裏去？　　　　——我往北京去。

ここには十四世紀から十八世紀までの間に行われた三回の改訂が反映されている。例えば、人称代名詞では一人称が「俺」から「我」へ、二人称が「恁」から「你」へ改訂されたり、固有名詞では「高麗」が「朝鮮」へ、「大都」が「北京」へ改訂されたりといった具合である。前者は言語の変化を反映した改訂、後者は社会の変化を反映した改訂と言えるであろう。なお、同じく清本系に属する二つのテキストのうち、『重刊老乞大』は『老乞大新釈』に比べて保守的な方向に改訂を行っており、『新釈』の改訂を行き過ぎと捉え、元の形に引き戻そうとする意図があったことがうかがわれる。

12　「漢児言語」

ところで、『老乞大』・『朴通事』を始めとする朝鮮半島の中国語教科書類には、現代の私たちから見て違和感のある中国語が多く含まれている。例として、『旧本老乞大』第二話冒頭の対話を見てみよう。

　恁是高麗人、却怎麼漢児言語説的好有？
——俺漢児人上学文書来的上頭，些小漢児言語省的有。
你誰根底学文書来？
——我在漢児学堂裏学文書来。
あんたは高麗人なのに、どうして中国語を話すのがうまいんだ？
——私は中国人のもとで文章を勉強したので、少し中国語がわかるんです。
あんたは誰のもとで文章を学んだんだ？
——私は中国人の学校で文章を学びました。

使用される語彙が現代中国語そのままでないことは当然だが、私たちが一見して感じる違和感というのは、通常の中国語ならば、あるいは中国人の話者ならばこのような言い方はしないのではないか、という文法的なものである。その特徴は次の三点にまとめることができる。

（ア）ＳＯＶ語順
（イ）後置成分の多用
（ウ）特異な文末助詞の使用

（ア）は動詞＋目的語という通常の中国語の語順が逆転している場合があることで、右の例で言えば「漢児言語」と「省的」の位置関係である。（イ）は通常の中国語ならば前置詞や接続詞で表される意味が対象に後置する成分によって担われる場合が多いことで、右の例では「～的上頭」で「～なので」という原因・理由の意味を表し、「根底」や「上」で「～のもとで」という場所の意味を表すことが挙げられる。そして（ウ）は通常の中国語ではありえない文末助詞が使われることで、右の例では「有」がこれにあたる。

このうち（ア）と（イ）の特徴は、彼らの母語である朝鮮語はもとより、中国大陸の北方で中国語を取り巻くように分布しているウイグル語、モンゴル語、ツングース語など「アルタイ諸語」と言われる言語群が等しく持っている文法的特徴である。しかも、元代の他の文献、例えばモンゴル皇帝が発した聖旨を口語的な文体で中国語訳した「元代白話碑」、元代の法令集である『元典章《げんてんしょう》』や『通制条格《つうせいじょうかく》』、そして儒教経典『孝経』の口語訳である『孝経直解《こうきょうちょっかい》』などにも同じような特徴が見て取れるのである。

ここから、太田辰夫は北方中国における長期の言語接触の結果、漢民族と北方諸民族の双方が、語彙は中国語、文法はアルタイ諸語に基づくというピジン・チャイニーズ、あるいはクレオール・チャイニーズの如きものを共通言語としていたのではないかと考え、それを「漢児言語《かんじげんご》」という名称で表現している。こうした「漢児言語」的な要素は、初期のテキストほど濃厚に反映されており、時代が降るにつれて通常の中国語的なものに回帰していくという傾向が見られる。

13　おわりに

この章では、『老乞大』と『朴通事』を主な素材として、朝鮮半島の通訳養成機関において編纂された中国語教科書類の概要とその特徴について見てきた。地理的条件一つを取ってみても、朝鮮半島の歴代王朝において外交の持つ意味はおそらく日本とは比べ物にならないほど大きかったであろうし、その中で通訳が果たした役割の重要性もまた日本の比ではなかったであろう。そうした中で、通文館・司訳院が築き上げた組織的な外国語の教育体制と、精緻を極めた中国語の記述方法、そして長期にわたって続けられた改訂の作業によって、私たちは当時の中国語のリアルな姿と、その通時的変化の一端を垣間見ることができるのである。

参考文献

・太田辰夫「漢児言語について―白話発達史における試論―」、『神戸外大論叢』第五巻二号、一九五四年、『中国語史通考』白帝社、一九八八年。
・金文京・玄幸子・佐藤晴彦訳注、鄭光解説『老乞大―朝鮮中世の中国語会話読本―』平凡社（東洋文庫699）、二〇〇二年。
・小倉進平著・河野六郎補注『朝鮮語学史』刀江書院、一九六四年。
・竹越孝「近代以前の外国人はどのように中国語を学んだか―李氏朝鮮時代の中国語会話教科書から―」、工藤貴正・樋泉克夫編『現代中国への道案内Ⅱ』白帝社、二〇〇九年。

04 長崎・琉球の通事

木津祐子

1　はじめに

十六世紀後半から十九世紀、ほぼ日本の江戸時代と中国は明末から清代に相当する約三百年の期間、日本も中国もともに海禁政策を実施し、他国の人々の入港地を制限していた。日本ではさらに、自国民が他国に渡航することも厳格に禁止しており、民間レベルでの自由意思による越境は行われてはいなかった。しかしそれに先立つ時期、特に倭《わ》寇《こう》が猖獗《しょうけつ》を極めた嘉靖年間には、中国東南海域を縦横無尽に往来する境界人の存在があり、さらに明末清初の動乱期には国外に居を移しそのままその地に定住する人々も多く存在した。琉球と日本の九州はこれら中国からの移民の目的地の一つであった。明代嘉靖年間（一五二二〜一五六六）に成立していたと考えられる『日本風土記《にほんふどき》』巻二「商船所聚」に、九州博多に唐人街が形成されていたことを記すことからもそれは知られる。その後、江戸幕府が長崎を唯一の対外交易港と定めると、九州各地に分住していた定住華人《かじん》（「住宅唐人」と呼ばれる）は長崎に集められ、これらの人々が長崎唐通事《とうつうじ》を生む母体となった。琉球は十四世紀以来中国の冊封《さくほう》国であったが、一六〇九年に薩摩の侵攻によってその支配を受けるようになり、日本と中国両属の立場から日中仲介貿易の前線基地の役割を担うこととなった。外交と仲介貿易の場で活躍したのが琉球の「久米村《くめむら》通事」である。後で詳述する通り、「通事」の主たる構成要員は明代以降に琉球に移住した福建人《ふっけん》の後裔とされ、「久米村」は彼らの集住地の地名であり、その中国語文脈で用いられる「唐栄《とうえい》」は、唐人街を表す「唐営」に由来する。

以下、長崎の「唐通事」と琉球の「久米村通事」について、その活動と、彼らが学んだ中国語からうかがえる文化史的側面について、概略を見ていくこととしたい。

2 長崎――唐通事とは

唐通事は時代によって推移はあるものの、四人の大通事《おおつうじ》、五人の小通事《こつうじ》を「訳司《やくし》九家」と呼び、それに、由緒ある家の子弟が就く稽古通事《けいこつうじ》を加えた「三役」によってその主要人員が構成される。さらに、唐人屋敷詰めなどの実務を担当する内通事を加え、総計約二百人もの人員が任務に当たっていた。

当初、「住宅唐人」のうち日本語に習熟した者によって担われた唐通事職は、田邊茂啓《たなべもけい》編（宝暦十年［一七六〇］序）『長崎実録大成』巻十「唐通事始之事」に稽古通事（彼らが用いた教材では「学通事」と呼ばれる。左に引用の『訳家必備』を参照のこと）の由来を述べて、「其後（元禄十二年［一六九九］以後）大小通事子弟又ハ由緒有之者、稽古通事仰付ラル」ということからもわかるように、家業として子々孫々「通事」職が世襲されることとなる。唐通事は、江戸幕府の制度としては長崎奉行の下で働く現地採用の「地役人」であるが、帯刀を許され、また立場上数々の利権にもあずかり得た特別職である（『瓊浦佳話《けいほかわ》』巻二）。それは時に法の枠をも超えたようで、長崎奉行所の作成した『犯科帳』をひもとけば、密貿易に加担してお縄にかけられた唐通事が何例も登場する（森永種夫編『犯科帳：長崎奉行所判決記録』巻一～十一、一九五八～六一年）。

唐通事の世襲の有様は、唐通事の業務日誌である『唐通事会所日録《かいしょにちろく》』（大日本近世資料所収）から、数々の具体例を見いだすことができる。例えば、次に引用するのは元禄二年（一六八九）二月二十二日の記事であるが、通事家の子弟を採用する際に中国語運用能力を試す口頭試験を実施したことが記される。

陽惣右衛門養子（市郎兵衛）・西村七兵衛世悴（七郎兵衛）儀、文才も有之、口も能つかい候歟、年番所にて何れも立合、致吟味候て可申上由被仰渡候。

また、唐通事の教材の一つ[*1]『訳家必備《やつかひつび》』（『唐話辞書類集』巻二十所収）には、十五歳になり、始めて唐人屋敷勤務となった稽古通事（文中では「学通事」）が、滞在中の中国商人たちに大広間で紹介される様子が描かれる。

……施禮過了，方纔直日老爹，對唐人們說道：這位是林老爹的阿郎，此番新補了學通事，今日頭一回進來，見見眾位。那時唐人一齊來作揖說道：原來林老爹的令公子，恭喜恭喜。貴庚多少？

……挨拶が終わると、宿直の通事が唐人たちに言う。「こちらは林通事のご子息で、このたび新たに稽古通事に任用され、今日は初めて（唐人屋敷に）参上して各位にお目通りするものです」。そうすると唐人達は一斉に両手を掲げて挨拶をし言う。「なんと林通事のご子息ですか。おめでとうございます。お年はおいくつですか」。

ここに登場する林通事が誰を指すかは未詳であるが、林家はいくつかの分家を擁した通事家の大姓で、移民二世で元禄年間に活躍した林道栄《りんどうえい》（一六四〇〜一七〇八年）も、その家の出身である。[*2]

さて、唐人屋敷に詰めて直接唐人と交渉する役目を担う内通事は、得意とする中国語の方言によって「南京内通事」「福州内通事」「泉州（漳州）内通事」の部門に分けられていた。[*3] 先ほど、『唐通事会所日録』の元禄二年二月の条を引用したが、実はその元禄二年は、それまで長崎市内に自由に宿泊が許されていた中国商人を一箇所に集住させて管理を強化する目的から、「唐人屋敷」が設営された年で、相当数の内通事を新たに任用せねばならないという、唐通事達にとっては重大案件が生じていた。そのため、閏《うるう》正月十八日の記録には、「中ケ間不残寄會、今度唐人屋敷え入申候内通事之儀、與頭中より下吟味仕、南京・福州方廿人、泉州・漳州方廿人、〆四拾人書付出し申候を、又中ケ間遂吟味、右之内三拾人拔取、則銘々之名所付致し、其上南京・福州・漳州銘々存候口まで書付、一通ツヽ御兩所へ差上ケ申候」と、三十人の内通事を選抜するに当たり、その者たちに、使える言語を書き上げさせたことが見えている。また、元禄六年（一六九三）正月には、「飯後に、今度内通事跡目に申上候者共年番方へ呼寄せ候而、口をつかわせ見申候所に、何れも大抵埒明申者共に而有之候、泉州方より四人、南京・福州方より貮人、……」と、実際に方言運用能力を試す試験が実施されていたこともわかる。

現代の華僑《かきょう》・華人コミュニティーの例から見ても、そのネットワークは母語方言集団ごとに形成されることが多い。唐通事もその例に漏れず、方言ごとの中国語学習会が開かれていたことも、会話記録とともに伝えられる。*4 また、俗に南京寺《なんきんでら》・漳州寺《しょうしゅうでら》・福州寺《ふくしゅうでら》と呼ばれた興福寺《こうふくじ》・福済寺《ふくさいじ》・崇福寺《そうふくじ》をそれぞれの菩提寺として活動の中心として中国船を接待し、航海中の守り神である天妃《てんひ》（媽祖《まそ》）像の仮安置所も各寺内に提供していた。入港した中国人が天妃像を先頭にそれぞれの唐寺《とうでら》に向かう行列の周囲は、見物の長崎市民でいつも賑わったという（『瓊浦佳話』巻二）。出身地ごとに組分けが行われていたことがうかがえる。

しかし、そのような状況は長く続かない。新井白石（一六五七～一七二五年）が正徳五年（一七一五）に海舶互市新例《かいはくごししんれい》（俗に「正徳新例」とも）を制定し、来舶唐船の数と出港地に制限を加えたことにより、それまで公平に入港が許されていた福建船と江浙船《こうせつ》（ともに二十五艘）は状況が一変、江浙船の二十一艘に対して福建船はわずか四艘しか信牌《しんぱい》*5が割り当てられなかった。福建語を用いる機会は激減し、自ずと官話（当時の通用語）の重要性が増大することとなる。出身地の言語を「祖先のことば」として継承してきた唐通事が、より役立つ言語として官話を学ぶ必要に迫られる事態が訪れたのである。その過程で、言語学習とアイデンティティーを巡っての葛藤も生まれることとなる。

以下、いくつか長崎で編纂された官話教材に書かれた逸話から、ことばの伝承を巡る条を二つピックアップすることとしよう。

有一個漳州通事，……這幾天，到我家裡來學官話。他的主意，自己雖然會講漳州話，有公幹出去，見了外江人，説話不大通的時節，縱或有膽量，敢做敢為，會得料理事情，也是礙手礙腳，未免做得不停當了。所以他學官話。……有一個人問他説道；〝你原來漳州人的種，如今講外（講）〔＝江〕話，豈不是背了祖考，心上説不通了。〟……他回覆説道；〝我雖然學講官話，那祖上的下南話，不是撇下了竟不講。這個話也會講，那個話也會講，方纔算得蠑性好漢，人家說的正實大丈夫了。口裡是甚麼話也使得，心不背祖宗就是了。〟

ある漳州通事が……ここ数日、我が家に来て官話を学んでいる。その意図は、自分は漳州語は確かにできるが、公務に出て外江人（他の地方の人）と会って話があまり通じないような時などは、度胸を決めていろいろ試し、何とか事を処理することはできても、やはりさまざまな障害があってスムーズに事を進めるというわけにはいかない。そのため官話を学ぶことにした。……ある人が彼に尋ねた。「君はもともと漳州人の出身なのに、今外江語（他の地方のことば、ここでは官話を指す）を話そうとするのは、ご先祖様に背き、心情として申し開きができなくはないかね。」彼は……次のように答えた。「私は官話を学んではいますが、ご先祖様の下南語（福建南部方言の別称。ここでは漳州語を指す）を捨ててもう話さない、というわけではありません。この言葉も話せる、あのことばも話せる、という風であって始めて見どころがあるといえましょうし、人々も立派な人間だと言ってくれます。口ではどこの言葉も使うことができても心では決して祖先に背かない、これこそ正しいありかたでしょう。」

出典は『唐通事心得《こころえ》』で、唐通事の日常に密着した教訓的逸話集とも呼びうる教材である。*6 この逸話からは、「祖先のことば」を守るのが第一義的であること、それとともに、「職業のことば」として官話の価値が徐々に大きくなっていることが見て取れる。くだんの漳州通事は、官話を学ぶことを正当化する論拠として、職務を高いレベルで遂行すれば名誉となるのだから、心で先祖に背かない限り大丈夫だと主張する。華人という出自によって規定された通事という身分が、世襲制の職業集団へと位置づけを遷移させていることを示す興味深い例である。

次に引くのは、笑い話という体裁をとりながらも、中国語はからきしだめで話せるのは日本語だけと大きな顔で言ってのける通事が登場し、彼らが必ずしも華人としての自己同定に支えられて職務に従事した訳ではないこともうかがえる。やはり出典は『唐通事心得』である。

前遭有一個大頭目見了一個通事，問他說道，……會講那里的話，會講下南話麼？　那時這個人回頭目說道：……晩生從來口舌重鈍，說話不清不白，下南話打不來。頭目有說道，個麼福州話會講麼？　他答道；也不會。頭目說道，既然（這）兩樣話不會，外江話自然會講了。他答道：也不會。那時頭目聽呆了一回，說道：個麼究竟你會講的是甚麼話麼？ 這個人原來乖巧，會講笑話，他不慌不忙，恭恭敬敬回覆說道：晚生會講的是日本話了。頭目聽說笑個不住，好笑好笑。

先だって、ある大頭目が一人の通事に出会い訊《たず》ねた。「……あなたはどこの言葉が話せますか？ 下南語（閩南語）はできますか？」その時、通事は頭目に答えて言った。「……私はもともと口べたで、会話も不明瞭、下南語はできません。」頭目「それでは福州語はできますかな？」「それもできません。」頭目「この二つの言葉ができないとなると、外江語（官話）はもちろんできますな。」「いいえ、それもできません。」頭目はあきれて訊ねた。「それではあなたは一体何語が話せるのですか？」その通事はなかなか機転が利いて、冗談も得意であった。慌てず騒がず、恭しく答えるに、「私ができるのは、日本語でございます。」頭目は聞いて笑い転げた。「こいつはおもしろい。」

もっとも、唐通事のうち内通事には、地の利を活かして官話を習い覚えた長崎人も多く含まれていた。江戸中期に荻生《おぎゅう》徂徠《そらい》らに唐話を教え、『唐話纂要《とうわさんよう》』『唐音雅俗類』等の著者として知られる岡島冠山《おかじまかんざん》（一六七四～一七二八年）も、もとは長崎の内通事であったとされる。しかしながら、「唐姓」をもたない彼らには、どんなに中国語ができようとも稽古通事・小通事・大通事の三役に上る道は基本的に閉ざされていた。したがって、通事家の人々のアイデンティティーがどこに向かおうとも、もとは唐人の家系であることを示した「唐姓」は、世襲により、実子が無ければ養子を迎えながら、まるで老舗の暖簾のように綿々と継承されていったのである。[*7]

このような実情は、唐通事の教材全体に通ずる筆致に、中国を他者に位置づける態度が顕著に見て取れることからもうかがえる。唐人に共感する言説はもちろん見られるが、長崎奉行への忠誠と、お上に認められた通事職への責任感が主たる論調であり、彼らの教材にあふれる酸いも甘いも併せのんだ処世訓には、中華への帰属意識は介在しない。[*8] これは、次に見る琉球の久米村通事とは大きく異なる点となる。

3　琉球——久米村通事とは

一方の琉球について見てみよう。琉球久米村通事の主たる構成要員は、明代以降に琉球に移住した華人の後裔とされる。その「久米」（現那覇市久米）という居住地名から、琉球語では「久米村人（くにんだー）」また「久米村士人」と呼ばれる。中国風の族群名として「唐栄」とも称したが、これは、本来は「唐人街」に同義の「唐営」（「営中」とも呼ばれた）を、清代康熙年間に良き字を選んで改称したものである。[*9] また、「明太祖所賜三十六姓」（閩人三十六姓）という来歴故事は、自らの出自に対するアイデンティティーの強化に貢献した。

琉球は、十四世紀から中国の冊封を承ける朝貢国であり、通訳者は早くより存在したはずであるが、歴史文献に記録されるのは明の嘉靖年間以降のことである。日本の歴史文献では、五山僧の月舟寿桂《げっしゅうじゅけい》（一四六〇～一五三三年）が著した「鶴翁字銘并序」[*10]に、琉球から来た智仙という僧の伝聞として、「有一聚落，曰久米村，昔大唐人百餘輩，來居此地而成村，頗有文字，子孫相繼而學，令彼有文者製鄰國往還之書（久米村という聚落があって、その昔中国の人百余名がこの地に移り住んで村を成した。いささか読み書きを心得、子孫がそれを学び伝えたので、［琉球国は］その学のあるものに、隣国との外交文書を作らせている）」とあるのが、「久米村」の文字が登場する最初である。ほぼ時期を同じくして、嘉靖十三年（一五三四）の序を有する陳侃《ちんかん》『使琉球録《しりゅうきゅうろく》』にも、明が琉球の忠誠を検証し、「特賜以閩人之善操舟者三十有六姓焉。使之便往來（特別に福建人で船をうまく操ることのできる者三十六姓を琉球に与え、中国との往来に便利であるようにした）」と見える。

上引の『使琉球録』は、明代には彼らが琉球士人階級とは異なる中国風の髪の結い方をしていたことも伝えるが、その習俗は清以降は廃止されたようである（康熙六十年序の『中山伝信録《ちゅうざんでんしんろく》』巻六「風俗」）。しかしそのことは、長崎のような唐通事の現地化（日本化）を示すのではなく、おそらくは、清朝が強制した辮髪《べんぱつ》の習俗に抵抗したものであったろう。

康熙二十三年（一六八四）序の汪楫《おうしゅう》『使琉球雑録』巻三に「三十六姓者，洪武中，因中山王朝貢惟謹，特賜閩人善操舟

者三十六戸，便其往來。其子孫皆習讀中國書久之，漸為國臣，然國人皆目之為唐人（三十六姓とは、洪武年間に、琉球国中山王の朝貢が勤勉であったことから、福建人で船をうまく操る者三十六戸を与え、往来に不便が無いようにさせたのである。その子孫は皆中国の読み書きを長く学び伝え、琉球国の臣下となっていったが、国の人々は誰もが彼らを中国人と見なしている）」とあるように、彼らが華人集団であるという認識は中国・琉球双方に広く共有されていた。琉球王朝も、華人であることを理由にして地位と安定した生活を保障したので、彼らの琉球への忠誠心は、自らの華人としての誇りと共に形成されて行った。通事たちは、かくして中国と琉球との間の名実ともに媒介者として生きることとなった。

さて、「閩人三十六姓」の「三十六」という数字は、実際の渡航氏族の数を示すものではなく、単に「多数」であることを象徴的に述べるものと理解してよいであろうが、『中山伝信録』巻五「氏族」によると、それも万暦年間には「蔡鄭梁金林」の五姓が残るのみであったという。そのため、琉球は明朝に対し再度の閩人派遣を請い、それに応じた明朝は、万暦三十五年（一六〇七）、「毛阮」二姓を琉球に移住させている（『中山世譜』万暦三十五年九月の記事）。ちなみに、近年関西大学長澤文庫で所蔵が確認された『中国語会話文例集』（長澤文庫の登録名、原題不詳）は、文中に「大明」という呼称が見えること、清代になって改称される以前の「唐営」という表記が用いられることに加え、この阮姓の通事が登場することから明末に成立したものと考えられ、問答体の官話教材として現存する中では最古のものに属する。このような後続の移住者以外に、琉球人で官話の運用能力に優れた者を久米籍に加入させる措置も随時行われていた。例えば、康熙年間に生き、琉球明倫館の設立や、『六諭衍義《りくゆえんぎ》』の重刊等、琉球の学術発展に甚大な功績を挙げた程順則《ていじゅんそく》（一六六三～一七三五年）も、この久米村籍に編入された琉球人の一人であった。

琉球通事が長崎唐通事と決定的に違うのは、中国に実際に赴いて中国語を使用する機会があったことである。都通事として正貢使に随行して北京に赴く者や、少数ながら（無事に帰国した者はさらに少ない）、北京の国子監《こくしかん》に留学して学問を修める者もあった。これら以外の通事は、朝貢使節の往来に関わる実務や朝貢貿易を行う存留《そんりゅう》通事として福州の柔遠《じゅうえん》館つまり琉球館に滞在した。琉球館には勤学生と呼ばれる留学生も滞在し、中国語や漢文修養に励むことができた。久米村通事の家譜をひもといてみると、多くの久米村士人は福州への渡航経験があり、生涯にわたり、複数回中国に訪問する者も数多い。那覇にあっても、中国からの冊封使や漂着難民に応接し、外交公文書を作成、また、久米村の子弟や、琉球士族に漢学を教えるのも通事の重要な任務であった。琉球近海に漂着し、本国への送還を待つ中国船員の収容施設の管理をすることも随時行われている。久米村通事は、琉球における中国に関するあらゆる事柄を補佐し代表する、そういう立場にあったのである。

したがって、彼らは、琉球王朝においては、礼数を身につけた華人の子孫としての役割が求められ、中国においては、朝貢国としての琉球を代表する外交の前線に立つこととなる。そして「官話」の習得とその継承こそが、久米村通事の琉球と中国双方向への忠誠心を矛盾なく共存させ、双方からの要求を満足させるために、最も重要で有効な手段だったのである。このことは、彼らの官話教材[*11]の中でもしばしば吐露される。

例えば、乾隆年間成立の『白姓』（乾隆十八年［一七五三］序）では、那覇に移送されてきた漂着中国商人が、久米村士人に対して、「弟們被風漂來，不知貴國的禮數，又不知貴國的言語，得罪處狠多。敢求見諒，不要記怪。（我々は強風に流されてきましたので、お国の礼儀作法を心得ておりません。またお国の言葉も理解せず、失礼が多々あることと思いますが、どうぞお赦しくださってお咎《とが》め無きよう）」と述べるのに対して、通事は「天下總是一禮，中國乃是禮義之邦。兄們居中國，弟們僻處海隅。如今兄們到這裡，弟們正要到這裡領教。（天下には一つの礼儀しかございません。中国こそがその礼儀の国でございます。貴兄方は中国におられ、私どもは海の片隅にひっそり暮らす身、貴兄方がここにお出でになられたからには、私どもはおそばに参上してお教えを乞いたいものです）」と応答する。また、康熙後半（一七一〇年以降）の銀兌換率を示すエピソードを含む『官話問答便語』、これは福州に駐留する久米村士人と現地の人々との対話集であるが、そこでは、出身を問われた久米村士人が、自らは「閩人三十六姓」を先祖にもち、琉球国における漢学教育を担うことにより、「秀才」の身分を与えられていると回答したことを受け、現地の中国人が「這等看起來，你也是我們漢人了（そうすると、あなたも私たちと同じ漢人ですね）」とたたみかけると、当の久米村士人は「正是（まさにそうです）」と誇らしげに答えるのである。ただ、それに続いてさらに「你既來中國，然何不去認祖（せっかく中国に来たのに、どうして故郷に一族を尋ねに行かないのですか）」と聞かれた時、彼らには「一則官府嚴禁得緊，弟居館驛，不敢遠離。二則年深月久，人生話異，言談不對，無從稽考，有多少不便處（お上の取り締まりが厳しく、駐在の身分では遠出をすることができないのが一つ。またもう一つには、故郷を離れて年月が経ち、人も疎遠で言葉も異なり、話をしてもかみ合わないため、先祖をたどることができません。いろいろ不都合なことがあるのです）」と答えざるを得ない。これも久米村通事を巡る、ある種の真実を伝える逸話であろう。

　このように、同じく華人の後裔として「官話」を学んだ長崎と琉球の通事であったが、その言語選択を決定づけた背景は決して同じではないことがわかる。彼らが「中華」に対してどのような自己像と距離をもって臨んだのか、彼らが置かれた社会はどうであったか、それら様々な要因によって彼らの言語的行動様式は大きく複雑に変容したのである。

注

1 代表的な教材として、二字話・三字話などの語彙集以外には、『唐通事心得』『長短拾話唐話』『譯家必備』『瓊浦佳話』『三折肱』『醫家摘要』『小孩児』『養児子』『官話纂』『鬧裡鬧』『請客人』『長短話』『小学生』『二才子』などが現存する。

2 宮田安著『唐通事家系論攷』（長崎文献社、一九七九年）参照。また、林道栄については、『長崎唐通事―大通事林道栄とその周辺』（林陸郎、吉川弘文館、二〇一〇年）にその生涯が詳述される。姓は「はやし」とも呼ばれる。

3 南京方の通事は当時の通行語「官話」を担当し、福州方は、実態は南京方に同じく官話を、泉州（漳州）方は、福建南部方言（閩南語）を担当した。

4 篠崎東海撰『朝野雑記』巻四「唐通事唐話会」の記事。詳しくは、木津祐子「唐通事の心得―ことばの伝承」（『興膳教授退官記念中国文学論集』汲古書院、二〇〇〇年、六五三～六七二頁）を参照されたい。

5 長崎に入校しての交易を許可する文書、手形。和語では「割符」といい、形式上の発行者は唐通事であった。

6 木津祐子「『唐通事心得』訳注稿」（『京都大學文學部研究紀要』39、二〇〇〇年）に、全文を翻刻する。

7 木津祐子「唐通事の心得―ことばの伝承」（『興膳教授退官記念中国文学論集』汲古書院、二〇〇〇年、六五三～六七二頁）参照。この「唐姓」に関連して、岩井茂樹『朝貢・海禁・互市』第五章第三節「正徳新例を巡る紛糾」（名古屋大学出版会、二〇二〇年）は、新井白石が「正徳新例」下の信牌発給の主体として、当時はすでに実態を失っていた通事の「唐人」身分を巧みに利用したことを指摘する。

8　唐通事の帰属意識については、注4所引の拙稿、また木津祐子〈琉球通事的正統與長崎通事的忠誠―従两地「通事書」的差別談起〉（《翻譯與跨文化流動：知識建構、文本與文體的傳播》中央研究院・中国文哲研究所、二〇一五年、三三九～三六九頁）に論じたことがある。

9　清・徐葆光『中山伝信録』（康熙六十年［一七二一］）巻四琉球地図「久米……皆洪武中賜閩人三十六姓，居之不他徙，故名唐營，亦稱營中。後改為唐榮。」

10　『幻雲文集』34（『続群書類従』第十三輯上、三五五～三五七頁）。この文章に日付は記載されないが、収録される他の著述の年代から考えて、おそらく晩年に近い時期の著述だと思われる。

11　「二字口」、「三字口」等の語彙集、『學官話』『官話問答便語』『白姓』『中国語会話文例集』など問答体テキスト、中国白話小説を官話体に翻訳した『人中画』、語彙・常用句・短い問答などを集めた『広応官話』などが代表的なものとして挙げられる。

05

佚存書の発生
日中文献学の交流

住吉朋彦

1 佚書の淵藪《えんそう》

宋人は来朝する日本僧との対話を通じ、中国に失われた書を蔵する国として日本を意識したようである。それは『宋史』「日本国伝」に載せる、日本の僧奝然《ちょうねん》が雍熙《ようき》元年（九八四）に、太宗に謁して典籍を奉った一件に端を発していよう。

奝然がもたらした書籍中に、漢の鄭玄《じょうげん》注『孝経』と、唐の任希古《じんきこ》の義疏《ぎそ》『越王孝経新義』があり、両書とも宋の宮廷では稀覯《きこう》となっていたことから、奉呈の事実が書き留められた。奝然はその後、太宗の厚遇を得て、新雕《しんちょう》の『開宝蔵』を下賜され、浙江《せっこう》商人鄭仁徳《ていじんとく》の船で帰国する。大蔵経を携えた奝然が、平安京に恰も凱旋を飾ったことは、『小右記《しょうゆうき》』寛和三年（九八七）二月十一日条等に見えている。

この出来事は『宋史』の他、『文献通考』「経籍考」の「鄭康成註孝経一巻」の項にも、『崇文総目《すうぶんそうもく》』を引いて「五代兵興《おこ》り、中原に久しくその書を逸す」と記録され、同書の中国に失われていたことがうかがえる。

鄭玄、字《あざな》康成注の『孝経』は、漢代に用いられた「今文孝経」を伝える経注で、唐の玄宗の『御注孝経』の資源となったが、玄宗御注の流布によって衰え、五代の戦乱の後、宮中の書庫から消え去っていたのである。日本では早く

『学令』に、官学の教科書として指定され、任希古の『越王孝経』と共に、平安時代前期の漢籍船載情況を伝える『日本国見在書目録』に載っている。奝然の献上本は、この伝統を汲むものであったろう。

『孝経』と言えば、秦以前から現在に至るまで、漢字文化圏にもっとも広く伝えられた古典の一であるが、その注書ともなると、亡佚《ぼういつ》の危険にさらされる機会が多かった。このように、かつて存在したことが知られるのに、一個の伝本としては存在しなくなった書籍を、佚書という。

また、一度は失われた書籍への関心が、何らかの理由によって回復し、その本文を求めて得られない時、書籍中の引用にその片鱗を見出し、全体を推し量ろうとすることがある。こうした佚書の引文を、佚文と呼ぶ。さらに佚文を集めて整理集成し、あたかも書籍のように作った佚文集を、輯佚書《しゅういつしょ》と称する。

これに対し、いくつかの条件によって存在の隠されていた古籍が、一個の伝本として姿を現した場合には、佚存書といって、これを区別する。ただ、隠されたといっても、閑却に付されていただけで、実際には伝本が存在していたのであるから、社会通念として所在不明になっていた、という意味になる。

例えば、名のみ知られて伝来のなかった書籍が、古人の墓室から発見された時、その文献は佚存書だということになる。この場合、後世の人間は均しくその所在から隔てられていたことになるから、これを佚存書と言って、納得がつきやすい。

しかし実際に多い事例は、奝然が宋にもたらした鄭注『孝経』のように、日本から見出された佚存書、また韓国で発見された佚存書、といった具合に、中国の常識が他の地域の文献によってくつがえされた場合に、この詞が使われている。逆のケースもあり得なくはないが、それは、かつての文化圏において、さしたる意味を成し得なかった。

そこで、佚存書という詞は、専ら日本で、漢字文化圏の周縁から再発見された漢籍を指すことになったのである。また、このような使い方が成り立つためには、発見の舞台となる国があり、その国と、中国を含むそれ以外の国とは、基本的に隔絶されていることが条件となる。

日本の平安後期と、同時期の宋代のように、言語の相互理解や、船舶交通の事情もいまだすぐれない時節には、他国との隔絶が常態であり、そうした情況下に奝然の事例が知られたため、宋人にとって日本は、佚書の淵藪と考えられるようになった。

奝然に続いて入宋した寂照《じやくしよう》に、景徳三年（一〇〇六）に面会した楊億《ようおく》は、日本にある書籍の名を聞き取り、後世佚存書とされた『文館詞林』の名を留めている（『新雕皇朝類苑』所引『楊文公談苑』）。また欧陽修《おうようしゆう》は「日本刀歌」を作って「徐福行く時、書、未だ焚けず、逸書百篇、今尚ほ存す」と詠じ、秦代に東方の蓬萊島に向けて船出した徐福の故事を、佚書のイメージに重ねた。佚存書という語は、この詩の下句に典拠がある。

ただ、実際に文献が将来されることは、宋代には稀であった。またせっかく見出された鄭注『孝経』と『越王孝経新義』も、若干の受容を見たのみで再び失われ、現代に伝わらない。結局、当時日本に向けられた佚書出現への期待は、長い年月を経た清朝になってから、幅広く実現することになった。

元明時代にも日中の交流は頻繁であったし、高麗朝鮮との関係も深かったが、佚書の発見が大々的に喧伝されることはなかった。この時期は朱子学の発展期に当たり、経学を中心に言えば、漢唐の古籍に対する関心は、未だ興隆していなかったと言えようか。

一方、元明と日本の間の書籍交流の担い手は、五山の禅僧たちであったが、彼らは唐土に渡り最新の知識や習慣を身につけ帰国する留学僧、彼の地の名流と文詞を交わして成果とする外交僧を主体としたから、新興の学術を体した宋元明版、また朝鮮版の将来に関心が高かった一方、宮廷を中心に、博士家や在来の寺社に伝えられた旧鈔本系統の書が、その膝下《しつか》にはなく、中国における佚書の発見に繋がらなかったのではないか。

そこからさらに考えを進めると、中国を中心とする文化圏の中で、周縁に位置する地域が独特の文化史を有つという認知や自負も、佚書の探求と伝播、そして佚存書の発見が生起するための条件と言えるかも知れない。

元明までの停滞を破る動きは、清初の蔵書家銭曽《せんそう》が、いわゆる正平本《しようへい》『論語』を発見したことに、その前兆が見られる。この間の顚末については、本書収録の髙橋智氏の論説に詳しい。正平本『論語』は、あくまでも『論語集解』の古本であって、佚存書ではない。しかし清代の経学隆盛が、正平本のような国外の善本に注目する視点を生み、それが佚存書の発見に繋がっていく。

2 佚存書の発生と蘐園《けんえん》

清朝に入り、佚書の発見として注目された書籍の代表格は、『古文孝経孔氏伝』（以下『古文孝経』と簡称）と『論語義疏』であろう。両者は乾隆年間に、日本から中国にもたらされ、識者の注目を集めた。これらの書が中国で知られるようになったことは、杭州の人々の尽力に由来する。

まず日本との間を往来していた交易家の汪鵬《おうほう》によって、その和刻本が舶載された。その後、これを汪氏に得た浙江巡撫王亶望《おうたんぼう》の手を経て、校刊家の鮑廷博《ほうていはく》に託され、知不足斎《ちふそくさい》刻本として発行される。『古文孝経』は乾隆四十一年（一七七六）に、『論語義疏』は同五十三年に翻刻された。鮑氏は歙県《しょうけん》（安徽省）の貫籍であるが、父と共に杭州に居住している。一方、両書は『四庫全書』にも採録され、芸林にあまねく知られる結果となったのである。

鮑廷博は『古文孝経』の重刊の跋に、以前から『宋史』の奝然の記事を読み、日本からの鄭玄注、また孔安国伝『孝経』の出現を期待し、日本に向かう汪鵬に求書を依頼していた所、実際に孔伝を得た由を述べている。その経緯を疑う必要はないが、鮑氏の言は、本文と共に翻刻された、享保十六年（一七三一）太宰春台《だざいしゅんだい》の、次の序を踏まえてもいる。

> 夫《そ》れ古書の中夏に亡び、而して我が日本に存する者、頗《すこぶ》る多し。宋の欧陽子、嘗《かつ》て詩を作りて称はく、逸書百篇、今尚ほ存すと。昔、僧奝然宋に適《ゆ》き、鄭注孝経一本を太宗に献ず、司馬君実等、これを得て大いに喜ぶと云ふ。今其の世を去ること七百有余年、古書の散逸する者、亦た少なからず。而れども孔伝古文孝経、全然、尚ほ我が日本に存すること、豈に異とせざらんや。

これを見ると、太宰氏紫芝園《ししえん》刊本の『孝経』は、偶然世に送られたのではなく、日本の誇るべき佚存書として意識され、世に問われたことがわかる。実際、当時の日本では、すでに七種ほど『古文孝経』が刊行されており、その中の紫芝園本が中国に喧伝されたのは、刊者の意図が海彼《かいひ》に届いた結果ということができる。

『論語義疏』についてはどうか。本邦近世における同書の流布は、寛延三年（一七五〇）の根本武夷校刊本『論語集解義疏』を画期とし、知不足斎刻本も同本に基づく。根本氏は同門の山井崑崙と共に足利学校の古籍探索に出掛け、その過程で本書を見出し、足利本を元に校訂本を作ったのである。これより先、山井氏は畢生の大作『七経孟子考文』を作って、やはり日本漢籍の意義を中国に知らしめた。ことの次第は服部南郭の「皇侃《おうがん》論語義疏新刻序」に見える。

> 往《さ》きに根伯修、神君彝と倶に下毛の足利学に遊ぶ。足利の蔵、昔は石室と称す。中ごろ散失に遭ひて、廑廑乎《きんきんこ》として今に存す。海外後世伝へざる所の異書、猶ほ多し。

ここに南郭は、海外後世、つまり当時の中国や朝鮮に伝わらない珍籍の富を誇っており、海外に対する日本漢籍の価値を意識していたことがうかがえる。『論語義疏』の場合、日本の古写本は比較的多いが、版本としては根本氏校本のみが行われたため、足利本の発掘と紹介が直接影響した形である。いずれの場合も、汪鵬の手を介して日中相呼応したのではあるが、大筋として、日本側の惹起した事態であったと見てよいのではないか。

一方の『七経孟子考文』は、新編の校勘記であるため、佚存書の範疇には入らないが、日本漢籍の古態を中国に示したという意味では、関連する事象と言える。広く知られるように、同書は山井氏の主君、西条侯松平頼渡《よりただ》の手を経て江戸幕府に献呈された。そして、後に荻生徂徠が附した序に拠れば、幕府講官の徂徠と、室鳩巣等の手で校補され、『七経孟子考文並補遺』として清朝官界に贈られた。その後、『四庫全書』に収められ、また揚州の蔵書家江春から日本板を得た浙江督学使の阮元《げんげん》が嘉慶二年（一七九七）に翻刻、中国に流布せしめた。さらに阮氏は、『十三経注疏校勘記』に『考文』を採用し、同書の価値を学術史に刻んだ。

こうした学術交流の元となった山井氏の活動について、徂徠は「夙《つと》に好古の癖《へき》あり」とした上で、次のように述べる。

また七経孟子の古本、及び論語皇疏を獲《え》、これをその経註と較ぶるに、頗る異同あり。而して古時の跋署《ばつしょ》、徴す可し。また唐以前、王、段、吉備諸氏の齎《もたら》し来たる所、此に存して彼に亡ずるなり。

この「王段吉備」とは、百済の博士、王仁、段楊爾と、遣唐留学生の吉備真備を指しており、六朝唐代の将来本が日本に伝存したことを説いている。足利学校の古写本類は概ね室町末近世初写本であるから、奈良以前の古代を窺うには、もう一段の溯及が必要であるが、少なくとも『論語義疏』については、二〇一七年に慶應義塾図書館に収蔵された、〔南北朝末隋〕写本『論語疏』巻六の再発見により、実際に証明された。ただむしろ、目前の認識を越え唐以前に達しようとした所に、古学を唱えた徂徠の強い志向が働いていたと言えるのではないか。

そう考えると、徂徠門下の山井氏、根本氏の校勘はもとより、蘐園の双璧であった春台、南郭の文辞にも、同様の精神が通っているのであろう。徂徠の古学に端を発する経籍の再考、その基礎固めとしての校勘と出版が、漢字文化圏における日本の価値を高唱する傾きを伴いながら、連続的に行われたと解することができる。これが、相互に閉ざされた両国の在り方を条件とし、強固な体制の下で復古を目指していた清人の学術精神に触れ、佚存書を発生させたのである。

3　佚存書と日中文献学

佚存書発見の流れをさらに大きなものとしたのが、林述斎の編集に係る『佚存叢書』の発行であった。佚存書という詞自体、直接にはこの叢書名に由来するが、述斎は本書の序に欧陽修の「日本刀歌」を引き、その句に借りて叢書の名とした由を述べている。

『佚存叢書』は寛政十一年（一七九九、清嘉慶四年）に、第一帙として『古文孝経孔伝』『五行大義』『臣軌』『楽書要録《がくしょようろく》』『両京新記』『李嶠雑詠《りきょうざつえい》』の六種を、活字印刷によって刊行したのを始め、文化七年（一八一〇、同十五年）に掛け、六帙十五種の佚存書を世に紹介した。但し『論語義疏』や『群書治要』は、すでに整版本が行われているという理由で、収録しなかった。

『群書治要』には、天明七年（一七八七）に、家康の駿河版に基づく尾張藩版が出されている。この書もまた、乾隆中に日本から舶載され、嘉慶道光の間には、阮元の参考に供されていたことが、王敬之の「梅瑞軒輯録十種逸書序」に見える。

この時期に日本で佚存書の刊行が相次いだのは、やはり清朝での反響に即応したものと言える。述斎は寛政五年（一七九三）に林家を嗣いで昌平黌《しょうへいこう》を率いていたから、私的な出版とは異なり、官学として「佚存書」を前面に掲げたことになる。そして述斎は自ら『佚存叢書』の序に、次のように自負を述べていた。

惟《こ》れ我邦は皇統の一姓、神聖相承け、未だ始めより易姓《えきせい》革命の変あらず。而して右文の化、稽古の風、千載を歴て弥〻盛んなり。故に凡そ古へより出づる者をして、今に皆、廃替《はいたい》に至らざらしむるなり。載籍に至りては則ち、惟《た》だに本邦古今に有る所のみに非ず、即ち西土の撰著も、伝へて此間に到らば、輒《すなわ》ち亦た永く存して失はず。

ここでは、蘐園の序に見られた尚古の傾きが、国粋主義的主張に変じており、漢字文化圏における自己主張、日本の側から発する文化的攻勢の意味合いが強まっている。

その内容上、『佚存叢書』が期を画している点は、経書中心であった佚存書の範囲を広げた所にある。清初から乾隆末年までの佚書の捜索は、あくまでも経学の改新を目指して行われ、その意味で日中の歩調はよく合っていた。しかし本叢書は、『李嶠雑詠』や『文館詞林』、『景文宋公集』のような詩文にも収録範囲を広げ、各方面の関心を惹起した。この時期の清朝学界では、乾隆末年から嘉慶に掛け、考拠学の基礎工程として書籍の校勘が盛行し、鮑廷博と親交の深かった盧文弨《ろぶんしょう》の考証や、阮元の『十三経注疏校勘記』が注目を集めた。また、後に文献学として統合される版本学の業績が姿を現し始め、嘉慶から道光に掛け、黄丕烈《こうひれつ》や顧広圻《ここうき》による宋本の解題覆刻と校勘が行われている。こうした中で行われた『佚存叢書』の刊行は、時宜を得て広く歓迎されたのである。この後、清末に向け、古文献の考証そのものを目的とするような、専門的な学術の展開があったことを考えると、文献学の発達を促す方向に、『佚存叢書』も一石を投じたと言えよう。

日本が佚存書の宝庫として再認識されたのは、上記のような経緯からであり、龔自珍《きょうじちん》の「番舶《ばんはく》に与へ日本の佚書を求むる書」に「昔、乾隆の年に、皇侃論語疏の至るあり。邇《ちか》くは佚存叢書の至り、箸す所の七経孟子攷文亦た至る。海東礼楽の邦、文献彬蔚《ひんうつ》たり。天朝、上は文淵の著録より、下は魁儒碩生《かいじゅせきせい》に逮《およ》ぶまで、歓喜、翹首《ぎょうしゅ》して、東のかた雲物の鮮新を望見せざるなし」とあるのは、当時の認識を端的に記したのであって、清後期には、日本の文献に対する期待が広く醞醸《うんじょう》された。

述斎は、その後、文化二年（一八〇五）に、幕府御書物方と共同して、紅葉山《もみじやま》文庫本の目録たる『新訂御書籍目録』と善本解題の『御書籍来歴志』を編集する。両書は清朝宮廷の目録解題に擬した著作で、本邦に伝来する漢籍の総合的な把握に乗り出した成果である。こうした文献考証は、江戸後期には高下に流行し、江戸の地を中心に、市河寛斎や屋代弘賢《やしろひろかた》、松崎慊堂《こうどう》といった文献家を輩出した。

学官の他、医師や富商、市井の学者が参画したことも、この運動の特色で、遂に経済的背景と、儒学に拘る必要の薄い事情から、文献考証を専一とする市野迷庵、狩谷棭斎《かりやえきさい》や伊沢蘭軒と、その指導を受けた渋江抽斎、森枳園《きえん》等による、日本漢籍研究の隆盛を生み出した。こうした学者達の活動を記念するのが、日本書誌学の古典として知られる『経籍訪古志』である。但しこの書が校刊されたのは、ようやく明治になってからのことであり、それは新たに来日した清朝外交官による活用の結果であった。

4　文献学の近代

明治初年に日中の交流が政府間の公式のものとなり、学者知識人の来日がようやく実現したが、その中でも文献学者として傑出していたのは、楊守敬《ようしゅけい》その人であった。楊氏の巨大な事績は、卒爾《そつじ》の間の描出を許さないが、佚存書との関係では、『古逸叢書』の刊行に触れなければならない。

『古逸叢書』は、形式上、清国駐日公使黎庶昌《れいしょしょう》の編集によるが、実質的には楊守敬の調査研究が結実したものである。楊氏は黎氏より早く、明治十三年（一八八〇、清光緒六年）、初代駐日公使の何如璋《かじょしょう》に招かれて来日し、早速書籍の探索を始めたが、森枳園の知遇を得、『経籍訪古志』の著述を見て、その探求は急速に進められた。

そもそも森氏は『経籍訪古志』著録本の一部を保有しており、その多くが楊氏の手に渡った。また廃藩置県による旧学の衰勢、廃仏毀釈による仏寺の荒廃等の条件が重なり、近世以来発展してきた書肆の庫裏には、伝世の漢籍が数多く積まれた。楊氏は手を尽してそれを手に入れ、十篋《はこ》に及ぶ蒐集を達成する。その他、文部省書記官の巖谷一六や博物館局長の町田久成等の協力を得て、紅葉山文庫や昌平黌等、日本における基幹的収蔵の参看、借出を実行している。

楊氏研究の成果は『日本訪書志』と『留真譜』に示されているが、古逸書の発見という観点から編集されたのが、光緒十年（一八八四、明治十七年）に刊行された『古逸叢書』二十六種である。同叢書の特色は、清朝で重視された宋元の旧本だけでなく、旧鈔本を多く収録した点にあり、蕘園以来の古本への着目を襲って、清朝の文献学を刷新した。また版本学の発達を踏まえ、精巧な覆刻本としたことは、後世を大きく裨益《ひえき》した。

さらに覆刻に当たり、日本の名工木村嘉平を起用したこと、西洋起源の技術である写真を用いた覆刻を交えていることは、実在しない宋版欠佚部の「筆意彫り」は勇み足としても、柔軟な姿勢が功を奏したことは疑いを容れない。

そして、同叢書の完工は、要路に働きかけた黎公使の助成と、楊氏の才識とに拠る他、乾隆以来の佚存書の受容と文献学の発達、また佚存書を発生せしめた日本の漢学、文献学の蓄積を足掛かりとすることで、実現できたのである。そして、ここに初めて中国の学者自身が、佚存書を主体的に取り上げた所に、本叢書の文献学史上の意義が認められる。

日本文献学の成果である『経籍訪古志』は、光緒十一年（一八八五、明治十八年）、森枳園旧蔵の全本に基づき、中国で鈐印された。またその前年に帰国した楊守敬舶載の書籍は、後に台湾の故宮博物院に収められる他、多くの蔵書家、図書館の手に渡って、いずれも学者研鑽の糧とされた。

楊氏の広範な調査蒐集は、佚書ばかりではなく、中国に失われた善本の数々を紹介して、文献学者の日本に対する関心をより広いものとした。今仮に、これらを佚存善本と称すると、正平本『論語』以来の佚存善本の紹介が、楊氏の後、一気に花開いていく。折しも清末から民国時代に掛け、中国の知識人が多く来日したが、その中には蔵書家や文献学者が含まれ、繆荃孫《びょうせんそん》、徐乃昌《じょだいしょう》、傅増湘《ふぞうしょう》等の名を挙げられる。彼らは観書記や題跋を著して、佚存善本の価値を中国に知らせた。また董康《とうこう》、張元済《ちょうげんさい》のように、佚存書と、佚存善本の複製紹介に尽力した事業は、今日でも広く享受されている。

日本からも明治三十八年（一九〇五、光緒三十一年）に島田翰《かん》の『古文旧書考』が刊行され、日本漢籍の善本を校勘、解題して、捏造の問題を孕みつつ、中国の学者に重んじられている。島田翰と言えば、彼が購入に関わった陸心源《りくしんげん》蔵書の日本への将来は、それまで日本人が接し得なかった中国書籍文化の真髄を含む一方、それを喪失した清末の学界に与えた衝撃も大きかった。

佚存書をめぐる近代的な著作としては、日本側にも、服部宇之吉編集、長澤規矩也《きくや》、神田喜一郎両氏の執筆した『佚存書目』（一九三三）があり、より詳細かつ網羅的な報告が為され、詞曲小説も佚存書に列するなど、日本漢学の奥行きをさらによく示す業績となった。ただ、前近代的な条件の下で成立した「佚存書」を学術的に再定義することは難しく、中国に複製の流布する書目や、単に閑却に付されてきただけの書目を登載しないなど、限定の多い凡例となっている。

以降、文献学的研究は精密の度を高め、個別の詳細な解題、目録、影印が作られるなど、その成果の数は、あげて計《かぞ》え切れない。当初は江戸の古学と清朝考拠学の合作であった佚存書の発見は、楊守敬の登場を経て、近代文献学の花形となった。しかし、むしろその結果として、文化圏の構造に依存する佚存書の意義は、その支点を失い、漸く揺らぎつつある。

例えば、広く世に知られている『古文孝経』や『論語義疏』について、「佚存書」として強調し続けることには、陳腐の感を覚える。これまでの解説に明らかな通り、清朝の学界を想定に入れ、江戸の漢学者達が日本漢籍の意義を唱えた所に、佚存書の観念が成立したのであり、日中学界の疎隔を条件としたのであるから、その前提を共有しない今日からは、すでに歴史的認識ということになるであろう。

各国学界の知識の偏りは、現在も皆無ではないが、文献学の分野に限って言えば、はなはだしい乖離は目に着かなくなっており、実際に、数多くの海外の研究者が日本で文献の調査を行っているし、日本の学者も知見を広げるべく努力を続けている。また研究情報は、益々公開普及の方向に進んでいるから、特定の地域にのみ情報の届かない形は、成り立ちにくくなる。

そこで、『古文孝経』や『論語義疏』が、純粋に唐以前の本文であり得るかという点や、なぜそれらが日本に伝来したのかという問題を、近現代の枠組みに捉われず、幅広い協調の下、高い視角から考えることに、現在の焦点は移って来ている。さらに言えば、佚存書、佚存善本とは言えない漢籍であっても、日本に伝来したのであれば、日本文化研究の資源として知識の世界に貢献するという視点も欠かせない。

かつて学者を歓喜させた佚存書発見の驚きは、書籍や情報の流通と共に薄れゆく趨勢《すうせい》にあり、未知の文献を紹介する努力は引続き必要であるにしても、地域間の不均衡による佚存書の発生は、解消する方向にあるであろう。そして、その先にこそ、立場を超え珍書善本の実像を提示するという、文献学本来の姿が、ようやく立ち現れてくるように思われる。

06
漢文による筆談

金 文京

1 筆談――視覚によるコミュニケーション

東アジア漢字文化圏の共通言語としての漢文は、しばしばヨーロッパのラテン語に比べられるが、ラテン語が口語の機能を兼ね備えているのに対して、漢文はあくまで書記言語であり、口語的機能はもっていない（本書「東アジアの漢文」参照）。そのためお互いに耳で聞いてはわからないが、目で読めば理解できる。このような言わば視覚によるコミュニケーションは、世界の他の文化圏には見られず、東アジア漢字文化圏独特のものであると言えよう。

この視覚コミュニケーションの代表的な例が、すなわち筆談である。筆談とは漢文を書き、読むことによって行われるコミュニケーション法で、漢字文化圏では、他の文化圏では通訳がはたす役割の相当部分が筆談によって行われていたと考えられる。むろん東アジアでも通訳は古くから存在した。しかし通訳の役割には限界があったと考えられる。その理由はまず外国語習得の困難さにある。特にアルタイ語系の朝鮮語、日本語を母語とする者が声調言語である中国語を習得するのは、現代の中国語教育に照らしても、きわめて難しく、実用に堪えるレベルまで習熟することは難しかったであろう。またそもそも前近代における通訳官は、一種の技術職であって、東アジア世界で重んぜられた士人（知識人）ではない。外交使節の正使、副使クラスの知識人出身の官人とは、身分、教養において大きな隔たりがあった。中国の官僚、知識人から見れば、中国語会話はできるが漢文が書けない人間は、ただの人にすぎず、会話ができなくとも漢文が書ける人間の方が尊重されたはずである。通訳の役割には自ずと限界があったであろう。

2 日中間の筆談

中国、朝鮮、日本を通じて、筆談の記録としてもっとも古いまとまった資料は、おそらく日本の慈覚大師《じかくたいし》、円仁《えんにん》（七九四～八六四年）『入唐求法巡礼行記《にっとうぐほうじゅんれいこうき》』であろう。円仁は第十七次遣唐使の請益僧《しょうやくそう》として承和五年（八三八）に渡唐、同十四年（八四七）に帰国したが、揚州《ようしゅう》に漂着した直後の七月十四日、開元寺の僧、元昱《げんいく》が訪ねて来た時のこととして、次の記事がみえる。

開元寺僧元昱来。筆言通情、頗識文章。問知国風、兼贈土物。彼僧贈桃菓等。近寺辺有其院。暫話即帰去。

（開元寺の僧元昱来る。筆言にて情を通ずるに、頗《すこぶ》る文章を識《し》れり。問いて国風を知り、兼ねて土物を贈る。彼の僧は桃菓等を贈る。寺の近く辺りにその院あり。暫く話して即ち帰去す。）

すなわち円仁は元昱と筆談したのであるか、ここで注意すべきことは、この時、一行の中には通事（通訳）の大宅年雄がいたにもかかわらず筆談していること、また「頗る文章を識れり」と相手の漢文能力を認めていることであろう。最後の「暫く話す」というのも実際には筆談と考えられる。この後も「筆言述慰」（八月三十日）、「筆書云」（十月十四日）など筆談の記録がしばしば見える。唐滞在十年の後期にはむろん中国語会話もある程度できたであろうが、少なくとも初期にはもっぱら筆談がコミュニケーションの方法であった。円仁の例から考えると、それ以前の遣唐使においても筆談は頻繁に行われたに違いない。また貞観十五年（八七三）、薩摩《さつま》に漂着した渤海《ぼっかい》の唐への使節も現地の役人と筆談を行っている（『三代実録』巻二十三・貞観十五年三月十一日）。これはむろん漂着という特殊なケースであるが、来朝した渤海使や新羅《しらぎ》使が日本側と詩の応酬を行った時にも筆談が行われた可能性は高いであろう。

さらに遣唐使廃止後に渡宋した奝然《ちょうねん》や寂照《じゃくしょう》は、宋の朝廷においていずれも筆談を行っている。『宋史《そうし》』の「日本国」の条（巻四百九十一）に、「奝然は隷書を善くするも華言に通ぜず。其の風土を問うに、但だ書きて以て対《こた》えて云く」、また「寂照は華言を暁《し》らざるも文字を識る、繕写《ぜんしゃ》甚だ妙にして、凡そ問答は竝《ならび》びに筆札を以てす」とあるとおりである。どちらも書が巧みであることが特記されているが、筆談においてはこれも重要な要素であった。二人とも宋の朝廷から手厚いもてなしを受けているが、かりに中国語が出来たとしても、漢文と書の能力がなかったなら、さほどの優遇を受けることはできなかったであろう。その後も中国に長期滞在した五山僧などを除き、交流の手段としての筆談は、江戸時代から明治に至るまで、日中の間で広く行われた。

3　朝鮮、ベトナム、中国間の筆談

次に朝鮮半島の場合、歴代中国王朝と密接な関係があっただけに、筆談はより重要な意味をもっており、その内容はしばしば政治、外交上の機微に及んだ。モンゴルのフビライカーン中統二年（一二六一）、長らく抵抗をつづけた高麗がついに降伏し、世子諶《しん》（後の忠烈王）と参政（宰相）李蔵用以下、十八名の使節が燕京《えんけい》（後の大都、今の北京）を訪れた時、フビライの命により右丞相の史天《してん》沢《たく》、左丞相の忽魯不花《フルブハ》以下モンゴルの重臣たちにより使節をもてなす酒宴が開かれた。その時の様子を同席した掌記（書記官）の王惲《おううん》が記録している。それによると「語既に通じず、その問答は各々書を以て相示す」（王惲『中堂事紀』下、『秋澗先生大全文集』巻八十二）と筆談が行われ、史天沢以下の高官たちが、高麗の軍事状況、南宋との関係の有無、高麗の科挙の試題、高麗王の素性などを尋ね、李蔵用が答えている。

漢文の筆談では典故の使用など、中国古典に関する知識が必要となる。また字の巧拙も当然問題になるであろう。このため筆談は単なるコミュニケーションの方法にとどまらず、そこに文化的付加価値が加わり、古典に関する教養、流麗な筆跡を互いに誇示し、競い合う場ともなる。その意味では、東アジアの外交舞台でしばしば行われた漢詩の応酬と同じ意義をもつものと言えよう。現に李蔵用と王惲は筆談だけでなく漢詩の応酬も行っている。

また清代に北京に行った朝鮮の使節は、越南（ベトナム）の使節と交流しているが、これまた筆談と漢詩の応酬によるものであった（ベトナムでの筆談については、阮黄申、阮俊強「ベトナムの漢字筆談に関する研究」二松学舎大学『日本漢文学研究』15参照）。

4　筆談記録の編集

筆談が実用的なコミュニケーションの道具にとどまらず、文化的教養を競う手段となれば、漢詩の応酬と同じく、それを記録、編集し、さらに読み物として出版する動きが出てくるのは当然の成り行きである。その典型的な例は、朝鮮から中国に派遣された使節の記録である「燕行録《えんこうろく》」、および江戸期の朝鮮通信使と日本の文人との間の筆談記録に見ることができる。

たとえば一八〇一年（朝鮮純祖元年、清嘉慶六年）、清朝への使節の随員として二度目に北京を訪れた実学派の学者、柳得恭《りゆうとくきょう》は、出会った清朝の学者との筆談を、帰国後に『燕台再遊録』としてまとめている。その中には北京の瑠璃廠《るりしょう》の書店五柳居で、当時冊封副使として琉球に行き、帰ったばかりの李鼎元《りていげん》と会い、次のようなやり取りをしたことが見える。

墨荘（李鼎元）曰：貴邦曾与琉球通商、後成隙。今究如何。（貴邦かつて琉球と通商するも、後に隙《すき》〈仲たがい〉を成す。今究《はた》して如何。）

余（柳得恭）曰：国初伊来貢、今不来。別無嫌隙。（国初に伊《かれ》来貢するも今は来たらず。別に嫌隙なし。）

墨荘曰：僻小可笑。（僻小《へきしょう》笑うべし）

余曰：伊属倭子。萬暦中平秀吉、挐他国王去。（伊は倭子に属す。萬暦中に平秀吉、他《そ》の国王を挐《とら》えて去れり。）

墨荘曰：伊属倭子、此事其国人甚秘之、故不便入紀矣。（伊は倭子に属す、此の事其の国人甚だこれを秘す、故に紀に入れるに便ならず。）

これは琉球が薩摩に征服され、かつそのことを清朝に隠していたことを、清朝側でも知っていたことを示すものであろう。朝鮮では豊臣秀吉が琉球国王を連れ去ったと誤解されていたようである。

一方、その三十七年前の一七六四年（日本明和元年、朝鮮英祖四十年）、日本を訪れた朝鮮通信使の書記官、成大中たちは、大坂で京都相国寺《しょうこくじ》の僧、大典と筆談を交わし、大典は後にそれを『萍遇録《ひょうぐうろく》』と題して記録した。その冒頭、最初の出会いで、まず大典が成大中に尋ねたのは、「即今《そっこん》我が邦に使を通ず、亦たこれを中朝《ちゅうちょう》に聞《ぶん》するや否や」と、日本の情報を清朝に報告しているかどうかの懸念であった。筆談は、東アジア前近代の外交や政治状況を研究するうえでも重要な資料となる。

5 東アジア筆談の特異性と可能性

互いに言語の通じない両者が、向かい合って黙々と文字を書き、それを交換してそれぞれ異なる発音と方式で読む、そして何か面白い内容が書いてあれば、両者顔を見合わせてどっと笑う。高麗の使節とモンゴルの大臣の筆談では、羊をめぐる話題で「烘堂大笑《きょうどうたいしょう》」（みなでどっと大笑い）したとある。それは世界の他の地域には見られない東アジア独特の奇景であると言えよう。

最近、駅などで「筆談できます」という張り紙をしばしば目にする。中国人観光客が激増していることから、もしや中国人へのサービスかと一瞬思ったが、むろんこれは誤解で、言葉や耳が不自由な人のためで、いわば手話の代わりである。そういえば東アジアには「手談」という言葉もあるが、これは囲碁のことである。囲碁もかつて外交の舞台では重要な道具であったらしい。遣唐使の吉備真備《きびのまきび》の伝説を記す『吉備《きび》大臣《だいじん》入唐《にっとう》絵巻《えまき》』には吉備真備が唐の囲碁の名人を負かす話が見える。現在でも手談はもとより、筆談もその気になれば可能であろう。

07 中国とベトナムにおける書籍交流

陳 正宏（鵜浦 恵訳）

1 はじめに

ベトナムの北方は十世紀に至るまで長く中国の統治下にあり、文化面でも中国の痕跡を深く残している。十世紀以降ベトナムは次第に独立し、同時に南方に向かって開拓していったものの、朝鮮半島や琉球王国と同じようにその歴史の長い期間、中国の属国であり続けた。十三世紀より以前、漢字はベトナムで唯一の文字であった。十三世紀になると漢字の偏やつくりを借用し、そこに音符を加えて角ばった形に構成されたチュノム（字喃）が登場したが、音符といってもその基礎となっているのはやはり漢字である。さらにチュノムはベトナムの正式な文字としては一四〇〇～一四〇七年と一七八八～一八〇二年という短い二回の期間でしか使われておらず、それ以外の長い期間、ベトナムは漢字を正式な官用の文字としてきた。漢字は一九四〇年代にベトナム共産党により明文をもって正式にベトナムの歴史舞台から退出させられ、それに取って代わったのが、近代にフランス人宣教師がインドシナに進出した後に創り出したローマ字表記法であり、ベトナムで現在「国語《コックー》」と呼ばれているものである。このような状況があるために、中国とベトナムの漢籍交流の歴史は非常に長く、近代にチュノムで書かれた書籍の中にさえも、依然として中国の影が色濃く見られるのである。

2 下賜、購書と翻刻——中越書籍交流史の概観

ベトナムは南方に位置し、多湿な気候であるために、伝統的な文献の保存方法は主に石刻であり、その次が抄写である。したがって、紙の文献の主要な形式は拓本と写本となる。木版印刷による書籍は、ベトナムでは十三世紀以降中国の影響を受けてはじめて次第に発展していった。『大越史記全書《だいえつしきぜんしょ》』巻六の記載によれば、陳朝の英宗の興隆三年（一二九五）、中国元朝の使節である蕭太登《しょうたいとう》が

ベトナムを訪れ、内員外郎の陳克用と範討が陳英宗の命を受けて蕭太登に付き添い、「『大蔵経《だいぞうきょう》』一部を得、ベトナムにもどったのち天長府に留まり、複製本を刊行した」とある。一般にはこれがベトナムで漢籍を出版した始まりとされている。*1

東アジア漢字文化圏の一員として、冊封《さつほう》・朝貢《ちょうこう》体制に基づく中国とベトナム両国の書籍交流は、主に下賜、購書と翻刻という三種類の形式に分けられる。たとえば、上述のベトナムの漢籍出版の嚆矢《こうし》とされる『大蔵経』の話には、一つの書物の中に二つの形式が現れている。元朝の使節である蕭太登がもたらした贈答品の『大蔵経』は当然中国からの下賜品だが、ベトナムがこの本を天長府で複製本を出版したことは、明らかに翻刻に該当している。ただし当然のことではあるが、ベトナムにおける漢籍の大規模な翻刻は十五世紀まで待たなくてはならない。

購書については、その方法は多様である。中国の『明実《みんじつ》録《ろく》』には、天順元年（一四五七）安南国の使節黎文老《れいぶんろう》が明の英宗に以下のような上奏をしたという記述がある。

> 詩書は人心を淑《よ》くする所以《ゆえん》にして、薬石は人命を寿《ひさ》しくする所以なり。本国は古より以来、毎《つね》に中国の書籍、薬材を資《か》り、以て道義を明らかにし、以て寿域に躋《のぼ》る。今乞ふ旧習に循《したが》ひ、帯来せし土産の香味等の物を以て、其の無き所に易《かえ》へ、国に回りて資用せん。
>
> （詩書は人心を善良にするためのものであり、薬や治療は人の命を永らえさせるためのものであります。我が国は古より常に中国の書物や薬材をたのみとして、道義を明らかにし、長寿の境地へと入っていくことができました。今その旧習に従い、持参した特産の香料などでもって我々に足りないものと交換し、国に帰って役立てさせてください。）

ベトナムの使節が中国を訪れ、持参した特産品との交換を望んだものは、一つは長寿の漢方薬、そしてもう一つが人心を救う書物であった。しかもそれは「古より以来」の慣例であり、当時の漢籍のベトナムにおける伝播の規模は決して小さくなかったことがうかがえる。十八世紀の初頭にベトナム政府が漢籍購入を禁止する命令を下し、自国の出版業を推進しようとしたという言説もあるが、十九世紀前半ベトナムから北京への使節である汝《じょ》伯仕《はくし》が公表した、中国広東《かんとん》の書肆での数百種にものぼる書籍の購入表*2から、この禁令の効果は決して長くは続かなかったとわかるのである。さらにベトナム政府の公式な蔵書目録である『奎聚《けいじゅ》書院総目冊』や『古学院書籍守冊』などを通して、十九世紀末二十世紀初めにいたるまで、ベトナムの内廷では依然として、『三国志通俗演義』や『水滸伝』などの白話小説も含めた大量の漢籍を所有していることが見て取れる。

3　宋体と楷書
——ベトナム漢籍刊本に見る中国の面影

世界各地に現存するベトナムの漢籍刊本は、主に十八世紀初めから二十世紀前半の二百五十年間に作られたものである。出版の形態からそれらを分類すると、官刻本、寺院刻本、家刻本、坊刻本の四つに大きく分けられるが、この四種のベトナム漢籍刊本にはすべて中国刊本の面影が見られる。字体という点から見れば、西山《せいざん》朝から阮朝《げんちょう》の嗣徳《しとく》帝の治世まで（一七七八～一八八三年）のおよそ百年間は中国刊本の影響が最も顕著な時期であった。

　この時期のベトナム漢籍の字体は、中国古籍の十五世紀以降の状況とおおむね共通しており、大きく宋体（日本では明朝体と呼ばれる）と楷書の二つに分けられる。

　宋体の存在がはっきりと目立つようになったのは西山朝（一七七八～一八〇一年）からで、現存する西山朝に出版されたと確定できる書籍の正文の字体がすべて宋体であり、それまでの後黎朝《れいちょう》における版本が多く手書きのような柔らかい字体であるのとは明らかに異なっていることが、その証拠となっている。阮朝の初代皇帝嘉隆《かりゅう》帝の治世（一八〇二～一八一九年）になると、宋体は次第に正方形の字形に定型化されていった。しかし明命年間（一八二〇～一八四一年）から、ベトナム刊本の宋体の中に扁平な字体が出現するようになった。この扁平な宋体は紹治年間（一八四一～一八四七年）に至っても非常に流行しており、さらには嗣徳年間（一八四八～一八八三年）の一部の版本にも影響を及ぼした。しかし、嗣徳年間の宋体刊本の大多数はすでに嘉隆年間の正方形の字体に回帰しており、さらに嘉隆本に比べてその四角がより整ったものになっている。

　この百年間におけるベトナムの宋体を用いた版本は明らかに中国の影響を受けている好例であり、比較的早いものでは西山朝の寺院刻本『毗尼《びに》日用録』、最も典型的な例としては阮朝嘉隆年間の官刻本『皇越律例《こうえつりつれい》』が挙げられる。『毗尼日用録』は西山朝の景盛五年（一七九七）に後黎朝保泰九年（一七二八）の版本を翻刻したもので、その保泰本の底本となっているのは巻頭にある「毗尼日用録新刻叙」によると、中国の明代崇禎年間の版本である。本書の正文の字体はまさしく典型的な、中国明末の字体の特徴を若干含んだ宋体なのである。それに対して、嘉隆年間の『皇越律例』の内容は完全にベトナム独自のものではあるが、書を開けば明らかに中国清代康熙年間の版本における宋体を模倣した痕跡があり、また版式はすっきりとして、字体も美しい。一方、阮朝明命年間に始まり、嗣徳年間の前期まで使われ続けた扁平な宋体の版本については、たとえば明命十七年（一八三六）に刻された『欽定剿平両圻匪寇方略《きんていしょうへいりょうきひこうほうりゃく》』や、紹治六年（一八四六）に刻された『闕里合纂《けつりがっさん》』などがあるが、その形態は比較的複雑なようである。しかしその淵源をさかのぼれば、やはり明末の汲古閣本《きゅうこかくぼん》や清代前期の広東で出版された『広《かん》東新語《とんしんご》』などの書物の中に、その字体の特徴を見ることができるのである。

ベトナム漢籍刊本における楷書体の過程は、中国刊本における状況と同じように、一概に論じることはできない。ただし、注目すべき例として嗣徳十五年（一八六二）の官刻本『和約書』が挙げられる。本書の字体は非常に精緻で美しい楷書体であり、字形は整然として、やや四角い。この精緻な楷書体は、実際の政治において政府が署名する公式文書の字体に対する模倣であり、そしてこのような字体の由来は、中国の清朝内府にある。よく知られているように、嗣徳十五年にベトナムとフランス、スペインの双方が署名したこの『和約書』（すなわち第一次サイゴン条約）は、当時の宗主国である清朝に対して秘匿されたものである。しかし、公式の場で用いられた本書が使っている文字はすべて漢字であり、しかもその漢字の字体は、やはり同時期の中国の公式文書と非常に関連性のある特殊な字体なのである。これは非常に興味深いことではないだろうか。

4　代刻本・商業出版書
——十九世紀の中越書籍交流の特殊な側面

いわゆる「代刻本」とは、伝統的な東アジアの漢籍の中で、ある国家の作者あるいは編纂者が、他の国家の出版関係者や機関に委託して出版された書物のことである。

たとえば、十九世紀の中頃広州で開業した仏山の書肆拾芥園は、かつてベトナムの訪中使節である鄧輝熺のために、『東南尽美録』『柏悦集』『鄧黄中詩鈔』『四十八孝詩画全集』『辞受要規』などを出版したことがある。このような版本がすなわち典型的な中国代刻本である。文献及び現存する実物から見れば、これらのベトナムの漢籍における中国代刻本の版木はすべて中国の書肆が彫ったものであるが、印刷された本は中国の紙で刷ったものとベトナムの紙で刷ったものの二種類に分かれている。これは書物が中国で版木に彫られ印刷されたのち、版木が注文者によってベトナムに運ばれ、再びベトナムの紙を用いて印刷されたことによるものである。

代刻本の他に、中越書籍交流史には興味深いことに中国広東で出版され、ベトナムだけに向けて販売された大量の商業出版書がある。これらの書物の多くは純粋な漢文による古典籍ではなく、チュノムで書かれているか、あるいはチュノムを主とした漢喃対照のものであり、テキストのほとんどは通俗的な説唱文学である。刊行された年代は清の同治十三年から光緒二十五年の間(一八七四~一八九九)に集中していて、その制作出版地はすべて広東仏山の書肆であり、とくに盛南桟、天宝楼、字林書局、宝華閣の四軒に集中している。一方販売業者はすべてベトナムのサイゴンの華僑が集まり住む地域であるチョロン(提岸)に位置し、その中でも広東街の広盛南号はそのほとんどの部分を引き受けていた。その最も顕著な証明となっているのは、日本の東洋文庫蔵『小山后演歌』巻末の刊記において、「中国粤東仏鎮宝華閣蔵版/安南提岸広盛南発兌《はつだ》」と明確に記されていることである。

さて、広東で出版され、ベトナムにのみ売り出された書物の中には、純粋な漢文の書籍もあるが、その中でも三巻本の『大南寔録正編《だいなんじつろく》』は注目に値するものである。本書には同じ版木で刷られた二つの版本があり、それぞれフランスの国家図書館と日本の東洋文庫が所蔵している。後者のものを前者と比較した際、最も大きな違いは、封面の余白に「歳在癸酉新鐫《しんせん》」という文字がなく、書名が書かれている匡郭《きょうかく》の中に縦三行で刻されている文章のうち「粤東仏鎮福禄大街金玉楼蔵板」という左側の一行が「粤東仏鎮福禄大街宝華閣蔵板」と改められていることである。しかし序文及び本文の版心の下方には「金玉楼蔵板」の字句がそのまま留められており、ここから改めて字体を照らし合わせてみると、これは仏山の書肆宝華閣が、同じ地域にある金玉楼が同治十二年（一八七三）に刻した版木を手に入れたことによる後印本だと判定できる。この宝華閣の後印本の封面には、やはり「一在提岸広盛南発兌」の字句がある。上述のように提岸とはサイゴンの華僑居住区だが、ここから外国向けの商業出版という点で、晩清の広東における書肆の間や、広東の書肆とベトナムの販売業者との間には、非常に複雑かつ相互に協力的な国際関係が存在していたのではないかと推測できるのである。

注

1　ベトナムの研究者の中にはこの資料はすべて信頼できるものではないと考えているものもおり、ベトナムで漢籍を出版するようになったのはもっと後の時代の可能性もある。

2　陳益源『清代越南使節在中国的購書経験』所収、同氏著「越南漢籍文献述論」（北京：中華書局、二〇一一年）に詳しい。

08 中国と朝鮮の書籍交流

張 伯偉（金 文京訳）

1 初期の書籍交流と仏教

中国と朝鮮半島との書籍交流の歴史は長い。明の朱権（一三七八～一四四八年、寧献王、涵虚子）の『天運紹統《てんうんしょうとう》』が引用する『周史』によると、周の武王が殷の箕子《きし》を朝鮮に封じた時、「半万（五千）の殷人が遼水《りょうすい》を渡り」、朝鮮に行き、それに伴い中国の詩書礼楽が朝鮮に伝わったとする。この見解は朝鮮王朝時代、非常に流行し、しばしば引用された。『増補文献備考』の「芸文考・歴代書籍」では、まず右の箕子による中国文物の東伝について述べているが、これはあまりにも古い時代のことで、伝説とみなすほかはない。

古い時代のわずかな史料の中から、早い時期の書籍交流の痕跡を見出すことは、むろん可能であろうが、しかし明確な記述が現れるのは、高句麗、百済、新羅の三国時代になってからである。最初の交流は、すべて仏教に関連している。たとえば『三国史記』によれば、高句麗の小獣林王《しょうじゅうりんおう》の二年（三七二）、前秦の苻堅《ふけん》が順道法師および使臣を派遣して、仏像と仏典を送った。慧皎《えこう》『高僧伝』の記載では、関中《かんちゅう》の僧、曇始《どんし》が、晋の孝武帝の太元末年（三八六）に、仏教の経典、律典数十部を高句麗にもたらした（巻十「釈曇始」）。仏教はその後、百済、新羅にも伝わり、これ以後は史料も増え、書籍の内容も豊富となり、枚挙にたえないほどである。

なお仏典はむろん中国から朝鮮半島に伝わったが、後に朝鮮で仏教が盛んになると、朝鮮での著作が中国に影響をあたえる例も出てきた。たとえば新羅の名僧、元暁《がんぎょう》（六一七～六八六年）の『起信論疏』、『華厳経疏』などは、海東疏《かいとうそ》と呼ばれ、中国でも重視された。また高麗の文宗の王子、義天《ぎてん》（大覚国師、一〇五五～一一〇一年）は、宋から多くの仏典をもたらすと共に、帰国後、中国で失われた文献を宋に送り、後に宋、遼、日本から仏教書籍を取り寄せ、「高麗続蔵経」を刊行、『新編諸宗教蔵総録』を編纂した。

2　賜書と購書

書籍の交流が正式に始まるのは、高麗以後であり、その方式には、中国から高麗への賜書、高麗側の購書、献書、また刻書、贈書などがある。賜書とは中国の皇帝が書籍を下賜することで、歴代の賜書の中では、特に元が高麗にあたえた書物がもっとも貴重であった。金宗瑞《きんそうずい》の『高麗史節要』では、忠粛王元年（一三一四）七月の条に、「元は遣使して、王に書籍四千三百七十一冊を賜う」とあるが、『海東繹史《かいとうえきし》』では、さらにその下に「共計一万七千巻、みな宋の秘閣の所蔵」とある。

購書については、統一新羅時代、唐への留学生に対し、国王が「買書銀」をあたえたという記録がある。高麗時代の書籍貿易は、中国の商人による場合もあれば、また中国に赴いた高麗の使節が買って帰ることもあった。朝鮮王朝時代になると、中国の明、清との間で辺境貿易も行われたが、書籍はもっぱら北京に赴いた使節によって購入された。使節による購書は、しばしば王命によるものであった。たとえば『朝鮮王朝実録・燕山君日記』十二年（一五〇六）四月十三日に、「伝（王命）に曰く、剪灯新話《せんとうしんわ》、剪灯余話《せんとうよわ》、效顰集《こうびんしゅう》、嬌紅記《きょうこうき》、西廂記《せいそうき》等を、謝恩使をして貿《あがな》い来たらしめよと」、また『正祖実録』五年（一七八一）六月二十九日の記載に、「首先《まず》、『図書集成』五千余巻を燕肆《えんし》（北京の書店）で購入し、……また唐宋の故事に仿《なら》い、『訪書録』二巻を撰し、内閣諸臣をして購貿せしむ」とある。また個人の興味から、北京の本屋街である琉璃廠《るりしょう》で「淘書《とうしょ》」（本を漁る）することは、多くの使節たちの楽しみのひとつであった。その場合、一部の不法商人が朝鮮使節の購書熱につけこんで、書物を変えたり、値段を釣り上げることもしばしばあった。一七九三年に冬至兼謝恩副使として北京に行った李在学（一七四五～一八〇六年）は、「東人に相対して愚弄すること甚だしく、鑞鈴《ろうれい》と燔佩《ぼんぱい》（錫と鉛の合金で作った鈴と人工の佩玉、役に立たないまがい物の喩え）価なお高し」（『館中雑詠』）と、憤懣を述べている。これとは逆に、琉璃廠の本屋、五柳居《ごりゅうきょ》の主人、陶正祥《とうせいしょう》は、誠実な商売で、朝鮮使節の信用を得た。五柳居は乾隆、嘉慶年間、中国と朝鮮の文人が交流するサロンの役割を果たした（柳得恭『燕台再遊録』等）。

3　朝鮮から中国への還流と紹介

献書には、高麗時代、中国で志を得られない者が高麗に行き、国王に書物を献上した例が知られる。『高麗史』「成宗世家」二年（九八三）五月には、宋の博士、任老成が図書を献上したと見える。また『顕宗世家』十八年（一〇二七）八月には、「宋の江南の人、李文通来りて書冊凡そ五百九十七巻を献ず」とある。しかし中国書は貴重で数も少ないため、それを翻刻した高麗本、朝鮮本が現れた。都以外でも各地で書物が刊行され、そのため中国の書籍が保存され、広く流通するようになった。

またその結果、中国では散逸し、朝鮮にのみ残った書籍も少なくない。『高麗史』「宣宗世家」八年（一〇九一）六月丙午《ひのえうま》の条に、北宋の哲宗が高麗に『尚書』、荀爽《じゅんそう》注『周易』などの書物一百二十八種を求めたという記事がある。哲宗が求めた書物はすべて中国の書籍であり、これは高麗から中国への書籍の回流である。また朝鮮人の著作を求めた例もある。朝鮮王朝時代の『通文館志』によれば、粛宗四年（一六七八）、清朝の使節が、「東国の文籍を観んことを求め、石洲（権韠《けんひつ》）、挹翠《ゆうすい》（朴誾《ぼくぎん》）、荷谷（許《きょ》篈《ほう》）、玉峰（白光勲）、蘭雪（許篈の妹、蘭雪軒）、圃隠《ほいん》（鄭《てい》夢周《ぼうしゅう》）等の集を齎《も》ち去る」とある。これらの作者は明代の人物であるため、忌諱に触れることがなかったが、清代になると、朝鮮の文人は著作の中で、明の最後の年号、崇禎《すうてい》を用い、また満州族の清に対して不敬、もしくは罵倒することがあったので、この時期の朝鮮の文集は中国に直接伝わることは稀であった。なお近年、韓国では明代末期の白話小説『型世言《けいせいげん》』（ソウル大学奎章閣）、元末の法律書『至正条格《しせいじょうかく》』（韓国学中央研究院）など、中国ですでに散逸した書物が発見されている。

明清時代に朝鮮人の著作や作品が、もし中国で刊行、もしくは総集に収録されることがあれば、それは朝鮮にとって誇るべきことであった。全体的に見ると、中国の総集に採られた朝鮮人の作品には女性のものが多かった。その中には偽作もあったが、それでも朝鮮人の自尊心を満足させるには十分であったろう。たとえば金林碧堂（一四九二〜一五四九年）の三篇の詩が銭謙益《せんけんえき》の『列朝詩集』に入っており、その子孫が二百年後に、それまで知らなかった先祖の詩を読んで感激したというが、しかしそれは銭謙益（または柳如是）が誤って別人の作品を金氏の名のもとに収めたもので、〃美しい誤解〃というべきであろう。

　そのほか、徐敬徳《じょけいとく》（一四八九～一五四六年）の『花潭集《かたんしゅう》』が『四庫全書』「別集類存目」に入ったことについて、徐浩修（一七三六～一七九九年）の『燕行記』は、『四庫全書』の総纂官をつとめた紀昀《きいん》（一七二四～一八〇五年）の言葉として、「外国の詩文集の『四庫』に編せらるは、千載一人のみ」と述べている。非常な栄誉と言ってよいであろう。当時、民間においては、両国の文人の間で互いに書籍を贈りあうことも、よく見られる交流方式であった。

4　〝漢文化圏〟の書籍〝環流〟

　中国と朝鮮の書籍交流は、その性格から見れば、政治や外交、宗教信仰、また商業貿易にも関わるが、より多くは文化の相互作用に属している。中国の書籍が朝鮮に伝わると、朝鮮の知識人の注意深い読解を経て、さらに自身の趣味や理解、立場と結びつき、選注や評釈が加えられ、徐々に朝鮮人の思想構造の中に取り込まれ、その精神世界の有機的組み合わせの一部となった。同じく〝漢文化圏〟に属する中国、日本、ベトナムと比べて、それは同じ中にも異なる点があるとともに、また異なる中にも同じ点がある。それについては、もとより伝統的な文献学の視点から、書籍流伝の時間、地点、経路、人物などについて詳細な研究がなされねばならない。しかし書籍が文化の媒体であることに鑑みるならば、さらに欧米の書籍史研究の角度から、書籍の選択、閲読、授受および生産の結果について分析をしなければならないだろう。

　また〝漢文化圏〟の書籍流伝は、決して一方通行のものではなく、多方向へ広がるもので、筆者はこれを〝環流〟と呼んでいる。東アジアの書籍交流史における〝環流〟による伝播は普遍的な現象であり、このような視点から書籍の交流を考えれば、同じ文献が異なる言語環境において、異なる理解を生み出していることも見えてくるであろう。そしてそこからは〝漢文化圏〟内部の統一性と多様性も、また認識されるはずである。これこそが書籍交流の背後にある意義であろう。

09 東アジアの書物交流

高橋 智

1 蔵書家銭曽の驚き

この話は、徳富蘇峰《とくとみそほう》が『読書法』という本のなかで述べていることであり、かねてより有名な事例で、知る方も多いと思われるが、備忘のために、少しく整理して、書物交流史の研究に資したいと思う。

事の発端は、清初の蔵書家銭曽《せんそう》（一六二九～一七〇一年）が手に入れた『論語』何晏《かあん》の集解本に始まる。銭曽は同族の銭謙益《せんけんえき》（一五八二～一六六四年）から蔵書を受け継ぎ、蔵書楼を述古堂と名付け、自らも稀代の善本を蒐集した。その蔵書目録の一つは、『読書敏求記《びんきゅうき》』として草されたが、秘して人には示さなかったという。時の学者朱彝尊《しゅいそん》（一六二九～一七〇九年）は、一計を案じ、主催する大宴会に銭曽を招き、その留守の間に銭曽の書庫番を丸め込み、書写者を送り込み、件の書を出させて、あっという間に副本を書写せしめたという逸話がある。それによって本書も流布することとなったというが、この書目には、いわゆる刊・写の別や刊写年などは記されていないものが多いので、ここに載せられているほとんどのテキストの実体はよくわからない。しかし、銭曽が所持していたことから、宋版やまたはそれに準じるものであると考えられていた。その没後には、季振宜《きしんぎ》（一六三〇～?年）に移ったものもあるが、大部分は散じたとみられる。後の大蔵書家、黄丕烈《こうひれつ》（一七六三～一八二五年）も、『読書敏求記』所載本を再び集めるのだと豪語していたとされるほどであるから、その質の高さは、推して知るべしということであろう。

その、銭曽は、清順治十一年（一六五四）、二十六歳の時に大枚をもって、高麗（朝鮮）の写本である『論語何晏集解』を入手した。そしてその感動を『読書敏求記』に記した。それは、主にこういうことである。かねてより、例えば、『論語』公冶長《こうやちょう》篇の「夫子之言性与天道不可得而聞也」（夫子の性と天道とを言うは、得て聞くべからざるなり）という近本で見る一節と、『漢書』列伝四十五の賛に引くこの文が「夫子之言性与天道不可得而聞已矣」となっているのを比べて、末尾の助字の違いが気になっていた。「已矣」という語があってはじめて、弟子の孔子に対する戸惑いの気持ちを表現することができるとし、これが古い『論語』の形であったろうと考えていたが、これを実証する資料がなかった。ところが、この高麗写本は、『漢書』の引用と全く同じく「已矣」二字を備えていたのである。これこそが古本『論語』の姿であると、年来の疑問を解いたのであった。それだけではなかった。この写本の字様は六朝《りくちょう》ないしは唐初の風を遺していると感じ、このテキストの源流の古さを指摘したのである。

　銭曾がなぜこれを高麗写本としたのか。本書は、先祖がかつて親しくしていた蕭応宮《しょうおうきゅう》なる人物の子孫から入手したもので、蕭氏はかつて朝鮮に出兵し、その際に持ち帰ったものだとしていたからである。朝鮮から購得したものなれば、朝鮮写本とするのは、当然といえば当然であった。

　けれども、どうしても腑に落ちないものがあった。それは本書の末尾にある刊記「正平甲辰《しょうへいこうしん》」の年号であった。朝鮮のいつ頃の年号なのか、後考を俟《ま》つと記している。

　銭曾の没後、果たして本書は、転々、黄丕烈の手に帰した。それが嘉慶己卯《きぼう》二十四年（一八一九）の頃であるから、黄氏晩年のことであった。これも重價をもって購入したというから、銭氏以後も、よほど重視されていたものと思われる。黄氏は「正平」が日本の年号であることを突き止め、本書が日本の写本であることを明らかにした。これは『蕘圃蔵書題識《じょうほぞうしょだいしき》』に載せられている。そもそも、日本から朝鮮に渡ったものであることが判明したのである。それにしても、日本の古写本文化の事情も全く不明であった清の時代に、いち早くその価値を見極めた中国の蔵書家の炯眼には驚かされる思いである。

2　正平版論語

　ところで、「正平」の年号のある『論語』といえば、正平版『論語』ということである。正平甲辰すなわち十九年、一三六四年、南朝の年号の南北朝時代のちょうど真ん中あたりの頃である。堺の道祐《どうゆう》居士が出版した何晏の『論語集解』、つまり『論語』のわが国最初の出版とされる。その後、このテキストは、かなり流布したが、古写本や古活字版の流行があってか、特に強調されることもなく、江戸時代中期、吉田篁墩《よしだこうとん》（一七四五～一七九八年）が『活版経籍考《かつばんけいせきこう》』で注目したことが最初の研究といわれる。従って、これを影写（転写）した古写本とはいえ、正平版『論語』の特異な価値を指摘したのは、銭曽が最も早いという、これも不思議な交流の一面といえよう。これらの詳細は、川瀬一馬氏『正平版論語攷』（「斯文」13-9、一九三一年所収）に述べられている。

この正平版『論語』の基づくテキストはといえば、武内義雄氏が『論語之研究』で言及されるごとく、校勘による考証から、清原博士家の家本であろうとされている。『論語』のテキストは古く王仁《わに》博士が百済《くだら》から将来して受容したが、その後の流伝は全く知られず、ようやく鎌倉時代になって明経《みょうぎょう》博士の、中原・清原二家の古写本が現れるに至った。とはいえ、鎌倉時代の古写本は寥々たる伝存で、その古態を伝えるものは、少しく降って、鎌倉時代末期から南北朝時代にかけての写本であるといっても過言ではない。すなわち一三〇〇年代前半の古写本であるが、これらは、一四〇〇年代以降の室町時代写本とは一線を画する風格を持ち、書写字体の古樸さもさることながら、文末の助字が多いことは大きな特徴とするべきで、また、こうした影響下、この時代の写本を基にした正平版に助字がすこぶる多いのは頷かれる結果ともいえる。室町時代の古写本群は、これらをほぼ一掃して、助字を最小限にとどめている。さらに、この正平版の出現後、古写本との間で、相互に影響し合う状況が生まれてくるのである。

さて、正平十九年に初めて出された正平版は、おそらく、南北朝時代の終息する応永年間（十五世紀初頭）頃、版木が滅んだか、全巻を覆刻した第二版が生まれた。その後、流布は続き、応仁・文明年間（十五世紀後半）頃、再び全巻が覆刻され、第三版が登場する。また、明応八年（一四九九）に大内家臣・杉武道《すぎぶどう》が覆刻したものも存する。こうして四種類の版が出現して、正平版は、実に南北朝時代から室町時代にかけて命脈をたもってきたのであった。

この間、日本はまだ写本文化全盛の時代であったから、この時代に読まれた『論語』の現存するテキストのほとんどは、古写本であった。その、現存、百点に余る『論語集解』古写本の詳細を見ると、その約三分の一が、この正平版『論語』を写し取ったものであることがわかっている。そしてそれら写し取ったものの書写年代を推定すると、室町時代中期（永正年間は降らない）のものと思われ、さらに推して察するに、第二版に拠って写し取ったものがほとんどであるようだ。

銭曽が手に入れた、古写本『論語集解』は、この影鈔（写し取った）正平版『論語集解』の一群に属するものであることは、こうした状況から明らかなことである。もし、印本正平版を手に入れていたならば、その驚きはいかほどのものであったかは、想像に難くない。印刷本にとりわけ思い入れのある中国の蔵書家たちであってみれば、一三六四年は、すでに元末の時代であり、中国の印刷文化からすれば、第一級から第二級に降る寸前の時代といえるのであるが、『論語集解』のこれをさかのぼる古版が見いだされていない当時、たとえ影鈔本であっても、珍重するその思いはよく理解できる。

3 『論語』黄丕烈から陸心源、再び日本へ

では、いかなる状況で、この古写本が朝鮮に渡ったのであろうか。想像の域を出ないが、本書に加えられた返り点などの訓読書き入れは、室町時代の学僧のものと思しく、然るべき寺院などの所蔵にかかるものであったに違いない。こうした室町時代の古写本が中国に渡るのは、楊守敬《ようしゅけい》（一八三九～一九一五年）らの時代がその全盛期であって、それ以前の大陸流入の状況については、詳らかにしない。原所蔵の蕭応宮は、文禄・慶長の役に明軍の将官として渡鮮したということであるから、豊臣方に、こうしたものを日本から所持して渡鮮する者が、あるいはあったのであろうか。

さて、その影鈔本『論語集解』は、その後、黄丕烈の手から、再び散じて、清時代後期を迎え、今度は、黄丕烈の旧蔵本を金科玉条として蒐集にあい競う時代となった。黄氏がとりわけ珍重して題跋を記したもの、いわゆる黄跋本の所蔵の数を競う大蔵書家たち。その一人、帰安の陸心源《りくしんげん》（一八三四～一八九四年）が、これを手に入れて、陸氏の蔵書楼の一、皕宋楼《ひょくそうろう》に加えたのであった。皕宋楼はその字のごとく、宋版二百種をうたうもので、正平版は、宋版にも匹敵するものと定めたのであった。

言うまでもなく、陸氏の皕宋楼は、他の十万巻楼、守先閣とともに岩崎男爵の購得するところとなり、明治四十

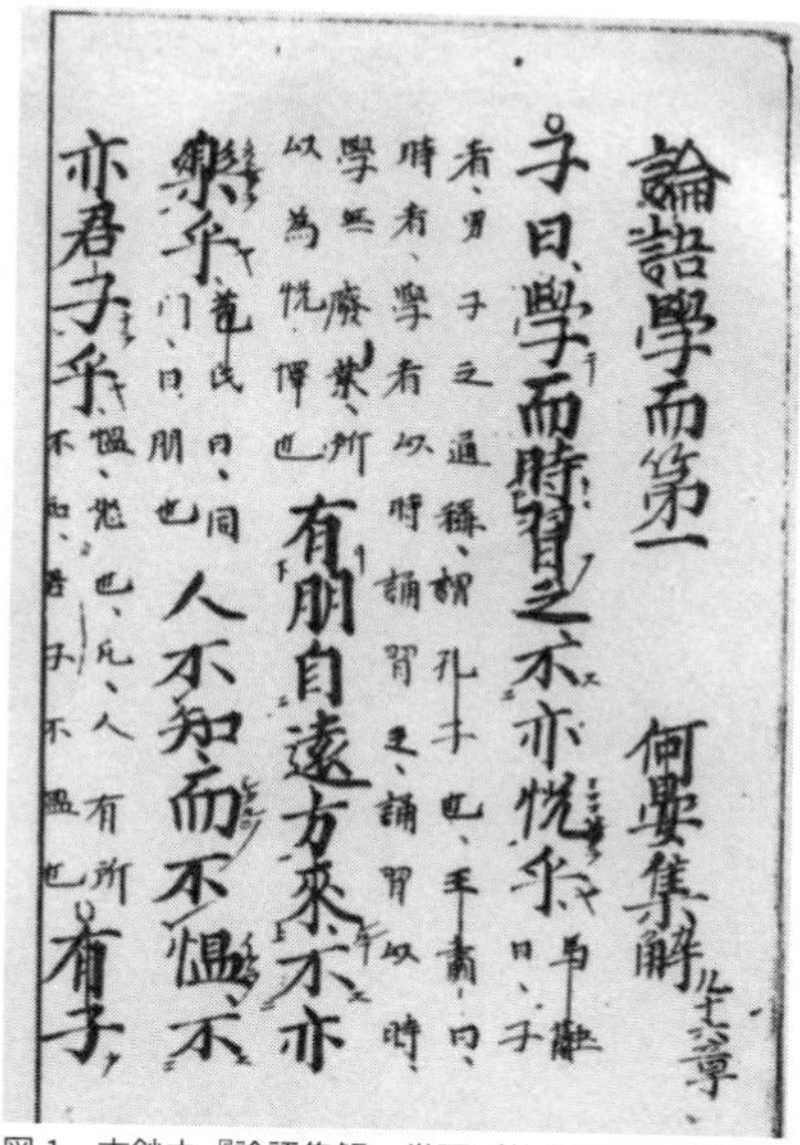
論語學而第一　何晏集解
子曰學而時習之不亦悦乎
有朋自遠方來不亦樂乎
人不知而不慍不亦君子乎

図1　古鈔本『論語集解』巻頭（静嘉堂文庫蔵）

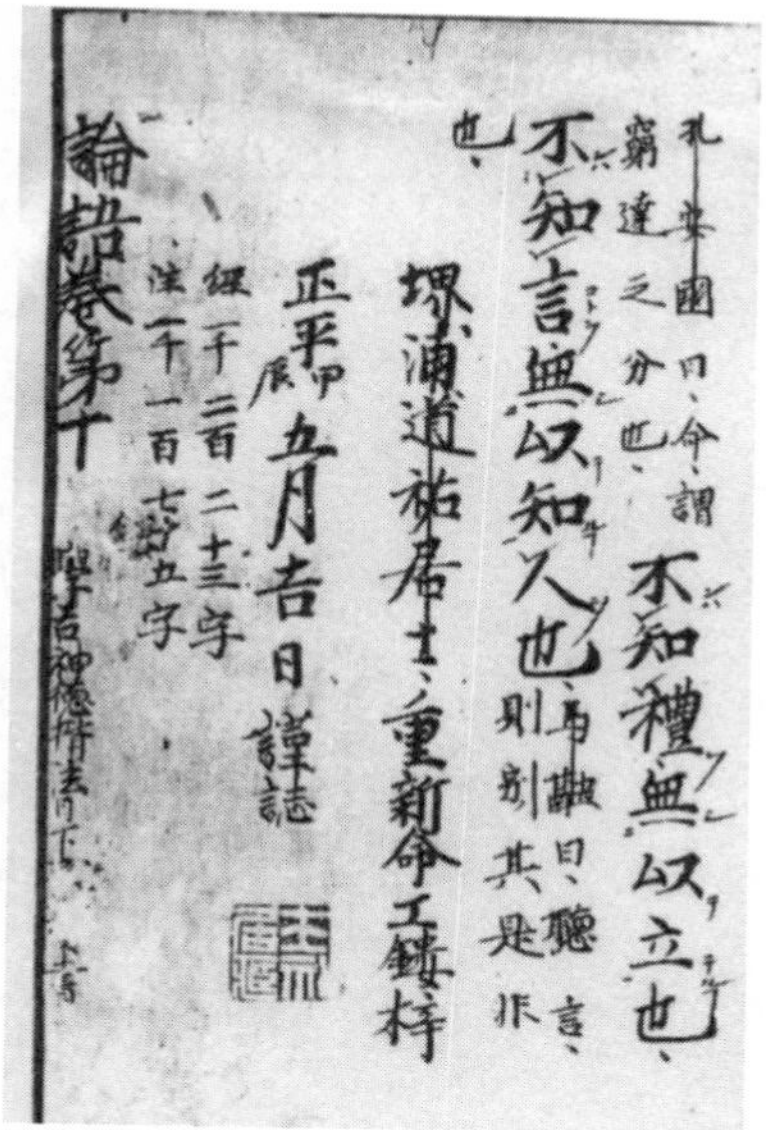
不知禮無以立也
不知言無以知人也
堺浦道祐居士重新命工鏤梓
正平甲辰五月吉日謹誌
論語巻第十

図2　同　巻末

年、一九〇七年、清国から船載され、横浜港に陸揚げされたのであった。ここに銭曽旧蔵の影鈔正平版『論語集解』は、陸氏の蔵書として、岩崎氏静嘉堂文庫に居を定めることとなったのである【図1・2】。正平版にさかのぼれば、十四世紀末に誕生して、その姿を写本に変えて、幾多の読書家の訓読を経て、遠く大陸、朝鮮に渡り、中国の名だたる蔵書家を転々としながらも、再び日本に帰ることとなった、五百年、写本としては四百年とも思える大旅行を成し遂げたということになるのであろう。

こうした実例を一つ一つ探り、明らかにしていくと、数限りない例が見いだされることと思われる。東アジアの書物交流は、書物の誕生からその終焉に至るまで、我々の想像も及ばぬ大きなうねりのなかで動いているものなのかもしれない。

10 日本と朝鮮の書籍交流

藤本幸夫

1 はじめに

日本は古代から中国・朝鮮の文化的影響を深く受けてきた。書籍文化もその内の大きな一分野である。朝鮮も中国の影響を日本以上に深く受け、中国書を多く受容したが、それを基に自国の文化を発展させた。日本と朝鮮の書籍交流を検しても、日本からの書籍が朝鮮に影響を与えたことはほとんどないと言っても過言ではなく、朝鮮から日本への一方的な流入といっても良い。筆者の知るところでは、五山版『詩人玉屑《しじんぎょくせつ》』、江戸刊『新鐫詳解《しんせんしょうかい》丘瓊山故事成語必読成語考《きゅうけいざんこじせいごひつどくせいごこう》』が朝鮮本の藍本《らんぽん》になっているに過ぎない。また江戸時代朝鮮通信使によって、新井《あらい》白石《はくせき》・伊藤仁斎《いとうじんさい》・荻生徂徠《おぎゅうそらい》等の書が持ち帰られて読まれている。

2 奈良時代以前

すでに応仁朝には王仁《わに》博士が百済《くだら》から『論語』『千字文』を伝えたというが、『千字文』の成立がそれよりも後であるので矛盾するが、それほど古くからと強調するのであろう。仏教は百済から五五二年（あるいは五三八年）に伝えられたが、建築・彫刻・鋳造・絵画・製紙・製墨技術等と共に、当然佛典も伝えられた。高句麗・百済・新羅《しらぎ》から僧侶と共に仏典も来、当時の船載経典については漢手・百済手・新羅手などとの出自の記載もある。日本には奈良朝以前の仏典も伝存するが、確実な証拠のあるものを除いては、中国・朝鮮・日本、いずれの写本であるのか、その識別は困難であった。しかし近年に至って、新羅写経であることを識別しうる、確固とした根拠が出現した。

新羅にはかって『三代目』という日本の『万葉集』に相当する歌集があり、漢字を実詞《じっし》、また漢字の音・訓を利用して虚辞《きょじ》を表記する、ちょうど万葉仮名と同じ用法（郷札《ヒャンチャル》という）で歌謡（郷歌）を表記した。万葉仮名的漢字の利用法は、古代朝鮮から日本に伝えられたとも考えられる。そしてこの方法は高句麗・百済にも存在したであろう。二〇〇〇年に小林芳規博士等によって、高麗時代の初彫『大蔵経《だいぞうきょう》』に角筆《かくひつ》で書き込まれた日本のヲコト点とほぼ同じものが発見され、また同時代の他の文献から墨書の万葉仮名的表記も確認された。そこで小林博士が東大寺図書館所蔵『大方広仏華厳経《だいほうこうぶつけごんきょう》』巻十二～二十を再調査されたところ、本文の傍に角筆による送り仮名（吐《ト》）が確認された。例えば所有格「の」の「匕」（叱字の略）、処格「に、で」の「良」の草書体字等々である。これらの用法は朝鮮特有のものである。また小林博士は大谷大学所蔵断簡『判比量論』にも角筆「吐」の存在を嘗て指摘されたが、近年それは確認された。東大寺図書館所蔵本の僚巻である正倉院所蔵『大方広仏華厳経』巻七十二至八十については山本信吉氏が、大谷大学所蔵断簡『判比量論』については宮崎健司氏が、すでに新羅写経である可能性を論じておられた。『大方広仏華厳経』については新羅「吐」のあること、『判比量論』については大谷大学以外にある他の断簡にやはり新羅「吐」のあることから、いずれも新羅経であることが確認される。このように書き入れによる国籍識別という新たな方法が出現した。今後他の古写経を綿密に検討すれば、新羅経が出現することにもなろう。

新羅経については来日新羅僧や奈良時代日本の新羅留学僧が齎したに違いないが、八世紀前半に活躍した僧審《しん》祥《じょう》は、新羅に留学して当時盛んであった華厳経を学び、帰国時に仏典百七十部六百四十五巻をもたらしている。その中に『判比量論』が著録されており、小林博士はこれが大谷大学所蔵のものかとされる。

3　平安―室町時代

平安・鎌倉時代にも高麗（九一八～一三九二年）との交流があり、書籍が伝えられたに違いないが、記録上は確認できない。しかし室町時代になると、書籍の伝来が確認される。その中心は『大蔵経』である。九九三年の契丹侵入時仏力による退散を願って初彫『大蔵経』（一〇八七年）が刻され、その版木が一二三二年蒙古の侵略で焼滅するや、同様の契機で再彫『大蔵経』（一二五一年）が再度刻された。高麗時代には仏教は国家の庇護を受けて甚だ盛んであったが、朝鮮朝（一三九二～一九一〇年）では重んじられなかった。民間では仏教は盛んで仏書も多く出版されたが、国家的な事業となる『大蔵経』の印刷は朝鮮朝初期には行われたが、その後為されなかったため、現在本国には両『大蔵経』は残本しか伝わらない。日本は足利幕府・天竜寺等の大寺院・大内氏等の豪族が僧侶を使節として送り、それらの求請によって四十~五十蔵(セット)ももたらされたというが、再彫本のほぼ完本は増上寺及び金剛峰寺の二蔵、その他に残本が処々に伝わる(馬場久幸『日韓交流と高麗大蔵経』法蔵館、二〇一六年)。近年南禅寺所蔵『大蔵経』の調査報告書『初彫大蔵経』(韓国高麗大蔵経研究所、二〇一四年)によれば、南禅寺所蔵『大蔵経』は中国『大蔵経』諸版等との混成で、その内初彫本は一千八百二十六巻一千七百十二冊を存するが、韓国には二百二十余冊しか存しないと云う。これら日本伝存高麗『大蔵経』は、江戸初期の宗存版『大蔵経』の底本となり、また明治・大正の二度にわたる日本の『大蔵経』の底本にもなった。さらに個別の単行仏典の底本としても利用された。日本の使節は『大蔵経』以外にも、個別仏典や外典も要請して与えられている。伝存はあまりないが、大内義隆《おおうちよしたか》の「日本/国王/之印」「大宰/大貳」印のある、東洋文庫所蔵『三綱行実図《さんこうぎょうじつず》』等が知られる。

4 豊臣秀吉朝鮮侵略時(一五九二~一五九七年)鹵獲本

秀吉による朝鮮侵略は朝鮮に大惨禍をもたらしたが、その際日本軍は多量の朝鮮本を鹵獲《ろかく》してきた。すでに朝鮮本に接していた日本の公家・医師・僧侶等知識人の要請、また武将に同行した医師・僧侶等の慫慂《しょうよう》もあったためと思われる。交戦中、中国本や和書に比べて格段に重い朝鮮本に護衛をつけて後送するのは、大変な負担であるが、それを上回る強い要請があったに違いない。武将の誰が何書を持ち帰ったかは、充分明らかではない。西国大名の所有本は関ヶ原で敗れた後、徳川家康に没収された。民間に流出した朝鮮本は書肆《しょし》で売買もされていた。現在書陵部・内閣文庫等を始として、全国の図書館・文庫等にほぼ完全に保存されている。朝鮮では王朝の図書館や多くの地方官衙《かんが》は焼失したが、終戦後個人宅には相当残っていたと思われる。しかしそれらは戦後使用されたため、喪失や破損によって伝わらない。今日韓国の図書館等に伝わるのは、零本・残本が多く、却って日本に完本を見ることができる。

それらの書籍は思想・歴史・兵書・医書・本草・数学・法帖・小説・仏書・詩文集等、各分野にわたっている。ハングルは十五世紀半頃に作られていたが、ハングルだけの書籍は十五・十六世紀にはなく、漢文の対訳書があるのみだった。朝鮮前期には朝鮮人撰著より中国書の朝鮮版が多く、また当時朝鮮は朱子学一色であったので、朱子学関係が多い。例えば『性理大全《せいりたいぜん》』『近思録』『朱子大全』『朱子語類』『漢書』『資治通鑑綱目《しじつがんこうもく》』『海東諸国紀』『大明律《だいみんりつ》』『孫子』『呉子』『東医宝鑑』『外科精要』『算学啓蒙』『千字文』『剪灯《せんとう》新話句解』『碧巌録《へきがんろく》』『法蓮華経』『楚辞』『山谷詩集註』『白氏文集《はくしもんじゅう》』など種々である。

ところで江戸幕府官学として朱子学が採用されたが、その契機は朝鮮からの朱子学書の多量流入や捕虜となった巨儒退渓李滉《たいけいりこう》（一五〇一～一五七〇年）の弟子姜沆《きょうこう》と藤《ふじ》原《わら》惺窩《せいか》・林羅山《はやしらざん》との交流に負うところが大きい。惺窩・羅山共に朝鮮本を愛読したが、特に羅山は多くの朝鮮本を所有し、それらの巻末に羅山が精読した旨の識語のある書が、現在も内閣文庫に伝わっている。中国朱子学はもとより、退渓の主唱する朱子学が朝鮮本を通じて学ばれた。羅山は退渓を重んじたが、退渓の編著である『退渓先生文集』は大部であるため刊行されず鈔写された。『古鏡重磨法』『聖学十図』『朱子書節要』『自省録』等は、幾度も和刻として出版を重ねた。また山崎闇斎《やまざきあんさい》は退渓を尊崇し、その学派の崎門学派では退渓を重んじて明治に至った。『剪灯新話句解』は浅井了意《あさいりょうい》に影響を与えて『伽《おとぎ》婢子《ぼうこ》』を生み出した。その他にすでに三木栄博士『朝鮮医書誌』（学術図書刊行会、一九七三年）において指摘されているように、朝鮮本に基づく医書の出版も多い。ただ中国人の撰書の場合、中国本に拠ったのか、それとも朝鮮翻刻本に拠ったのかの判別が甚だ困難である。特に版式や字体を変えられるとほとんど不可能である。しかし例えば『音註全文春秋括例始末左伝句読直解』の場合、版心魚尾中に朝鮮刻手名が刻されており、また『欧陽論範』の場合、藍本となった朝鮮本の破存部が文字のない白格のままに残されているために、これらの和刻本は朝鮮本に拠ったことが分かる。

5　江戸時代

徳川幕府は朝鮮との国交回復を図り、一六〇七年によ うやく実現に至った。その後日本側の交渉実務は対馬藩の宗氏に委ねられた。島内には初彫及び再彫『大蔵経』や新羅・高麗の仏像が伝わる等、宗氏と朝鮮との交流の久しさを物語り、古い書籍も多くあったに相違ない。しかし宗家内の内訌で焼失したといい、宗氏菩提寺万松院に十五世紀刊本の残巻がわずかに伝わる。現在長崎県立対馬歴史民族資料館に宗家旧蔵書が膨大な藩政文書等と共に保管されているが、それらのほとんどは国交回復後の刊本である。同館に『天和三年目録』、すなわち天和三年癸亥《きがい》（一六八三）現存目録があり、後の書き入れも若干あるが、二百六十一部三千百九十四冊が著録されている。現在は百五十五部を存するのみで、百六部が失われている。宗家には貸し出し書の目録があり、林家等に貸し出しがあり、その他どの段階で流失したか、明らかではない。江戸時代に柿渋引きの日本表紙に改装されており、その際にまとめられて冊数が減少しているので、現存本を冊数で対比しても意味がない。現在改装後の旧宗家本が各地に散在する。これらの書は宗氏が朝鮮から購入したかも知れないが、むしろ求請して賜ったものが多いようである。現存本中の刻手名からみて対馬に近い慶尚道の刊行書が多く、ほとんどが十七世紀刊本である。

6　明治時代以降

一八七六年に朝鮮が開国するや、日本人がさまざまな形で入国し、実業家・愛書家・研究者等がそれぞれに朝鮮本を購入した。現存する大きなコレクションは、狩野文庫（東北大学）・国会図書館・徳富蘇峰《とくとみそほう》蒐集本（成簣堂文庫）・阿川文庫（東京大学）・前間恭作蒐集本（東洋文庫）・静嘉堂文庫・吉田東伍《とうご》蒐集本（早稲田大学）・金澤庄三郎及び江田俊雄蒐集本（駒澤大学）・河合文庫（京都大学）・佐藤六石《ろくせき》蒐集本（大阪府立図書館）・今西文庫（天理図書館）などがあり、韓国にもない貴重書も多い。

11 日本における中国漢籍の利用

河野貴美子

1 国家経営の基盤としての漢籍の知

古来、日本の学術文化は漢籍の知を主たる基盤として形成されてきたものであることは改めていうまでもない。

八世紀に入り律令を制定し、中国をモデルとする国家の構築を目指した日本では、官僚を養成する大学・国学において、経書をはじめとする各種の漢籍を教科書とするカリキュラムが立てられ[*1]、国家経営を支える学知として漢籍の学習が行われるとともに、漢籍の摂取に力が注がれた。遣唐使に随って唐に渡った留学生吉備真備《きびのまきび》が『唐礼』、『太衍暦経《たいえんれきけい》』、『楽書要録《がくしょようろく》』等、中国の伝統思想や制度の根幹を担うともいえる礼楽や暦に関わる書物を将来[*2]し、孝謙《こうけん》天皇の師として『礼記《らいき》』や『漢書』を講じている[*3]ことは、奈良の朝廷が漢籍の知を基軸とする国家・社会の枠組みを形成しようとしていたことを象徴的に物語るものである。

またそもそも日本にとって、漢字漢文、そして漢籍を導入することは、国内の体制構築にその知を利用するばかりでなく、当時中国を中心とする東アジアに展開していた漢字漢文文化圏の一員としてその秩序の内に加わるという大きな意味があった。事実、唐との交渉はもちろんのこと、新羅《しらぎ》や渤海《ぼっかい》との外交においても、漢籍の知の共有を前提とする漢文文書による駆け引きが繰り広げられていたのであった[*4]。

かくして日本に積極的に輸入され、蓄積された漢籍の状況は、九世紀末に編集された漢籍目録『日本国見在書目録』（藤原佐世《ふじわらのすけよ》撰）に著録される多数の書目からも具体的に把握することができる[*5]。『日本国見在書目録』は、書目の分類自体を『隋書《ずいしょ》』経籍志の分類体系に則っており、その範囲は経・史・子・集の全領域にわたっている。しかしながら、例えば『枕草子』に「文は、文集。文選、新賦。史記、五帝本紀……」と記されているように、『文選』や『史記』と並んでとりわけ白居易《はくきょい》の『白氏文集《はくしもんじゅう》』が絶大な人気を得るなど、日本においては漢籍に対して中国と異なる独自の志向も生じた。そしてその結果、日本では、中国には伝わらない漢籍が現在に至るまでいわゆる佚存《いつぞん》書として残るというユニークな現象がみられることにもなったと考えられる。そこで次に、日本における漢字・漢文学習や言語文化の形成において、いかなる漢籍がいかに利用されたのか、さらに具体的にみていきたい。

2　日本における漢字・漢文学習と漢籍

漢籍の知を吸収するためには、まずもって漢字・漢文の学習が必要となる。そのための基本的な工具書として利用されたのは、辞書、注釈書、類書、そして幼学書の類であった。

古代日本では、漢文のリテラシーを習得するために、まずは漢字の音義が研究され、学ばれた。その際に使用された主要な辞書としては、梁・顧野王《こやおう》の『玉篇《ぎょくへん》』や各種『切韻《せついん》』、あるいは仏教においては玄応《げんのう》や慧琳《えりん》の『一切経《いっさいきょう》音義《おんぎ》』等があげられる。また、空海（七七四～八三五年）が『玉篇』を抄出して編纂した『篆隷万象名義《てんれいばんしょうめいぎ》』（高山寺蔵）や、菅原是善《すがわらのこれよし》（八一二～八八〇年）が各種『切韻』を集約して作成した『東宮切韻《とうぐうせついん》』（佚）等の存在は、漢字の音義を学ぶことが必須であった古代日本の知識人による工夫の産物といえる。

また、漢字の音義など、漢籍を読解するための情報は、各種典籍の注釈書を通しても学ばれた。「学令」が教科書として規定した経書の注釈書（例えば『周易』は鄭玄《じょうげん》注と王《おう》弼《ひつ》注）や『文選』李善《りぜん》注等は、漢文に携わる者の必須の知識を収載するものとして重視された。そうした中、孔安《こうあん》国《こく》伝『古文孝経』や皇侃《おうがん》『論語義疏』が特に好まれ、日本にのみ伝わる佚存書となったことは中国とは異なる独自の現象である。なお興味深いのは、日本においては中国の経書が盛んに学ばれ、平安期には訓読のための訓点が施されたいわゆる点本も多数現れてくるが、中世後期の抄物までは日本で経書の注釈書が別途作成されることはなかったことである。天野山金剛寺で見出された『全経大意』（永仁四年［一二九六］書写）[*6]なる書物は、周易、尚書、毛詩、周礼、儀礼、礼記、春秋左氏伝、春秋公羊伝、春秋穀梁伝《こくりょうでん》、論語、孝経、老子、荘子の十三経を「全経」と称して、その内容を示し、注疏《ちゅうそ》を列挙するものであるが、そこに掲げられている注釈書も日本で作成されたものではない。平安・鎌倉期においては経書の学習はあくまで中国の各種注疏を参照して行われたようである。

さらには、膨大な数量の漢籍の情報を合理的に摂取し活用するための参考書として、『芸文類聚《げいもんるいじゅう》』をはじめとする類書が活用されたことも、夙に注目されてきたことがらである。[*7] また、さまざまな故事など中国の古典知識を効率的に学ぶ手段として『千字文』や『蒙求《もうぎゅう》』等の幼学書が果たした役割も見逃せない。[*8]

さて、以上に述べた辞書、注釈書、類書、幼学書の類は、漢字漢文文化圏におけるリテラシー形成のために共通して利用されたと考えられるものであるが、奈良・平安期当時に日本で利用された漢籍の中には、『古文孝経』等の他にも、他の地域には残らない珍しい書物が含まれている。例えば、九世紀初めに成立した『日本霊異記』上巻序文には唐・唐臨『冥報記《めいほうき》』と孟献忠『金剛般若経集験記』の名が見え、実際そのテキストは今もなお日本に残る。しかしながら両書とも日本以外には伝存しないのみならず、『金剛般若経集験記』に至ってはその書物が存在したことを記し留める記録すらないものである。[*9] 日本には他にも『孝子伝』の写本が複数残る[*10]など、伝や記、説話の類がよく読まれ、利用されたことがうかがえる。中国伝来の文化や歴史を具体的に理解するために、故事や例証話を収載するこうした伝記資料は、日本においてより好んで用いられたことが推察されるのである。

3 日本の言語文化の形成と漢籍——和と漢の往還

漢字漢文の知は、訓読を経て日本語化され、日本の言語文化を豊かに形成する糧となった。例えば源為憲《みなもとのためのり》が撰述した『世俗諺文《せぞくげんぶん》』（寛弘四年［一〇〇七］序）[*11]は、漢籍や仏典を典拠としつつもすでに日本語の中に「諺」として融け込んでいる語句を取り上げ、その出典の原文とともに列挙するものである。これは当時、漢籍由来の成語が多数日本語環境に取り込まれていたこと、しかし同時に、もとの漢籍の「本文」（原文）についての知識もが求められる学問世界の状況があったことを反映している。『平家物語』冒頭で、本朝の物語を述べるにもかかわらず「遠く異朝をとぶらへば……」と記されるように、和文による著述がなされるようになってもなお、日本の言語文化においては漢籍と引き合わせて述べること、漢籍とのつながりを示すことが常に追究され、必要とされたのであった。

例えば、『源氏物語』をはじめとする和文作品の注釈書や和歌を論じる歌学書においても、しばしば漢字や漢語、漢文、漢籍あるいは漢詩との関係が言及される。いま一例のみをあげるならば、『源氏物語』「蓬生《よもぎう》」巻の「つやゝかにかひはいて」という一節に対して、一条兼良《いちじょうかねよし》（一四〇二～一四八一年）の注釈書『花鳥余情《かちょうよせい》』は「貧家浄掃地といふ心なり。東坡詩にあり」との解を加える。「貧家浄掃地」とは蘇東坡《そとうば》（一〇三六～一一〇一年）詩の詩題である。『源氏物語』の語句表現の由来を解説するのであれば、『源氏物語』よりも時代の下る蘇東坡の詩をここに引くことは意味をなさない。しかし兼良がここで蘇東坡詩を引くのは、和文で綴られた日本の言語文化が、いかに漢籍の世界とも通じ合う価値を有するものであるのか、その表現の意義を時空を超えてひらき、確認していこうとする姿勢を示すものとみることができる。[*12] そして一条兼良は、その著『尺素往来《せきそおうらい》』において、新来の漢籍を含む多数の書目を列挙している。また室町期の抄物や江戸期の著作は、さらに新たな漢籍の情報をも取り入れながら、知を重ねていく。

日本の学術文化は、漢籍の知を吸収し、また常に漢籍とのつながりを意識しながら、仮名と漢字、和文と漢文の間を往還しつつ思考を蓄積し、著述を形成してきた。漢字漢文文化の一派生形をなしたこの日本の例をもとに、今後は東アジア、そして世界の言語文化とも比較しながら、言語文化形成の様相について考察していくことも必要であろう。

注

1 『養老令』学令。久木幸男『日本古代学校の研究』（玉川大学出版部、一九九〇年）参照。

2 『続日本紀』巻十二・天平七年（七三五）四月辛亥条。太田晶二郎「吉備真備の漢籍将来」『太田晶二郎著作集』第一冊（吉川弘文館、一九九一年）参照。

3 『続日本紀』巻三十三・宝亀六年（七七五）十月壬戌条。

4 河野貴美子「渤海との交流と漢詩文」（堀池信夫総編集、増尾伸一郎・松﨑哲之編『知のユーラシア5 交響する東方の知 漢文文化圏の輪郭』明治書院、二〇一四年）参照。

5 小長谷恵吉『日本国見在書目録解説稿』（小宮山出版、一九七六年再版）参照。

6 後藤昭雄「『全経大意』」（『本朝漢詩文資料論』勉誠出版、

二〇一二年）参照。

7　小島憲之『上代日本文学と中国文学』上（塙書房、一九六二年）、同『国風暗黒時代の文学』中（上）（塙書房、一九七三年）等参照。

8　前掲『太田晶二郎著作集』第一冊所収「「四部ノ読書」考」参照。

9　河野貴美子「日本霊異記の典拠」（瀬間正之編『古代文学と隣接諸学10「記紀」の可能性』竹林舎、二〇一八年）参照。

10　幼学の会編『孝子伝注解』汲古書院、二〇〇三年。

11　天理大学附属天理図書館編『新天理図書館善本叢書12世俗諺文 作文大体』天理大学出版部、二〇一七年。濱田寛『世俗諺文全注釈』新典社、二〇一五年。また河野貴美子「源為憲撰『世俗諺文』にみる漢語と漢籍の受容」（小峯和明編『東アジアの今昔物語集―翻訳・変成・予言』勉誠出版、二〇一二年）参照。

12　河野貴美子「『花鳥余情』が説く『源氏物語』のことばと心―「漢」との関わりにおいて―」（『国文学研究』175、二〇一五年三月）参照。

執筆者一覧

掲載順①現職②専門③主要著書・論文

編著者◉金 文京　→奥付

大西克也（おおにしかつや）
①東京大学教授
②中国語学・漢字学
③『アジアと漢字文化』（共編、放送大学教育振興会、二〇〇九年）、『馬王堆出土文献訳注叢書　戦国縦横家書』（共著、東方書店、二〇一五年）、「論上古漢語代詞〝之〟和〝其〟的替代功能」（『歴史語言学研究』13、商務印書館、二〇一九年）

古屋昭弘（ふるやあきひろ）
①早稲田大学名誉教授
②中国語史
③『張自烈『正字通』字音研究』（好文出版、二〇〇九年）、「上古音研究と戦国楚簡の形声文字」（『中国語学』257、二〇一〇年）

李 成市（りそんし）
①早稲田大学文学学術院教授
②古代東アジア史
③『木簡から古代がみえる』（木簡学会編、岩波書店、二〇一〇年）、「平壌楽浪地区出土『論語』竹簡の歴史的性格」（『国立歴史民俗博物館研究報告』194、二〇一五年）、『闘争の場としての古代史』（岩波書店、二〇一八年）

鄭 光（ちょんぐあん）
①高麗大学校名誉教授（韓国）
②韓国語、文字史、朝鮮時代訳学書
③『蒙古字韻研究』（オオクラ情報サービス二〇一五年）、『李朝時代の外国語研究』（臨川書店　二〇一六年）

笹原宏之（ささはらひろゆき）
①早稲田大学教授
②日本語学・漢字学
③『日本の漢字』（岩波新書、二〇〇六年）、『国字の位相と展開』（三省堂、二〇〇七年）、『謎の漢字』（中公新書、二〇一七年）

荒川慎太郎（あらかわしんたろう）
①東京外国語大学アジア・アフリカ言語文化研究所准教授
②西夏語・西夏語文献
③『西夏文金剛経の研究』（松香堂、二〇一四年）、『敦煌石窟多言語資料集成』（共編、東京外国語大学アジア・アフリカ言語文化研究所、二〇一七年）、『プリンストン大学図書館所蔵西夏文妙法蓮華経―写真版及びテキストの研究』（創価学会・東洋哲学研究所、二〇一八年）

入口敦志（いりぐちあつし）
①国文学研究資料館教授
②江戸時代の学芸、出版文化
③『武家権力と文学　柳営連歌、『帝鑑図説』』（ぺりかん社、二〇一三年）、『漢字・カタカナ・ひらがな　表記の思想』（平凡社、二〇一六年）

遠藤織枝（えんどうおりえ）
①元文教大学教授
②日本語学、日本語教育学
③『中国の女文字―伝承する中国女性たち』（三一書房、一九九六年）、『中国女文字研究』（明治書院、二〇〇二年）、『消えゆく文字―中国女文字の世界』（三元社、二〇〇九年）

明木茂夫（あけぎしげお）
①中京大学教授
②中国古典楽理・中国文学・中国語学
③『中国地名カタカナ表記の研究―教科書・地図帳・そして国語審議会』（東方書店、二〇一四年）、劉東昇・袁荃猷編著『中国音楽史図鑑』（翻訳、科学出版社東京／国書刊行会、二〇一七年）、「豊田市中央図書館蔵安倍季良撰『律呂（山鳥秘要抄）』翻刻校注（一）～（三）」（中京大学『国際教養学部論叢』二〇一九年／二〇二〇年）

宇都宮啓吾（うつのみやけいご）
①大阪大谷大学教授
②日本語学（訓点語学）、文献学
③『坂東本『顕浄土真実教行証文類』角点の研究』（監修・執筆、東本願寺出版、二〇一五年）、「『秋萩帖』の書写者と編者について—円堂点成立の背景に及ぶ」（今野慎二編『秋萩帖の総合的研究』勉誠出版、二〇一八年）、「京都国立博物館松本文三郎文庫所蔵の悉曇資料について」（『学叢』42、二〇二〇年）

張 景俊（ちゃんぎょんじゅん）
①高麗大学校教授（韓国）
②韓国語史、釈読口訣
③『『瑜伽師地論』点吐釈読口訣の解読方法研究』（二〇〇七年）、『釈読口訣辞典』（共著、二〇〇九年）、『『瑜伽師地論』巻20の釈読口訣譯註』（共著、二〇一五年）

吉田 豊（よしだゆたか）
①京都大学名誉教授、帝京大学文化財研究所客員教授
②イラン語文献学（ソグド語学）、歴史言語学、中央アジア学
③『ソグド人の美術と言語』（共編、京都、二〇一一年）、『中国江南マニ教絵画研究』（共編、二〇一五年）、*Three Manichaean Sogdian letters unearthed in Bäzäklik, Turfan*, Kyoto 2019.

Nguyen Thi Oanh（ぐえん・てぃ・おわいん）
①タンロン大学、タンロン認識・教育研究所副所長（ベトナム）
②ベトナム前近代における漢籍、漢文資料によるベトナムの漢文文学。漢文説話に関する研究。ベトナム・中国・日本の説話に関する比較研究、日・越の漢文訓読研究。
③ Di sản Hán Nôm trong đời sống văn hóa xã hội Việt Nam (Trịnh Khắc Mạnh- Nguyễn Thị Oanh- Vương Thị Hường), Nxb.KHXH, 2016.、「漢字・字喃研究所所蔵文献をめぐって」（『【シリーズ】日本文学の展望を拓く5 資料学の現在』笠間書院、二〇一七年）、「ベトナムの漢字」（『日本語学』明治書院、二〇一八年）

佐藤晴彦（さとうはるひこ）
①神戸市外国語大学名誉教授
②中国語学・中国語史
③『元版「孝經直解」』（共編、汲古書院、一九九六年）、『老乞大—朝鮮中世の中国語会話読本』（共訳注、平凡社・東洋文庫699、二〇〇二年）、『元刊雜劇の研究—三奪槊・氣英布・西蜀夢・單刀會』（共訳注、汲古書院、二〇〇七年）

杉山 豊（すぎやまゆたか）
①京都産業大学准教授
②朝鮮語史
③「『分類杜工部詩諺解』初刊本の音調的特徴」（『朝鮮学報』210、朝鮮学会、二〇〇九年）、「歌曲唱 旋律에 反映된 辭說의 聲調（Ⅰ）—男唱歌曲羽調 및 界面調 二數大葉을 中心으로」（『국어국문학』171、국어국문학회、二〇一五年）、「『杜詩諺解』注釋文의 文體에 對하여—〝懸吐體〟와〝諺語〟」（『한국문화』81、서울대학교 규장각한국학연구원、二〇一八年）

嶋尾 稔（しまおみのる）
①慶應義塾大学言語文化研究所教授
②ベトナム史
③ "Confucian Family Ritual and Popular Culture in Vietnam." *Memoirs of the research department of the Toyo Bunko*. No.69 (2011)、「ギメ文書中のクメール・クロム関連史料の紹介」（共著、武内房司編『阮朝アーカイブズの世界—ギメ美術館所蔵阮朝地方行政文書を中心に』学習院大学東洋文化研究所、二〇一九年）、「ベトナム阮朝の漢文訓条と民間におけるその受容」（『日本儒教学会報』4、二〇二〇年）

西村浩子（にしむらひろこ）
①松山東雲女子大学教授
②日本語学
③ Kakuhitsu stylus Studies: New Research for the 21st Century（『松山東雲女子大学人文

学部紀要』11、二〇〇三年）、「正岡子規と角筆文献―法政大学図書館正岡子規文庫の角筆文献を中心として」（『小林芳規博士喜寿記念　国語学論集』汲古書院、二〇〇六年）、「角筆文献の可能性」（『歴史評論』768、二〇一四年）

陳 力衛（ちんりきえい）
①成城大学教授
②日本語史、日中言語交渉史
③『和製漢語の形成とその展開』（汲古書院、二〇〇一年）、『日本の諺・中国の諺』（明治書院、二〇〇八年）、『近代知の翻訳と伝播』（三省堂、二〇一九年）

石井公成（いしいこうせい）
①駒澤大学教授
②仏教と周辺文化
③『華厳思想の研究』（春秋社、一九九六年）、『聖徳太子―実像と伝説の間』（春秋社、二〇一六年）、『東アジア仏教史』（岩波新書、二〇一九年）

水越 知（みずこしとも）
①関西学院大学教授
②中国近世社会史
③「中国近世における親子間訴訟」（夫馬進編著『中国訴訟社会史の研究』京都大学学術出版会、二〇一一年）、「清代後期の夫婦間訴訟と離婚―『巴県档案（同治朝）』を中心に」（『東洋史研究』74－3、二〇一五年）、「清代後期の婦女「誘拐」について―『巴県档案（同治朝）』を中心に」（『関西学院史学』47、二〇二〇年）

永田知之（ながたともゆき）
①京都大学准教授
②中国古典文学
③『唐代の文学理論―「復古」と「創新」』（京都大学学術出版会、二〇一五年）、『理論と批評―古典中国の文学思潮』（臨川書店、二〇一九年）

大木 康（おおきやすし）
①東京大学教授
②中国文学
③『蘇州花街散歩　山塘街の物語』（汲古書院、二〇一七年）、『馮夢龍と明末俗文学』（汲古書院、二〇一八年）、『明清江南社会文化史研究』（汲古書院、二〇二〇年）

瀬間正之（せままさゆき）
①上智大学教授
②上代語・上代文学
③『記紀の文字表現と漢訳仏典』（おうふう、一九九四年）、『風土記の文字世界』（笠間書院、二〇一一年）、『記紀の表記と文字表現』（おうふう、二〇一五年）

沈 慶昊（しむぎょんほ）
①高麗大学校教授（韓国）
②韓国漢文学、朝鮮時代学術
③『朝鮮時代漢文学과詩経論』（一志社：ソウル、一九九九年）、『韓国漢文基礎学史』（太学社：ソウル、二〇一二年）

朴 成鎬（ぱくそんほ）
①韓国学中央研究院韓国学大学院助教授
②韓国古文書学
③『高麗末朝鮮初王命文書研究』（韓国学術情報、二〇一七年）、『二十功臣会盟軸―功臣과의 옛盟約을 지키다』（韓国学中央研究院出版部、二〇一七年）

高津 孝（たかつたかし）
①鹿児島大学教授
②中国文学・中国書誌学
③『博物学と書物の東アジア―薩摩、琉球と海域交流』（榕樹書林、二〇一〇年）、『琉球王国漢文文献集成』（共編、復旦大学出版社、二〇一三年）、『江戸の博物学　島津重豪と南西諸島の本草学』（平凡社、二〇一七年）

伊藤英人（いとうひでと）
①専修大学特任教授
②朝鮮半島の言語史、中韓言語接触史
③「中韓言語接触の観点から見た韓国漢字文」（韓文、『語文研究』46－4、二〇一八

年)、「『高句麗地名』中の倭語と濊語」(『専修人文論集』105、二〇一九年)、「古代朝鮮半島諸言語に関する河野六郎説の整理と濊倭同系の可能性」(長田俊樹編『日本語「起源」論の歴史と展望』三省堂、二〇二〇年)

野崎充彦（のざきみつひこ）
①大阪市立大学大学院文学研究科教授
②朝鮮古典文学・伝統文化論
③「朝鮮時代の疾病と医療観―天人相関の視点から」(『韓国朝鮮の文化と文化』17、二〇一八年)、「洪吉童琉球渡海説の再検討」(『八重山博物館紀要』23、二〇一九年)、『慵斎叢話―15世紀朝鮮奇譚の世界』(集英社、二〇二〇年)

佐藤道生（さとうみちお）
①慶應義塾大学名誉教授
②古代・中世日本漢学
③『平安後期日本漢文学の研究』(笠間書院、二〇〇三年)、『三河鳳来寺旧蔵暦応二年書写 和漢朗詠集 影印と研究』(勉誠出版、二〇一四年)、『句題詩論考―王朝漢詩とは何ぞや』(勉誠出版、二〇一六年)

大谷雅夫（おおたにまさお）
①京都大学名誉教授
②国文学、和漢比較文学
③『歌と詩のあいだ―和漢比較文学論攷』(岩波書店、二〇〇八年)、『万葉集』一～五(共著、岩波書店、二〇一三～一五年)、『和漢聯句の楽しみ―芭蕉・素堂両吟歌仙まで』(臨川書店、二〇一九年)

合山林太郎（ごうやまりんたろう）
①慶應義塾大学准教授
②近世・近代日本漢文学
③『幕末・明治期における日本漢詩文の研究』(和泉書院、二〇一四年)、「加藤王香編『文政十七家絶句』の成立過程とその後世への影響」(『藝文研究』117、二〇一九年十二月)、「西郷隆盛の漢詩と明治初期の詞華集」(『アジア遊学・文化装置としての日本漢文学』229・二〇一九年一月)

川口健一（かわぐちけんいち）
①東京外国語大学名誉教授
②ベトナム文学
③「東アジア比較文学からの『翹伝』」(『文学遺産 大文豪グエン・ズー 回顧二五〇年』社会科学出版社、ハノイ、二〇一五年)、「自力文団とベトナム近代文学」(『フォンホア・ガイナイ紙および自力文団に関する展覧とシンポジウム紀要』グオイ・ヴェエト出版、カリフォルニア、二〇一四年)、『東南アジア文学への招待』(共編、段々社、二〇〇一年)

栗林均（くりばやしひとし）
①東北大学名誉教授
②モンゴル文献学、モンゴル語学
③『「華夷訳語」(甲種本)モンゴル語全単語・語尾索引』(東北大学東北アジア研究センター、二〇〇三年)、「『華夷訳語』(甲種本)における同音漢字の書き分けについて」(大東文化大学『語学教育フォーラム』13、二〇〇七年)、『「元朝秘史」モンゴル語漢字音訳・傍訳漢語対照語彙』(東北大学東北アジア研究センター、二〇〇九年)

内田慶市（うちだけいいち）
①関西大学外国語学部、大学院アジア文化研究科教授
②中国語学、文化交渉学
③『漢訳イソップ集』(ユニウス、二〇一四年)、『拝客訓示の研究』(関西大学出版部、二〇一九年)、『南京官話資料集―《拉丁語南京語詞典》他二種』(関西大学出版部、二〇二〇年)

竹越孝（たけこしたかし）
①神戸市外国語大学教授
②中国語学
③『朝鮮時代漢語教科書叢刊続編』(共編、中華書局、二〇一一年)、『満漢字清文啓蒙―校本と索引』(好文出版、二〇一六年)、『早期北京話珍稀文献集成・清代満漢合璧文献萃編』(共編、北京大学出版社、二〇一八年)

木津祐子（きづゆうこ）
①京都大学大学院教授
②中国語学史
③『京都大学文学研究科蔵 琉球写本『人中畫』四巻付『白姓』』（臨川書店、二〇一三年）、「「崎陽の学」と荻生徂徠―異言語理解の方法を巡って」（『日本中国学会報』68、二〇一六年十月）、「唐通事の語る長崎唐三寺：クレオール文学の担い手としての唐通事」（『十七世紀の東アジア文化交流―黄檗宗を中心に』臺大出版中心、二〇一八年六月）

住吉朋彦（すみよしともひこ）
①慶應義塾大学教授
②東洋書誌学
③『中世日本漢学の基礎研究　韻類編』（汲古書院、二〇一二年）、『図書寮漢籍叢考』（共編、汲古書院、二〇一八年）

陳 正宏（ちんせいこう）
①中国復旦大学古籍整理研究所教授
②中国古典文献学、東アジア漢籍版本学
③『東亜漢籍版本学初探』（上海：中西書局、二〇一四年）、「二〇一四年中文古籍整理与版本目録学国際学術研討会論文集」（『越南漢喃古籍里的広東外銷書』、南寧：広西師範大学出版社、二〇一五年）

張 伯偉（ちょうはくい）
①南京大学文学院教授、域外漢籍研究所所長（中国）
②中国詩学、東アジア漢文学
③『作為方法的漢文化圏』（北京：中華書局、二〇一一年）、『東亜漢文学研究的方法与実践』（北京：中華書局、二〇一七年）

髙橋 智（たかはしさとし）
①慶應義塾大学教授
②中国書誌学
③『書誌学のすすめ』（東方書店、二〇一〇年）、『海を渡ってきた漢籍―江戸の書誌学入門』（日外アソシエーツ、二〇一六年）

藤本幸夫（ふじもとゆきお）
①富山大学名誉教授・麗澤大学客員教授
②朝鮮語学・朝鮮文献学
③『日本現存朝鮮本研究　集部』（京都大学学術出版会、二〇〇六年）、『日韓漢文訓読研究』（編著、勉誠出版、二〇一四年）、『日本現存朝鮮本研究　史部』（韓国東国大学校出版部、二〇一八年）

河野貴美子（こうのきみこ）
①早稲田大学教授
②和漢古文献研究、和漢比較文学
③『日本霊異記と中国の伝承』（勉誠社、一九九六年）、『日本「文」学史』一～三（共編著、勉誠出版、二〇一五～二〇一九年）

［翻訳］

鵜浦 恵（うのうらめぐみ）
①慶應義塾大学非常勤講師
②『三国志演義』を中心とした明代白話小説
③「江戸時代における『三国志演義』受容の一様相―『三国志画伝』と『通俗三国志』の比較を中心に」（『藝文研究』114、二〇一八年）、「毛宗崗本『三国志演義』の特徴―曹操臣下の文官における人物描写の比較の試み」（『慶應義塾中国文学会報』3、二〇一九年）

［所属は二〇二一年三月時点］

な

は

ま

や

ら

わ

地名

あ

か

さ

た

ら

わ

ま

や

■な

■は

た

▍さ

書名

あ

か

わ

▌や

▌ら

は

ま

た

な

▍さ

か

索引凡例

本索引は、各巻ごとの本文中の固有名詞を人名（観音・閻魔など神仏・異類名も含む）、書名(資料名も含む)、地名（寺社名、施設名、地獄・極楽など仏教世界も含む）の三種に区分けし、それぞれ日本語式読みの五十音順に配列した。原則として、習熟した読みの例（北京＝ペキン）を除き、各論の本文のルビとは別途に漢字音の読みに統一した。対象語彙は、前近代（19 世紀以前）に限定したが、個別の論によっては近代も含めた場合もある。

人名

A

あ

編著者

金 文京（きん・ぶんきょう）

京都大学名誉教授。専門分野は中国文学（戯曲、小説）。著書に『三国志演義の世界 増補版』（東方書店、2010年）、『漢文と東アジア―訓読の文化圏』（岩波新書、2010年）、『李白―漂泊の詩人その夢と現実』（岩波書店、2012年）など。

執筆者（掲載順）

大西克也／古屋昭弘／李 成市／鄭 光／笹原宏之／荒川慎太郎／入口敦志／遠藤織枝
明木茂夫／宇都宮啓吾／張 景俊／吉田 豊／Nguyen Thi Oanh／佐藤晴彦／杉山 豊
嶋尾 稔／西村浩子／陳 力衛／石井公成／水越 知／永田知之／大木 康／瀬間正之
沈 慶昊／朴 成鎬／高津 孝／伊藤英人／野崎充彦／佐藤道生／大谷雅夫／合山林太郎
川口健一／栗林 均／内田慶市／竹越 孝／木津祐子／住吉朋彦／陳 正宏／張 伯偉
髙橋 智／藤本幸夫／河野貴美子

東アジア文化講座　第2巻

漢字を使った文化はどう広がっていたのか
東アジアの漢字漢文文化圏

2021（令和3）年3月12日　第1版第1刷発行
2024（令和6）年3月25日　第1版第2刷発行

ISBN978-4-909658-45-6　C0320

発行所　株式会社 **文学通信**

〒113-0022 東京都文京区千駄木2-31-3 サンウッド文京千駄木フラッツ1階101
電話 03-5939-9027　Fax 03-5939-9094
メール info@bungaku-report.com ウェブ http://bungaku-report.com

発行人　岡田圭介

印刷・製本　モリモト印刷

ご意見・ご感想はこちらからも送れます。上記のQRコードを読み取ってください。

※乱丁・落丁本はお取り替えいたしますので、ご一報ください。書影は自由にお使いください。

今こそアジアを考える

中国からひろまった漢字漢文にもとづく思想や文化は、日本だけでなく、各地域でどのように展開し、継承と反発をくり返し、独自のものに再創造されたのか。

中国、朝鮮半島、日本、琉球、ベトナムなど、これらの共有圏にあった十九世紀以前の前近代の東アジアを俯瞰し、論じていく。

東アジアと日本、世界を接続して考え、問い直していくシリーズ、東アジア文化講座。

これからのアジアを生き抜くヒントがここにある。

東アジア文化講座

文化と文学の交流を学ぶシリーズ

全4巻 一挙刊行!

定価：各巻 2,800円（税別）

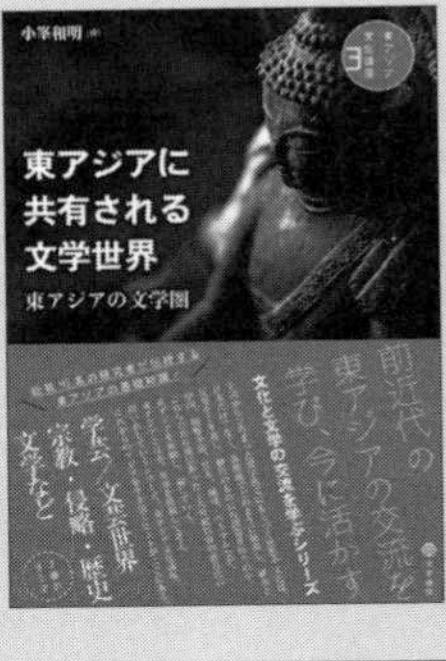

1●染谷智幸編
はじめに交流ありき
東アジアの文学と異文化交流
ISBN978-4-909658-44-9 C0320・448頁

2●金 文京編
漢字を使った文化はどう広がっていたのか
東アジアの漢字漢文文化圏
ISBN978-4-909658-45-6 C0320・452頁

3●小峯和明編
東アジアに共有される文学世界
東アジアの文学圏
ISBN978-4-909658-46-3 C0320・460頁

4●ハルオ・シラネ編
東アジアの自然観
東アジアの環境と風俗
ISBN978-4-909658-47-0 C0320・432頁

文学通信の本

☞全国の書店でご注文いただけます